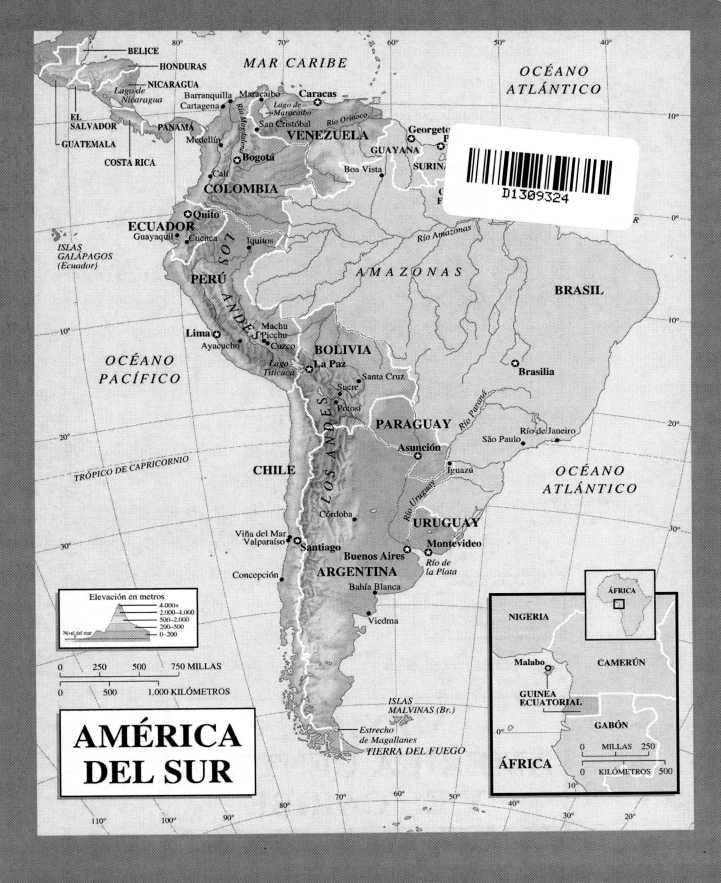

AMÉRICA DEL SUR

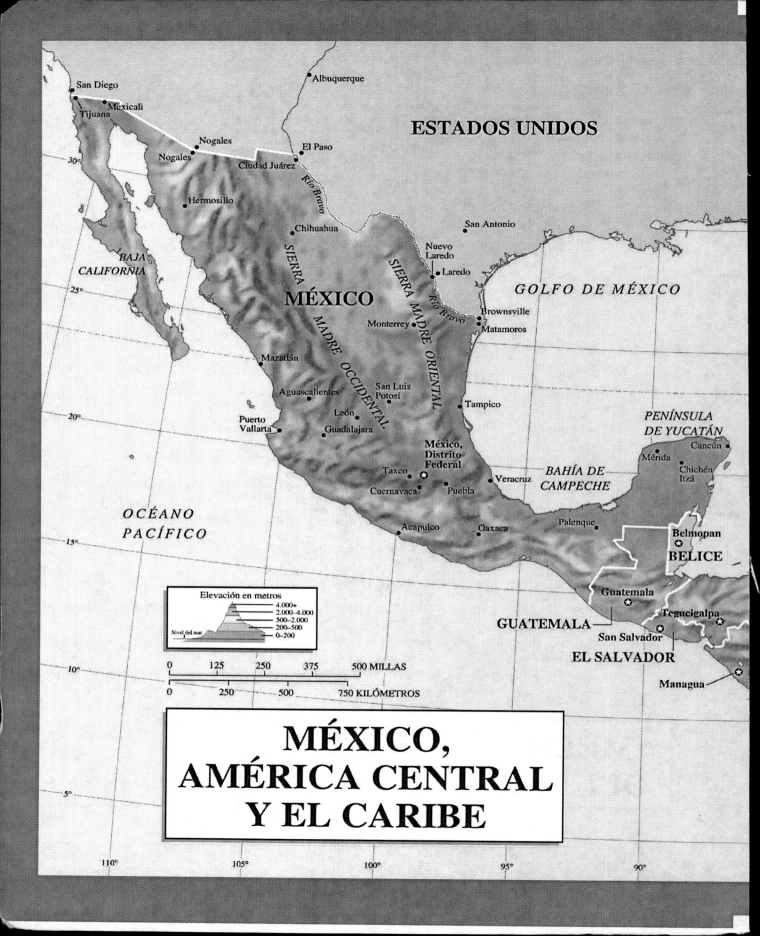

MÉXICO, AMÉRICA CENTRAL Y EL CARIBE

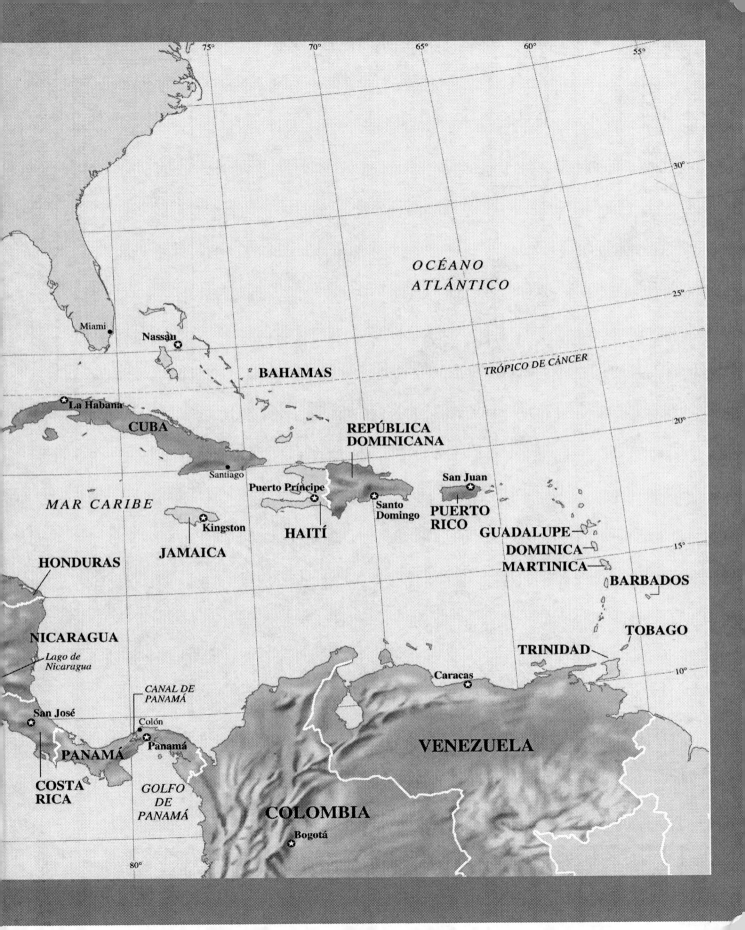

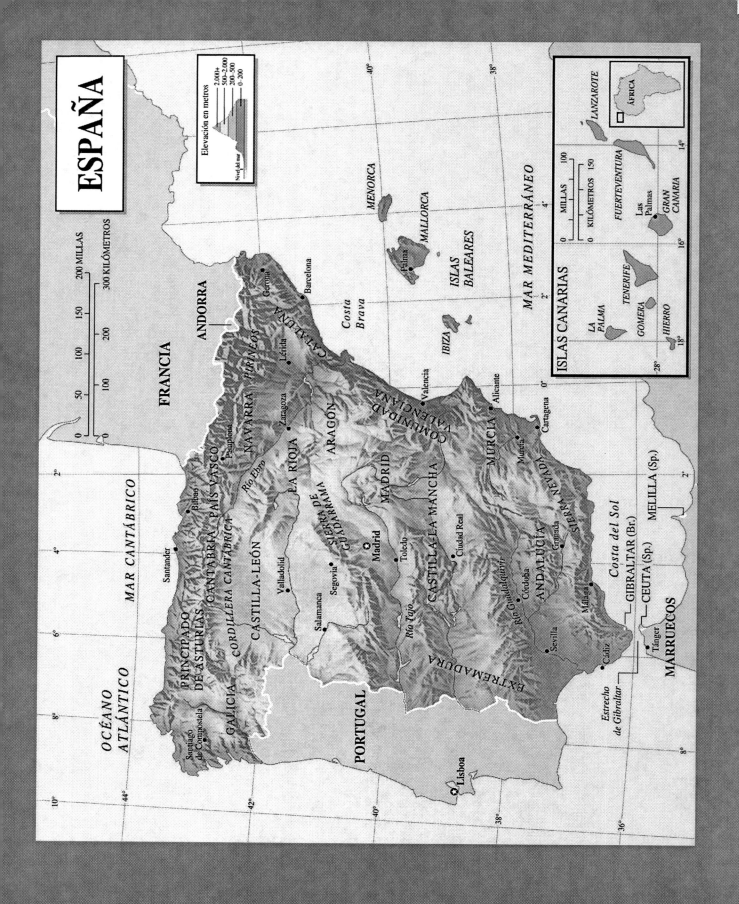

Intermediate Spanish

Special Edition for Washtenaw Community College

Lynn A. Sandstedt | Ralph Kite

CENGAGE
Learning·

Australia · Brazil · Japan · Korea · Mexico · Singapore · Spain · United Kingdom · United States

CENGAGE
Learning·

Intermediate Spanish: Special Edition for
Washtenaw Community College

Conversación y repaso, 11th Edition
Lynn A. Sandstedt | Ralph Kite
© 2011, 2008, 2004 Cengage Learning. All rights reserved.

Civilizacion y cultura, 11th Edition
Lynn A. Sandstedt | Ralph Kite
© 2014, 2011, 2008, 2004 Cengage Learning. All rights reserved.

Senior Project Development Manager:
Linda deStefano

Market Development Manager:
Heather Kramer

Senior Production/Manufacturing Manager:
Donna M. Brown

Production Editorial Manager:
Kim Fry

Sr. Rights Acquisition Account Manager:
Todd Osborne

For product information and technology assistance, contact us at
Cengage Learning Customer & Sales Support, 1-800-354-9706

For permission to use material from this text or product,
submit all requests online at **cengage.com/permissions**
Further permissions questions can be emailed to
permissionrequest@cengage.com

This book contains select works from existing Cengage Learning resources and
was produced by Cengage Learning Custom Solutions for collegiate use. As such,
those adopting and/or contributing to this work are responsible for editorial
content accuracy, continuity and completeness.

Compilation © 2013 Cengage Learning
ISBN-13: 978-1-285-89875-9

ISBN-10: 1-285-89875-3

Cengage Learning
5191 Natorp Boulevard
Mason, Ohio 45040
USA

Cengage Learning is a leading provider of customized learning solutions with
office locations around the globe, including Singapore, the United Kingdom,
Australia, Mexico, Brazil, and Japan. Locate your local office at:
international.cengage.com/region.
Cengage Learning products are represented in Canada by Nelson Education, Ltd.
For your lifelong learning solutions, visit **www.cengage.com/custom.**
Visit our corporate website at **www.cengage.com.**

Printed in the United States of America

Brief Contents

Índice

Orígenes de la cultura hispánica: Europa

S.Borisov/Shutterstock.com

La Alhambra fue el último castillo de los árabes en España. ¿Qué propósito tienen las torres en este edificio?

Lecturas culturales

I. La cultura romana
II. La cultura visigoda
III. La cultura árabe
IV. Otras influencias en la cultura española

Expansión

¡A explorar!

En pantalla
«El baile flamenco»

🌐 www.cengagebrain.com

Enfoque

Muchas culturas actuales son el producto de una mezcla de otras culturas que existían antes. Esta mezcla puede ser el resultado de actos de guerra o de inmigración. La Península Ibérica, situada entre el mar Mediterráneo y el océano Atlántico, ha recibido varias influencias de otras civilizaciones y muchas de ellas se han transmitido al Nuevo Mundo. En las lecturas que siguen se van a describir algunas de las contribuciones de estos pueblos a la cultura hispánica.

Vocabulario útil

Verbos

adoptar *to adopt*
contribuir (contribuye) *to contribute*
convertir (ie) *to convert*
desarrollar *to develop*
destacarse *to stand out, to be distinguished*
influir (influye) *to influence*
llegar a ser *to come to be*

Sustantivos

la costumbre *custom*
el gobierno *government*
el habitante *inhabitant*
la lucha *struggle, battle*

la Península Ibérica *Iberian Peninsula (the entire land mass between the Pyrenees mountains and the Strait of Gibraltar containing the modern countries of Spain and Portugal)*
el pueblo *people, village*
la tribu *tribe*

Otras palabras y expresiones

bilingüe *bilingual, able to speak two languages*
entre *between, among*
occidental *western*
posterior *later*

 1-1 Para practicar. Trabajen en parejas, o como lo indique su profesor(a), para hacer y contestar estas preguntas, usando el vocabulario de la lista[1].

1. ¿De dónde eres? ¿Cuántos habitantes tiene tu pueblo natal?
2. ¿Contribuyes a alguna causa aportando tu tiempo, o dando dinero u objetos usados? ¿Qué causa es?
3. ¿De qué manera influye(n) en tu vida: el cine, un libro, el gobierno, tus padres, tus amigos?
4. ¿Adoptas las costumbres de tus amigos? ¿Qué costumbres? ¿Hay alguna costumbre que quieres seguir, como por ejemplo, empezar a estudiar antes del fin del semestre?
5. ¿En qué materia académica te destacas? ¿Qué quisieras llegar a ser algún día? ¿Quisieras llegar a ser bilingüe?

1-2 Anticipación. Responda a estas preguntas.

1. ¿Cuáles son algunos aspectos que incluye el concepto de cultura?
2. Véase *(Look at)* los mapas al principio de este libro. ¿Dónde está la Península Ibérica?
3. ¿Qué otro país la comparte *(shares)* con España? ¿Cuál es más grande?
4. ¿Cuáles son los países vecinos de España?

[1] These questions use the **tú** form since that is what students normally use with each other.

I. La cultura romana

Los primeros habitantes de la Península Ibérica, en tiempos históricos, fueron las tribus celtíberas°, de origen no muy bien conocido. En el siglo III a.C.[1] llegaron los romanos y convirtieron la península en una colonia romana. Establecieron la lengua latina, su sistema de gobierno y su organización social y económica. Más tarde introdujeron la religión católica. Se ha dicho° que la península llegó a ser la colonia más romanizada de todas.

Los habitantes de la península adoptaron la lengua llamada históricamente «el romance» o «el latín vulgar», o sea° la lengua oral del pueblo, y no el latín clásico escrito. El idioma° usado hoy por los casi 500 millones de personas del mundo hispánico proviene° de esa lengua oral. Las lenguas «neolatinas»[2] como el portugués, el francés, el italiano, el rumano y el español se parecen mucho porque todas tienen como base el latín.

La cultura romana también influyó en las costumbres y los hábitos diarios° del pueblo español. La conocida costumbre de la siesta toma su nombre de la palabra latina *sexta*, o sea la sexta hora del día. Esto refleja el dicho° romano: «Las seis primeras horas del día son para trabajar; las otras son para vivir». Claro que esto se debe a° las necesidades físicas de la gente en un clima cálido°. En estas regiones es preferible trabajar durante las horas más frescas. Hasta hoy, en muchas partes del mundo hispánico es costumbre dormir la siesta después del almuerzo. En algunas ciudades más tradicionales todas las tiendas y oficinas se cierran hasta las cuatro de la tarde. Vuelven a abrirse desde las cuatro hasta las siete u ocho de la noche.

Otra tradición famosísima en el mundo hispánico es la corrida de toros[3], que combina elementos de deporte, arte y diversión en un espectáculo lleno de emoción.

Celt-Iberian

It has been said

that is
language
comes from

daily

saying
is due to
hot

Este puente fue construido por los romanos en el pueblo español de Salamanca. Los caminos y puentes han durado casi 2000 años. ¿Conoces alguna construcción de esa época?

[1] **a.C. (antes de Cristo)** Before Christ, that is, B.C.; [2] **las lenguas neolatinas** The Romance languages. French, Provençal (southern France), Italian, Spanish, Portuguese, Romanian, Galician (northwest Spain), Catalan (northeast Spain), Sardinian, and Romansh (eastern Switzerland) are some of the known Romance languages and dialects; [3] **la corrida de toros** Bullfight. Although the origin of the *corrida* is still debated, it is thought to have originated among the Celt-Iberians. The term stems from the fact that the bulls were «run» to the ring before the fight or *lidia*.

Los romanos la popularizaron en el circo, donde se ofrecía° toda clase de juegos
25 para la diversión popular. Hasta° Julio César[4] aprendió a torear° en la península y
autorizó° las primeras corridas.

El concepto de la ciudad como centro de la cultura y del gobierno también
es una de las contribuciones importantes de los romanos. Esta tendencia hacia
la urbanización ha sido muy notable en Hispanoamérica desde la época colonial.

30 Por ejemplo, la Ciudad de México, Lima y Buenos Aires sirvieron como sedes°
del gobierno español en América y todavía se distinguen del resto del país por su
influencia y poder.

Los romanos, pues, influyeron mucho en la formación básica de la sociedad
hispánica.

---

[4] *Julio César* Julius Caesar. Roman leader of the first century B.C., immortalized in the famous play of
the same name by Shakespeare.

1-3 Comprensión. Decida si las siguientes oraciones son **verdaderas** o **falsas**
según el texto. Corrija las falsas.

1. No se conoce muy bien el origen de las tribus que habitaban en la península
   antes de la llegada de los romanos.
2. Las lenguas neolatinas vienen del latín clásico.
3. Hoy se hablan más de cinco lenguas neolatinas.
4. La corrida de toros viene del dicho romano «Las seis primeras horas del día
   son para trabajar; las otras son para vivir».
5. En la cultura romana la ciudad es el centro de la civilización.

1-4 Opiniones. Exprese su opinión personal.

Elementos de la lectura

1. Entre el idioma, la religión y las costumbres diarias, ¿cuál es el elemento más
   importante en la formación de la cultura?
2. ¿Cuáles son algunas ventajas y desventajas de la costumbre de la siesta?

Conceptos generales

3. ¿Cuáles son algunas culturas extranjeras que han influido en la cultura de los
   Estados Unidos?
4. ¿Prefiere Ud. vivir en una ciudad o en el campo? ¿Por qué?
5. ¿Qué clima (*climate*) prefiere? ¿Un clima frío, cálido o templado? ¿Nieve o
   playa?

II. La cultura visigoda

found itself; support

En el siglo v de la época cristiana algunas tribus germánicas del norte de Europa invadieron el Imperio romano que se hallaba° sin el apoyo° del pueblo para resistir. Estas tribus primitivas, también conocidas como visigodas, recibieron la influencia de la cultura romana. Se convirtieron al catolicismo, adoptaron la lengua latina y se establecieron en los mismos centros que habían usado los romanos. En

rather

vez de contribuir con elementos nuevos a la cultura española, más bien° reforzaron y desarrollaron los elementos existentes.

imposed
warrior; lord
protected
ruled

Su mayor contribución original consistió en el feudalismo, sistema económico que impusieron° en toda Europa. Este sistema —producto de una sociedad guerrera°— daba el control de la tierra a un señor°. Este recibía parte de los productos de la gente que habitaba su tierra y la protegía° de otros señores. El monarca de todos los señores reinaba° solo con el permiso de estos. Fue este el sistema que determinó la organización feudal de las colonias del Nuevo Mundo.

Tatiana Vasilchenko/Shutterstock.com

En la Edad Media, el Castillo de Javier, en Navarra, era el centro del feudo.

1-5 Comprensión. Responda según el texto.

1. ¿Quiénes fueron los visigodos?
2. ¿Cómo llegaron a practicar el catolicismo?
3. ¿Cuál fue la mayor contribución de los visigodos a la cultura española?
4. ¿De dónde vino el poder del monarca de los señores feudales?

1-6 Opiniones. Exprese su opinión personal.

Elementos de la lectura

1. ¿Puede Ud. pensar en algunas ventajas del sistema feudal para el pueblo?
2. ¿Cuáles son las desventajas?

Conceptos generales

3. ¿Es importante que todos los habitantes de una nación sepan algo de cómo funciona la economía de su país? ¿Por qué?
4. ¿Es importante saber algo sobre la historia nacional? ¿Por qué?

III. La cultura árabe

Los musulmanes[5] estuvieron en España desde el año 711 hasta 1492, y fueron tal vez la influencia más importante para la formación de la cultura española después de los romanos. España es la única nación europea que conoció el dominio de la brillante cultura del norte de África. En el resto de Europa, la misma época se caracterizaba por falta de progreso y de desarrollo cultural.

La historia popular de España considera que la Reconquista[6] de la península comenzó en el año 711 y terminó en 1492 cuando el último de los reyes árabes fue expulsado° de Granada. Esta convivencia° de ocho siglos dio como resultado una cultura muy heterogénea.

El centro del reino° musulmán en España se estableció en la ciudad de Córdoba. Esta ciudad llegó a ser un gran centro cultural, con una biblioteca de unos 400 000 libros. En su universidad se enseñaban medicina, astronomía, botánica, gramática, geografía y filosofía. Debido a la influencia árabe se usan hoy los números arábigos en lugar de los romanos. En parte, los conocimientos de los árabes vinieron de la cultura griega antigua, que los musulmanes divulgaron° con sus artes de traducción. Los califas[7] tenían una actitud generosa hacia el arte y la sabiduría° en general, porque los árabes pensaban que la creación de la belleza exterior era una forma de adorar a Dios.

Muchas palabras árabes forman la base de términos usados hoy en varias lenguas occidentales. Palabras como alcachofa°, alfalfa, algodón° y azúcar son de procedencia árabe. También las palabras relacionadas con las ciencias: alcohol, alcanfor°, alquimia, cero, cifra° y jarope°. Otras palabras de origen árabe son: almohada°, adobe, alfombra°, alcalde°, aduana°, barrio y los nombres de muchas plantas y flores, como azucenas° y zanahorias°. La mayoría de estas palabras comienzan con *a* o con *al* porque este es el artículo definido en árabe.

En arquitectura, figuran varios ejemplos que todavía nos impresionan: la Alhambra de Granada, el Alcázar de Sevilla y la Mezquita de Córdoba con sus 1418 columnas. Su estilo es muy elaborado en las fachadas° y los patios interiores y de ahí viene la palabra «arabesco». La religión musulmana prohíbe el uso de imágenes de seres° vivos en el decorado y por eso hay pocos ejemplos de ello. Otra característica particular de sus construcciones es el uso de azulejos°; sus métodos para hacer brillar° la loza° nunca han sido igualados°. Su arquitectura ordinaria consiste en la típica casa blanca con techo° de tejas rojas. Este estilo es popular aún hoy desde la Tierra del Fuego (al sur de Chile y la Argentina) hasta el norte de California.

expelled; living together
kingdom

made known
knowledge

artichoke; cotton
camphor; cipher; syrup
pillow; carpet; mayor; customs house; white lilies; carrots

facades

beings
ceramic tiles
to shine; porcelain; equaled
roof

---

[5] *los musulmanes* Moors. This is the general term applied to the Arabs (*árabes*) who invaded Spain from North Africa in the eighth century. Most were of the Islamic faith, followers of Mohammed (*Mahoma*), called Moslems. The Spanish Christians who submitted to Islamic rule were allowed to practice their own religion and were called *mozárabes*. Those who converted were *muladíes.*; [6] *la Reconquista* Reconquest. The period of Spanish history from 711 to 1492 (especially between 711 and 1254), when the Spanish Christians, who had taken refuge in the northern mountains, carried on a constant war in an effort to expel the Muslims. The wars were mostly between individual feudal lords, but the religious factor gave some unity to each of the two sides.; [7] *los califas* Caliphs. Rulers who were successors of Mohammed and combined secular and religious authority over a given region called a caliphate (*califato*).

La bella torre de la Giralda en Sevilla (de 1198) es un monumento dejado por los árabes. Los españoles la convirtieron (en 1400) en un monumento cristiano después de la reconquista de Sevilla. Tiene unos 300 pies de altura.

to exalt
in about the middle

diminish; fell into the hands
collision

35   La cultura musulmana contribuyó a engrandecer° la cultura española en comparación con el resto de Europa entre los siglos VIII y XIII. A mediados° del siglo XIII la mayor parte de la península fue reconquistada y la influencia musulmana comenzó a disminuir°. La provincia de Granada pasó a manos° de los españoles en 1492, año en que comenzó el gran choque° de culturas en América.

1-7 Comprensión. Responda según el texto.

1. Después de los visigodos, ¿qué grupo invadió la península?
2. ¿Cuáles son las fechas del período llamado la Reconquista?
3. ¿Qué aspectos culturales se encuentran en la Córdoba de los árabes?
4. ¿Cuáles son algunas palabras de origen árabe que usamos en inglés?
5. Describa la arquitectura árabe.

1-8 Opiniones. Exprese su opinión personal.

Elementos de la lectura

1. ¿Qué condiciones son necesarias para que una cultura adopte palabras de otra cultura?
2. ¿Cuáles son algunos símbolos (*symbols*) de una cultura avanzada?

Conceptos generales

3. ¿Cree Ud. que hoy día hay conflictos a causa de la religión, o que ya no ocurren por esa razón? Explique su respuesta.
4. ¿Cree que la música puede atravesar las fronteras culturales? ¿Puede citar (*cite*) unos ejemplos?

IV. Otras influencias en la cultura española

Además de las grandes invasiones y migraciones ya mencionadas, hay otras influencias en la cultura española. Los judíos, por ejemplo, crearon la brillante cultura sefardita[8] en los siglos IX y X. Otro ejemplo interesante es la cultura de los gitanos°, especialmente en Andalucía, en el sur de la península. Su nombre viene de «egiptano» debido a° que antes se creía que se habían originado en Egipto. En realidad eran habitantes de Punjab, en el norte de la India. En España su lengua se llama el caló que es una mezcla de español y romaní°. Mayormente contribuyeron a la cultura española con su música llamada «flamenco», tal vez la música típica más famosa del país. Se calcula que suman a 600 000 los gitanos que viven en España. Es su costumbre evitar contacto frecuente con las autoridades dada su experiencia con la discriminación y hasta opresión a manos de varios gobiernos. Adolf Hitler mandó a la muerte a una gran cantidad de gitanos. Esta actitud evasiva hace difícil proveer los servicios sociales que frecuentemente les hace falta.

Hoy se hablan cuatro idiomas notables en España y varios dialectos también. En el País vasco hablan vascuence (o euskera), un idioma de origen desconocido. En Galicia hablan gallego (o galego), un idioma parecido al° portugués. En la región de Cataluña hablan catalán (o catalá), otro idioma neolatino parecido al provenzal del sur de Francia.

El cuarto idioma es el idioma co-oficial de la nación, el castellano —el idioma de Castilla, el que llamamos muchas veces español.

Durante la dictadura de Francisco Franco (1939–1975), por razones de unidad nacional, se prohibió el uso de los idiomas regionales oficialmente, pero se seguían usando en casa. Desde la vuelta de la democracia a España, las culturas de las varias regiones han tenido un renacimiento°, especialmente en Cataluña (y su ciudad principal, Barcelona). Hoy todos los documentos, carteles, menús y letreros° tienen que estar en catalán. Los catalanes han desarrollado una «política lingüística» que requiere que todos los niños de las escuelas primarias y secundarias de la región asistan a la escuela donde la lengua usada es catalán. Una encuesta de 2008 resulta en que el 34,6% de los catalanes indica que el catalán es su lengua propia° y el 58,0% dice que su lengua propia es el castellano. Los españoles de habla castellana reaccionan negativamente cuando los catalanes se refieren al castellano como segunda lengua o lengua extranjera. Y en realidad la lengua que hablen no es el problema sino el espíritu de independencia que fluye del uso de su lengua propia.

Pero en fin, la defensa del catalán es natural frente al hecho de que hay 70 millones de personas de habla española, como se nota en este reportaje de un Congreso Internacional de Lengua Española en Valladolid, España.

América[9] y España

El manifiesto suscrito°, titulado *Una lengua para un milenio*, en un congreso que se ha celebrado en el corazón de la Castilla profunda, Valladolid, no dejó de recordar° que la inmensa mayoría de los más de 300 millones de hispanohablantes vive en el continente americano. Acentos de los Andes, de Colombia, de México y de Centroamérica han puesto de relieve° que los españoles apenas representan el 10 por ciento de los hablantes de uno de los idiomas más universales. Pero todos

Margin glosses:
gypsies
due to

Romany

similar to

rebirth
signs

native language

signed statement
did not forget

have emphasized

---

[8] *sefardita* Sephardic. The name comes from the biblical place name Sepharad, which scholars think referred to the Iberian Peninsula.; [9] *América* Note that in Spain and Spanish America the term *América* usually refers to the nations of *Hispanoamérica*, not to the U.S.

A la izquierda hay instrucciones en vascuence o euskera. ¿Puede Ud. leerlas?

Stephen Saks/Photolibrary/Getty Images

for five centuries

45 han coincidido en el valor de la diversidad dentro de una unidad básica que se ha mantenido a lo largo de cinco siglos°.

«Es lindo escuchar la complejidad, la riqueza, los distintos acentos del español», observó Ernesto Sábato [conocido escritor argentino]. «Así pues, el *center of gravity* centro de gravedad° del español está en América y por ello las conclusiones del *note* congreso remarcan° que en esta comunidad hispánica de naciones y de gentes 50 donde las tierras, las costumbres, las leyes y los problemas son diversos, la lengua es *pillars; fruitful* común y es donde debemos sentar los pilares° de una fructífera° convivencia».

El País Internacional (Madrid)

1-9 Comprensión. Responda según el texto.

1. ¿Qué es el caló?
2. ¿Cuáles son los cuatro idiomas de España y dónde se hablan?
3. ¿Cuánto tiempo hace que España tiene un gobierno democrático?
4. ¿Qué medidas ha tomado Cataluña para defender su lengua?
5. Según el informe del Congreso, ¿dónde está el «centro de gravedad» del español?

1-10 Opiniones. Exprese su opinión personal.

Elementos de la lectura

1. ¿Hay un programa de educación bilingüe donde Ud. vive? ¿Por qué?
2. ¿Qué ventajas *(advantages)* y desventajas *(disadvantages)* hay cuando en un país hay dos o más idiomas usados comúnmente?

Conceptos generales

3. Los Estados Unidos no tienen un idioma oficial. ¿Debe tener uno? ¿Por qué? ¿Cuál debe ser el idioma oficial?
4. ¿Cuáles son las ventajas de aprender una segunda lengua?

1-11 Actividades de vocabulario. En grupos de dos o tres personas hagan las siguientes actividades.

> **Los cognados** El inglés y el español comparten (share) muchos cognados. Los cognados son palabras en dos idiomas que se parecen en forma y significado, como por ejemplo, civilization y **civilización**. El reconocer cognados es una excelente manera de ampliar el vocabulario. Pero, ¡ojo!, también existen los cognados falsos: palabras que se parecen en forma pero que tienen significados diferentes. La palabra **asistir**, por ejemplo, se parece a la palabra inglesa assist pero significa to attend (to assist significa **ayudar**). Para saber si una palabra es un cognado verdadero o falso, examine el contexto de la oración.

A. Reconocer cognados. Busque una palabra en la segunda columna que esté relacionada al cognado español de la primera columna.

I.	II.
1. origen	**a.** *Catholic*
2. colonia	**b.** *influence*
3. católica	**c.** *society*
4. filosofía	**d.** *brilliant*
5. influencia	**e.** *system*
6. primitiva	**f.** *philosophy*
7. brillante	**g.** *monarch*
8. monarca	**h.** *origin*
9. sistema	**i.** *colony*
10. sociedad	**j.** *primitive*

B. Palabras parecidas. Use su conocimiento de los cognados para encontrar los sinónimos.

1. contribuir	**a.** dirigir
2. distinto	**b.** usar
3. utilizar	**c.** transformar
4. procedencia	**d.** aportar
5. convertir	**e.** diferente
6. gobernar	**f.** origen

C. Los cognados falsos. Lea las siguientes oraciones y use el contexto para escoger el equivalente en inglés de las palabras en **negrilla**.

1. El latín del Imperio romano dio origen al **idioma** español. (*idiom / language*)
2. Los romanos construyeron acueductos para **transportar** agua. (*transport / perspire*)
3. La invasión musulmana de 711 tuvo **éxito** porque había mucha rebelión entre los nobles. (*exit / success*)
4. Los musulmanes **realizaron** grandes obras culturales, como la fortaleza de la Alhambra. (*realized / carried out*)
5. Los **sucesos** históricos de 1492 tuvieron importantes consecuencias. (*successes / events*)
6. **Actualmente** se hablan cuatro idiomas en España y varios dialectos también. (*actually / presently*)
7. **En realidad**, los gitanos provenían del norte de la India. (*in reality / royally*)

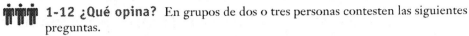

1-12 ¿Qué opina? En grupos de dos o tres personas contesten las siguientes preguntas.

1. ¿Cuáles son algunas diferencias entre la cultura española y la norteamericana en cuanto a *(as far as):* la duración de la cultura, los contactos con otras culturas y los componentes que resultan y el idioma?
2. ¿Cuáles son algunas de las diferencias y semejanzas básicas entre la situación de los que hablan «los otros idiomas de España» y los que hablan «los otros idiomas de los Estados Unidos»?

1-13 Debate. Organice dos equipos para que ataquen o apoyen esta resolución.

Es la obligación de todo residente norteamericano aprender inglés y por eso los programas de educación bilingüe no son necesarios.

1-14 Situación. Imagínese que Ud. es un(a) indígena americano(a) y la fecha es el 12 de octubre de 1492 en la isla de San Salvador en el Caribe. Tiene la oportunidad de conocer a Cristóbal Colón *(Christopher Columbus)*. Afortunadamente Ud. habla español. ¿Qué preguntas le hace Ud. sobre España y qué le responde él?

1-15 Investigación. Trabajando en grupos busquen en Internet o en la biblioteca unos ejemplos de palabras de dos de los siguientes idiomas: provenzal, rumano, romaní, gallego, euskera, languedoc, portugués. Prepárense para describirles a sus compañeros dónde se hablan.

1-16 El arte de escribir

A. Composición dirigida. Complete las oraciones según el texto, utilizando las palabras entre paréntesis y otras que sean necesarias.

1. La cultura hispánica… (producto, siglos, contactos, muchos, con, culturas, es)
2. Se ha dicho que la Península Ibérica… (todas, romanizada, ser, colonia, llega a, más)
3. Otra tradición… (hispánico, toros, famosísima, mundo, corrida, es)
4. El feudalismo es el sistema que… (Nuevo Mundo, colonias, determina, económica, organización)
5. En España… (bilingüe, problema, existe, educación, también)

B. El resumen (primera parte). La preparación para escribir un resumen *(summary)* consiste principalmente en tomar apuntes *(notes)* sobre el contenido. Para tomar apuntes es muy útil reconocer dos aspectos estructurales: el párrafo *(paragraph)* y la oración temática *(topic sentence)*, o sea la idea principal.

Cada párrafo se distingue de los otros por contener información diferente. Dentro de cada párrafo hay una oración temática que es prácticamente un resumen del párrafo. Esta puede ser explícita o implícita, o puede ser una oración explícita modificada.

Si se examina la primera sección de esta unidad (La cultura romana), se ve que en el primer párrafo la oración temática es la segunda: «En el siglo III a.C. llegaron los romanos y convirtieron la península en una colonia romana». En el segundo párrafo es necesario modificar la segunda oración sustituyendo «esa lengua oral» por «el latín vulgar». En todos los otros párrafos la oración temática es la primera. Los apuntes, entonces, pueden consistir en estas oraciones. Se puede acortar frecuentemente, como es el caso de la primera oración del cuarto párrafo donde se omite lo que viene después de «toros».

Ahora, tome apuntes para hacer un resumen de las otras secciones de las lecturas.

Pajín y Gallardón tiran° pétalos al Manzanares en la «ceremonia del río»

throw

City council

parapet

shared responsibility

Health

unadorned evil

banks

ethnic group
ancestors
attending school

humiliate / substandard
housing or shacks

achieved
underline

some twenty

best finery

El Gobierno, el Ayuntamiento° de Madrid y los principales dirigentes gitanos han coincidido hoy en que el respeto a las diferencias, la educación y la correspondabilidad° son las bases sobre las que se debe construir la integración del pueblo gitano.

Este ha sido el eje central de los mensajes lanzados hoy por la ministra de Sanidad°, Política Social e Igualdad, Leire Pajín; el alcalde de Madrid, Alberto Ruiz-Gallardón, y representantes de la Federación de Asociaciones del Pueblo Gitano y del Consejo Estatal del Pueblo Gitano. Todos ellos se han reunido a orillas° del río Manzanares para celebrar el Día Internacional del Pueblo Gitano y participar en la tradicional «ceremonia del río» con la que esta etnia° recuerda a sus antepasados° y en especial a los casi 600 000 que murieron en el Holocausto.

«Entre todos podemos construir un país en el que nadie humille° a nadie y nadie se sienta humillado por nadie», ha afirmado Pajín tras recordar los avances logrados° en la integración de los gitanos y subrayar° la importancia de la futura Ley de Igualdad de Trato.

En representación de la Federación de Asociaciones del Pueblo Gitano, Lisardo Hernández ha animado a los gitanos a «ser los arquitectos del futuro y de la próxima generación» y a formar parte activa de las escuelas, universidades, organismos e instituciones.

Pétalos de rosa y velas encendidas

Tras los discursos, una veintena° de mujeres gitanas que vestían sus mejores galas° han lanzado al Manzanares pétalos de rosa, mientras los hombres depositaban velas encendidas en el pretil° del Puente del Rey. Esta ceremonia tradicional gitana recuerda la decisión del pueblo gitano de abandonar su tierra originaria en el Punjab (India) y comenzar un éxodo por todo el mundo, fluyendo como los ríos sin atender a fronteras.

El homenaje además recuerda al más de medio millón de gitanos víctima del genocidio nazi en la II Guerra Mundial y también a «todas las víctimas del prejuicio, la intolerancia o simplemente la maldad desnuda»°, ha afirmado el alcalde. Tanto Gallardón como Pajín han detallado las políticas e iniciativas en materia de educación, vivienda o sanidad que han hecho posible que el 94 por ciento de los niños gitanos esté escolarizado° y que solo un cinco por ciento de la población gitana viva en infraviviendas o chabolas°.

No obstante, ambos han subrayado que pese a los logros alcanzados «no se puede bajar la guardia», ya que —por ejemplo— el 50 por ciento del absentismo escolar en Madrid es de niños gitanos y el 80 por ciento de los jóvenes gitanos abandona a la mitad la educación secundaria. A la celebración del Día del Pueblo Gitano se han sumado instituciones, organismos, partidos políticos, ONGs y asociaciones con manifiestos y declaraciones a favor de la integración y en contra de los prejuicios y estereotipos.

ABC Periódico Electrónico, España

"Pajín y Gallardón tiran pétalos al Manzanares en la *Ceremonia del Río*". Diario ABC.

▶ **El baile flamenco**

En este teledocumental conocemos a María Rosa, directora de la compañía Ballet Español y una de las mejores bailarinas de España. Ella nos habla un poco sobre el flamenco, un género de música y danza que se originó en Andalucía.

1-18 Anticipación. Antes de mirar el video, haga estas actividades.

A. Conteste estas preguntas.

1. ¿Le gusta bailar? ¿Qué tipo de danzas sabe bailar usted?
2. ¿Conoce a alguien que esté en una escuela de danza? ¿Cuántas horas practica esa persona?
3. ¿Cómo es un baile tradicional del estado suyo? Describa la música y el traje.
4. ¿Ha visto usted alguna vez bailar flamenco? ¿Dónde? ¿Qué le llamó la atención?

B. Estudie estas palabras del video.

abarcar *to span, cover*
el escenario *stage*
los palos *different styles of flamenco*
el alma *soul*
las raíces *roots*

1-19 Sin sonido. Mire el video sin sonido una vez para concentrarse en el elemento visual. ¿Qué hacen las personas? ¿Cómo están vestidas? ¿Qué expresiones faciales tienen?

1-20 Comprensión. Estudie estas actividades y trate de descubrir las respuestas correctas al mirar el video.

1. ¿Qué tipo de danza española presenta el Ballet Español de María Rosa?
   a. flamenco
   b. escuela bolera
   c. baile clásico
   d. todo tipo

2. ¿Por qué María Rosa baila en el escenario?
   a. porque la hace feliz
   b. porque tiene más experiencia que los bailarines jóvenes
   c. porque el público pagó para verla bailar
   d. porque es la directora del Ballet Español

3. Según María Rosa, el flamenco...
   a. se baila únicamente en Andalucía.
   b. es el alma del pueblo.
   c. tiene un solo estilo auténtico.
   d. no es tan expresivo como el bolero.

4. ¿Qué implica María Rosa cuando dice que el flamenco es «pura raza»?
   a. El flamenco es superior a las otras danzas.
   b. El flamenco es muy complicado para bailar.
   c. El flamenco es una danza auténtica.
   d. El flamenco es muy antiguo.

 1-21 Opiniones. En grupos de tres o cuatro estudiantes comenten estos temas.

1. ¿Es la danza una expresión de la cultura de una región? ¿Por qué otros medios expresa una región su cultura?

2. ¿Cómo se comparan los bailes clásicos españoles del video con los de los Estados Unidos?

3. ¿Qué quiere decir María Rosa cuando dice que el flamenco es «la fuerza que sacas de tu interior»?

Orígenes de la cultura hispánica: América

North Wind Picture Archives/Alamy

La arquitectura de los aztecas era impresionante. ¿Qué diferencias hay entre este templo y una iglesia europea de la misma época?

Lecturas culturales

   I. Los aztecas
  II. Los incas
 III. Los mayas
 IV. Las minorías étnicas en la actualidad hispanoamericana

Expansión

¡A explorar!

En pantalla
«El mestizaje de la cocina mexicana»

 www.cengagebrain.com

Lecturas culturales

Enfoque

awe

Al llegar los conquistadores españoles al Nuevo Mundo en el siglo XVI se encontraron con las grandes civilizaciones de México y del Perú. Tal vez nosotros, en el siglo XXI, podemos entender el asombro° que causaron estos descubrimientos si pensamos en la reacción que tendríamos si encontráramos nuevas civilizaciones en otros planetas.

by means of

Tanto los aztecas de México como los incas del Perú formaron grandes imperios que se habían establecido por medio de° la conquista violenta de las tribus anteriores. La civilización maya, que casi había desaparecido, tenía varios siglos de existencia y desarrollo. Las tres culturas presentaban diversos aspectos interesantes y aportaron nuevos elementos a la cultura hispánica. Estas lecturas van a describir algunos de los aspectos más interesantes de estas tres culturas precolombinas°.

pre-Columbian, before Columbus

Vocabulario útil

Verbos

conducir *to conduct; to drive*
construir (construye) *to build*
crear *to create*
dominar *to dominate*
fundar *to found*
gobernar (ie) *to govern, to rule*
incluir (incluye) *to include*
requerir (ie) *to require*
utilizar *to utilize, to use*

Sustantivos

el (la) arqueólogo(a) *archaeologist*
el conocimiento *knowledge*

el desarrollo *development*
el descubrimiento *discovery*
el (la) dios(a) *god, goddess*
el emperador, la emperatriz *emperor, empress*
el (la) esclavo(a) *slave*
el hecho *fact*
el imperio *empire*
el nivel *level*
la piedra *stone, rock*

Otras palabras y expresiones

algo *something, somewhat*
reciente *recent*

 2-1 Para practicar. Trabajen en parejas, o como lo indique su profesor(a), para hacer y contestar estas preguntas, usando el vocabulario de la lista.

1. ¿Construiste una casita en un árbol alguna vez? ¿Qué otras cosas construiste cuando eras niño(a)?
2. ¿Inventabas *(used to make up)* vidas de fantasía cuando eras niño(a)? ¿Cómo eran?
3. ¿Ibas en bicicleta para ir a la escuela?
4. ¿Dónde vivías en el siglo pasado?
5. ¿Qué pasó la primera vez que condujiste solo? ¿Cuántos años tenías?

2-2 Anticipación. En grupos de dos o tres personas, respondan a estas preguntas.

1. ¿En qué país se encontraba la civilización azteca?
2. ¿Qué región ocupó la civilización incaica?
3. En grupos de cinco, hagan una lista de lo que saben de esas culturas.

I. Los aztecas

En el lugar llamado Anáhuac, donde está hoy la capital de México, los aztecas habían dominado a otras tribus durante unos dos siglos. En 1325 fundaron Tenochtitlán, una ciudad que dejó mudo° a Cortés[1] cuando la vio por primera vez. Bernal Díaz[2], uno de los 400 soldados de Cortés, la describió así: «Y... vimos cosas tan admirables [que] no sabíamos qué decir... si era verdad lo que por delante° parecía°, que por una parte° en tierra había grandes ciudades, y en la laguna° otras muchas, y veíamos todo lleno° de canoas,... y por delante estaba la gran ciudad de México». Los aztecas habían fundado la ciudad en un lago° con puentes° que la conectaban con la tierra.

Al llegar al valle de México los aztecas absorbieron° la cultura tolteca[3] cuya° religión incluía el mito de Quetzalcóatl, un hombre-dios de la civilización, benévolo°, que enseñaba las artes y los oficios necesarios para el hombre en la tierra. Al mismo tiempo, el dios protector de la tribu, Huitzilopochtli, era el dios de la guerra, quien° exigía° continuas ofrendas° de sangre humana. Es difícil explicar cómo los aztecas llegaron a adorar° a dos dioses tan antagónicos°. Creían que Quetzalcóatl había creado al hombre regando° su propia sangre sobre la tierra. Por consiguiente, pensaban que era necesario recompensar° a los dioses con sangre.

Los conceptos religiosos sutiles° se combinaban con un sistema político algo avanzado°. El emperador era a la vez sacerdote° y su poder fluía° de esta combinación de autoridad religiosa y políticomilitar. El imperio se basaba en la completa subyugación° de casi todas las tribus del centro de México en una región del tamaño de Italia. Este hecho hizo relativamente fácil la conquista por los españoles en 1521, ya que formaron alianzas° con las tribus subyugadas para derrotar° a los aztecas.

Durante los dos siglos anteriores a la conquista, la sociedad azteca había perdido sus características democráticas y se había transformado en una sociedad aristocrática. El emperador Moctezuma II, que reinaba° cuando llegó Cortés, vivía en un palacio comparable en su lujo° a los palacios europeos. Pero el lujo y la aparente prosperidad cubrían° un estado psicológico deprimido°. Varios acontecimientos° le habían hecho creer a Moctezuma que se acercaba° el fin del imperio. Cuando llegó Cortés con sus soldados, la superstición de los jefes los condujo a una resistencia débil. Pensaron que los españoles montados° a caballo eran monstruos; además, los indios no tenían armas de fuego° como las que poseían° los españoles. Dentro de poco tiempo estos habían destruido la capital del gran imperio de los aztecas para construir sobre los escombros° la ciudad conocida hoy como la Ciudad de México. Otros problemas surgieron del contacto entre los europeos y los indígenas, como comenta este artículo.

60 millones, los indígenas muertos tras la conquista

Mucho se ha dicho de la audacia° de Hernán Cortés y de sus capitanes para derrotar a un ejército indígena que los superaba° numéricamente. Sin descartar° estos elementos subjetivos, hay dos factores que se deben considerar como decisivos: las diferencias en cuanto al empleo del hierro° y del caballo, y su aplicación en movimientos tácticos militares ... esto por un lado y, por otro, un elemento decisivo lo constituyó la aparición de nuevas enfermedades en América...

---

[1] *Cortés* Hernán Cortés (1485–1547) led the first expedition into Mexico and conquered the Aztecs in the central valley in 1521; [2] *Bernal Díaz (del Castillo)* (1492–1584) Author of *Historia verdadera de la conquista de la Nueva España* (Mexico), which he wrote to present the common soldier's view of the conquest of Mexico; [3] *tolteca* The Toltecs (or "master craftsmen"), about whom relatively little is known, occupied much of the central area of Mexico prior to the Aztecs. The Aztecs, lacking a historical tradition of their own, began to consider themselves descendants of the Toltecs and adopted their history.

speechless

ahead
appeared; on the one side;
lagoon; full
lake; bridges

absorbed; whose
benevolent

who
demanded; offerings
to worship; contrary
sprinkling
repay
subtle
advanced; (m) priest; flowed

subjugation

alliances
defeat

ruled
luxury
covered; depressed
happenings; was approaching

riding
firearms
possessed
ruins

audacity
surpassed; discard

steel sword

La Piedra del Sol está divida en varias secciones. En el disco central está la representación de Tonatiuh, el dios del Sol.

t9photos/iStockphoto

plague
smallpox

En ese tiempo comenzó a darse un fenómeno extraño para la población nativa:
45 La peste° se extendió por la ciudad, la cual fue bautizada como hueyzáhuatl o hueycocoliztli, y todo parece indicar que fue una epidemia de viruela°, enfermedad totalmente desconocida en estas tierras.

... La enfermedad se extendió muy rápidamente al resto de Mesoamérica: se sabe que llegó a Guatemala, pasó a otros países de Centroamérica, y hasta el sur del
50 continente americano.

uncertainty
pimples, sores
measles; traveled
flu

Se dio el caso de que fue conocida en el Perú antes que los mismos españoles llegaran. Los incas tenían una forma de llamarla que hacía ver su perplejidad° ante el fenómeno: «los granos° de los dioses»...

... En 1529 se produjo una epidemia de sarampión° que recorrió° el
55 continente; en 1545 apareció el tifus o «influenza»; en 1558, la gripe°; en 1563, la viruela; en 1576, el tifus; y en 1588 y 1595 de nuevo apareció la viruela.

for the population

Todas estas epidemias provocaron la peor catástrofe poblacional° de que se tenga memoria en América: La población indígena descendió de 65 millones a 5 millones, entre los años que corren de 1550 a 1700...

numbers
area of argument

pro-Indian

60 Las cifras° en cuanto a número de habitantes en América siguen siendo un campo de polémica°. Los historiadores hispanistas aseguran que la población indígena era de 11 a 13 millones en el tiempo en que ocurrió el descubrimiento... De otra parte, la corriente indigenista°,... da la cifra de entre 90 a 112 millones. No obstante, nuevas ponderaciones hacen suponer en el presente que en América
65 existían unos 80 millones de habitantes hacia 1492. Sus grandes centros poblacionales eran el imperio inca, con cerca de 30 millones, y el mexica[4] con unos 20.

disappearance

Pues bien, hacia 1700, siglo y medio después, este total se había reducido de manera dramática a cinco millones; lo que representa la desaparición° de 60 millones de indígenas, unos 400 mil cada año...

Ricardo Pacheco Colín: *La Crónica de Hoy, México*

[4] **mexica** This is the name the Aztecs called themselves. It is pronounced **meshica**. *México* is, of course, also derived from this name.

2-3 Comprensión. Decida si las siguientes oraciones son **verdaderas** o **falsas**.

1. La Ciudad de México fue fundada en 1325.
2. Los aztecas adoptaron unos mitos de los toltecas.
3. Huitzilopochtli era el dios de la guerra y el dios protector de los aztecas.
4. Según el mito, Quetzalcóatl creó al hombre con su propia sangre.
5. Moctezuma II era el presidente de los aztecas cuando llegó Cortés.
6. La viruela había existido en el Perú antes que llegaran los españoles.

2-4 Opiniones. Exprese su opinión personal.

Elementos de la lectura

1. ¿Cómo debe el mundo moderno juzgar (*judge*) las culturas antiguas donde se llevaban a cabo prácticas como sacrificios humanos?
2. ¿Ha visto Ud. alguna ruina de los indígenas americanos? ¿Dónde? Descríbala.

Conceptos generales

3. ¿Cree que hay mitos en la vida pública norteamericana?
4. ¿Le interesa a Ud. la arqueología? ¿Por qué sí o por qué no?
5. ¿Cree que en el futuro van a estudiar la cultura del siglo xxi como estudiamos la del siglo i? ¿Por qué sí o por qué no?

II. Los incas

Machu Picchu, al norte de Cusco, en el Perú, son las ruinas más impresionantes de la cultura incaica.

landed

Just like

chosen

Aunque los arqueólogos creen que los primeros pueblos indígenas de los Andes datan de diez mil años antes de Cristo, cuando desembarcó° Pizarro[5] en 1532 los incas apenas tenían un siglo de dominio imperial en las montañas. Igual que° los aztecas, eran un pueblo militar que había establecido su dominio sobre las otras tribus durante el siglo xv. Los incas, como los aztecas, se consideraban también el pueblo elegido° del sol. El emperador (llamado «el Inca») recibía su poder absoluto por el hecho de ser descendiente directo del sol. Creían que el primer emperador, Manco Cápac (que vivió en el siglo xiii), era hijo del sol.

---

[5] **Pizarro** Francisco Pizarro (1476–1541) along with his brothers, Gonzalo and Juan, and Hernando and Diego de Almagro assured the conquest of the Inca empire when they seized and killed the last emperor, *Atahualpa*, in 1533.

Aunque había una clase de nobles mantenidos por el pueblo, el resto de la sociedad de los incas tenía aspecto socialista. La comunidad básica era el «ayllu»[6]. Cada comunidad tenía derecho a una cantidad de tierra suficiente para producir sus alimentos° y la trabajaba en común. Otro pedazo° de tierra se designaba° para el estado (los nobles) y otro pedazo para los dioses (la Iglesia y el clero°). La gente del *ayllu* cultivaba esta tierra también y los productos constituían un tipo de impuestos° sobre la comunidad. Los productos de la tierra del estado iban para mantener a los nobles, al ejército°, a los artistas y también a los ancianos° y enfermos que no podían producir su propio alimento. Si ocurría algún desastre en un *ayllu*, como una inundación°, el gobierno les proveía° comida de sus almacenes°. Los hombres tenían la obligación de contribuir con una porción de tiempo cada año a las obras públicas, como a los caminos y a los acueductos, que eran comparables con los de Europa. El uso de la piedra para la construcción y su sistema de riego° eran maravillosos.

En los tejidos, los incas ya conocían casi todas las técnicas que conocemos hoy y hacían telas superiores a las que producimos hoy. Dos factores estimularon el desarrollo del arte de tejer°: el clima algo frío de las montañas y la lana de la llama. El tejer era una actividad exclusivamente femenina y se pasaban los conocimientos de madre a hija, refinándolos cada vez más°. Las tejedoras° eran muy protegidas° por el estado, y a las mejores se las llevaban a conventos especiales donde pasaban la vida tejiendo. Usaban los tejidos para enterrar a las personas de importancia: algo semejante a lo que hacían los egipcios°.

En otras técnicas como la cerámica y el uso de metales también sobresalieron los incas. Parece que tenían conocimientos avanzados de medicina, especialmente en la cirugía°, ya que operaban el cráneo° cuando era necesario.

[6] **ayllu** The *ayllu* was, in pre-Incan times, essentially a clan with kinship as its basis. It is believed that it evolved under the Incas to be a more politically organized community. Mountain communities in modern Peru are still called *ayllus*.

food
piece; was reserved
the clergy
taxes
army
elderly
flood
provided; warehouses

irrigation

art of weaving

more and more; weavers
protected

Egyptians

surgery; skull

2-5 Comprensión. Escoja la respuesta más adecuada según el texto.

1. Cuando llegó Pizarro, el imperio inca tenía (cien años, dos siglos, mil años) de existencia.
2. Los incas creían que eran un pueblo (primitivo, elegido del sol, demócrata).
3. El «ayllu» de los incas era (una comunidad, el hijo del sol, el emperador).
4. Los hombres contribuían con una porción de tiempo cada año para hacer (obras de arte, tejidos, obras públicas).
5. El clima frío estimuló el desarrollo del (arte de tejer, uso de la piedra, «ayllu»).

2-6 Opiniones. Exprese su opinión personal.

Elementos de la lectura

1. ¿Qué conocimientos tecnológicos avanzados de los incas le sorprenden más?
2. ¿Le gustaría vivir dentro de una comunidad cooperativa? ¿Por qué sí o por qué no?

Conceptos generales

3. En su opinión, ¿deben tener los ciudadanos (*citizens*) de los Estados Unidos la obligación de contribuir con tiempo a las obras públicas? ¿Por qué? ¿Con qué contribuyen en vez de dar tiempo?
4. ¿Qué es mejor, un sistema con un gobierno que controla la economía o un sistema de mercados libres?

III. Los mayas

D e las grandes culturas indígenas, la que más ha intrigado° al hombre moderno es la cultura maya. Esta ocupaba el sureste° de México, Guatemala y Honduras. Fue la civilización más brillante de todas las del continente.

5   El nivel de la cultura en su período clásico (entre 200 a.C. y 900 d.C.[7]) era casi tan avanzado como el de las culturas mediterráneas de la misma época. Sus centros, tales como Tikal[8], además de tener una importancia ceremonial, probablemente eran ciudades hasta con 40 000 habitantes. Sin embargo, durante el siglo ix los mayas sufrieron alguna catástrofe desconocida y algo misteriosa que 10 resultó en su decadencia completa. En algunos casos fueron conquistados por otras tribus más primitivas y guerreras, y en otros casos desaparecieron por su propia cuenta.

    Entre sus muchos logros° intelectuales, su sistema de medir° el tiempo era el más impresionante. Adoptaron un calendario que existía en toda la región y lo 15 refinaron mucho. El calendario antiguo consistía en dos ruedas° distintas. Una marcaba el año ceremonial de 13 meses de 20 días y la otra marcaba el año civil de 18 meses de 20 días. La relación de 260 días y 360 días daba un total de 18 980 combinaciones o un ciclo de 52 años, ciclo importante en varias culturas. Los mayas extendieron el calendario con otros períodos de 20 y 400 años y fijaron° 20 el principio de su propio ciclo en la fecha equivalente a 3114 a.C. En el caso de la luna calculaban los ciclos lunares de 2 953 020 días, comparado con los 2 953 059 días que ha establecido la astronomía moderna.

    Su sociedad incluía un monarca hereditario y una clase de nobles que vivían obsesionados por las guerras constantes entre los monarcas. Su linaje° era muy 25 importante y se encuentran muchas referencias a las fechas de los antepasados°. También creían seriamente en la astrología y consultaban las estrellas antes de hacer cualquier cosa.

    El sistema maya de escribir los números es interesante por dos razones: por el concepto del cero y por el uso de las posiciones de los decimales°. Era un sistema 30 vigesimal°, que usaba puntos y varas° para contar y era superior al sistema romano usado en Europa en la misma época.

    En la escritura, los mayas habían llegado a tener un sistema ideográfico en que los símbolos representan ideas en vez de° ser dibujos° de objetos[9]. Últimamente los expertos han podido descifrar° los dibujos de las estelas en las ruinas y los de 35 los cuatro códices[10]. Las otras obras mayas conservadas, como los *Libros de Chilam Balam* y el *Popol Vuh*, fueron escritas por los indígenas con el alfabeto español después de la conquista. Parece que había una clase de escribanos° nobles que mantenían la tradición de la escritura.

---

[7] **d.C. (después de Cristo) A.D;** [8] **Tikal** A Mayan ruin in Guatemala long considered the oldest and largest settlement (400–300 B.C.). However, excavation has recently begun on an older and larger site, El Mirador; [9] **dibujos de objetos** Writing systems generally show three stages: (1) pictorial, where the writing consists of drawings of actions; (2) ideographic, where the symbols are conventionalized and stand for ideas; and (3) phonetic, where characters stand for sounds. Mayan writing was ideographic, and most scholars think it was phonetic; [10] **cuatro códices** A codex is a manuscript, especially of official or classical texts. *Estelas* (Steles) are upright stone slabs bearing inscriptions, placed at the entrances of buildings, on graves, etc. Some inscriptions on buildings and inside tombs are also extant. The *Libros de Chilam Balam* and the *Popol Vuh* were recorded by Mayan priests using the Spanish alphabet after the conquest.

intrigued
southeast

achievements; their system of measurement
wheels

they fixed

lineage
ancestors

decimal places
base 20; rods

instead of; drawings
decipher

scribes

Chichén Itzá, en México, es una de las últimas ciudades mayas de su período clásico.

pantheon
*health; sustenance; they
made offering of*

40 La religión maya era muy compleja con un panteón° de dioses relacionados con los días y los años. Con el fin de obtener salud° y sustento° ofrendaban° varias cosas a sus dioses; hasta llegaron a sacrificar seres humanos.

La arquitectura maya muestra una preocupación estética importante. Mientras que en las otras culturas precolombinas el tamaño de las pirámides era lo que indicaba su importancia, los mayas ponían más énfasis en la ornamentación de la

sculpture

45 piedra. Sus logros artísticos incluían también la escultura° y la pintura.

Sus conocimientos prácticos no eran avanzados. La rueda era solo un objeto ceremonial, porque su único animal domesticado era el perro que criaban para

beast of burden

comer o sacrificar y no servía de animal de carga°.

El alimento principal de los mayas, como el de muchos otros pueblos indígenas,

50 era el maíz, y porque los mayas creían que los dioses habían hecho a los primeros hombres de maíz, era un producto sagrado°. Sus métodos agrícolas se basaban

sacred

principalmente en el maíz cultivado en la «milpa», que consiste en utilizar un pedazo de tierra por unos años (de dos a cuatro) y dejarlo sin cultivar por unos diez años. Las investigaciones recientes, sin embargo, indican que también

55 utilizaban un método de cultivo más intensivo y que tenían otros alimentos importantes. Todo esto quiere decir que la población de toda la región maya pudo llegar hasta 10 000 000 hacia el final de la época clásica, cerca del año 900 d.C.

Todavía no se sabe exactamente por qué desapareció esta gran civilización. Últimamente se ha descifrado más de su escritura y se cree que las grandes ciudades como Tikal, Caracol, Copán, Chichén Itzá y otras, llegaron a ser dominantes durante un período, solo después de conquistar la ciudad que dominaba antes. Estas agresiones° que aumentaron en el siglo x resultaron en la decadencia y abandono de los centros, uno tras° otro, durante ese siglo.

Al examinar el nivel de las culturas indígenas del Nuevo Mundo es fácil imaginar el asombro que les causó a los españoles. También si se compara esta situación de los españoles con la de los ingleses —un pueblo homogéneo que se encontró frente a tribus de indígenas nómadas°— se comienzan a comprender las diferencias que aparecen en las sociedades modernas.

attacks

after

nomadic

2-7 Comprensión. Responda según el texto.

1. ¿Cuándo ocurrió la época clásica de la cultura maya?
2. ¿Por qué ya había decaído la cultura maya cuando llegaron los españoles?
3. ¿Cuál fue el logro cultural más impresionante de los mayas?
4. ¿Cómo llegaron al ciclo básico de 52 años?
5. ¿Quiénes entre los mayas sabían escribir?
6. ¿En qué aspectos eran diferentes las pirámides mayas de las de otras culturas?
7. ¿Qué era el sistema de la «milpa»?
8. ¿Por qué se cree que la población pudo llegar a unos 10 000 000 de habitantes?

2-8 Opiniones. Exprese su opinión personal.

Elementos de la lectura

1. Esta lectura dice que «De las grandes culturas indígenas, la que más ha intrigado al hombre moderno es la cultura maya». ¿Está Ud. de acuerdo o no? Explique.
2. En su opinión, ¿cuáles de los mayas sorprendieron más a los europeos del siglo XVI?

Conceptos generales

3. ¿Cree que encontraremos seres vivos en otro «mundo»? Explique su opinión.
4. ¿Dirán las personas en el futuro que en los Estados Unidos del siglo XXI ponemos más énfasis en la belleza o en la utilidad en la arquitectura?

IV. Las minorías étnicas en la actualidad hispanoamericana

Caribbean coasts

Además de los indígenas, hay una población importante de afrohispano-americanos. Traídos como esclavos durante la época colonial, se encuentran aún hoy principalmente en las costas caribeñas° de Venezuela, Colombia, los países centroamericanos, México y las islas de las antillas[11]. Estas son las regiones que
5 carecían de una población indígena o donde las enfermedades y rigores del trabajo exigido por los colonos españoles les causaron la muerte a muchos indígenas. Los esclavos reemplazaron a los indígenas en las plantaciones de la colonia.

Por considerarse como seres humanos inferiores su trato fue aun peor que el de los incas o aztecas. Un proceso llamado «deculturación» —mezclando gente
10 de diversos orígenes, idiomas y religiones africanos— minimizó su capacidad de mantener su cultura original. El menor interés de los misioneros católicos resultó en la adaptación de las varias religiones africanas a la nueva circunstancia y hoy es el aspecto cultural de mayor presencia entre los africanos del Nuevo Mundo. También hay descendientes de los esclavos en los grandes puertos marítimos como Guayaquil
15 del Ecuador, Callao del Perú y Buenos Aires de la Argentina. Sus culturas han tenido una influencia profunda pero se limita casi del todo a la región del Caribe.

Los indígenas del Nuevo Mundo contribuyeron con la papa (los incas), el chocolate y el tomate (los aztecas) y el maíz (los mayas) al surtido mundial de comestibles, además de varias otras cosas útiles o artísticas. Sin embargo, hoy el
20 indígena representa en algunos países hispanoamericanos el problema social y

seriousness

económico de mayor gravedad°. En el Perú, millones de indígenas viven todavía en los «ayllus» de la época incaica, comunidades físicamente apartadas en las montañas. Se calcula que el 40 por ciento de la población habla de preferencia quechua o aymará (los idiomas indígenas) y solo hablan español en caso de necesidad.
25 El caso de los mayas es típico de la situación en México y Centroamérica. Existen los descendientes de los indígenas precolombinos en grupos relativamente pequeños aunque su población total sea considerable, como se nota en este informe de *Mundo Maya*.

Los mayas de hoy

remain
beats
inhabit

Los templos antiguos podrían permanecer° silenciosos en la selva, pero su corazón
30 maya todavía late° bajo las piedras que les dan forma. Los descendientes de quienes construyeron las pirámides aún habitan° los estados mexicanos de Chiapas, Campeche, Tabasco, Quintana Roo y Yucatán y los países de Guatemala, Belice,

villages
removed from the passage
of time; harvest; honor

Honduras y El Salvador. En toda la región los mayas viven en pequeñas aldeas° que parecen ajenas al paso del tiempo°, hablan su antigua lengua, cosechan° la tierra
35 tal y como lo hacían sus ancestros y rinden culto° a muchas de sus más antiguas tradiciones.

varies
census

Actualmente, el número de pobladores mayas oscila° entre cuatro y cinco millones, dependiendo del criterio que se siga para el censo°, y están divididos en diferentes grupos étnicos que hablan cerca de 30 lenguas indígenas. Por ejemplo,
40 entre los que hablan dialectos derivados de la lengua maya están los lacandones,

[11] **antillas** The ring of islands extending from Cuba to Trinidad called the West Indies. The «Greater Antilles» include Cuba, Jamaica, Dominican Republic, Haiti, and Puerto Rico while the «Lesser Antilles» are the small islands between Puerto Rico and Venezuela. (See map, p. iii.)

names of Indian tribes; settle
surround

handicrafts

be found
is concentrated
the Highlands

peasants
to demand
peaceful

by force

heritage

zoques, tzotziles y tzetzales° que se asientan° en Chiapas, los dos últimos habitan en las montañas que rodean° San Cristóbal de las Casas; los chontales viven en Tabasco; los mayas yucatecos habitan en la Península [de Yucatán]; los quichés, kekchíes y cakchikeles en Guatemala y los chortíes en Honduras. Algunos mayas
45 son bilingües, puesto que aprenden el español para comunicarse con los ladinos (los habitantes del área que no son de origen maya). Por ejemplo, las mujeres que venden artesanías° en un centro turístico aprenden español para ofrecer sus productos en el mercado. Sin embargo, es posible visitar comunidades en donde el visitante no escuchará palabra alguna de español. Aunque puede hallarse° en
50 cualquier parte del Mundo Maya, la mayoría de la población indígena se concentra° en tres áreas: la Península de Yucatán, Chiapas y los Altos° de Guatemala.

Mundo Maya (México)

Se han visto en varios países nuevas demandas de parte de los indígenas y nuevos avances políticos.

    Los ideales de la Revolución de 1910 en México incluyen la incorporación de los
55 indígenas en la sociedad nacional, pero en 1994 empezó una rebelión de indígenas en la ciudad colonial de San Cristóbal de las Casas en el estado mexicano de Chiapas. Los campesinos° de la región, predominantemente de descendencia maya se rebelaron para exigir° tierra propia. La rebelión captó la atención del mundo entero por sus acciones relativamente pacíficas° y por su líder, el subcomandante
60 Marcos. Adoptaron el nombre de Ejército Zapatista de Liberación Nacional (EZLN) porque un participante en la Revolución de 1910 con la misma demanda se llamaba Emiliano Zapata[12]. Han podido lograr algunas medidas oficiales a favor de los indígenas y siguen presionando al gobierno.

    En el Ecuador los grupos indigenistas se han establecido como fuerza política.
65 Participaron de modo importante en un cambio de presidente por la fuerza° en 2000 y el presidente actual, Rafael Correa, reelegido en 2009, debe su triunfo en gran parte al partido indígena Pachakutik. Un presidente reciente del Perú, elegido en 2001, ganó el puesto principalmente debido a su herencia° indígena personal. Alejandro Toledo se aprovechó de su descendencia indígena, frecuentemente
70 exaltando las victorias históricas de los emperadores incas sobre los españoles. Su adversario era un hombre de clara descendencia española (el autor Mario Vargas Llosa). Por fin, un presidente peruano reflejaba las aspiraciones de los indígenas. El siguiente presidente, Alan García, representaba un partido político pro-indígena. El presidente más reciente, Ollanta Humala (elegido en 2011) representa
75 una vuelta a un presidente indígena.

    En Bolivia, Evo Morales, un jefe indígena que ascendió de campesino humilde a figura política nacional en 2005, proclamó que al elegirlo presidente, elegían presidentes a los dos pueblos indígenas (Quechua y Aymará). Pero como frecuentemente pasa, las áreas no indígenas del país amenazan separarse
80 de la nación porque dudan que sus intereses coincidan con los de la población mayoritaria indígena. El alza de precios en general y la escasez de comestibles han resultado en el mismo tipo de manifestaciones de protesta con que Morales tomó el poder antes. De todos modos fue reelegido en 2009 con un 64% del voto.

---

[12] **Zapata** Emiliano Zapata (1879–1919), one of the heroes of the Mexican Revolution of 1910, was a champion of the indigenous landless peasants of southern Mexico. His name was invoked in the rebellion led by Comandante Marcos. The town where the rebels were most active, San Cristóbal de las Casas, has a similarly symbolic name since it was named for Bartolomé de las Casas, a sixteenth-century Spanish monk who was known as the defender of the Indians because of his writings against the abuses he witnessed in the Caribbean islands.

Sin embargo el caso es que después de quinientos años los indígenas comienzan
85 a hacer sentir su voz. El mayor dilema para el gobierno es cómo integrar a los
indígenas en la vida moderna sin que pierdan su modo de vivir y sus costumbres
tradicionales. No es muy diferente a la situación de los indígenas norteamericanos y
sus «reservaciones».

En Chile, los mapuches desfilan por las calles de la capital en demanda de derechos *(rights)*.

2-9 Comprensión. Responda según el texto.

1. ¿Cuáles son algunas contribuciones del indígena americano al mundo?
2. ¿Qué porcentaje *(percentage)* de los peruanos habla de preferencia un idioma indígena? ¿Por qué es así?
3. ¿Por qué utilizaron los rebeldes de Chiapas el nombre de Emiliano Zapata?
4. ¿Qué querían los indígenas de Chiapas?
5. ¿Qué es Pachakutik?
6. ¿Qué elemento utilizó Alejandro Toledo para llegar a ser presidente del Perú?
7. ¿Cuál es el dilema del indígena hoy?

2-10 Opiniones. Exprese su opinión personal.

Elementos de la lectura

1. En su opinión, ¿debe el indígena cambiar su vida e incorporarse a la sociedad de la mayoría? Explique.

Conceptos generales

2. ¿Cree Ud. que una sociedad con mucha diversidad de idiomas, costumbres, valores *(values)* y tradiciones tiene mejor futuro que una sociedad homogénea donde todos hablan el mismo idioma y tienen las mismas costumbres y valores tradicionales? Explique.

2-11 Actividades de vocabulario. En grupos de dos o tres personas, hagan las siguientes actividades.

> **Familias de palabras** *Una familia de palabras es un grupo de palabras que están relacionadas porque comparten (share) la misma raíz (el elemento básico de una palabra que contiene el significado). Por ejemplo, de la raíz **libr-** podemos formar las palabras **libros, librería, librero, libreta**. Todas estas palabras tienen diferentes formas y funciones pero están relacionadas por su significado.*

A. Sustantivos. Complete con las formas apropiadas.

Modelo joya → joyero   mina → *minero*

1. llegar	→ llegada	llamar	→	_____
2. abrir	→ abertura	escribir	→	_____
3. dibujar	→ dibujo	cultivar	→	_____
4. organizar	→ organización	colonizar	→	_____
5. existir	→ existencia	influir	→	_____
6. sufrir	→ sufrimiento	descubrir	→	_____

B. Adjetivos. Complete según el modelo.

Modelo cultura   *cultural*

1. ceremonia   _____
2. centro   _____
3. vigésimo   _____
4. continente   _____
5. trópico   _____

C. Palabras relacionadas. Complete la tabla según el modelo.

Modelo brillo   *brillante*   *brillar*

1. impresión	_____	_____
2. _____	interesante	_____
3. _____	_____	abundar
4. canción	_____	_____
5. _____	_____	alarmar

D. Una familia de palabras. Complete la siguiente familia de palabras.

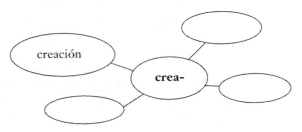

2-12 ¿Qué opina? En grupos de dos o tres personas contesten las siguientes preguntas.

1. ¿Cuáles son algunas de las diferencias entre las experiencias de los españoles y las de los ingleses con los indígenas al llegar al Nuevo Mundo? ¿Tuvieron estas diferencias efectos en las sociedades modernas? ¿Cuáles?
2. ¿Cuáles son algunas diferencias y algunas semejanzas entre la situación del indígena norteamericano y la del indígena hispanoamericano hoy día?

2-13 Debate. Organicen dos equipos para que ataquen o apoyen esta resolución.

Los españoles y los ingleses, al llegar al Nuevo Mundo, tenían derecho a quitarle la tierra al indígena americano.

2-14 Situación. Imagínese que camina por la calle y se encuentra con una persona con dos antenas en la cabeza y ruedas en los pies. Le dice «Lléveme con usted. Salí de mi planeta hace 2000 años». Con un(a) compañero(a) de clase o solo(a), haga una lista de las preguntas que le haría y las respuestas de él (ella) sobre cómo era su cultura.

2-15 Investigación. Trabajando en grupos busquen en Internet o en la biblioteca los nombres de los presidentes actuales de dos de los países siguientes: México, Guatemala, Honduras, El Salvador, Nicaragua, Costa Rica, Ecuador, Perú, Bolivia. Traten de descubrir cuáles son de descendencia indígena. Presenten la información en clase.

2-16 El arte de escribir

A. Composición dirigida. Complete las oraciones, utilizando las palabras entre paréntesis.

1. Al llegar al valle de México... (absorbieron, tolteca, los aztecas, cultura)
2. Cuando desembarcó Pizarro en 1532... (dominio, montañas, incas, siglo, imperial)
3. El sistema maya de medir el tiempo... (aspectos, impresionante, culturales, logros)
4. Según su religión... (material, hombre, creación, sirvió, para, maíz)
5. El cultivo intensivo del maíz requería menos tiempo y... (tareas, explicar, puede, intelectuales, tanto tiempo, cómo, dedicar, podían, estéticas)

B. El resumen (segunda parte). En la primera unidad, Ud. aprendió a examinar los párrafos y las oraciones temáticas como preparación para escribir un resumen. El próximo paso es decidir los detalles que va a incluir en el resumen. Por ejemplo, un resumen de la primera sección de la lectura (I. Los aztecas) podría ser corto:

Los aztecas vivieron en el valle de Anáhuac en la ciudad de Tenochtitlán que fundaron en 1325. Absorbieron la cultura tolteca y adoraban a Huitzilopochtli como su dios protector. Su sistema político era avanzado y lo utilizaron para crear un imperio en el centro de México. Su sociedad era una aristocracia.

Si uno quiere un resumen más extendido se pueden incluir más detalles sobre el lago, sobre Quetzalcóatl, la sangre, la subyugación de otras tribus, etcétera.

Ahora escriba un resumen de la tercera sección de la lectura (III. Los mayas). Primero escriba los apuntes necesarios y luego decida cuáles va a incluir.

Inician en Guatemala celebraciones por el año nuevo maya

Las diferentes organizaciones maya que hacen vida en Guatemala iniciarán este martes las primeras celebraciones por el año nuevo de esa civilización, número 5 mil 127, ciclo regido° por el cargador° Kab'lajuj E, es decir por los cuatro puntos cardinales.

ruled; porter

Los festejos ° se efectuarán° en el sitio arqueológico Kaminal Juyú, ubicado° en la capital de Guatemala.

festivities; will take place; located

Durante los rituales, las organizaciones mayas le dan la bienvenida al año y piden buenas energías para los guatemaltecos.

El año regido por el cargador Kab'lajuj E, está representado por el pájaro tordo° interpretado en la civilización maya como el protector de los viajeros y guías comunales.

starling

Al primer día del año maya lo antecede un ciclo conocido como el Wayeb, que es el «período de 5 días de cierre del calendario Solar».

De acuerdo con el sitio Web Maya-conic, de la Coordinadora Nacional Indígena y Campesina (CONIC), se trata de «cinco días de reflexión, de espera, de guardar°, de formación, de evaluación y de preparación», para los próximos 18 Winal (meses) de 20 días, que completan el lapso de 365 días.

prediction
observance / Long Count

Los cinco días son utilizados por los creyentes para reflexionar y purificar el espíritu y solicitar perdón por los actos ejecutados que no estuvieron apegados° a la conciencia colectiva.

devoted

Sacerdotes mayas recomiendan encender una vela y pedirle perdón al creador del Universo, por todo el mal causado y las cosas buenas que se dejaron de hacer.

«Eso es un acto importantísimo, especialmente para los jóvenes, si quieren ser prósperos», dijo Daniel Xoxom Ajché, sacerdote maya.

El período que inicia este martes está regido por el Nahual E, «que simboliza el camino del destino, el guía, el que nos lleva a un punto objetivo y preciso, la búsqueda de la realización en todas las situaciones, aspectos y manifestaciones de la vida».

«Esto significa que debemos conducirnos por el camino de la espiritualidad», expresó el sacerdote maya, quien explicó que si las personas tienen fe estarán marcados por situaciones positivas.

Estudios de la civilización maya indican que utilizaba al menos tres modelos calendáricos. «Por un lado el Tzolkin, sistema utilizado con fines rituales y de adivinación,° (…) la Cuenta Larga° que inició alrededor del año 3113 a.C y finalmente el calendario civil o Haab».

El calendario civil o Haab es el que rige la celebración de este martes, pues está basado en «ceremonias comunitarias así como el trabajo de la tierra y los ciclos de cultivo. Este dura 365 días, con 18 meses de 20 días».

TeleSUR, Venezuela

El mestizaje de la cocina mexicana

En este teledocumental, la prestigiosa chef mexicana Patricia Quintana habla sobre la cocina mexicana, en particular la cocina de Puebla, la cual es el resultado de influencias indígenas y europeas. También habla sobre el chocolate, un importante ingrediente en la cocina mexicana.

2-18 Anticipación. Antes de mirar el video, haga estas actividades.

A. Conteste estas preguntas.

1. ¿Le gusta la comida mexicana? ¿Cuál es su plato favorito? ¿Qué ingredientes tiene?
2. ¿Con qué frecuencia consume Ud. chocolate? ¿En qué forma?
3. ¿Qué alimentos son nativos al continente americano? ¿Qué alimentos trajeron los europeos?
4. ¿Conoce Ud. un plato que lleve más de 50 ingredientes? ¿Cómo se llama?

B. Estudie estas palabras del video.

el mestizaje *mixing of different cultures*
enriquecido *enriched*
las monjas *nuns*
las reminiscencias *influences*
degustar *to taste*
ocupar *to use*

2-19 Sin sonido. Mire el video sin sonido una vez para concentrarse en el elemento visual. ¿Qué ingredientes ve?

2-20 Comprensión. Estudie estas actividades y trate de descubrir las respuestas correctas al mirar el video.

1. El mole poblano es un platillo representativo de...
   a. los aztecas.
   b. Puebla, México.
   c. las monjas de Europa.
   d. la cocina indígena prehispánica.

2. ¿Qué generalización se puede hacer sobre la preparación del mole?
   a. Se prepara de la misma forma que lo preparaban los aztecas.
   b. Es algo complicado porque lleva muchos ingredientes.
   c. Se puede hacer con agua o con leche.
   d. Las monjas lo preparan mejor.

3. ¿Qué sabores combina el mole?
   a. dulce y salado
   b. dulce y amargo
   c. salado y ácido
   d. picante y salado

4. ¿Qué significa *atl* en el idioma de los aztecas?
   a. chocolate
   b. bebida
   c. mole
   d. agua

5. Para preparar el chocolate caliente, ¿cuál de estos ingredientes NO usaban los aztecas?
   a. leche
   b. agua
   c. vainilla
   d. cacao

2-21 Opiniones. En grupos de tres o cuatro estudiantes comenten estos temas.

1. ¿Hay mestizaje en la cocina de los Estados Unidos? ¿Qué culturas han influenciado en algunos platillos típicos de los Estados Unidos?

2. ¿Han probado alguna vez el mole? Si lo han probado, describan el sabor y la textura. Si no lo han probado, expliquen por qué creen que les gustaría o por qué no.

3. En sus casas, ¿en qué platillos es el chocolate un importante ingrediente? ¿Les gusta el chocolate amargo o dulce? ¿con leche o sin leche?

2-22 Investigación. El cacao es solo uno de los muchos productos que se originaron en las Américas. Trabajando en grupos pequeños, busquen en Internet o en la biblioteca una lista de frutas y verduras que no existía en Europa antes de la conquista del Nuevo Mundo. Presenten la información en clase.

Un mercado en Otavalo, Ecuador.

La religión en el mundo hispánico

Hemis/Alamy

Aquí se ve a una parroquia de Cuzco, Perú, llevando a su santo patrón en procesión. ¿Por qué cree Ud. que las imágenes de los santos se sacan a la calle?

Lecturas culturales

Expansión

¡A explorar!

En pantalla
«Ritos y celebraciones de la muerte»

🌐 www.cengagebrain.com

Enfoque

Por razones históricas el catolicismo ha sido la religión dominante en el mundo hispánico. Los habitantes de la Península Ibérica adoptaron el catolicismo de los romanos y lo defendieron contra el pueblo musulmán entre 711 y 1492, y poco después contra los protestantes de Europa. La Iglesia vio el descubrimiento de *to convert to Christianity* América como una oportunidad de cristianizar° los pueblos indígenas.

faith En estas lecturas se verá que no ha sido solo en cuestiones de fe°, sino también en la política y la sociedad, que la Iglesia ha mantenido una presencia dominante.

Hay que notar que hoy día mucha gente hispánica, especialmente en el medio urbano, prefiere una de las religiones más modernas o, de hecho, no practica ninguna religión organizada. Pero las tradiciones mencionadas aquí, *has come to be called* aunque más típicas del medio rural, reflejan algo que se ha venido a llamar° «catolicismo cultural» que todavía caracteriza gran parte del mundo hispánico, aun entre las personas que no ven el interior de una iglesia más que cuando un familiar o un amigo se casa o se muere.

Vocabulario útil

Verbos
ayudar *to help*
celebrar *to celebrate*
existir *to exist, to be*
mostrar (ue) *to show*
ocurrir *to happen*
se puede (ver) *one is able (to see); it is possible (to see)*
sustituir (sustituye) *to substitute*

Sustantivos
el (la) ciudadano(a) *citizen*
el (la) consejero(a) *advisor*
los fieles *the faithful*

la mayoría *majority*
el poder *power*
la reunión *gathering, meeting*

Otras palabras y expresiones
además *besides, in addition*
al contrario *on the contrary, rather*
más adelante *later, further on*
mayor *larger, greater, older (with people)*
peor; el peor *worse; the worst*
por lo general *generally*
por último *finally*
sobrenatural *supernatural*

 3-1 Para practicar. Trabajen en parejas, o como indique su profesor(a), para hacer y contestar estas preguntas usando el vocabulario de la lista.

1. ¿Asistes (o has asistido en alguna época de tu vida) a alguna iglesia, a alguna mezquita o a algún templo? ¿Qué tipo de edificio es (era): grande, pequeño, mediano? ¿Hay reuniones sociales allí?

2. ¿Qué días festivos celebras? ¿Cuáles tienen carácter religioso? ¿Los celebras con ceremonias religiosas o no? ¿Qué día festivo prefieres?

3. ¿Quién te ayuda por lo general con tus problemas personales (además de tus padres)?

4. ¿Crees en los poderes sobrenaturales? ¿Cómo se muestran? ¿Crees en la magia *(magic)* o en los fantasmas *(ghosts)*? ¿Se puede ver el futuro por medio de la astrología? Explica por qué crees esto.

3-2 Anticipación. Trabajen en grupos de tres o cuatro estudiantes para comentar dos posiciones posibles sobre los siguientes temas.

1. La religión debe ser el elemento más importante de la vida.
2. La religión organizada es mejor que la religión individual.
3. Debe haber una separación estricta entre la religión y el gobierno.
4. Se debe permitir rezar *(praying)* en las escuelas públicas.
5. No se debe permitir que una organización religiosa posea *(possess)* mucha tierra.

I. La religión y la sociedad

La Iglesia católica ha tenido gran importancia en la política de España. Lo mismo ha ocurrido en el resto del mundo hispánico. Desde la época romana ha existido el concepto de la unidad° entre la Iglesia y el estado, y aunque en los gobiernos modernos esta alianza no es oficial, en los más conservadores siempre existe una
5 gran influencia. La Iglesia tiende a influenciar al pueblo° a favor del gobierno. Este°, a cambio°, le da ciertas preferencias° a la Iglesia que la ayudan en su deseo de mantener° su posición espiritual exclusiva.

Uno de los aspectos más debatidos° del papel° de la Iglesia ha sido la cuestión° de su poder económico. Esto es especialmente importante en Hispanoamérica,
10 donde el desarrollo° económico ha sido una cuestión política dominante. Los misioneros fueron los primeros Europeos en llegar a algunas regiones apartadas°. Por eso, como la Iglesia tenía mucha estabilidad como institución, se adueñó° de un porcentaje notable de la tierra. Esta situación siempre resultó en la crítica severa contra la Iglesia.
15 La Iglesia también tiene otras formas de poder en las sociedades hispánicas. Está presente en todo pueblo o centro de población, y su organización es dirigida° desde la capital, así que a veces° resulta más eficaz° que la del gobierno nacional. También tiene gran influencia porque participa en los momentos más importantes de la vida de los fieles; es decir, en el bautismo°, el matrimonio° y
20 la muerte.

Antes del siglo XX la gran mayoría de las escuelas del mundo hispánico eran parroquiales°. La Iglesia servía como la mayor agencia de caridad°, y el cura ocupaba el lugar de consejero personal de los ciudadanos. En los pueblos, la iglesia, por ser el edificio más grande, servía como centro, alrededor del cual se realizaban
25 fiestas y reuniones sociales.

Esta tremenda presencia en casi todos los aspectos de la vida ha sido motivo de crítica por parte de ciertos partidos° políticos. Esta oposición a la Iglesia, o anticlericalismo, ha sido una corriente° política especial en los países hispánicos durante toda la época moderna. Para el extranjero es muy necesario saber que la
30 oposición consiste en una crítica contra la Iglesia como institución sociopolítica, y que casi nunca implica° un ataque a la fe católica.

Aquí hay unos artículos sobre la presencia de la religión en la sociedad hispánica.

Un millón de mexicanos celebran la canonización por el Papa del primer santo indígena

La Iglesia católica de América convirtió ayer la canonización de Juan Diego Cuauhtlatoatzin, primer santo indio del continente, en un acto de reafirmación
35 de la identidad de un México multiétnico en el que las etnias indígenas han sido «centenariamente° olvidadas y marginadas°», en palabras del cardenal de Ciudad

unity

people
The latter; in exchange;
advantages; to maintain
debated; role; matter

development
distant
took possession

directed; at times; efficient

baptism; marriage

parochial: charity

parties
current

implies

for centuries; marginalized

de México, Norberto Rivera. El Papa presidió la larga y deslumbrante° ceremonia, *dazzling*
celebrada en la basílica de Guadalupe, …[1]

40 De pie en el papamóvil°, Karol Wojtyla recorrió calles abarrotadas° de fieles *Popemobile; packed*
mientras en la plaza del Zócalo 100 000 personas siguieron en directo la ceremonia
a través de pantallas° gigantes de video. Dentro del templo, el espectáculo no era *screens*
menos espléndido ni entusiasta, y la llegada del Pontífice, que hizo su entrada
subido en la peana móvil°, fue acogida con un entusiasmo delirante… *portable platform*

45 «Juan Diego es más que un santo», comentaba un mexicano náhuatl rodeado
de periodistas, «es el representante ante Dios de los indios» …

Según el Papa, Juan Diego fue el fruto del «encuentro fecundo° entre dos *fertile*
mundos y se convirtió en protagonista de la nueva identidad mexicana».

El País Internacional (Madrid)

Más de 100 000 españoles están atrapados en las redes de 200 sectas destructivas …

El ministro español del Interior, Jaime Mayor Oreja, admitió el martes 10 en el
Congreso de los Diputados° la «gran dificultad» que entraña luchar° contra las *deputies, representatives; is involved in the struggle*
50 200 sectas destructivas que actúan en España, la mayoría de ellas legales. Entre 100 000
y 150 000 ciudadanos están, sin sospecharlo siquiera°, atrapados en sus redes°. *without even suspecting it; trapped in their nets; selection*

El surtido° es variado. Las hay de origen hindú y oriental, otras que celebran
misas negras y sacrificios de animales y algunas incluso que preconizan° un *advocate*
gobierno aristocrático y totalitario. Unas captan adeptos° y dinero —mucho *win over members*
55 dinero— disfrazadas° de fines benéficos° o inquietudes° culturales, y otras *disguised; benefits; concerns*
sobreviven gracias al más absoluto de los secretos. El resultado siempre es igual
de doloroso°, individuos con la voluntad anulada°, convertidos en guiñapos°, *painful; their will destroyed; ragdolls; turned over to*
entregados° en cuerpo y alma al líder de la organización.

Con todo, hay pocos métodos eficaces, según los expertos, para luchar contra el
60 avance° de las sectas destructivas … *progress*

El País Internacional (Madrid)

Las sectas evangélicas se apoderan° de Latinoamérica *seize*

En los templos de la Iglesia Universal del Reino° de Dios (IURD), el viejo hábito *Kingdom*
de pasar el cepillo°, fue remplazado por otro mucho más lucrativo. Los fieles son *collection plate*
convocados a vaciar sus bolsillos junto al altar y si no llevan efectivo°, se les aceptan *cash*
cheques o tarjetas° de crédito. *cards*
65 En la cosmovisión de ésta u otras congregaciones evangélicas de América Latina,
el reino de los cielos funciona como un banco de ahorro° y crédito: los fieles *savings*
invierten° grandes sumas de dinero y Dios se las devuelve con la salvación eterna … *invest*
En 1995, un pastor de su propio séquito°, Carlos da Miranda, le acusó de lavar el *his own entourage*
dinero del cartel narcotraficante de Cali.
70 Esas imputaciones no han impedido a la IURD secuestrar almas° a la iglesia *stealing souls*
católica y al credo afrocristiano del Umbanda: hoy la teología de la prosperidad
cuenta con° 12 millones de adeptos en Brasil, tres millones en México, cerca de un *numbers*
millón en Argentina y representaciones en 56 países…

---

[1] **Basílica de Guadalupe, La Virgen de Guadalupe** The patron saint of Mexico. The image is a dark-skinned Virgin from Guadalupe in Spain. When a dark-skinned Virgin appeared to the Indian Juan Diego in 1531, she was identified with the already existing image from southern Spain. The image represents the only one with which the dark-skinned Indians could identify. The legend is that as proof of her authenticity, she brought fresh roses to Juan Diego in midwinter in Mexico City. The basilica where the Pope conducted the ceremony of canonization of Juan Diego is the most venerated spot in the country.

the beyond
couples counseling

to chase away
all evil
evil eye
taken over

brainwashing
declares

En vez de preocuparse del más allá° como el catolicismo, la IURD dedica
75 los lunes a los asuntos de pareja°, los martes a la curación de enfermedades, los
miércoles a los problemas económicos…

Una vez por semana se practican exorcismos colectivos para ahuyentar° a
Satanás, responsable de todos los males°, desde la pobreza hasta la impotencia
sexual, pasando por el mal del ojo°…

80 «En Guatemala las sectas fundamentalistas se han posesionado° del 31% de la
población y en Chile del 25%. Estamos frente a la mayor operación de lavado de
cerebro° que registra la historia. Y las autoridades no hacen nada por detenerla»,
sentencia° el sociólogo brasileño Alexander Marher.

El Mundo, Madrid, ESPAÑA

3-3 Comprensión. Responda según el texto.

1. ¿Qué relación entre la Iglesia y el estado viene de la época romana?
2. ¿Cómo llegó la Iglesia a poseer tanta tierra en Hispanoamérica?
3. ¿Qué otras situaciones le daban influencia política a la Iglesia?
4. ¿Cómo llegó la Iglesia a tener influencia social?
5. ¿Qué es el anticlericalismo?
6. ¿Qué motivo tuvo el Papa para ir a México?
7. ¿Cuántos españoles participan en sectas religiosas? ¿y mexicanos? ¿y argentinos?

3-4 Opiniones. Exprese su opinión personal.

Elementos de la lectura

1. ¿Cree que es mejor para la sociedad tener muchas religiones o es mejor tener
   una religión oficial?
2. ¿Qué aspecto histórico influyó en la decisión de mantener una separación
   entre la iglesia y el estado *(government)* en los Estados Unidos?
3. ¿Tienen las iglesias mucho poder económico en los Estados Unidos? Explique.

Conceptos generales

4. ¿Qué ventajas y desventajas ofrece la religión organizada que no ofrece la
   religión personal o individual?
5. ¿Qué papel *(role)* tiene la religión en su vida? ¿Asiste Ud. a una iglesia
   (o sinagoga o templo o mezquita) regularmente? ¿Por qué sí o por qué no?

II. La religión y la vida personal

Lo anterior° indica la presencia notable de la religión en la vida hispánica. Esta
larga tradición religiosa ha resultado en una actitud° especial hacia el papel
de la religión en la vida. Hay pocas actividades tradicionales en que no se note la
presencia de la religión.

5 La gran mayoría de las fiestas que se observan son fiestas religiosas; la Navidad
y la Semana Santa[2] solo son las más conocidas. Además cada pueblo tiene su santo
patrón° y el día dedicado a ese santo se celebra cada año; es la fiesta más importante
del pueblo. En algunos países del mundo hispánico es costumbre celebrar el día del
santo de una persona en vez de su cumpleaños°. El bautismo, la primera comunión

[2] *la Navidad y la Semana Santa* Christmas and Holy Week (the week before Easter Sunday).

10 y aun° el velorio°, aunque son ceremonias o actos religiosos, ofrecen una ocasión de reunión social. En la Semana Santa, especialmente en España, hay procesiones y actos solemnes durante toda la semana. El Día de los Muertos³ (2 de noviembre) se observa con actividades religiosas también. En España es tradicional ir a ver Don Juan Tenorio⁴, obra dramática en la que hay escenas de ultratumba°.

15 El misterio tiene bastante importancia en las prácticas religiosas del mundo hispánico. La fe, a veces profunda, resulta en una extrema religiosidad° enfocada° en los aspectos maravillosos y misteriosos de la religión. Las iglesias tradicionales muestran esta preferencia con un decorado° simbólico lleno de imágenes° que refuerzan la espiritualidad° de la gente.

20 Otras prácticas que muestran la presencia constante de la religión son las palabras y frases exclamatorias de origen religioso. «Por Dios» o «Dios mío» son usadas por cualquier persona en cualquier situación, mientras que° los equivalentes en inglés son reservados para ocasiones de más importancia. Además, es tradicional en el mundo hispánico dar nombres de personajes sagrados° a los hijos. El nombre

25 femenino más popular es María, que por lo general lleva también otro nombre de la Virgen, como María del Rosario o María de la Concepción. Jesús o Jesús María es un nombre masculino común.

Al ver todo este énfasis en los muchos aspectos cotidianos° de la religión, es algo sorprendente encontrar que la asistencia a la misa no es muy numerosa, especialmente

30 entre los hombres. Según algunos esto refleja el fenómeno del «catolicismo cultural» que domina la región mediterránea de Europa, o sea que la gente se considera católica pero no practica su religión. Un sondeo° reciente reveló que un 50,9 por ciento de los estudiantes españoles no eligen la religión como materia en la escuela secundaria. Al mismo tiempo su vida refleja la creencia en varias tradiciones de esa religión. La

35 consideración de la familia extensa° como centro de la vida y la aceptación de la jerarquía° como inevitable son ejemplos de este fenómeno cultural.

Margin glosses:
- *beyond the grave*
- *religiosity; focused*
- *setting; statues*
- *spirituality*
- *while*
- *sacred persons*
- *everyday*
- *poll*
- *extended*
- *hierarchy*

Las procesiones de la Semana Santa muestran el realismo de las imágenes en la religión española.

³ **el Día de los Muertos** All Souls' Day. A Catholic religious day marked by prayers and services for the souls in purgatory. ⁴ **Don Juan Tenorio** A play by the famous Spanish playwright José Zorrilla (1817–1893).

3-5 Comprensión. Decida si las siguientes oraciones son **verdaderas** o **falsas.** Corrija las falsas.

1. Muchas fiestas en el mundo hispánico son de carácter religioso.
2. Cada comunidad tiene su santo patrón, cuya fiesta se celebra cada año.
3. Algunos celebran el día del santo de una persona en vez de la Semana Santa.
4. Los aspectos racionales de la religión es lo que más atrae a los fieles en el mundo hispánico.
5. El nombre femenino más común es María.
6. El «catolicismo cultural» no acepta la jerarquía como algo natural.

3-6 Opiniones. Exprese su opinión personal.

Elementos de la lectura

1. ¿Cuáles son algunos días festivos religiosos que se celebran en su país? ¿Qué días celebra Ud.? ¿Cuáles mantienen sus características religiosas?
2. ¿Qué nombres de origen religioso se usan en los Estados Unidos?

Conceptos generales

3. ¿Cuál es el origen de su nombre? ¿Por qué se lo dieron sus padres? ¿Preferiría otro nombre? ¿Cuál?
4. ¿Deben los padres insistir en que sus niños practiquen su religión? ¿Por qué sí o por qué no?

III. La religión en Hispanoamérica

already established

Los españoles trajeron al Nuevo Mundo tradiciones ya establecidas°. La cristianización de los indígenas trajo ciertas modificaciones, si no en la doctrina, al menos en la manifestación de estas tradiciones.

ancient

Las grandes civilizaciones indígenas ya tenían sus antiguas° religiones, que se
5 distinguían del catolicismo en que tenían muchos dioses. Cada dios tenía su función

rain
similar

especial: el dios de la lluvia°, el dios de la fertilidad, etcétera. Los santos católicos tenían a veces funciones parecidas°, y los indígenas les daban mucha importancia a estas funciones. Por eso, hasta hoy día, los santos ocupan un lugar más importante entre la gente del pueblo en Hispanoamérica que en España.

request
toward life
willful
test
paradise

10 Otra costumbre que puede venir de los indígenas es la de ofrecerle algo —comida, por ejemplo— a la imagen del santo cuando se hace una petición°.

Las religiones indígenas también revelaban cierto fatalismo vital°, porque sus dioses eran más voluntariosos° que el Dios cristiano. El concepto de que la vida en la tierra es una prueba° por la cual el hombre gana la salvación no era común en
15 estas religiones. Se ganaba el paraíso° de otras maneras: por la forma en que uno moría o por la ocupación que se tenía en el mundo. Según algunos, este fatalismo

survived

parece haber sobrevivido° en el catolicismo de América.

suggests

Como los españoles, los indígenas vivían bajo un sistema en que el jefe del estado también era jefe religioso. Esta unión de las dos instituciones sugiere° que
20 para ellos también la religión formaba parte integral de la vida. Claro está que estas modificaciones se observan principalmente en las regiones donde se encontraban las grandes civilizaciones indígenas.

3-7 Comprensión. Responda según el texto.

1. ¿Por qué hubo modificaciones del catolicismo en Hispanoamérica?
2. ¿Cómo se combinaron el catolicismo y las religiones indígenas en cuanto a los muchos dioses indígenas?
3. ¿Por qué había fatalismo en las religiones indígenas?
4. ¿Qué función doble tenían los jefes indígenas y españoles?

3-8 Opiniones. Exprese su opinión personal.

Elemento de la lectura

1. ¿Tuvo la religión de los indígenas alguna influencia en el protestantismo de las colonias inglesas? Explique.

Concepto general

2. Algunas religiones tienen prácticas no legales de acuerdo con la ley de los Estados Unidos. ¿Se deben permitir estas prácticas bajo el principio de libertad de religión?

IV. La religión en la actualidad

affection
advanced
been allied

priesthood
opinion; sin

rebels

It is estimated

herbs
belonging

parishioners

Las visitas del Papa Juan Pablo II (q.e.p.d.) a España y a Hispanoamérica mostraron el gran cariño° del pueblo hispánico por la Iglesia como institución. Al mismo tiempo algunos critican al Papa por no tomar una posición social más avanzada°.

La Iglesia en Hispanoamérica se ha aliado° tradicionalmente con las clases
5   altas, pero en el siglo xx se vieron algunas excepciones. El padre Camilo Torres en Colombia llegó a dejar el sacerdocio° y a unirse a los guerrilleros de su país. Según su criterio°, con tales condiciones de pobreza y miseria, es un pecado° no ser revolucionario. Existe el concepto de la «teología de la liberación» que declara que una obligación de la Iglesia y de los curas es ayudar a los pobres y obrar a favor
10 de la justicia social. El concepto ha ganado apoyo en varios países —en Nicaragua algunos curas sirvieron en el gobierno de los rebeldes° sandinistas.

La idea del «cura rebelde» no es un fenómeno nuevo. Fueron dos curas, el padre Hidalgo y el padre Morelos, los que proclamaron la independencia de México en 1810.
15 Aunque cuando se habla de religión en el mundo hispánico casi siempre se habla de la Iglesia católica, hay otras religiones que se practican también. Se calcula° que el número de personas que profesan una religión protestante ha llegado a un 20 por ciento y, puesto que los católicos no van a misa tan frecuentemente, algunos dicen que en un domingo típico hay más protestantes en las iglesias que católicos. En las
20 regiones con influencia africana —el Brasil, la región del Caribe— se encuentra una fuerte presencia de religiones africanas, tales como la santería en las islas del Caribe. A veces las religiones africanas y el catolicismo se han unido en una forma sincrética[5] en que aspectos de las dos religiones se mantienen en una nueva forma mezclada. Estas religiones africanas tienen algunas de las mismas características
25 del catolicismo en que tienen fuertes influencias culturales, y en que mucha gente que no se considera religiosa muestra dicha influencia. En el caso de las religiones africanas, por ejemplo, mucha gente utiliza las hierbas° medicinales de la santería sin pertenecer° formalmente a la religión.

Algunos observadores atribuyen la canonización de Juan Diego a un deseo de
30 parte de la Iglesia de comunicarse con los pueblos indígenas de Hispanoamérica y de parar la pérdida de feligreses°.

[5] Syncretism is the combining of two religions (or philosophies) into a new form containing elements of both of the original components.

La Iglesia tiene una presencia en los momentos más importantes de la vida. ¿Quiere Ud. una boda religiosa?

Es evidente que una Iglesia más activa en ayudar con los problemas —la pobreza, el desempleo, la división entre los ricos y los pobres— va a ganar más adherentes en el siglo XXI, especialmente entre la clase media que crece con cierta rapidez y que

35 exige de la institución religiosa algo más que el elemento espiritual.

3-9 Comprensión. Responda según el texto.

1. ¿Qué postura política ha tomado la Iglesia tradicionalmente en Hispanoamérica?
2. ¿Por qué dejó el sacerdocio Camilo Torres y qué significa la «teología de la liberación»?
3. ¿Quiénes fueron dos curas rebeldes del pasado?
4. ¿Qué otras religiones además del catolicismo se encuentran en Hispanoamérica?
5. ¿Qué grupo social exige una Iglesia más activa en la sociedad?

3-10 Opiniones. Exprese su opinión personal.

Elementos de la lectura

1. ¿Tienen las iglesias en general la obligación de ayudar a los pobres? ¿Por qué sí o por qué no?
2. A veces las iglesias norteamericanas adoptan una postura política sobre un problema. ¿Cuáles son algunos casos de esto?

Conceptos generales

3. ¿Cuál debe ser el papel de la religión en la sociedad? ¿Se deben permitir las oraciones (prayers) y otros actos religiosos en la escuela pública o en otros lugares públicos?
4. ¿Cree que todas las religiones deben tener el mismo respeto de parte de la sociedad? ¿Por qué sí o por qué no?

3-11 Actividades de vocabulario. En grupos de dos o tres personas hagan las siguientes actividades.

> **Los sinónimos** Una forma de ampliar el vocabulario es trabajar con sinónimos. Los sinónimos son palabras que tienen significados parecidos como **flaco** y **delgado.** La próxima vez que busque una palabra en un diccionario en línea, mire el enlace de «sinónimos» y aprenda algunos sinónimos nuevos.

A. Lista de sinónimos. Busquen el sinónimo en la segunda columna de cada palabra de la primera columna.

I.	II.
1. finalmente	a. ayudar
2. idea	b. ocurrir
3. festejar	c. por último
4. cooperar	d. boda
5. demandar	e. dejar de
6. decepcionar	f. desilusionar
7. matrimonio	g. concepto
8. no continuar	h. evidente
9. suceder	i. celebrar
10. indiscutible	j. exigir

B. Sinónimos en oraciones. Reemplacen la palabra subrayada con un sinónimo del cuadro.

deseo	maravillosa
establecer	modificar
famoso	significativo

1. La Iglesia ha hecho un papel <u>importante</u> en la sociedad hispánica.
2. El Papa es <u>célebre</u> en el mundo.
3. Es obvio que vamos a <u>cambiar</u> el sistema.
4. ¿Cuál es tu <u>aspiración</u> principal en la vida?
5. Una tarea importante era <u>crear</u> misiones en el Nuevo Mundo.
6. La catedral de Cusco, Perú, es <u>fantástica</u>.

C. Repaso de cognados. Busquen diez palabras en las **Lecturas culturales** que sean parecidas en forma y significado a sus equivalentes en inglés.

¡A explorar!

3-12 ¿Qué opina? En grupos de tres o cuatro personas contesten las siguientes preguntas.

1. En cuanto al papel de la religión en la sociedad, ¿qué diferencias hay entre el mundo hispánico y los Estados Unidos?
2. ¿Por qué no tiene la Iglesia tanto poder en los Estados Unidos como en el mundo hispánico?
3. ¿Qué prefiere Ud., la religión misteriosa y dramática o la religión más racional y clara? ¿Por qué?
4. ¿Prefiere Ud. las iglesias modernas y sencillas o las antiguas y tradicionales? ¿Por qué?

3-13 Debate. Organicen dos equipos para que ataquen o apoyen esta resolución.

Es preferible que haya una religión dominante en una sociedad porque crea una unidad más fuerte.

3-14 Situación. Imagínese que tiene un(a) hijo(a) de dieciocho años. Él (Ella) ha decidido afiliarse a *(to join)* un grupo religioso. El grupo se considera un poco esotérico y todos los miembros deben entregarle todas sus posesiones personales a la iglesia y tienen que vivir en la iglesia con los otros miembros. ¿Cómo reaccionaría Ud.? ¿Qué le diría a su hijo(a)?

3-15 Investigación. Trabajando en grupos busquen en Internet o en la biblioteca alguna información sobre otro de los cultos religiosos practicados en Latinoamérica. Prepárense para describirles a sus compañeros la información encontrada.

3-16 El arte de escribir

A. Composición dirigida. Utilizando una frase de cada columna, forme oraciones completas según el texto.

El anticlericalismo	revelaban	religiosas.
Muchas fiestas	dar a los hijos	cierto fatalismo.
Es costumbre	son	central en la sociedad hispánica.
La religión	ha sido	una corriente política especial.
Las religiones indígenas	ocupa un lugar	nombres de personajes sagrados.

B. Complete las oraciones siguientes de acuerdo con la lectura.

1. Además de la lengua, los romanos dieron a España...
2. El poder económico de la Iglesia es importante en Hispanoamérica porque...
3. En algunos países en vez del cumpleaños es costumbre celebrar...
4. Las iglesias muestran el gusto del hombre hispánico por...
5. Entre los indígenas los dioses fueron sustituidos por...

La religión en el mundo hispánico ▓ **43**

C. La enumeración. Una actividad común en la preparación para escribir sobre un asunto es el hacer una lista de los detalles que se incluirán en la composición. Después, estos detalles se pueden manipular: se ponen en orden cronológico, de importancia o en otro orden lógico.

Después de ordenar los detalles se puede crear un bosquejo *(outline)* formal o proceder a escribir, utilizando la lista como bosquejo. Los detalles entonces se pueden elaborar según quiera el autor. Es importante examinar con cuidado el nivel de importancia para hacer los párrafos más o menos iguales en importancia. Por ejemplo, una lista de los detalles de una composición sobre el verano pasado podría incluir los siguientes elementos.

Trabajé en un banco.

Fui cajero(a) *(teller)*.

Gané poco dinero.

Iba de compras de vez en cuando.

Compré una camisa nueva un día.

Iba al cine por la noche frecuentemente.

Vi una película con Brad Pitt.

A veces salía con mis amigos.

Fuimos a una fiesta en casa de José.

Durante el mes de agosto viajé con mis padres.

Fuimos a México…

 Con los compañeros de clase, decidan los niveles de los detalles anteriores *(above)*. Márquenlos con números de acuerdo con su importancia. Usen el número 1 para los más esenciales. Ahora haga una lista de lo que va a hacer el verano que viene. Después, marque las oraciones con números que indiquen su importancia.

Jason Dewey/Taxi/Getty Images

En un banco

Bolivia: la religión católica pierde el monopolio de las aulas°

classrooms

Mery Vaca

Bolivia

tied

La Asamblea Legislativa de Bolivia aprobó, a tempranas horas de este jueves, una nueva Ley de Educación que modifica la exclusividad de enseñar la religión católica en las escuelas y, en su lugar, dispone introducir clases de una amplia gama° de religiones y espiritualidades, entre ellas, la cosmovisión andina°.

wide range

Andean view of reality

Con la nueva ley, se introduce la materia de «religiones, espiritualidad, ética y valores». Este cambio, según el gobierno de Evo Morales, va a tono° con la nueva constitución que le quita a la religión católica su carácter oficial y declara a Bolivia como un estado laico°.

advocates

is in harmony

secular

La Iglesia Católica, las instituciones educativas religiosas y opositores° políticos rechazaron° este aspecto de la ley educativa porque consideran que busca el adoctrinamiento ideológico de los escolares y porque, a decir de ellos°, sólo refleja la realidad de los indígenas.

opponents; representative

rejected

as they say

Sin embargo, el ministro de Educación, Roberto Aguilar, explicó que si bien todos los bolivianos aprenderán la materia de «religiones, espiritualidad, ética y valores», habrá una currícula regionalizada «donde se va a poder incorporar componentes de espiritualidad y cosmovisión indígena, aymara, quechua, guaraní, o en su caso, religión católica, metodista y otras».

representative

atheists

Bolivia tiene 36 nacionalidades indígenas y cada una de ellas tiene su propia espiritualidad, que, por lo general, está muy ligada° a la tierra y a la naturaleza.

Muchos dioses

La senadora oficialista Carmen García, de origen quechua, comentó a BBC Mundo que «ahora hay libertad de religiones» por lo que dijo no entender la preocupación de la Iglesia y de los opositores. Comentó que, por ejemplo, en la cosmovisión andina hay varios dioses y no uno sólo como en el catolicismo. Por eso, ella aboga° por el «encuentro interreligioso».

Poco antes de la aprobación de la ley, el cardenal Julio Terrazas, conocido por sus posiciones críticas respecto al gobierno de Evo Morales, había pedido que «los valores del evangelio no se borren° de ninguna parte, que los valores del evangelio sigan enriqueciendo nuestras búsquedas, nuestras maneras de trabajar, para conseguir algo mejor en bien de todos».

La diputada° opositora Adriana Gil, en entrevista con BBC Mundo, dijo que la ley aprobada «tiene la finalidad de adoctrinar a los niños del país», además de imponer la cosmovisión indígena, por encima de los derechos de mestizos y blancos de Bolivia.

Gil señaló que la mayor parte de los líderes oficialistas son ateos°, pero considera que eso no les da el derecho de «quitar la religión y a Dios» de la enseñanza educativa.

decolonizing
alongside

Educación «descolonizadora»°

Pero, más allá de la polémica por la materia de la religión, la ley declara que la educación debe ser «descolonizadora, comunitaria y productiva», lo que implica un cambio de visión política, social y económica de la formación de los bolivianos.

Patzi, quien fue ministro de Educación del gobierno de Morales y, en esa condición, dirigió el Congreso de Educación que dio nacimiento a la nueva ley, explica que la norma es descolonizadora porque fusiona el sistema educativo tradicional con el indígena.

highlands
knowledge

Eso quiere decir que los saberes° de los indígenas serán parte de la currícula educativa, no en una materia específica, sino de forma transversal° en toda la enseñanza.

Entre tanto, lo comunitario es una forma de organización económica y política originaria, que se contrapone a los preceptos liberales.

Y lo productivo tiene que ver con que los estudiantes salgan del colegio con un nivel técnico, más allá de la formación humanista.

La nueva ley educativa se llama Abelino Siañani y Elizardo Pérez, en homenaje a dos hombres que educaron a los indígenas del altiplano° de Bolivia, en el siglo XIX.

BBC Mundo

"Bolivia, la religion católica pierde el monopolio de las aulas", Article by Mery Vaca, ©BBC, Reprinted with permission.

Patrick Escudero/hemis.fr/Getty Images

Entre los quechuas y aymaras, es costumbre hacer ofrendas a Pachamama, diosa de la tierra.

▶ Ritos y celebraciones de la muerte

Juan Carlos de Venezuela, Lily de México y Winnie de Guatemala contestan varias preguntas sobre la muerte, los velatorios y el Día de los Muertos.

3-18 Anticipación. Antes de mirar el video, haga estas actividades.

A. Conteste estas preguntas.

1. ¿Qué piensa de la muerte? ¿Le tiene miedo?
2. ¿Cómo se debe recordar a una persona que murió?
3. ¿Ha visitado alguna vez una tumba? ¿Cómo estaba decorada?
4. ¿Qué ritos y celebraciones de la muerte tiene su familia?

B. Estudie estas palabras y expresiones del video.

sin lugar a dudas *without a doubt*
entristecer *to become sad*
el ser querido *loved one*
fallecer *to die; to pass away*
desgraciadamente *unfortunately*
deprimente *sad, depressing*
el ataúd *coffin*

el barrilete *kite (Guatemala)*
la tumba *tomb*
el panteón *cemetery*
temer *to be afraid of*

3-19 Sin sonido. Mire el video sin sonido una vez para familiarizarse con los entrevistados y las preguntas que se le hacen. ¿Cómo cree Ud. que contestarán?

3-20 Comprensión. Estudie estas actividades y trate de descubrir las respuestas correctas al mirar el video.

1. ¿Cuál de estas oraciones es cierta?
   a. Juan Carlos no le tiene miedo a la muerte.
   b. Lily le tiene miedo a que sus papás no estén con ella.
   c. Winnie celebraría la muerte con mucha alegría.
   d. Si una persona muere, Juan Carlos no lo celebraría con una fiesta.

2. ¿Cuál es la actitud de Juan Carlos con respeto la muerte?
   a. Hay que pensar en la muerte en todo momento.
   b. Debemos tratar de vivir por la eternidad.
   c. No hay que tenerle miedo a la muerte.
   d. Hay que aceptar la muerte.

3. Según Winnie, ¿cuál es una tradición de Guatemala para celebrar el Día de los Muertos?
   a. Se hacen velorios.
   b. Se vuelan barriletes.
   c. Se compra flor de cempasúchil.
   d. Se decoran las tumbas con pan de muerto.

4. Según Juan Carlos, ¿qué hace la gente en un velatorio en Venezuela?
   a. Llora mucho.
   b. Celebra con alegría.
   c. Limpia la tumba del ser querido.
   d. Pone flores de muchos colores en el panteón.

5. ¿Cuál es una creencia de algunos mexicanos y guatemaltecos?
   a. El inframundo es un lugar triste y trágico.
   b. La flores de los muertos traen mala suerte porque huelen mal.
   c. Los muertos vienen a visitar a los vivos en el Día de los Muertos.
   d. Los muertos quieren que los vivos vayan al inframundo en el Día de los Muertos.

3-21 Opiniones. En grupos de tres o cuatro estudiantes comenten estos temas.

1. ¿Con cuál de los tres entrevistados se identifican más? ¿Por qué?

2. ¿Cuál de los tres entrevistados parece tenerle menos miedo a la muerte? ¿Por qué creen que tiene esa actitud?

3. ¿Hay algún rito que mencionan los entrevistados que les guste? Expliquen.

Aspectos de la familia en el mundo hispánico

John Feingersh/Blend Images/The Agency Collection/Getty Images

LA PALMERA

En el mundo hispánico no hay institución más importante que la de la familia. Describa a la familia de la foto. ¿Cuál será el parentesco entre ellos?

Lecturas culturales

Expansión

¡A explorar!

En pantalla

«Tres generaciones de una familia ecuatoriana»

🌐 www.cengagebrain.com

Enfoque

on a small scale; ties

spheres

Una de las características más interesantes de cualquier cultura es la estructura de la familia y su papel en la sociedad. Se podría decir que la familia representa los valores de la sociedad en menor escala°. En el mundo hispánico los lazos° familiares muestran rasgos importantes para la comprensión de la cultura. La preocupación por la familia se extiende a casi todas las esferas° de la vida y en muchos casos es el sentimiento fundamental del individuo.

Los ensayos que siguen describen algunos aspectos de la familia en el mundo hispánico, especialmente aquellos que son diferentes de los rasgos típicos de la familia de los Estados Unidos. Claro está, estos rasgos son semejantes a los de las familias hispánicas que viven en los Estados Unidos.

Vocabulario útil

Verbos
adquirir (ie) *to acquire*
heredar *to inherit*
relacionarse con *to be related to (but not in the sense of kinship)*
sugerir (ie) *to suggest*
tratar de *to deal with, to try to*

Sustantivos
la empresa *enterprise, business*
la estructura *structure*
el (la) heredero(a) *heir; heiress*
el hogar *home, hearth*
el matrimonio *married couple*
la nuera *daughter-in-law*
los padrinos *godparents*

el (la) pariente *relative*
la perspectiva *prospect*
la preocupación *concern, worry*
el promedio *average*
la propiedad *property*
el (la) propietario(a) *property owner*
el rasgo *trait, characteristic*
el sentido *sense*
el valor *value*
el yerno *son-in-law*

Otras palabras y expresiones
contra *against*
familiar *(adj.) family; (n.) family member*
menor *smaller, lesser, younger (with people)*

 4-1 Para practicar. Trabajen en parejas, o como indique su profesor(a), para hacer y contestar estas preguntas usando el vocabulario de la lista.

1. ¿Tienes hermanos? ¿Cuántos? ¿Son mayores o menores? ¿Qué edad tienen?
2. ¿Tus padres sugieren que tomes ciertas clases? ¿Tratan de convencerte para que escojas cierta especialización?
3. ¿Tus padres se preocupan por el hecho de que hayas salido de tu casa familiar? ¿Cómo respondes a sus preocupaciones?
4. ¿Piensas que tu casa familiar seguirá siendo tu hogar, aun después de casarte?
5. ¿Tu familia celebra los días de fiesta como familia? ¿Cómo celebran algunos días de fiesta?
6. ¿Qué valores personales has heredado de tu familia o de algún pariente? ¿Hay algunos rasgos comunes en tu familia? ¿Cuáles has adquirido?
7. ¿Tienes padrinos? ¿Tienes cuñados? ¿Hay yernos o nueras en tu familia? Si los hay, ¿se consideran ellos parte de la familia?

4-2 Anticipación. Trabajen en grupos de tres o cuatro estudiantes. Antes de comenzar la lectura, hagan una lista de los rasgos típicos de la familia de los Estados Unidos. Prepárense para presentarle su lista de ideas a la clase.

I. Los lazos familiares

En el poema épico *Cantar de Mio Cid*[1], del siglo XII, considerado como la primera obra de este género en la literatura española, su protagonista, el Cid, además de guerrero valiente°, es también padre de familia. Parte del poema trata de cómo el Cid venga° una ofensa cometida contra sus hijas. En la literatura española
5 siempre ha existido mucha preocupación por el honor del individuo. Este honor está relacionado con los miembros de la familia; así que la manera más hiriente° de atacar verbalmente a alguien es por medio de° una ofensa a un familiar. La peor ofensa que se le puede hacer a una persona es insultar a su madre.

En la época moderna, se puede observar lo mismo en ciertos fenómenos
10 lingüísticos. Los insultos más graves° tienden a implicar a los miembros de la familia del insultado. En el poema *Martín Fierro*, del siglo XIX, un gaucho° trata de insultar a otro ofreciéndole un vaso de aguardiente°:

> «Diciendo: ‹Beba, cuñao,›
> ‹Por su hermana; contesté,
> 15 Que por la mía no hay cuidao.› »[2]

Si se examina la sociedad contemporánea se puede ver cómo el sentimiento familiar ejerce una gran influencia en casi todas las instituciones sociales.

Glosses (left margin):
brave warrior
avenges

hurtful
by means of

serious
cowboy (Arg.)
liquor

[1] *Cantar de Mio Cid* National epic of Spain, written about 1140 to glorify the deeds of the Spaniards in the Reconquest of the peninsula from the Moors. *El Cid* lived from about 1030 to 1099.
[2] *Martín Fierro* Narrative poem by the Argentinean José Hernández, written in 1872. The poem is a classic study of the gaucho in his struggle against the move of civilization into the pampas. The quote says: "Drink, brother-in-law." "It must be because of your sister, 'cause I'm not worried about mine." To call a stranger *cuñado* implies some kind of intimacy with his sister. The ultimate insult of this type is *«Yo soy tu padre.»*

4-3 Comprensión. Responda a las siguientes preguntas según el texto.

1. ¿Qué es el *Cantar de Mio Cid*, y qué tiene que ver con la familia en el mundo hispánico?
2. ¿Cuál es una manera común de ofender a una persona en el mundo hispánico?
3. ¿Quiénes son y dónde viven los gauchos?

4-4 Opiniones. Exprese su opinión personal.

Elementos de la lectura

1. ¿Cómo es su familia y cuántos miembros hay en total?
2. ¿Cree que los insultos contra la familia son más ofensivos que los insultos directos? ¿Por qué sí o por qué no?

Conceptos generales

3. ¿Qué diferencias hay entre la actitud hacia la familia de los padres y la de los hijos?
4. ¿Cree Ud. que en general los lazos familiares pierden o ganan fuerza hoy día?

II. La familia y la política

political party

En la política, muchas veces los lazos familiares determinan las alianzas con más fuerza que la ideología o el partido°. Aun más importante es la práctica del nepotismo en las burocracias y en las empresas. Esta práctica, que se prohíbe

inefficient; unfair

generalmente en los Estados Unidos por ser ineficaz° e injusta°, es más común (y

to deny; loyalty

5 menos censurada) en el mundo hispánico. Además, las prohibiciones tienen poco efecto porque nadie puede negar° que la lealtad° y las obligaciones hacia la familia son más importantes que otras consideraciones.

En el campo, los grandes propietarios han seguido tradicionalmente otra práctica que influye en las relaciones familiares: el mayorazgo. Esta práctica le da al
10 hijo mayor toda la propiedad de la familia en vez de dividirla entre todos los hijos. El hijo mayor tiene la obligación de mantener y de cuidar a los otros hijos si ellos así lo desean. La casa familiar es considerada como el hogar de los hijos, los yernos y las nueras, durante toda la vida. En las haciendas muy tradicionales es común encontrar juntos a varios matrimonios y a varias generaciones. Esta organización
15 social también se encontraba en el sur de los Estados Unidos antes del siglo xx.

Cuando oímos hoy que hay una gran necesidad de reforma agraria en El Salvador, observamos cómo la práctica del mayorazgo ha creado una concentración de la tierra en manos de unas pocas familias.

second sons; resentful
except; male

Ha habido muchos casos históricos y literarios de segundones° resentidos° por falta
20 de perspectivas, a no ser° la de casarse con la hija de otra familia sin herederos varones°.

4-5 Comprensión. Complete las oraciones según el texto.

1. Las alianzas políticas frecuentemente se basan más en _____ que en _____.
2. Bajo el sistema del mayorazgo, el hijo mayor hereda _____.
3. Un resultado negativo del mayorazgo ha sido _____.

4-6 Opiniones. Exprese su opinión personal.

Elementos de la lectura

1. ¿Le parece bueno o malo el sistema del mayorazgo? Explique.
2. ¿Vota Ud. igual que sus padres? ¿Por qué sí o por qué no?

Conceptos generales

3. ¿Acepta Ud. el nepotismo? ¿En qué tipos de empleo? ¿Por qué sí o por qué no?
4. ¿Deben los gobiernos premiar *(reward)* a los padres por tener más hijos?
   Explique su opinión.

III. La familia y la sociedad

Un gran número de acontecimientos sociales son de tipo familiar. En los días de fiesta y los domingos las familias frecuentemente se reúnen en la casa de algún

or perhaps

pariente, o bien° en un restaurante de tipo familiar. Estas fiestas se caracterizan por la presencia de los niños y los abuelos.
5 Atrae la atención del norteamericano la presencia de los niños en casi todas las fiestas[3] y el hecho de que los niños se ven en la calle con sus padres hasta las 11

weddings

o 12 de la noche. Están acostumbrados a participar con los adultos en las bodas°, los bautismos y las fiestas públicas como los desfiles. Igualmente, en las fiestas de

---

[3] The cocktail party *(el cóctel)* purely for adults is a fairly recent phenomenon in urban areas. Children are not likely to attend these.

cumpleaños o del día del santo de un niño se encuentran todos los padres, y aun los
10 abuelos, de los amiguitos del niño. Así que desde muy pequeños, participan en la
to behave vida social de la familia. Así aprenden continuamente a comportarse° en la sociedad.
Están acostumbrados a tratar con personas de diferentes edades —abuelos, padres
y hermanos mayores— desarrollando así una actitud de respeto que mantienen
también cuando son adultos. En lugares públicos, como el cine o los bailes, se ven
to gather 15 grupos de personas de diferentes edades. Hay menos tendencia a agruparse° según
bothersome la edad, como en la sociedad norteamericana. Por eso, también es menos molesto°
llevar a la mamá o al hermano menor cuando dos jóvenes van al cine[4].

No es raro encontrar a los abuelos, a los padres y a los hijos junto con algún tío
o tal vez un primo viviendo en la misma casa. Los sociólogos han observado varias
advantages 20 ventajas° en esta situación. Una de ellas es que los niños tienen más personas que los
cuiden, y por eso no necesitan tanta atención individual. También tienen más de un
unfortunately modelo y si, por desgracia°, pierden a uno de los padres, hay otros adultos presentes.
from outside Con tantas personas en casa no es necesario pagarle a nadie de afuera° para cuidar a
los niños. La palabra *babysitter* no tiene equivalente exacto en español, sin embargo,
25 los cambios que ocurren en la sociedad causan que cambie el idioma. La palabra
niñera se usa hoy aunque su sentido original era *nursemaid*. Las tareas domésticas
are shared; troublesome se comparten° y son así menos pesadas°. Las desventajas de esta convivencia son,
para los adultos, una falta completa de vida privada, y para los niños, una falta de
independencia, que se advierte más tarde en sus acciones y su personalidad de adultos.

Martin Barraud/Stone/Getty Images

Niños y adultos se
divierten en una fiesta.

30 Una costumbre que muestra la importancia del lazo familiar es la de incluir a
todos los parientes, aun los más lejanos°, en lo que se considera la familia. Si llega
distant un primo al pueblo desde otro lugar, se le trata como miembro de la familia local
y tiene los derechos° y privilegios correspondientes. Los esposos de los hijos, los
rights yernos y las nueras también son parte de la familia. El yerno especialmente llega a
35 ser miembro de la familia de su esposa mientras la nuera mantiene lazos con sus
dos familias. Sus hijos, en las familias tradicionales, sienten frecuentemente el peso
de los parientes de las dos familias de sus dos padres. Este sentimiento de unidad es
bastante fuerte en la familia y muchas veces domina la vida del individuo.

Como en toda sociedad católica, los padrinos asumen serias obligaciones hacia
40 los niños en caso de la ausencia de los padres. Es verdaderamente un honor ser
chosen elegido° padrino y ser considerado como un miembro de la familia.

[4] The custom of having a chaperone accompany young people on a date is rapidly disappearing.
In more traditional rural areas, however, it still is not unusual to see a young couple on a trip to the
movies along with a mother or a sibling. Since much social activity occurs in groups the issue of
having a chaperone doesn't actually arise very often.

4-7 Comprensión. Según el texto, ¿cuáles de estas oraciones describen la situación del niño en la sociedad hispánica? Cambie las oraciones incorrectas.

1. Van generalmente a las fiestas de sus padres.
2. Generalmente mucha gente desconocida cuida a los niños.
3. Frecuentemente tienen poca vida privada.
4. Aprenden a ser muy independientes como adultos.

4-8 Opiniones. Exprese su opinión personal.

Elementos de la lectura

1. ¿Incluye Ud. a los parientes lejanos cuando habla de su familia?
2. ¿En qué se diferencian las fiestas de cumpleaños hispánicas de las norteamericanas?

Conceptos generales

3. ¿Es bueno para los niños asistir a las fiestas de sus padres? ¿Por qué sí o por qué no?
4. ¿Es mejor para los niños tener relaciones estrechas (close) con muchos adultos? Explique.

Esta familia de Jalisco espera el autobús.

IV. El significado de la familia

En la familia inmediata o «nuclear» (padre, madre e hijos), es notable el papel del padre. Aunque tradicionalmente el hombre ha dominado en el hogar, él siempre ha tenido un contacto constante e íntimo con sus hijos. Aunque su «machismo» le impide cocinar o lavar la ropa, no por eso deja de cuidar a sus niños con dedicación

pride; stands out ⁵ y orgullo°. El orgullo por los hijos es algo que se destaca° en la sociedad hispánica y que tal vez ha contribuido a mantener fuerte el sentido de la familia.

Este orgullo también contribuye a crear uno de los problemas más graves de
uncontrolled growth Hispanoamérica: el crecimiento desenfrenado° de la población, que frustra los
Besides esfuerzos del progreso social. Además de° la prohibición religiosa de los métodos
birth ¹⁰ artificiales de control de la natalidad°, hay obstáculos sociales y personales que hacen difícil que la gente acepte tales procedimientos. El tamaño de la familia es prueba de la masculinidad paterna y la feminidad materna. También representan un tipo de seguro contra la pobreza de algunos padres sin otras perspectivas para la vejez. Una encuesta° reciente hecha en varias ciudades hispanoamericanas con
survey

find out

worker

birth rate

to belong; danger of
being expelled; approve

no matter how bad he may be
blood; consolation; failures

restricts

rejects

goods
because

el propósito de averiguar° las opiniones femeninas sobre el número ideal de hijos
produjo el promedio general de 3,4 hijos. Los promedios de las diferentes ciudades
quedaban entre 2,7 y 4,2. Se estima que el promedio efectivo en las mismas ciudades
es de 3,7 hijos por familia. En las regiones rurales, también entran las cuestiones
económicas: el hijo es mano de obra°. Sin embargo, en varios países hispánicos se
han organizado campañas oficiales dedicadas al control de la natalidad debido a
los efectos económicos negativos creados por el gran aumento de la población. En
México, por ejemplo, la tasa de natalidad° ha bajado de 7 hijos por mujer a 2,1 hijos
en el último medio siglo y el Brasil ha tenido una experiencia semejante.

La familia también es importante para el desarrollo del individuo. La familia
existe siempre como un grupo ya constituido, lleno de tradición y significado. El
niño adquiere la conciencia de pertenecer° a un grupo sin peligro de ser expulsado°
y sin tener que probar nada más que su lealtad. Claro que la familia no aprueba°
todo lo que hacen sus miembros; sin embargo, puede tolerarles casi todo. Es decir
que, por malo que sea° el individuo, siempre está ligado a la familia por lazos de
sangre°. La familia es un grupo que ofrece protección, consuelo° en los fracasos° y
calor y comprensión contra la soledad. Todo esto da un sentido de seguridad que
a veces restringe° el desarrollo psicológico y resulta en una tendencia a depender
demasiado de la familia. Es frecuente el caso de que alguien, por no querer dejar a la
familia, rechace° oportunidades de trabajo y no vaya a vivir a otra parte. El concepto
de la sociedad móvil no se ha establecido bien en el mundo hispánico.

Es obvio que la familia ocupa un lugar muy importante, tanto en la sociedad,
como en la vida del individuo. Muchas veces determina la posición del individuo en
la sociedad, porque el niño hereda el buen nombre familiar además de los bienes°
materiales. Además, ejerce una fuerza moral bastante efectiva, puesto que°, junto
con la buena fama, uno hereda la obligación de mantenerla.

4-9 Comprensión. Decida si las siguientes oraciones son **verdaderas** o **falsas,**
según el texto. ¿Cómo se pueden corregir las que son falsas?

1. El padre hispánico no quiere contacto con sus hijos.
2. El aumento de la población ha sido tradicionalmente un gran problema en
   algunos países hispánicos.
3. La familia generalmente apoya a sus miembros.
4. La sociedad hispánica es muy móvil.
5. La familia ejerce una fuerza moral notable.

4-10 Opiniones. Exprese su opinión personal.

Elementos de la lectura

1. ¿Piensa tener una familia grande o pequeña en el futuro?
2. ¿Sabe qué piensan sus amigos de la clase de español sobre el tamaño de la
   familia ideal?

Conceptos generales

3. ¿Cuándo piensa Ud. casarse o cuándo se casó? Explique su respuesta.
4. ¿A Ud. le molesta (*bother*) separarse de su familia para buscar trabajo? ¿Por
   qué sí o por qué no?

V. Tensiones en la familia contemporánea

Claro que en la sociedad contemporánea la familia hispánica sufre algunas de las mismas tensiones que las de las familias norteamericanas. En las grandes ciudades la familia tiene que enfrentarse a corrientes sociales continuas que tienden a cambiar el sistema familiar. Un sondeo reciente en Madrid indica que una de cada once familias ha sufrido un divorcio. Hay muchas familias donde los dos padres trabajan fuera del hogar, ya sea° por motivos económicos o profesionales. La estructura tradicional —el padre que trabaja fuera, la madre que trabaja en casa— va desapareciendo° en los centros urbanos. El tamaño promedio de las familias urbanas está disminuyendo°. El informe siguiente muestra algunas tendencias recientes en España que se relacionan con el futuro de esta institución fundamental.

be it

is disappearing
diminishing

Una madre soltera juega con su hija.

Kelly Young/Shutterstock

Población y familia

Cuatro mujeres de 65 y más años por cada tres de menos de 15

El índice de envejecimiento° en el caso de las mujeres refleja que la población menor de 15 años es inferior a la población de 65 y más años. En el año 2010 alcanza° un valor de 133,3; es decir hay cuatro mujeres de 65 y más años por cada tres de menos de 15. Este índice relaciona la población de 65 y más años como porcentaje° de la población menor de 15 años. En los varones°, el valor del índice de envejecimiento es muy próximo a 100, lo que indica que la población de 65 y más años es ligeramente° inferior a la de menos de 15 años.

aging

reaches

percentage; males

slightly

Aumenta la natalidad°

En el año 2008 se producen 518 967 nacimientos°, 26 440 más que el año anterior. La tasa bruta de natalidad° (que refleja el número de nacimientos por cada 1000 habitantes) se sitúa en 11,4, alcanzando el valor más alto desde el año 1986. El número medio de hijos por mujer (índice sintético o coyuntural de fecundidad°) se ha elevado desde el año 2000 y se sitúa en el año 2008 en 1,4 hijos. La edad media a la maternidad ha ido en aumento en las últimas décadas, en el año 2008 es de 30,9 años frente a los 28,2 años de 1980.

birthrate

births
gross birthrate number

synthetic or fertility index

Aumentan los nacimientos fuera del matrimonio y los de madre extranjera°

Al analizar el número de nacimientos según el estado civil de la madre, se ha producido un aumento significativo del porcentaje de nacidos° fuera del matrimonio: 17,7% en el año 2000 y 30,2% en el año 2007. También se ha

foreign mother

those born

elevado de manera considerable el porcentaje de nacidos de madre extranjera.
Representaban el 6,2% del total de nacimientos en el año 2000 y el 20,7%
en el año 2008, uno de cada cinco nacimientos es de madre extranjera. Las
mujeres marroquíes° son las que más contribuyen a esta cifra (23,5% del total de
nacimientos de madre extranjera).

Familia y hogares°

Tanto el modelo familiar como la composición de los hogares han sufrido
importantes cambios en los últimos años. Cada vez con más frecuencia hogar y
familia no son equivalentes ya que algunos hogares están constituidos por personas
entre las que no existe relación de parentesco°, hay familias que no viven en el
mismo hogar y han surgido° formas alternativas de familia. En el año 2008, según
la información que proporciona° la Encuesta° de Población Activa, el 80,9% de los
hogares españoles corresponde a hogares con familia principal y el resto a hogares
no familiares°. Este porcentaje ha disminuido desde el año 2000, en el que los
hogares familiares representaban el 85,4% del total de hogares.

INE. Mujeres y hombres en España

Es importante recordar que el grupo básico al que pertenece el individuo hispánico es
su familia. Esta inspira una lealtad más fuerte que cualquier otra. Para la mayoría de la
gente, la familia está antes que el empleo, el partido político o la comodidad° personal.
El ensayista° mexicano Octavio Paz dice lo siguiente: «La familia es una realidad
muy poderosa. Es el hogar° en el sentido original de la palabra: centro y reunión de
los vivos y los muertos, a un tiempo° altar, cama donde se hace el amor, fogón° donde
se cocina, ceniza° que entierra a los antepasados … La familia ha dado a los mexicanos
sus creencias, valores y conceptos sobre la vida y la muerte, lo bueno y lo malo, lo
masculino y lo femenino, lo bonito y lo feo, lo que se debe hacer y lo indebido°[5].»

[5] Octavio Paz (1914–1998), *El ogro filantrópico* (Mexico: Joaquín Mortiz, 1979, p. 23). Paz, winner
of the 1990 Nobel Prize for literature, was one of the best-known essayists in Mexico. His book *El
laberinto de la soledad* (trans. *The Labyrinth of Solitude*, Grove Press, N.Y., 1961) contains some interesting insights into the Mexican character, most of which also apply to the Hispanic character. The
book cited here contains an update of many of the points made in the earlier book.

4-11 Comprensión. Responda según el texto.

1. ¿Qué tensiones sufre la familia contemporánea y dónde son peores estas?
2. En España, ¿hay más mujeres mayores o menores?
3. En España, ¿cuál es la edad media de maternidad? En 2008, ¿cuál fue el
   porcentaje de nacimientos fuera de matrimonio? ¿de madres extranjeras?
4. ¿Cómo ha cambiado el concepto de «hogar» en España?
5. ¿Qué ha dicho Octavio Paz sobre el concepto mexicano de la familia?

4-12 Opiniones. Exprese su opinión personal.

Elementos de la lectura

1. ¿Ha vivido Ud. alguna vez con muchos parientes?
2. ¿Cree que sería una ventaja o una desventaja vivir con los parientes? Explique.

Conceptos generales

3. ¿Qué deben hacer los países donde la población no se repone *(replaces itself)*?
4. En el mundo, ¿se debe permitir que la población de un país se duplique
   (doubles itself) mientras la de sus vecinos disminuya a la mitad *(half)*?

4-13 Actividades de vocabulario. En parejas o en grupos de tres personas hagan las siguientes actividades.

> **Los antónimos** *Los antónimos son palabras que tienen significados contrarios, como por ejemplo,* **grande** *y* **pequeño.** *A veces se puede formar antónimos con los prefijos* **des-, in-** *o* **im-.** *Un prefijo es un grupo de letras que se pone delante de una palabra para formar otra. Por ejemplo, se puede formar el antónimo de* **posible** *añadiéndole el prefijo* **im-: imposible.**

A. Palabras antónimas. Busquen las palabras de la segunda columna que sean antónimos de las palabras de la primera columna.

I.	II.
1. adquirir	a. continuar
2. menor	b. desamor
3. listo	c. delante
4. atrás	d. dar
5. cariño	e. civil
6. salvaje	f. mayor
7. detener	g. tonto
8. acercarse	h. separarse

B. Formar antónimos con prefijos. Completen según los modelos.

Modelo   justo   *injusto*
             probable   improbable

1. eficaz _____
2. _____ innecesario
3. ofensivo _____
4. _____ inútil
5. humano _____
6. _____ infrecuente
7. cómodo _____
8. _____ impersonal

Modelo   *gracia*   desgracia

1. conocido _____
2. _____ desventaja
3. acostumbrado _____
4. _____ desligar
5. aparecer _____
6. _____ descuidar
7. preocupación _____
8. heredar _____

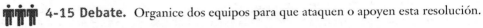
4-14 ¿Qué opina? En grupos de dos o tres personas, hagan y contesten las siguientes preguntas.

1. ¿Qué diferencias se pueden observar entre la familia del mundo hispánico y la de los Estados Unidos?
2. ¿Cuáles son las diferencias en la actitud familiar hacia los niños?
3. ¿Creen que es bueno incluir a los niños en las fiestas de adultos?
4. ¿Cómo ha cambiado el concepto estadounidense de la familia en las últimas décadas? ¿Qué opinan de estos cambios?

4-15 Debate. Organice dos equipos para que ataquen o apoyen esta resolución.

Es irresponsable tener más de tres hijos cuando hay un exceso de población.

4-16 Situación. Imagine que Ud. es propietario(a) de una empresa mediana de 100 empleados. Su hijo de 25 años trabaja para Ud. desde hace tres años, pero ahora es obvio que él hace un trabajo pésimo y ya le ha hablado sobre el asunto cinco o seis veces. Ahora tiene que decidirse. ¿Qué le va a decir?

4-17 Investigación. Trabajando en grupos, escojan un país hispánico y busquen en Internet o en la biblioteca información sobre la población, la tasa de natalidad y el tamaño promedio de las familias en ese país. Prepárense para describirles a sus compañeros la información encontrada.

4-18 El arte de escribir

A. Composición dirigida. Complete las oraciones utilizando las palabras entre paréntesis.

1. Se podría decir que la familia … (sociedad, valores, escala, representa, menor)
2. Los insultos más graves… (familia, insultado, suelen, implicar, miembros)
3. La casa familiar… (considerada, hogar, siempre, casados, después, hijos, es)
4. El niño se acostumbra… (bodas, participar, adultos, con, ocasiones, otras, como, bautismos, fiestas)
5. La familia existe… (grupo, significado, tradición, lleno, hecho, siempre, como)

B. El arte de escribir cartas. Todos tenemos que escribir una carta de vez en cuando. A veces es una carta formal, por ejemplo, una carta comercial. Otras veces, es una carta familiar. Como preparación hay que pensar en lo que se quiere escribir o preguntar, tal vez apuntarlo para no olvidar nada. Aquí hay unas frases útiles.

Para comenzar:
Querida mamá: / Queridos padres: *Dear Mom, / Dear Mom and Dad,*

Y para terminar:
Recibe (Reciban) un abrazo de,   *Receive a hug from,*
Te (Les) manda muchos besos,   *Many kisses from,*

Ahora, escríbale una carta a un miembro de su familia contándole algunas cosas de su vida y preguntándole sobre la suya.

4-19 Las noticias. Trabajando con un(a) compañero(a), lean el siguiente artículo periodístico y escriban un resumen. Estén listos para presentarlo a la clase.

En Hollywood también hay gente normal.
Entrevista a la madre de Antonio Banderas

very smart
from Málaga / principles
Support

confront

fit together

wouldn't let him go

homage

touched / he needed
always watching
symbol / success

would turn out

airs
foolishness; scolding
I'll pray

reprimand
showing the way / living in

short

completely happy

PROFESORA: Ana Banderas, malagueña°, es profesora de profesión. Su marido, policía. APOYO°: Hizo todo lo posible para que su hijo no fuera actor, luego le ayudó a fondo. FUTURO: Su mayor deseo: tener con ella a Stella del Carmen, la hija de Antonio y Melanie Griffith. Esta semana, Málaga ha nombrado hijo adoptivo de la ciudad a Antonio Banderas. El actor ha dedicado públicamente a sus padres esta distinción. Todo un homenaje° a los que según él le han enseñado todo y a los que todo debe. Su actitud ha emocionado° profundamente a su madre, doña Ana, icono° de la familia.

Pregunta: ¿Cómo le ha educado usted para que saliera° tan buen hijo?

Respuesta: Como una familia normal y corriente, sin ostentaciones° y sin tonterías°. Y regañándoles° a los dos chicos cuando había que hacerlo. Parece que los padres de ahora temen a reprender° a sus niños, eso no puede ser, hay que ir marcando el camino°, eso lo conservan siempre. Parece que no, pero las cosas quedan.

P: ¿Cuál ha sido su orden de prioridades?

R: Primero los principios religiosos, somos cristianos. Y se han criado también con el cariño de todos los familiares, el respeto a los mayores. En fin, esas cosas esenciales para los niños. Y así es como educa Antonio a Stella, una maravilla,

buena, educada y además listísima°. Va a un colegio católico. Sin principios° estamos perdidos.

P: Antonio confesó en Málaga que sus padres le habían enseñado a hacer frente° al mundo profesional que había elegido. ¿Y cómo encajó° un padre policía que le saliera un hijo artista?

R: Se lo tomó mejor que yo. Era yo la que me negaba a que se fuera° a Madrid, no lo podía soportar. Así que lo que hacía era muchos viajes a Madrid, de viernes por la noche a lunes por la mañana, para ver qué le hacía falta°, siempre muy pendiente°.

P: ¿A él no se le ha subido el éxito° a la cabeza?

R: Ni a Antonio ni a ninguno de la familia, la vanidad no sirve para nada. Yo sigo igual que antes, siempre con miedo por él. «¡Ay, Antonio, este proyecto, a ver si no te sale. Rezaré ° para que te salga bien!» Igualito que el primer día.

P: ¿Y cómo se siente una señora de Málaga de toda la vida paseándose° por Hollywood?

R: De Málaga, bajita° y poca cosa, porque allí ¡son todos tan altos! Pues me siento encantada de la vida°. Hay personas buenas en todos sitios y entre los artistas también. No hay por qué decir aquello es peor. En Hollywood también hay gente normal.

El Mundo (Madrid)

Tres generaciones de una familia ecuatoriana

La familia Cruz Barahona es partícipe de un grupo de trabajo familiar que se dedica a la hotelería y al turismo. Jorge Cruz, el administrador de la Hostelería San Jorge, explica las labores de cada miembro de la familia. También comenta sobre la diferencia entre las familias norte-americanas y las familias ecuatorianas.

4-20 Anticipación. Antes de mirar el video, haga estas actividades.

A. Conteste estas preguntas.

1. ¿Qué es un negocio familiar? ¿Conoce a alguien que participe en uno? Si contestó sí, describa lo que cada miembro de la familia hace.
2. ¿Cómo es la geografía de Quito, Ecuador? ¿Qué tipo de turismo cree que hay cerca de Quito?
3. ¿Cómo funciona un hotel? ¿Qué tipos de trabajo tienen que hacer los empleados?

B. Vocabulario útil. Estudie estas palabras del video.

la hostelería *hotel industry*
dedicarse *to do for a living*
darse cuenta *to realize*
profundo(a) *strong, deep*
marcado(a) *distinct*

4-21 Sin sonido. Mire el video sin sonido una vez para concentrarse en el elemento visual. ¿Cómo cree que las personas en el video están relacionadas?

4-22 Comprensión. Estudie estas actividades y trate de descubrir las respuestas correctas al mirar el video.

1. ¿Dónde está la Hostelería San Jorge?
   a. en la costa pacífica de Ecuador
   b. en la capital de Ecuador, Quito
   c. en las faldas del volcán Pichincha
   d. a las afueras de Guayaquil, Ecuador

2. ¿A qué se dedica la esposa de Jorge Cruz?
   a. a las labores de flor y cultura
   b. a las relaciones públicas
   c. al manejo de la cocina
   d. a la administración

3. ¿Quién toca el acordeón?
   a. el padre de Jorge Cruz
   b. el suegro de Jorge Cruz
   c. el abuelo de Jorge Cruz
   d. un músico ecuatoriano

4. ¿Qué opina Jorge Cruz de las familias norteamericanas y europeas?
   a. tienen una relación muy estrecha
   b. no tienen una relación muy profunda
   c. Para aquellas, el trabajo familiar es sumamente importante.
   d. Las familias norteamericanas y europeas son mucho más pequeñas.

5. ¿Cómo se siente Jorge Cruz con respeto a su negocio familiar?
   a. avergonzado
   b. desafortunado
   c. resignado
   d. orgulloso

4-23 Opiniones. En grupos de tres o cuatro estudiantes, comenten estos temas.

1. ¿Les gustaría hospedarse en la Hostelería San Jorge? ¿Por qué sí o por qué no?

2. ¿Les gustaría trabajar en un negocio familiar? ¿Por qué sí o por qué no?

3. ¿Están de acuerdo con la opinión de Jorge Cruz sobre las familias norteamericanas y europeas? Expliquen.

4. Si pudieran entrevistar a Jorge Cruz, ¿qué preguntas le harían?

El hombre y la mujer en la sociedad hispánica

Wavebreakmedia td/Shutterstock.com

Hombres y mujeres trabajan juntos en el mundo laboral. ¿Qué profesión tendrán las personas de la foto? ¿Quién dirije la reunión?

Lecturas culturales

I. Los nombres hispánicos
II. La sociedad patriarcal
III. Las mujeres en la literatura hispánica
IV. Las mujeres en la política

Expansión

¡A explorar!

En pantalla
«Ana y Manuel»

 www.cengagebrain.com

Enfoque

western

toward

Como en todo el mundo occidental°, en la sociedad hispánica existe una larga tradición de orientación masculina. Durante la mayor parte de la historia de la civilización hispánica, el hombre había dominado en casi todas las esferas de la vida. Aunque ha habido progreso hacia° la igualdad en las ciudades, la situación ha cambiado menos en algunas áreas rurales. En los países hispánicos ha existido una división clara entre los derechos, privilegios y obligaciones de cada sexo. Esta unidad describe esta tradición masculina y algunas de sus manifestaciones.

Vocabulario útil

Verbos

asistir *to attend*
desaparecer *to disappear*
encabezar *to head, run*
evitar *to avoid*
favorecer *to favor*
mejorar *to improve*
referirse a (ie) *to refer to*
resolver (ue) *to resolve*

Sustantivos

el apellido *surname*
el derecho *right*
el (la) esposo(a) *spouse*
la igualdad *equality*

Adjetivos

consciente *conscious*
largo(a) *long*
único(a) *only, unique*
vestido(a) *dressed*

Otras palabras y expresiones

a pesar de *in spite of*
bastante *(adv.) quite, very*
ha habido *there has (have) been*
la mayor parte *the greater part, the majority*
por un lado *on the one hand*
toda una serie *a whole series*

 5-1 Para practicar. Trabajen en parejas, o como indique su profesor(a), para hacer y contestar estas preguntas, usando el vocabulario de la lista.

1. ¿Crees que debes hacer algo para mejorar las relaciones entre los hombres y las mujeres o crees que los problemas desaparecerán solos?

2. ¿Asistes a partidos de deportes entre equipos de mujeres? ¿Favoreces la igualdad absoluta entre los programas de deportes de hombres y mujeres?

3. ¿Conoces a alguien que tenga un apellido con guion? ¿Cómo sería tu nombre si usaras guion? ¿Quién debe tener el derecho de decidir qué apellido vas a usar?

4. ¿La mayor parte de la literatura que lees está escrita por hombres o mujeres? ¿Tratas de evitar la de uno u otro?

5. ¿Prefieres salir (al cine o a bailar, etcétera) con una persona o con grupos de amigos? ¿Por qué?

6. ¿Hay mujeres que encabezan facultades en tu universidad? ¿Quiénes son?

5-2 Anticipación. Trabajen en grupos de tres o cuatro estudiantes. Antes de comenzar la lectura, hagan una lista de las situaciones sociales donde existe la discriminación sexual. Prepárense para presentarle su lista a la clase.

I. Los nombres hispánicos

El sistema de apellidos refleja la influencia masculina. Los hijos llevan los apellidos del padre y de la madre, pero el del padre va primero. El hijo de Juan Gómez Rodríguez y de María López Gutiérrez será Francisco Gómez López, o Gómez y López[1]. Los apellidos de las abuelas, Rodríguez y Gutiérrez, se pierden. Si

5　Francisco se casara con° Teresa Vargas Aguilar, su hijo sería Mario Gómez Vargas. Es solo el apellido del lado masculino el que se conserva, así que si un matrimonio solo tiene hijas el nombre desaparecerá después de dos generaciones. Las familias muy conscientes de su linaje° a veces continúan usando los apellidos por más tiempo, pero eventualmente el resultado es el mismo.

10　　Hay algunos casos en que el hijo ha escogido° otro procedimiento°. El famoso pintor español Diego Velázquez (1599–1660), hijo de Juan Rodríguez de Silva y de Jerónima Velázquez, debería haberse llamado° Diego Rodríguez de Silva y Velázquez. Pero por ser su padre portugués y su madre de una familia aristocrática sevillana, el pintor prefirió usar su apellido materno.

15　　Otro caso semejante es también el de un pintor: Pablo Diego José Francisco de Paula Juan Nepomuceno María de los Remedios Cipriano de la Santísima Trinidad Ruiz Blasco Picasso López, hijo de José Ruiz Blasco y de María Picasso López. También escogió su apellido materno y se hizo° famoso con el nombre de Pablo Picasso (1881–1973). Se ve aquí también un ejemplo de la costumbre de dar

20　toda una serie de nombres cristianos a los hijos, por lo general para honrar a varios parientes. Claro que se escogen uno o dos de los nombres para el uso diario° y los otros solo aparecen en la partida° de nacimiento.

Los padres podrán escoger el orden de los apellidos de los hijos

Madre solo hay una, aunque las leyes se han ocupado de condenar° su linaje a las sombras°. En un intento° por desterrar° la «injusticia histórica» de que los hijos

25　hereden en primer lugar el apellido del padre, cuatro proposiciones de ley… que persiguen° colocar en igualdad de condiciones° a la madre y al padre en la perpetuación de la estirpe°…

El País Internacional (Madrid)

Apellido materno

El Congreso español ha aprobado la ley que faculta° a los progenitores° para decidir el orden de los apellidos «de común acuerdo», lo que permitirá que los niños lleven

30　el materno en primer lugar. Si no hay acuerdo, se antepondrá° siempre el apellido del padre. Los españoles ya podían cambiar el orden de los apellidos, pero tras° cumplir los dieciocho años.

El País Internacional (Madrid)

[1] *Gómez y López* The use of *y* between the father's and mother's name is optional. The case with *de* is more complicated: it is used to designate a married name of a woman, for example, María López Gutiérrez de Gómez, where López Gutiérrez is her maiden name. In older names it was also used simply to mean "from" and later was frequently incorporated into the name permanently. All these usages tend to be variable.

married
lineage
chosen; procedure
should have been called
became
daily
certificate
condemn
shadows; attempt; get rid of
try; make equal
ancestry
empowers; parents
will be placed first
after

5-3 Comprensión. Decida si las siguientes oraciones son **verdaderas o falsas**.
Corrija las falsas.

1. El hijo de Juan García y Elena Pérez se llama José García Pérez.
2. Si él se casara con María Tejada, su hija sería Teresa Tejada Pérez.
3. Los pintores Picasso y Velázquez prefirieron el apellido de su madre.
4. No es legal poner el apellido de la madre antes del apellido del padre en España.

5-4 Opiniones. Exprese su opinión personal.

Elementos de la lectura

1. ¿Lleva Ud. el apellido de su madre? ¿Cómo usamos a veces el apellido materno en inglés?
2. ¿Cómo sería su nombre si usara el sistema español?

Conceptos generales

3. ¿Sería mejor si todos usaran un apellido con guion *(hyphen)*?
4. ¿Qué otras tradiciones simbólicas demuestran *(show)* el predominio masculino?

II. La sociedad patriarcal

Sin embargo, casos como el de Velázquez o el de Picasso son excepcionales; el sistema decididamente favorece la línea paterna. Tradicionalmente las mujeres estaban limitadas a las tareas domésticas, o si trabajaban, limitadas a los trabajos más sencillos. Aunque esta situación ha cambiado en muchas partes del
5 mundo hispano, la mujer todavía está generalmente en una posición social inferior en algunas áreas. Sin duda esto se debe° en parte a los factores económicos, pero también contribuye el machismo, que crea criterios sociales muy distintos entre el hombre y la mujer. El machismo es un fenómeno sociosicológico que se define como una preocupación exagerada por la masculinidad —abarca° lo
10 físico, lo sexual, lo social y aun lo político. Es un problema cuando se convierte en un anhelo° de comprobar° la masculinidad porque entonces puede conducir a acciones antisociales y hasta patológicas. Así tal vez hay que tomar medidas drásticas como esta:

La Universidad País Vasco organiza un máster sobre la igualdad entre hombres y mujeres

La Universidad del País Vasco (UPV) ha inaugurado la tercera edición de su
15 «Máster en Igualdad de Mujeres y Hombres» con el que pretende «ofrecer una formación sólida para detectar manifestaciones de sexismo en los distintos ámbitos de la sociedad».

Según informó la UPV, en un comunicado, este curso quiere formar a sus alumnos para que sean capaces de diseñar e impulsar «proyectos transversales
20 con el fin de crear espacios de igualdad», así como de «construir y transformar las desigualdades sociales» entre sexos.

El País (Madrid)

A pesar de esta relativa falta de libertad personal y profesional ha habido casos de mujeres que se han destacado° personalmente en la literatura, la enseñanza° y la política, superando° los obstáculos que encontraron en su camino.

is due

it includes

urge; prove

have excelled; education
overcoming

5-5 Comprensión. Elija la respuesta que mejor complete las siguientes oraciones según la lectura.

1. El machismo es característico de...

    a. los hombres.
    b. las mujeres.
    c. los dos sexos.

2. Las mujeres hispánicas sufrían de una relativa falta de...

    a. hombres.
    b. enfermedades.
    c. libertad.

5-6 Opiniones. Exprese su opinión personal.

Elemento de la lectura

1. ¿Cree que hay hoy en los Estados Unidos empleos vedados (*prohibited*) a las mujeres?

Concepto general

2. ¿Cree que la educación ayuda a cambiar la relación entre hombres y mujeres?

III. Las mujeres en la literatura hispánica

Sor Juana Inés de la Cruz (1651–1695)

Durante la época colonial en Hispanoamérica la literatura pocas veces alcanzó el nivel de la de España. La única figura de importancia fue una mujer, Juana Inés de Asbaje y Ramírez de Santillana, más conocida por su nombre eclesiástico, Sor Juana Inés de la Cruz. Sor Juana nació en Nueva España[2] en 1651, época en que las
5 muchachas tenían la elección° de casarse o entrar al convento.

    Sor Juana era una niña muy inteligente, que había aprendido a leer a los tres años, y durante su juventud tuvo gran fama intelectual y social en la corte del Virrey[3]. En un ensayo° famoso confiesa que trató de convencer a su madre de que debía asistir a la universidad vestida de hombre porque no admitían a las
10 mujeres. La madre no accedió° y Sor Juana tuvo que aprender todo por sí sola°. A los dieciséis años decidió renunciar a la sociedad y entrar en un convento. Su única explicación fue que no tenía interés en el matrimonio y quería dedicarse al estudio y a la literatura. La vida religiosa tenía cierta atracción porque le ofrecía sosiego° y tiempo para las tareas intelectuales[4]. Durante casi treinta años Sor
15 Juana escribió poesía, considerada entre la más bella y original que se ha creado en la lengua española. Su obra muestra las tensiones internas de una mujer, por un lado sinceramente católica y por otro consciente de las nuevas ideas científicas.

    Muchos de sus versos son ricos en simbolismo y se refieren a los problemas que
20 causaba su curiosidad intelectual frente a° la sociedad cerrada de su época.

choice (line 5)
essay (line 8)
didn't give in; on her own (line 10)
tranquility (line 14)
faced with (line 20)

[2] **Nueva España** New Spain, the name given the colony that included the known parts of North and Central America. The center was Mexico City.
[3] **Virrey** Viceroy. In colonial administration the viceroy was the king's representative in the colony. He possessed most of the powers of a monarch and was ultimately responsible only to the king.
[4] **tareas intelectuales** In that period convent life was relatively easy; the discipline was not too strict nor the demands too great. For many, convents served as places of meditation on religion and life.

Sor Juana Inés de la Cruz es conocida como la primera feminista del Nuevo Mundo. ¿Qué aspectos de su carácter se destacan en este retrato?

Alfredo Dagli Orti/The Art Archive/The Picture Desk Limited/Corbis

foolish; who accuse
wrongly
cause
you criticize

conceit
to find
lover

fear

Love them; as
make them

poured
disapproved
on the part of

Hombres necios° que acusáis°
a la mujer sin razón°,
sin ver que sois la ocasión°
de lo mismo que culpáis°;

25   Queréis, con presunción° necia
hallar° a la que buscáis,
para pretendida°, Thais,
y en la posesión, Lucrecia⁵.

  ¿Pues para qué os espantáis°
30   de la culpa que tenéis?
Queredlas° cual° las hacéis
o hacedlas° cual las buscáis.

Sor Juana vertió° en sus muchas poesías algún tormento interior y lo supo hacer dentro de una sociedad que desaprobaba° la libertad intelectual, sobre todo de parte 35 de° una mujer. Así que la vida y obra de Sor Juana hacen de esta poeta la primera feminista del continente.

Gabriela Mistral (1889–1957)

Entre los once escritores hispánicos⁶ que han recibido el Premio Nobel de Literatura se encuentra una mujer chilena, Gabriela Mistral (nombre literario de Lucila Godoy Alcayaga). Poeta de lirismo° intenso, Gabriela Mistral también

lyricism

---

⁵ **Thais... Lucrecia** Two women of classical mythology; the first a famous Greek courtesan, the second a Roman model of virtue. The poem criticizes men who seek a sexual relationship with women but want to marry a virgin.

⁶ *once escritores hispánicos* The Nobel Prize for literature has gone to ten Hispanic writers: José Echegaray (Spain, 1832–1916) in 1904; Jacinto Benavente (Spain, 1866–1954) in 1922; Gabriela Mistral (Chile, 1889–1957) in 1945; Juan Ramón Jiménez (Spain, 1881–1958) in 1956; Miguel Ángel Asturias (Guatemala, 1899–1974) in 1967; Pablo Neruda (Chile, 1904–1973) in 1971; Vicente Aleixandre (Spain, 1898–1984) in 1977; Gabriel García Márquez (Colombia, 1928–) in 1982; Camilo José Cela (Spain, 1916–2002) in 1989; Octavio Paz (Mexico, 1914–1998) in 1990; Mario Vargas Llosa (1936–) in 2010.

alcanzó fama internacional por su actividad en la educación. En 1922 José
Vasconcelos[7] la invitó a México para cooperar en la reforma educacional que llevaba
a cabo° bajo el nuevo gobierno revolucionario. Muchas de sus ideas todavía forman
parte del sistema de enseñanza de México.

Cuando sirvió como representante de Chile en las Naciones Unidas fue miembro
del Comité sobre los Asuntos de las Mujeres y una de los fundadoras de UNICEF. Su
poesía refleja sus sentimientos maternales y el consuelo mutuo° que frecuentemente
representan las madres y los niños, como vemos en esta canción de cuna°:

Apegado[8] a mí

Velloncito° de mi carne°,
que en mi entraña° yo tejí°,
velloncito friolento°
¡duérmete apegado a mí!

La perdiz° duerme en el trébol°
escuchándole latir°:
no te turben° mis alientos°,
¡duérmete apegado a mí!

Hierbecita° temblorosa
asombrada° de vivir,
no te sueltes° de mi pecho:
¡duérmete apegado a mí!

Yo que todo lo he perdido
ahora tiemblo de dormir°.
No resbales° de mi brazo:
¡duérmete apegado a mí!

Poema publicado en el libro Ternura, 1924
Editorial Universitaria, Samtiago, CHILE

he was carrying out

mutual comfort
lullaby

Little tuft; flesh
womb; I wove
shivering

partridge; clover
heartbeat
disturb; breathing

Little blade of grass
surprised
don't let go

I'm afraid to sleep
Don't slide down

En septiembre de 1948, Gabriela Mistral
visitó México como invitada del presidente
Miguel Alemán.

Se puede ver que han existido varias mujeres entre las grandes figuras literarias
del mundo hispánico. En la actualidad podríamos mencionar a las destacadas
novelistas españolas Ana María Matute y Carmen Laforet[9], y a la poeta Carmen
Conde (1907–1995), que fue elegida en 1979 como primer miembro femenino de
la Real Academia Española de la Lengua[10]. En 1998 Matute fue elegida a ocupar
el sillón K de la Real Academia, vacante desde la muerte de Conde en 1995. Es
de notar que, de todos los que han recibido el Premio Nadal, que se da a la mejor
novela española de cada año, más del cuarenta por ciento son mujeres.

[7] ***José Vasconcelos*** One of the best known intellectuals who reformed the government of Mexico
after the Revolution of 1910. Vasconcelos became minister of education and was instrumental in
the creation of a system of rural schools staffed by volunteer teachers from the cities. Mistral was by
profession a teacher in a rural school.

[8] *apegado* This word combines the meanings of "close," "devoted," and "attached." The last meaning
is both literal and figurative here.

[9] ***Ana María Matute y Carmen Laforet*** Matute (b. 1926) is the author of several prize-winning
novels and many short stories. She is perhaps best known for her portrayal of children. Laforet
(1921–2004) has also written numerous works including her most famous novel *Nada* (1944) for
which she won the *Premio Nadal* at the age of twenty-three. The *Premio Nadal* is the equivalent
in Spain of the Pulitzer Prize in U.S. letters. Matute won the *Premio Nadal* in 1947 at the age of
twenty-one and the *Premio Cervantes* in 2010 at the age of eighty-five.

[10] ***Real Academia Española de la Lengua*** The Royal Academy is the official organization in Spain
charged with maintaining the purity of the language. Election to one of the thirty-six life time seats,
or *sillones*, is a very high honor.

En Hispanoamérica también las mujeres participan en el «boom» de la popularidad de la novela como vemos en este artículo.

El «boom» de las escritoras mágicas

Desde la aparición en 1985 de *La casa de los espíritus*, de Isabel Allende, *publishing; deserves* 75 asistimos a un fenómeno editorial° que merece° atención. La narrativa de esta prolífica escritora chilena nacida en 1942 *(De amor y de sombra, Eva Luna, Cuentos de Eva Luna, El plan infinito, Paula)* se consume masivamente *mindful of; impression* en Europa y los Estados Unidos, y atendiendo° a esta repercusión°, el cine *is charged; film; scenes* se carga° de furia sudamericana para llevar a la imagen° los escenarios° y 80 personajes de sus novelas.

...Isabel Allende escribe libros que se convierten en *best sellers* multinacionales. *stitches together* El hilo de mujeres y generaciones que forman Nivea, Clara, Blanca y Alba, hilvana° *support; opposite* la historia de *La casa de los espíritus*. Ellas son el sostén° y la contracara° del patriarca Esteban Trueba, y las responsables de los fantasmas°. A partir de allí, el realismo *ghosts* *clairvoyance; mythical* 85 mágico, con todo su esplendor de tiranos, clarividencias° y pasiones míticas°, se viste de mujer.

Laura Esquivel,... inicia una meteórica carrera internacional con la novela *Como agua para chocolate* («*Novela de entregas mensuales*°, con recetas, amores y remedios *monthly installments* *home remedies* caseros°», explica el subtítulo),... Traducida al inglés, los lectores de los Estados *copies; introduction* 90 Unidos compran 280 000 ejemplares° durante su lanzamiento°, que acompaña el *opening* estreno° de la película del mismo nombre dirigida por Alfonso Arau, su marido.

duality La vieja dupla° que componen la sensualidad de los alimentos y la pasión *is renewed; head up* amorosa se renueva° aquí con las recetas que encabezan° cada uno de los doce *star in* capítulos con las escenas inolvidables que Tita y Pedro protagonizan° mientras se *are cooked over a low fire* 95 cuecen a fuego lento° alimentos y pasiones.

success Otro notable acierto° de esta narrativa femenina es que, a diferencia de la del *headed up; proprietarily* *boom*, protagonizada° hegemónicamente° por hombres, en los cuentos y novelas *owner* de estas escritoras la mujer es dueña° de la escena. Por primera vez es ella la que *protests; vexations; delays* reclama° por la represión de su sexualidad, por vejámenes° y postergaciones°, y los *recovering* 100 hace reivindicando° los espacios olvidados por la aventura masculina: la maternidad, *tenderness* la cocina, la ternura°.

La Prensa (Buenos Aires)

5-7 Comprensión. Responda según el texto.

1. ¿Por qué no asistió Sor Juana a la universidad?
2. Además de escribir poesía, ¿qué otras actividades ejerció Gabriela Mistral?
3. ¿Dónde se venden muchos libros de Isabel Allende?
4. ¿Qué cosas se cuecen a fuego lento en *Como agua para chocolate*?

5-8 Opiniones. Exprese su opinión personal.

Elementos de la lectura

1. ¿Lee Ud. mucha poesía? ¿Por qué sí o por qué no?
2. ¿Ha leído Ud. una obra de las autoras mencionadas en el artículo de *La Prensa*? ¿Ha visto la película *The House of the Spirits* o *Like Water for Chocolate*?

Conceptos generales

3. ¿Qué lee la mayoría del tiempo (fuera de los textos universitarios)?
4. ¿Cree que la literatura debe ser parte de todo programa de enseñanza? Explique.

IV. Las mujeres en la política

Si la literatura representa una carrera bastante abierta a las mujeres, ¿qué se puede decir de la política? A lo largo de la historia dos reinas han reinado° en España, aunque la más importante fue Isabel I la Católica, quien tuvo la visión de proveer fondos° para la expedición de Cristóbal Colón. Isabel I también consiguió mejorar el tratamiento de los indígenas en las colonias, insistiendo en que eran seres humanos y que no debían ser esclavos. La otra reina, Isabel II, ocupó el trono brevemente en el siglo XIX.

La nueva constitución de España, adoptada en 1978, mantiene la tradición de preferencia del hombre sobre la mujer, como heredero° del trono. La esposa del rey es la reina, pero no tiene ningún poder oficial. Si muere el rey, el trono lo ocupa el primogénito°.

Con todo lo dicho sobre la dominación masculina, es interesante que los únicos ejemplos de presidentes femeninos[11] en el hemisferio occidental se encuentren en los países hispánicos.

En 2006 Michelle Bachelet fue elegida presidenta de Chile. Al ganar las elecciones se convirtió en la cuarta mujer elegida al puesto máximo en Hispanoamérica. Hija de un general que murió a resultado de la tortura de la dictadura de Pinochet, ella también fue detenida por la Dirección de Inteligencia Nacional o DINA, la agencia responsable por la represión bajo el gobierno de Pinochet. Bachelet está acostumbrada a ser la primera: fue también la primera mujer en ocupar el puesto de Ministra de Defensa en 2002.

La Argentina ha tenido dos mujeres presidentes que subieron de primera dama a ocupar el cargo máximo. En 2007 fue elegida Cristina Fernández de Kirchner, esposa del presidente previo, Néstor Kirchner. Durante el mandato° de su esposo había llegado al senado ganándole a Hilda González, esposa del presidente anterior a Kirchner, Eduardo Duhalde. También conocida como Cristina Kirchner, no es la primera presidenta argentina pero sí la primera elegida por su cuenta°. Es interesante notar que todos estos políticos pertenecen al mismo partido peronista.

En 1974 Isabel Perón subió a la presidencia de la República Argentina después de la muerte de su esposo, el presidente Juan Perón (1895–1974). Este había sido elegido presidente en 1946 y durante los seis primeros años de su mandato, su segunda esposa, Eva («Evita») Duarte lo ayudó a mantener su popularidad. Evita murió en 1952 y Perón fue derrocado° en 1955. Después de dieciocho años de exilio° regresó triunfante a la Argentina e insistió en que su tercera esposa, Isabel, fuera candidata para vicepresidenta. Al enfermarse Perón poco después de las elecciones, nombró a su esposa como presidente interino°. Isabel ocupó el puesto hasta 1976 cuando una junta militar la depuso°.

Esta junta, que se dedicó a eliminar la oposición por métodos secretos e ilegales, se encontró con una protesta vigorosa de «Las Madres de la Plaza de Mayo». Estas mujeres que habían visto a sus hijos desaparecer sin explicación alguna decidieron unirse en sus demandas de justicia. Protestaron durante décadas para conseguir el encarcelamiento de los culpables. Una de las madres, Graciela Fernández Meijide, entró en la política y recibió 3 millones de votos cuando fue elegida para la Cámara de Diputados° en 1997.

[11] **presidentes femeninos** The entry of women into previously all-male positions has created widely variable usage with regard to gender. A female president may be designated as *la presidente* or *la presidenta*.

---

ruled

to provide funds

heir

first-born son

term

on her own

overthrown

exile

interim

deposed

Chamber of Deputies

Eva Duarte de Perón llegó a tener una popularidad enorme durante la presidencia de su esposo Juan Perón, pero nunca tuvo un cargo oficial. ¿Qué otra mujer sí llegó a ser presidenta de la Argentina?

Otros casos más recientes incluyen el de Laura Chinchilla, que se convirtió en la primera presidenta de Costa Rica en 2010. La nicaragüense Violeta Barrios de Chamorro, que encabezó la oposición en contra de los revolucionarios sandinistas (quienes habían ocupado el poder durante diez años), ganó las elecciones de 1990.
50 En 1999 Mireya Moscoso fue elegida presidenta de Panamá, exactamente cuando *it was planned* se proyectaba° devolver el control del canal a Panamá. En México, Amalia García Medina asumió en 1999 la presidencia de uno de los tres partidos políticos y en el mismo año Rosario Robles fue elegida alcaldesa de la Ciudad de México. En Honduras, Nora Gunera de Melgar fue candidata para la presidencia, tal como lo
55 fue Cinthya Viteri en Ecuador y Noemí Sanín e Íngrid Betancourt en Colombia. Sila María Calderón ocupó el puesto de gobernadora de Puerto Rico en 2001.
Así se ve que, aunque la sociedad hispánica ha favorecido siempre al hombre, también existen casos de mujeres ilustres°. Actualmente, la mujer hispánica es *famous* cada vez más consciente de que su situación social ha de cambiar. Aun la misma
60 constitución española, que mantiene el dominio masculino en la monarquía, afirma *before* en el artículo núm. 14 que: «Los españoles son iguales ante° la ley, sin que pueda *to prevail* prevalecer° discriminación alguna por razones de nacimiento, raza, sexo, religión, opinión o cualquier otra circunstancia personal o social».

5-9 Comprensión. Complete las siguientes oraciones según el texto.

1. La reina más importante de España es _____.
2. Isabel Perón fue la primera presidenta de _____.
3. Laura Chinchilla, la primera presidenta de Costa Rica, asumió poder en _____.
4. La primera presidenta de Chile se llama _____.

5-10 Opiniones. Exprese su opinión personal.

Elementos de la lectura

1. Los Estados Unidos tendrán una presidenta en _____.
2. No ha habido muchas mujeres en puestos políticos altos en los Estados Unidos porque _____.

Conceptos generales

3. Yo no tendría inconveniente en tener una mujer como presidente porque _____.

4. Para eliminar la discriminación de los sexos debemos _____.

5-11 Actividades de vocabulario. En grupos de dos o tres personas, hagan las siguientes actividades.

> **La formación de sustantivos** *Algunos sustantivos abstractos (aquellos que expresan ideas, cualidades o conceptos que no se pueden tocar o ver) se derivan de adjetivos. Estos sustantivos pueden formarse añadiendo las terminaciones* **-dad** *o* **-eza** *al adjetivo. Por ejemplo,* **real → realidad; intenso → intensidad; torpe → torpeza; delicado → delicadeza.** *Fíjese que a veces es necesario añadir o cambiar la vocal final del adjetivo.*

A. Sustantivos terminados en -dad. Complete las oraciones formando sustantivos derivados de los adjetivos entre paréntesis.

Modelo (curioso) Juan no tiene mucha *curiosidad*.

1. (masculino) El machismo es una obsesión con la _____.
2. (humano) La _____ nunca es perfecta.
3. (actual) En la _____ la situación de las mujeres está mejorando mucho.
4. (personal) Su _____ es muy atractiva.
5. (igual) Todavía no hay _____ entre los sexos.
6. (cruel) ¿Quiénes han reinado con _____?

B. Sustantivos terminados en -eza. Forme sustantivos abstractos que terminen en **-eza.**

Modelo bello   *belleza*

1. noble   _____
2. firme   _____
3. puro   _____
4. grande   _____
5. raro   _____

C. Repaso de los sinónimos. Indique los sinónimos.

1. elegir _____   a. trabajo
2. natalidad _____   b. distinguido
3. únicamente _____   c. solo
4. tarea _____   d. nacimiento
5. famoso _____   e. retener
6. conservar _____   f. ilustre
7. destacado _____   g. escoger

5-12 ¿Qué opina? En grupos de dos o tres personas, contesten las siguientes preguntas.

1. ¿Son las mujeres en el mundo hispánico más o menos libres que en los Estados Unidos? ¿Cómo se explica que haya habido presidentas en Hispanoamérica y no en los Estados Unidos?
2. ¿Qué diferencia hay entre la situación de la mujer urbana y la mujer campesina? ¿Por qué existen estas diferencias?
3. ¿Cuáles son las diferencias en la posición social de la mujer en Hispanoamérica y en los Estados Unidos?

5-13 Debate. Organice dos equipos para que ataquen o apoyen esta resolución.

Las mujeres no deben participar directamente en combate en caso de guerra.

5-14 Situación. Imagínese que Ud. es miembro del sexo opuesto. ¿Cuáles serían sus quejas *(complaints)* sobre la desigualdad de los sexos en los Estados Unidos? Compare las respuestas de los estudiantes con las de las estudiantes.

5-15 Investigación. Trabajando en grupos, busquen en Internet o en la biblioteca información sobre una escritora mencionada u otra que le interese. Prepárense para describirles a sus compañeros algo de la obra de la escritora.

5-16 El arte de escribir

A. Composición dirigida. Escriba este párrafo, corrigiendo las oraciones falsas según la lectura.

En el mundo hispánico la mujer tiene una posición superior a la del hombre. El sistema de apellidos requiere que los hijos lleven solo el apellido del padre. No ha habido casos de mujeres ilustres. Sor Juana era una poeta destacada. Gabriela Mistral escribió novelas y participó en la reforma del sistema de educación de la Argentina. Isabel Allende escribió en el siglo XIX. En 1974 Isabel Perón fue elegida presidenta del Perú. Mireya Moscoso fue elegida presidenta del Panamá en 1999.

B. Complete las oraciones con las palabras entre paréntesis.

1. Como en todo el mundo occidental ha existido...
   (derechos, entre, clara, privilegios, sexo, división, obligaciones, cada)
2. Generalmente, las mujeres están...
   (domésticas, trabajan, si, limitadas, tareas, trabajos, sencillos, más)
3. A pesar de esta falta de libertad, existen casos de mujeres que...
   (destacado, personalmente, han, literatura, se, enseñanza, política, hasta)
4. La poesía de Gabriela Mistral refleja...
   (maternales, mutuo, sentimientos, niños, madres, consuelo, representan)
5. Con todo lo dicho sobre la dominación masculina, es interesante que los únicos ejemplos...
   (occidental, hayan, presidentas, hemisferio, sido, hispánicos, países)

C. El arte de la descripción de las personas. La descripción implica el uso de adjetivos que añaden detalles, color y vida al texto.

Por ejemplo: *Tiene los ojos negros.*
Cobra más interés así: *Tiene los ojos muy negros y muy dulces.*
También: *Tengo un hermano mayor que se llama Juan.*
Tiene más interés si se añade: *Siempre hemos sido buenos amigos.*

Ahora, trate de añadirle algo original a este párrafo que lo haga más interesante o detallado.

María y Carlos son mis amigos. Ella es abogada y él es ingeniero. A los dos les gusta practicar deportes. Especialmente les gusta jugar al tenis.

Ahora, escriba Ud. una descripción de un miembro de su familia o de un amigo que conozca bien. Trate de incluir detalles interesantes e importantes.

 5-17 Las noticias. Trabajando con un(a) compañero(a), lean el siguiente artículo periodístico y escriban un resumen. Estén listos para presentarlo a la clase.

La mujer que manda° en el fútbol

is in charge

Su rutina de sábado a la tarde en nada se diferenciará de la de cualquier árbitro° de fútbol: se calzará° pantalones cortos negros y camiseta al tono, se anudará° los botines°, y saldrá al estadio para dirigir los 90 minutos reglamentarios.

Sólo que en esta ocasión, por primera vez en la historia del fútbol profesional argentino, el árbitro será... «árbitra». Silbato° en mano y mirada atenta, una mujer de 31 años será la encargada de imponer reglas en el encuentro de dos equipos de la Primera B Nacional, la segunda competición en importancia del país.

Estela Mary Álvarez de Oliveira está nerviosa, pero satisfecha. Recorrió° un largo camino para llegar hasta aquí, y se siente orgullosa de hacer historia.

«Me hizo muy feliz la noticia, ahora espero que todo salga bien. Lo que hace la diferencia de una liga o categoría a otra es el entorno°, pero adentro, esos 90 minutos, sólo se trata de fútbol, y eso no cambia. Una trata de abstraerse, de concentrarse en el juego y de hacer las cosas bien, y ya está», le dice la flamante° árbitro a BBC Mundo. Su debut, decidido por sorteo por la Asociación del Fútbol Argentino (AFA), será en el encuentro entre San Martín de San Juan y la CAI de Comodoro Rivadavia, dos equipos profesionales que militan en la Primera B.

Hasta ahora, otras mujeres habían llegado a intervenir en el fútbol local como jueces de línea° o cuarto° árbitro, y la pionera Florencia Romano había ejercido de referí principal pero en la liga D regional.

El fútbol en casa

Álvarez de Olivera llegó al arbitraje casi por casualidad°.

Nacida en Misiones, en el extremo noreste de Argentina, la joven se graduó como profesora de educación física en su provincia y se mudó a Buenos Aires para especializarse en natación. Tenía algo de tiempo libre y decidió dedicarlo a estudiar en el Sindicato de Árbitros, el SADRA.

«Me dije: 'yo algo de fútbol entiendo, así que voy a probar el curso rápido'. Fui al Sadra, y desde el primer momento vieron que podía tener condiciones», relata la joven, que por entonces tenía 23 años.

Lo que sabía de fútbol lo había aprendido en su casa, con siete hermanos varones con los que se crió° jugando a la pelota en potreros° de tierra colorada, y con un padre que la incentivaba a correr detrás de «la número 5»... siempre y cuando ayudara primero en las tareas hogareñas.

(continúa)

referee
will wear
will tie; linesman; assistant referee; soccer cleats

Whistle
by chance

She traveled

environment

brand-new; was raised fields

Así, quizás por conocer los códigos del mundo masculino o por poder explicar sin titubeos° la «ley del *offside*», Álvarez de Olivera asegura que no se sintió discriminada entre sus compañeros hombres.

without hesitation

«Al principio, te estudian a ver si entendés, pero después mis compañeros y profesores siempre me tuvieron paciencia. Siempre me sentí bien tratada°, siempre me respetaron y tengo con ellos una relación de igual a igual», le asegura a BBC Mundo.

well treated

soccer

Desde las gradas°

Ahora, con los aficionados, es otro cuento.

stands

Bien lo sabe quien alguna vez haya visitado un estadio, o incluso visto un encuentro por televisión: exaltados por un pase desafortunado o un pelotazo° que elude la red, los fanáticos del fútbol pueden perder la compostura en cuestión de segundos, y los árbitros son muchas veces destinatarios de cánticos° y epítetos de grueso calibre°.

great kick

chants
strong language

A Álvarez Olivera el asunto la tiene sin cuidado°, aunque reconoce que, como mujer, los insultos se multiplican si llega a cometer un error. El «¡andá a lavar los platos!» se ha hecho para ella moneda corriente (y es probablemente el único insulto que puede reproducirse aquí).

couldn't care less; male

«El argentino vive el fútbol de una manera apasionada, y al ser una de las primeras mujeres es más difícil entrar en ese ambiente. Hay prejuicios, pero una vez que estás, si ven que tenés capacidad, te respetan mucho», dice.

Su antídoto contra el machismo es simple: pura concentración y trabajo. Quienes siguieron su desempeño° en las ligas menores aseguran que tiene una hoja de ruta intachable.

yearns for
join; profession

get the ball rolling
performance

Álvarez de Olivera trabajó primero en los campeonatos argentinos *amateur*, y luego fue designada para arbitrar partidos de fútbol femenino en el Mundial de Shanghái, en 2007, y en los Juegos Olímpicos de Pekín, en 2008.

¿Ícono femenino con balón?

A esta jueza deportiva no le gusta el poder, aunque la suya sea la última palabra durante un encuentro, y en su bolsillo esconda esas «armas letales» del balompié°, que son las tarjetas de sanciones: «la roja» y «la amarilla».

Dice que prefiere el perfil bajo y que la reacción mediática que generó su incursión en el campeonato profesional argentino la pone algo incómoda.

Muchos celebraron su nominación como un paso adelante en la lucha por la igualdad de la mujer.

Para ella, el asunto es mucho menos trascendente: se trata, simplemente, de su vocación.

«La verdad que nunca fui feminista... más bien, me crié en un ambiente muy masculino, y en algunas cosas hasta aprendí a pensar como varón°. No quiero demostrar nada, simplemente se dio así. Soy mujer y soy árbitro», resume.

Su sueño, como el de cualquier colega, es el de llegar al campeonato mayor.

Eso sí: ansía° también que otras, como ella, se sumen° al gremio°, y que aficionados y jugadores se acostumbren a ver a una «dama de negro» impartir justicia futbolística.

«¡Lo mío es una demostración de que las mujeres podemos hacer otra cosa que lavar los platos!», se ríe, entre nerviosa y satisfecha, cuando faltan sólo unas horas para que el balón eche a rodar° bajo sus órdenes.

Valeria Perasso, BBC Mundo, Buenos Aires

Ana y Manuel directed by Manuel Calvo, Encanta Films S.L.

«Ana y Manuel»

El video es un cortometraje del director español Manuel Calvo. En esta comedia romántica, Ana se compra un perro después de que su novio la deja. La idea de sustituir a su novio por un gran perro le parece muy buena, pero solo al principio.

5-18 Anticipación. Antes de mirar el video, haga estas actividades.

A. Conteste estas preguntas.

1. ¿Tiene animal doméstico? ¿Qué tipo de animal es? ¿Cómo se llama? ¿Por qué le gusta tenerlo? ¿Hay algún animal doméstico que no le guste? ¿Por qué?
2. ¿Ha roto alguna vez con un novio o una novia? ¿Cómo se sintió? ¿Trató de sustituir a esa persona con otra persona o con otra cosa?
3. ¿Celebra su familia la Navidad? ¿Se intercambian regalos?
4. ¿Ha perdido alguna vez un perro o un gato? ¿Qué hizo para encontrarlo? ¿Tuvo el incidente un final feliz o triste?

B. Vocabulario útil. Estudie estas palabras del video.

la pesadilla *nightmare*	la derrota *defeat*
la venganza *revenge*	ni rastro *without a trace*
la vergüenza *embarrassment*	arrastrado *dragged*
hartarme *to be fed up with*	se extrañó *he was surprised*

5-19 Sin sonido. Mire el video sin sonido una vez para concentrarse en el elemento visual. ¿Qué emociones siente la chica del cortometraje?

5-20 Comprensión. Estudie estas preguntas y trate de descubrir las respuestas correctas al mirar el video. Escoja la mejor respuesta de acuerdo con el cortometraje.

1. ¿Qué sentimiento impulsó a Ana a comprar un perro?
   a. venganza
   b. vergüenza
   c. ternura
   d. horror

2. ¿Por qué le puso al perro el nombre «Man»?
   a. porque le daba vergüenza
   b. porque no le gustaba «Brutus»
   c. porque era la mitad de «Manuel»
   d. porque quería a un hombre con mucho pelo

3. ¿Por qué Ana iba a regalarle el perro a su hermano Javier?
   a. porque se le había olvidado de comprarle un regalo de Navidad
   b. porque se había cansado del perro y quería deshacerse de él
   c. porque Javier siempre ha querido un perro grande
   d. porque se quería vengar de Javier

4. ¿Cómo fue que Manuel paró en casa de Ana?
   a. Manuel vio el cartel con la foto de Man.
   b. El perro lo arrastró a la casa de Ana.
   c. El señor del mercadillo le contó que Ana lo echaba de menos.
   d. Cuando supo que a Ana sí le gustaban los animales, decidió volver con ella.

5. ¿Cuál de las oraciones siguientes es falsa?
   a. Ana compra un perro para reemplazar a Manuel.
   b. Ana se da cuenta que no puede reemplazar a Manuel.
   c. Ana echa de menos a Man y lo busca.
   d. Ana le cuenta a Manuel que Man es de ella.

5-21 Opiniones. En grupos de tres o cuatro estudiantes, comenten estos temas.

1. Solo hay una voz en todo el cortometraje: la de Ana. ¿Qué efecto tiene esto? ¿Cómo sería diferente si los personajes hablaran?

2. ¿Tiene el cortometraje un tono triste o feliz? Explique.

3. ¿Le gustó el final? ¿Por qué o por qué no? ¿Es realista? ¿Qué mensaje cree que tiene?

Costumbres y creencias

UNIDAD 6

Rodrigo Abd/AP/Corbis

En Santiago Sacatepéquez, Guatemala, es tradición hacer volar barriletes *(kites)* en los cementerios en el Día de los Muertos. ¿Qué le parece a usted esta costumbre?

Lecturas culturales

I. El horario y la vida social
II. Las actitudes hispánicas hacia la muerte
III. Las actitudes indígenas hacia la muerte
IV. Presencia de la muerte

Expansión

¡A explorar!

En pantalla
«Juanito bajo el naranjo»

🌐 www.cengagebrain.com

Enfoque

Es importante notar que las costumbres populares siempre están basadas en otras costumbres y creencias. A veces es difícil o aun imposible entender una costumbre sin considerarla en relación con otras y con las condiciones económicas y sociales en que existe. Es generalmente imposible saber cómo *isolated* funcionaría una costumbre aislada° trasladada a otra sociedad. Por ejemplo, una corrida de toros en los Estados Unidos no tendría contexto cultural.

Vocabulario útil

Verbos
colocar *to place, to locate*
consolar (ue) *to console*
enterrar (ie) *to bury*
morir(se) (ue) *to die*
reflejar *to reflect*
sorprenderse *to be surprised*
trasladar *to transfer*

Sustantivos
el ambiente *atmosphere, environment*
el ataúd *coffin*
la creencia *belief*
la diversión *amusement, entertainment*
el entierro *funeral; burial*
el fantasma *ghost*

el horario *schedule*
la leyenda *legend*
el luto *mourning*
  guardar luto *to be in mourning*
el miedo *fear*
  dar miedo *to cause fear*
el mito *myth, fictional story*
la muerte *death*
el paraíso *paradise*
la vecindad *neighborhood*

Adjetivos
distinto(a) *different*
muerto(a) *dead*
semejante *similar*

 6-1 Para practicar. Trabajen en parejas, o como lo indique su profesor(a), para hacer y contestar estas preguntas, usando el vocabulario de la lista.

1. ¿Qué horario sigues durante la semana en cuanto a las comidas? ¿Comes en casa, en un restaurante o en una cafetería? ¿Qué horario tienes para las diversiones? ¿Cuáles son?
2. ¿Te hace sentir aislado(a) la organización de tu vecindad? ¿Te gustan los cafés al aire libre?
3. ¿Crees en los fantasmas? ¿Te dan miedo? ¿Te da miedo la muerte o te ríes de ella?
4. ¿Quieres que te entierren después de morir? ¿Puedes imaginarte dónde? ¿Quieres un entierro lujoso y que te coloquen en un ataúd grande? ¿Quieres que todos guarden luto por mucho tiempo?
5. ¿Conoces alguna leyenda sobre la muerte o sobre los muertos? ¿Qué creencia refleja la leyenda?

A. Antes de comenzar a leer, pongan en orden de importancia para Uds. estos elementos de la vida (1 = el más importante y 7 = el menos importante). Comparen las listas en la clase.

el trabajo (la carrera)   los amigos
la familia   las diversiones
el viajar   la religión
el servicio público

B. Expliquen su reacción personal frente a la muerte como fenómeno universal.

I. El horario y la vida social

Las costumbres tienen distintos orígenes. Como ya se ha dicho, la siesta, muy común en el mundo hispánico, viene de los romanos. Dividían las horas de luz en doce, trabajaban durante las seis primeras y usaban las otras seis para las diversiones. Aunque hay aire acondicionado hoy día, la costumbre perdura° en la
5 forma de un descanso° al mediodía de 2 o 3 horas. Después de la siesta se vuelve al trabajo hasta el fin de la jornada° a las siete u ocho.

lasts
break
workday

En España se despiden de una marca registrada°: la siesta
Una norma restringe° la pausa que se toman para almorzar

registered trademark
restricts

Tal vez sea que los españoles no se lo terminan de creer. Pero lo cierto es que ha sido más que nada la prensa extranjera la que miró con asombro la nueva normativa° que, en pocas líneas, acaba de disponer el final de dos instituciones
10 sociales de la sociedad española: la pausa de dos horas para un almuerzo de varios platos y la consecuente siesta.

law

«*The nap is dead*»… comentaban ayer, alborozados°, medios de prensa de Gran Bretaña, donde cuesta creer que a las cinco de la tarde, cuando allí se sientan a tomar el té, en Madrid la gente apenas se levanta de un almuerzo de trabajo° que
15 suele constar de aperitivo, dos platos, postre, café, copa de licor y, ya que estamos, un buen puro°.

agitated

working lunch

cigar

Por contraste, en mayoría, los grandes medios nacionales apenas si repararon en la norma avalada° anteayer, que habilita a la administración central a disponer un nuevo —y revolucionario— horario laboral, con pausa de menos de una hora para el
20 almuerzo y final de la jornada° a las 18, como en casi toda Europa.

enacted

workday

…«Es una práctica que poco tiene que ver con nuestra sociedad actual y que, sin embargo, nunca se ha modificado. Viene desde la época en que las mujeres casi no trabajaban fuera de casa y los hombres regresaban al hogar para almorzar y descansar», explicaron consultores laborales.

La Nación On Line, Buenos Aires

majority

25 Esta situación resulta en que la comida principal para la mayoría° de la gente se come al mediodía, o mejor dicho, a las dos de la tarde, que se considera todavía el mediodía. Otro resultado es que la cena se come después de las nueve y es una comida ligera°. Esto explica por qué la gente está en la calle hasta muy tarde.

light
talkative
to get together

Otra costumbre procede de la personalidad gregaria° de la gente hispánica:
30 la popularidad del café al aire libre. Es un lugar donde va la gente a reunirse° y encontrarse con los amigos y los vecinos.

both . . . and

La organización de la ciudad facilita esta preferencia porque está generalmente organizada en vecindades que contienen, tanto residencias, como° tiendas y cafeterías de todos tipos. El resultado de esta organización es que una persona pasa

³⁵ mucho tiempo con los vecinos al ir de compras o al café al aire libre, y por eso tiene varias oportunidades de interacción social.

are usually

Se ve la diferencia en este caso de los cafés al aire libre en los Estados Unidos que suelen estar° en centros comerciales lejos de cualquier residencia. Los clientes, la gente que pasa y los que trabajan en el café generalmente no se conocen. En

neighborhood

⁴⁰ algunas ciudades la tradición del bar de la vecindad° ocupa un lugar semejante, pero va desapareciendo. Es posible que el hecho de que las familias norteamericanas se quedan en casa solas contribuya a la pérdida del sentido de comunidad.

deeply rooted

Las costumbres descritas están muy arraigadas° en la cultura hispánica. Otras tradiciones son más bien creencias que costumbres. Un ejemplo de una creencia es

⁴⁵ la actitud que tiene la gente hacia la muerte. Es un tema que ha existido a través del tiempo en todas las culturas y sirve como buen punto de contraste. Como en los otros casos hay varias costumbres y prácticas que resultan de esta creencia.

6-3 Comprensión. Decida cuáles de estas oraciones son verdaderas y cuáles son falsas, según la información del texto. Corrija las falsas.

1. La costumbre de la siesta viene de los romanos.
2. En el mundo hispánico el trabajo termina al mediodía.
3. La organización física de la ciudad norteamericana favorece la costumbre de la siesta.
4. Tanto en los Estados Unidos como en el mundo hipánico la cena es la comida más importante del día.
5. Los cafés al aire libre son iguales en el mundo hispánico que en los Estados Unidos.

6-4 Opiniones. Exprese su opinión personal.

Elementos de la lectura

1. ¿A qué hora tiene Ud. su comida principal? ¿Por qué? ¿Y antes de ir a la universidad?
2. ¿Cree que sería mejor vivir cerca de su trabajo, prefiere vivir en otro lugar o no le importa?

Conceptos generales

3. ¿Qué aspectos de comunidad tiene la universidad?
4. ¿Cree que el sentido de comunidad es muy importante para la sociedad?

II. Las actitudes hispánicas hacia la muerte

Sin duda alguna, el anglosajón que visita un país hispánico se sorprende ante la importancia que se le da a la muerte. En vez de ser una cosa escondida, la muerte es una preocupación constante del pueblo hispánico. La gente hispánica parece vivir pensando en la muerte: en los familiares y amigos difuntos° (¡que en

deceased
murders

⁵ paz descansen!)[1], en los entierros, en los asesinatos°, accidentes, enfermedades y todas las tragedias del mundo moderno.

[1] *¡Que en paz descansen!* May they rest in peace! This expression is typically used whenever mention is made of a dead person, especially a relative or friend. Others are: *Dios lo guarde.* God keep him. *Que descanse con Dios.* May he rest with God.

Hay fenómenos lingüísticos que muestran esta preocupación por la muerte. Un «muerto de hambre», una «mosca° muerta», «de mala muerte», son términos muy comunes para referirse a un pobre, a un hipócrita o a una cosa sin valor°,
10 respectivamente. La última, «de mala muerte», interesa por su sentido figurativo. Refleja una actitud hacia la muerte que también se expresa en el dicho°: «Dime cómo mueres y te diré quién eres»[2], hecho famoso en un ensayo del mexicano Octavio Paz. Otros refranes° son «Buena muerte es buena suerte» y «En la muerte se ve, cada uno quién fue». Todas estas expresiones implican que de alguna manera
15 la muerte define la vida y que una muerte mala implica un vida mala o sin valor.

La actitud hispánica hacia la muerte se originó en la Edad Media°. Durante la época medieval la muerte constituía el paso decisivo hacia la vida eterna; era el principio de la vida verdadera, que sería gloriosa si uno había vivido bien en la tierra. A esta visión consoladora de la muerte se unía otra: la de *La danza de la*
20 *muerte*, un largo poema medieval. Se presentaba a la muerte como igualadora° de todas las distinciones sociales y económicas de la tierra. Esta idea se expresa así en los refranes: «La muerte a nadie perdona» y «No hay tal pompa° que la muerte no rompa°».

Tal vez la expresión española más conocida de esta actitud esté en los versos de
25 un poeta del siglo xv, Jorge Manrique[3], que dice en sus *Coplas:*

> Nuestras vidas son los ríos
> que van a dar° en la mar,
> que es el morir;
> allí van los señoríos°
30 > derechos° a se acabar
> y consumir;
> allí los ríos caudales°,
> allí los otros, medianos°
> y más chicos°;
35 > allegados°, son iguales
> los que viven por sus manos
> y los ricos.

Sigue el poema con una lista de los aspectos transitorios° del mundo: la belleza física, la fuerza juvenil, la riqueza, el poder político, etcétera.
40 Estos ejemplos revelan que la actitud medieval presentaba la muerte como algo casi deseable: «al morir, descansamos» dice Manrique. En la época moderna la vida asume más importancia, pero aún existen rastros de la idea medieval que son suficientes para mantener cierta atracción hacia la muerte, o al menos disminuir el miedo que se le tiene. Claramente lo expresa un dicho: «Nacer es empezar a morir,
45 y morir es empezar a vivir».

En la sociedad hispánica moderna la muerte fascina, intriga y, aun más, desafía al hombre. Los riesgos implícitos en la corrida de toros son un ejemplo de esta atracción. El hombre y el toro luchan a muerte, y el hecho de que el toro muere más frecuentemente no cambia el simbolismo. Muchos toreros han muerto en la corrida
50 a través de los años. Aún muere de vez en cuando un participante (español o turista) en las fiestas de San Fermín en Pamplona, España, cuando corren delante de los toros que se llevan a la plaza de toros. Estas fiestas se popularizaron en los Estados Unidos tras la publicación de la obra *The Sun Also Rises* de Ernest Hemingway y hoy van muchos norteamericanos a participar en este desafío° a la muerte.

[2] The proverb means: "Tell me how you die, and I'll tell you what you're worth." [3] **Jorge Manrique** (1440-1478) A famous medieval Spanish poet. His *Coplas a la muerte de su padre* contain a cogent expression of the medieval attitude toward life and death.

El encierro en Pamplona, España, es emocionante pero muy peligroso. ¿Le gustaría a Ud. participar en él?

55   Octavio Paz sugiere que la propensión del mexicano hacia la pelea violenta con navajas o pistolas durante las fiestas y el uso excesivo de las bebidas alcohólicas reflejan esta misma actitud. Aunque Paz habla del mexicano, su idea es válida en muchos lugares de Hispanoamérica: «Para el habitante de Nueva York, París o Londres, la muerte es la palabra que jamás se pronuncia porque quema los labios.

60   El mexicano, en cambio, la frecuenta, la burla, la acaricia, duerme con ella, la festeja, es uno de sus juguetes favoritos y su amor más permanente». Paz dice que la muerte no le da miedo al mexicano porque «la vida le ha curado de espantos»[4]. Los estudios psicológicos revelan la presencia de la muerte con más frecuencia en los sueños de la gente hispánica.

[4] ***«la vida le ha curado de espantos»*** "life has cured him of shocks"; that is, he has suffered every possible misfortune in life so death cannot be anything worse.

6-5 Comprensión. Escoja la frase más apropiada para completar la oración.

1. Un muerto de hambre se refiere a…
   a. un hipócrita.
   b. un hambre feroz.
   c. una persona pobre.

2. El dicho «Dime cómo mueres y te diré quién eres» sugiere…
   a. que los pobres mueren temprano.
   b. que no eres nadie cuando estás muerto.
   c. que la muerte define y determina el valor de la vida.

3. El poema de Manrique dice que después de morir, el trabajador…
   a. y el rey son iguales.
   b. vive por sus manos.
   c. es un rico.

4. Octavio Paz dice que en muchos lugares la palabra muerte…
   a. no se entiende.
   b. nunca se menciona.
   c. no tiene significado.

6-6 Opiniones. Exprese su opinión personal.

Elementos de la lectura

1. ¿Ha visto una corrida de toros? ¿Tiene interés en ver una?
2. ¿Cree que es importante asistir al entierro de alguien que ama? ¿Por qué sí o por qué no?

Conceptos generales

3. ¿Cree que es importante tener riesgos mortales en la vida? ¿Ha saltado con un *bungee* o en un paracaídas? ¿Practica deportes extremos? ¿Quiere practicar uno? ¿Cuál le interesa?
4. ¿Por qué no se practicaban los deportes extremos hace 50 años? ¿Es más valiente la juventud de hoy? ¿O menos inteligente?

III. Las actitudes indígenas hacia la muerte

Los indígenas americanos también tenían sus propias ideas acerca de la muerte, y después de la conquista, estas pasaron a formar parte de la cultura hispanoamericana de algunos países.

El obispo Diego de Landa, que investigó la cultura maya en el siglo XVI, nos
5 dice que los mayas sentían gran tristeza ante la muerte. Enterraban a la gente común debajo del piso° de su casa, la cual abandonaban después. A los nobles —los sacerdotes— los enterraban con más cuidado, colocando las cenizas° en el centro de las pirámides.

Los incas del Perú tenían un concepto de la muerte muy semejante al europeo.
10 Creían que después de la existencia terrenal° había otra vida eterna. Si uno había vivido bien, terminaba en el cielo, que ofrecía todos los placeres°, y si no, iba al infierno°, que era un lugar muy frío.

Quizás los aztecas han tenido el concepto más interesante. Dice Eduardo Matos Moctezuma, conocido° arqueólogo mexicano, que: «el hombre prehispánico
15 concebía° la muerte como un proceso más de un ciclo constante, expresado en sus leyendas y mitos. La leyenda de los Soles nos habla de esos ciclos que son otros tantos eslabones° de ese ir y devenir°, de la lucha entre la noche y el día,… Es lo que lleva a alimentar al sol para que este no detenga su marcha y el porqué de la sangre como elemento vital, generador de movimiento. Es la muerte como germen°
20 de la vida.» Concebían la existencia como un círculo: el nacimiento y la muerte eran solo dos puntos en ese círculo. Creían que la humanidad había sido creada varias veces antes y que siempre había sufrido un cataclismo° terrible. Lo que determinaba el lugar del alma era el tipo de muerte y la ocupación que en vida había practicado la persona: los guerreros° muertos en batalla o sobre la piedra de sacrificio iban al
25 paraíso oriental, que era la casa del sol, donde vivían en jardines llenos de flores. Después de cuatro años volvían a la tierra en forma de colibríes°.

Las mujeres que morían en el parto° iban al paraíso occidental, la casa del maíz. Al bajar a la tierra, lo hacían de noche como fantasmas. Esta tradición, junto con algunas historias españolas del mismo tipo, han sido conservadas en la leyenda
30 de «la llorona°», una mujer que camina por la tierra de noche amenazando° a las mujeres y a los niños.

Aunque todas las civilizaciones indígenas conocían el sacrificio humano, ninguna lo practicaba tanto como los aztecas. Los sacrificios servían, principalmente, como alimento para los dioses, que demandaban la vida contenida
35 en la sangre y el corazón humanos.

Buen ejemplo era el culto azteca de Huitzilopochtli, su dios protector identificado con el sol y que todos los días tenía que luchar contra las estrellas° y

under the floor
ashes

earthly
pleasures
hell

well-known
conceived of

links; becoming

seed

catastrophe

warriors

hummingbirds
childbirth

crying or moaning woman;
threatening

stars

40 contra su hermana la luna para que le diera otro día de vida al hombre. Los aztecas se consideraban elegidos del sol y por eso se dedicaban a la guerra ritual —llamada guerra florida°— no para conquistar nuevos territorios, sino para conseguir prisioneros para el sacrificio. Según los cronistas, se hacían más de 20 000 sacrificios al año. El público estaba obligado a asistir a estos ritos bajo pena° de castigos° severos, lo que hace pensar que la muerte constituía una presencia constante en la vida diaria de los aztecas, como lo era también en la vida española. Al mezclarse°

45 estas dos culturas, la muerte siguió ocupando un lugar central en los cultos de la vida.

penalty; punishments

On mixing

6-7 Comprensión. Complete según el texto.

1. Los mayas enterraban a la gente común _____.
2. Los incas tenían un concepto de la muerte _____.
3. Según los aztecas, las mujeres que morían en el parto iban a _____.
4. Las civilizaciones indígenas que ofrecían sacrificios humanos incluían _____.

6-8 Opiniones. Exprese su opinión personal.

Elementos de la lectura

1. ¿Cree que es justo criticar a las civilizaciones antiguas por sus prácticas, por ejemplo, el sacrificio humano? ¿Por qué sí o por qué no?
2. ¿Cree que se deben permitir cualquier práctica religiosa o hay algunas no permitidas? ¿Por qué sí o por qué no?

Conceptos generales

3. ¿Tiene Ud. una idea clara de sus creencias religiosas? Explíquelas.
4. ¿Cree que es posible tener una sociedad sin religión alguna? ¿Por qué sí o por qué no?

IV. Presencia de la muerte

Esta atención que se le da a la muerte resulta en una serie de prácticas y costumbres que reflejan las creencias religiosas y las tradiciones populares.

wake; vigil

Una de las más conocidas es el velorio°, una vigilia° para honrar al difunto y consolar a sus familiares. En algunos lugares se sirven comidas y bebidas y para la

5 mayoría de los asistentes esto constituye una ocasión social. Se hace comúnmente en casa y con el ataúd presente. Para muchos es un acto muy importante.

advertisement
front page; death notices
colleagues

Otra costumbre importante es la de publicar un anuncio° en el periódico, a veces en la primera plana°. Estos anuncios o «esquelas de defunción°» llevan el nombre del difunto y de los miembros de la familia o de los colegas°. Son

10 semejantes a los obituarios en los Estados Unidos pero son mucho más evidentes.

widow

La costumbre de vestirse de luto también era muy común en la sociedad hispánica. La viuda° guardaba luto relativamente severo durante uno, dos o 15 o más años y toda la familia tenía la obligación de llevar una vida austera, sin fiestas ni diversiones, durante cierto tiempo.

15 Otra costumbre relacionada con la muerte es la de celebrar el «Día de los Muertos», el 2 de noviembre[5]. Durante ese día se recuerdan a muertos o la muerte

skulls; skeletons
graves

como fenómeno. En algunos sitios, como en México, se hacen dulces y panes en forma de calaveras° y esqueletos°, y en los pueblos pequeños hispánicos la gente pasa tiempo en el cementerio, donde limpian alrededor de los sepulcros° y colocan
20 flores frescas en las tumbas de los familiares. Los psicólogos contemporáneos sugieren que la tendencia norteamericana a clasificar la muerte como un tabú para los niños crea efectos negativos en el adulto, ya que este no aprende a vivir con la muerte y no sabe enfrentarla° cuando se presenta. Este problema no existe para el niño hispánico.

to face it

Don Juan Tenorio[6] revive en el Teatro Español

25 La noche de los difuntos convoca al mito literario universal, ofreciéndole una lectura dramatizada, música y cine.

La mágica noche de los difuntos vuelve a atraer hacia la órbita del Español al universal Don Juan Tenorio, que se levanta de su tumba de palabras, cada año, el 1 de noviembre, para ser representado°.

acted out

30 El director de este teatro, Mario Gas, tiene la clara intención de repetir, mientras permanezca en el cargo°, este homenaje° al mito literario. Bajo el título de *Tres noches con Don Juan*, el Español propone, del 31 de octubre al 2 de noviembre, un atardecer° de teatro, otro de ópera y, por último, una visión del personaje desde el ojo de la cámara cinematográfica.

remains in the job; homage

evening

35 Con la intención de sacar al personaje a la calle, como ya se hiciera el 1 de noviembre pasado, el director de escena Ignacio García realizará° en la fachada° del Teatro Español una versión semi escénica de los fragmentos más conocidos de la obra que Mozart dedica al mito. Los intérpretes°, acompañados al piano, actuarán en los balcones del edificio.

will carry out; façade

performers

40 Por último, será el cine el que exprese su visión sobre el mito el miércoles 2 de noviembre, a partir de las 16.30 horas. Se proyecta la versión de *Don Juan* que José Luis Sáenz realizó de las obras de Zorrilla y Tirso de Molina,…

El Mundo, Madrid

remains

Un fenómeno interesante en el mundo hispánico es la preocupación por los restos° mortales. En los casos de personas ilustres se pueden crear verdaderas
45 polémicas sobre su destino. Tal es el caso de Cristóbal Colón. Hoy día existen tres tumbas que dicen guardar los restos de Colón, una en un monasterio de Sevilla donde fue enterrado Colón provisionalmente°, otra en la catedral de Sevilla y aun otra en Santo Domingo[7]. Colón murió en España, fue enterrado en el monasterio para esperar la construcción de una catedral en América, y luego fue
50 trasladado° a Santo Domingo, la primera colonia del Nuevo Mundo. En la época de independencia los restos fueron trasladados otras veces y las autoridades terminaron perdiéndolos. Últimamente se llevó a cabo una investigación usando el ADN° para identificar los restos. Debido a la edad de los huesos solo pudieron determinar que la tumba en la catedral de Sevilla contiene algunos restos de Colón pero no
55 necesariamente todos. El gobierno dominicano no ha permitido que pusieran a prueba los restos de Santo Domingo de modo que podría tener algunos restos igualmente auténticos. El misterio no se ha resuelto.

temporarily

transferred

DNA

[5] **Día de los Muertos** Also called *Día de los Difuntos*, known in English as All Souls' Day. This religious holiday is a more important event in the Hispanic world than in the United States. [6] **Don Juan Tenorio** The literary theme has numerous treatments and includes scenes from the grave. Tirso de Molina wrote the first play: *El burlador de Sevilla* (1630). Zorrilla de San Martín wrote a romantic version in 1844, which is the one traditionally done on the *Día de los Difuntos*. Mozart's opera *Don Giovanni* (1787) treats the same theme as does the movie, *Don Juan* (1950) de José Luis Sáenz. [7] **Santo Domingo** An island in the Caribbean where the first Spanish-American government was located. It is now divided between two countries—the Dominican Republic and Haiti (formerly a French colony). The capital city of the Dominican Republic is Santo Domingo.

Es el mausoleo de Evita Duarte de Perón. ¿Quiere Ud. tener un mausoleo grande e impresionante? ¿Por qué sí o por qué no?

Greg Balfour Evans/Alamy

Otro caso interesante es el de Evita Perón, esposa del presidente Juan Perón de la Argentina. Por la popularidad de Evita, el gobierno que depuso° a Perón mandó
60 enterrar el ataúd con los restos de su esposa en Italia. Cuando Perón regresó a la Argentina, después de dieciocho años de exilio, le prometió al pueblo la devolución° de los restos de la querida Evita. Cuando el gobierno vaciló en permitirlo, un grupo de «peronistas» le robó el cadáver de otra figura pública y demandó la devolución de los restos de Evita a la Argentina, a cambio de° los restos del otro político.
65 Constituyeron unos «restos en rehenes°». El gobierno consintió y todos los restos se colocaron en su lugar apropiado.

Pero la historia de los restos de los esposos Perón no termina con eso. En 1987, trece años después de su muerte, unos ladrones° forzaron° la cripta de Juan Perón y le cortaron las manos al cadáver. Hasta hoy las manos no se han encontrado y
70 muchos de los que investigaban el robo han sufrido una muerte violenta. En 1995 los restos de un primo de Juan Perón fueron robados de un cementerio provincial.

Un novelista argentino contemporáneo, Tomás Eloy Martínez, ha sugerido que, mientras que los mexicanos se ríen de la muerte y la desafían, los argentinos tienen una obsesión con los restos mortales. Su novela, *Santa Evita*, sigue los
75 movimientos de los restos de Evita Perón entre 1953 cuando murió y 1974 cuando fueron devueltos° a la cripta familiar en Buenos Aires. La historia se ha convertido ya en leyenda. El cadáver pasó mucho tiempo en Italia, enterrado en secreto para evitar el robo por los antiperonistas°.

Algunos intérpretes de la cultura argentina creen que el interés de los argentinos por los cadáveres famosos es parte de una tendencia a la nostalgia que
80 domina el país. Se debe tal vez a la tierra solitaria de la pampa° que encontraron los muchos inmigrantes europeos cuando llegaron al país en el siglo XIX.

En resumen, vemos que la muerte es cosa natural para los hispanos cuando dicen: «Para el último viaje, no es menester° equipaje°». Y cuando dicen: «Cuando viene la Chata°, ¿qué hacer sino estirar la pata°?» o «Al morir no hay huir°»,
85 indican que la muerte es inevitable.

6-9 Comprensión. Decida si las siguientes oraciones son **verdaderas** o **falsas** según el texto. Corrija las falsas.

1. Una esquela de defunción es un anuncio de muerte.
2. El Día de los Muertos se celebra en diciembre.
3. La muerte en el mundo hispánico se considera una cosa natural.
4. La tumba de Colón se encuentra solo en Sevilla.
5. Evita Perón fue una figura popularísima en la Argentina.
6. Los pies de Juan Perón desaparecieron de su cripta.

6-10 Opiniones. Responda a las siguientes preguntas.

Elemento de la lectura

1. ¿Ha asistido Ud. a un velorio? ¿A un entierro? ¿Cuál fue su reacción?

Conceptos generales

2. ¿Cree que es importante la ubicación de los restos mortales de los seres humanos?
3. Si tuviera hijos (o si los tiene), ¿qué aspectos de la vida les escondería de ellos durante su niñez? Explique.

En Perú, como en muchos países, la gente acude al cementerio el día 2 de noviembre y pasa todo el día allí.

6-11 Actividades de vocabulario. En grupos pequeños hagan las siguientes actividades.

> **Los modismos** Los modismos *(idioms)* son expresiones fijas. El significado de un modismo no siempre se puede deducir de las palabras que lo forman. Por ejemplo, **de mala muerte** no significa literalmente *«of bad death»* sino *«cheap, nasty»*; o sea, un hotel de mala muerte es un hotel malo. He aquí algunos modismos de uso común:
>
> **a duras penas** = con dificultad
> **a gusto** = cómodamente, sin problemas
> **a toda prisa** = rápidamente
> **al fin y al cabo** = al final
> **dar a (la) luz** = parir; *to give birth*
> **de segunda mano** = usado
> **echar de menos** = notar la falta de alguien o algo; *to miss*
> **en mi vida** = nunca, jamás
> **media naranja** = pareja (novio o esposo)
> **muerto de hambre** = persona muy pobre
> **por lo visto** = según parece, evidentemente
> **un ojo de la cara** = una fortuna

A. Modismos. Reemplace las palabras subrayadas con uno de los modismos de la lista anterior *(above)*.

1. Ayer fuimos al velorio de don Orlando; <u>jamás</u> había visto tanta comida y tantas flores.
2. El ataúd ha debido costar <u>una fortuna</u>.
3. La pobre viuda <u>extraña</u> a su esposo, que en paz descanse.
4. Ella dice que no duerme <u>cómodamente</u> en una cama grande y vacía.
5. <u>Evidentemente</u>, la señora quiere mudarse de casa.
6. Sus hijas no quieren que venda la casa pero <u>al final</u>, no es la decisión de ellas.

B. El cuento de Juan Ramón. Complete el párrafo siguiente con las palabras apropiadas.

Juan Ramón era un 1. _____ de hambre. Su ropa era de segunda 2. _____. Vivía en una casa hecha de cajas de cartón. A duras 3. _____ compraba pan para su esposa. Su media 4. _____ se llamaba Antonia y por lo 5. _____ se querían mucho. Un día, ella dio a 6. _____ a un bebé. En mi 7. _____ había visto un bebé tan hermoso. Juan Ramón fue a toda 8. _____ al pueblo para comprarle una cobija. Le costó un ojo de la 9. _____. Envuelto en la nueva cobija, durmió el bebé a 10. _____.

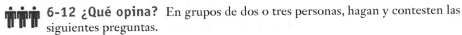

6-12 ¿Qué opina? En grupos de dos o tres personas, hagan y contesten las siguientes preguntas.

1. ¿Cree que la costumbre de la siesta es un obstáculo a la eficiencia en el medio laboral? ¿Por qué sí o por qué no? ¿Se aceptaría en los Estados Unidos o no?
2. ¿Qué actitud hacia la muerte es más saludable, la hispánica o la norteamericana? Explique.
3. ¿Cómo se comparan el día festivo de *Halloween* con el Día de los Muertos?
4. ¿Sabe Ud. dónde están los restos de George Washington o de Abraham Lincoln?

6-13 Debate. Organice dos equipos para que ataquen o apoyen esta resolución.

Los niños no deben tener contacto con la muerte si es posible evitarlo.

6-14 Situación. Imagínese que un amigo le ofrece a Ud. una medicina que ha descubierto que le hará vivir hasta la edad de doscientos años. ¿La tomaría o no? Explique algunas de las ventajas y desventajas de una vida larga. ¿Cómo tendríamos que cambiar para ser felices durante doscientos años?

6-15 Investigación. Trabajando en grupos, busquen en Internet o en la biblioteca información sobre la ubicación de los restos mortales de un(a) norteamericano(a) famoso(a). Prepárense para describirles a sus compañeros por qué han llegado los restos a estar en ese lugar.

6-16 El arte de escribir

A. Composición dirigida. Llene los espacios en blanco para hacer un resumen de la lectura.

La 1. _____ hispánica hacia la muerte es 2. _____ a la actitud de la mayoría de los norteamericanos. Los hispánicos ven la 3. _____ como una cosa natural que da 4. _____ a la vida. No 5. _____ de esconderla ni de los niños, quienes aprenden a experimentar las emociones de la muerte desde muy 6. _____. Muchos psicólogos 7. _____ que esta 8. _____ es más saludable que nuestra práctica de esconder lo más 9. _____ su presencia.

B. El arte de la descripción de paisajes y objetos. La descripción de los paisajes o de las cosas es semejante a la descripción de las personas. Es cuestión de utilizar adjetivos y otras palabras para hacer que el lector visualice el paisaje o el objeto. Por ejemplo:

La casa de la estancia era grande y las dependencias del capataz estaban cerca.

La descripción se puede mejorar añadiendo más detalles:

La casa de la estancia era grande y un poco abandonada; y las dependencias del capataz, que se llamaba Gutre, estaban muy cerca.

1. Con los compañeros de clase escriba una descripción de su salón de clase. Cada estudiante debe añadir un detalle.
2. Escriba Ud. una descripción de algo que conozca bien o que pueda observar mientras escriba. Trate de incluir todos los detalles importantes.

C. Opiniones. De aquí en adelante se presentarán en esta sección algunos temas de composición que requerirán su opinión o actitud personal. Las palabras entre paréntesis deberán ser suplementadas por otras, donde sea conveniente. Describa su actitud personal hacia:

1. la presencia cotidiana de la muerte
   (dar miedo, natural, escondido, gustar, creer, evitar, vida)

2. los entierros
   (costoso, lujoso, sencillo, asistir, preferir, deber, gastar, niño)

3. sus propios restos mortales
   (entierro, cementerio, querer, cerca de, no importa, es mejor, preocuparse)

4. el tipo de muerte más atractivo
   (ninguno, heroico, violento, pacífico, rápido, lento)

6-17 Las noticias. Trabajando con un(a) compañero(a), lean el siguiente artículo periodístico de Bolivia y escriban un resumen. Estén listos para presentarlo a la clase.

Prohíben encender las fogatas° y vender juegos pirotécnicos°

Anticipándose a la fiesta de San Juan y todo lo que ello implica, el Concejo Municipal de Cercado° aprobó una ordenanza municipal en enero pasado que prohíbe la venta de fuegos pirotécnicos, encendido° de fogatas y quema° de materiales inflamables. A su vez, incrementa° el monto° de la multa° de 500 a Bs dos mil bolivianos.

La decisión fue asumida° en coordinación con la Alcaldía° para evitar que los comerciantes importen e inviertan° en la compra de estos productos prohibidos.

Un estudio de la red° de Monitoreo de la Calidad del Aire° (Red Monica) establece que el uso de los fuegos pirotécnicos produce un alto grado de contaminación atmosférica, causando un grave daño° al medio ambiente.° Contienen elementos tóxicos como el dióxido de azufre° (SO2) y óxidos de nitrógeno (NOx), además de partículas de plomo° y otros componentes que representan un peligro°.

En la época de San Juan se incrementan los niveles° de emisión de gases de efecto invernadero°. Los fuegos artificiales causan accidentes y daños a la salud, especialmente a las vías respiratorias°.

Opinión.com.bo

bonfires
fireworks

town name
lighting; burning
increase; amount; fine

taken; Mayor's office
invest
network; Air Quality Monitoring

serious harm; environment
sulfur
lead; danger
levels
greenhouse
respiratory tracts

"Prohiben encender las fogatas y vender juegos pirotécnicos". Opinión, Bolivia.

Juanito bajo el naranjo directed by Juan Carlos Villamizar, Lola Amapola Producciones

▶ Juanito bajo el naranjo

Este es un cortometraje colombiano dirigido por Juan Carlos Villamizar. Tiene lugar en una zona rural de Colombia, en la cual la pobreza y el conflicto armado forman parte de la vida diaria. Juanito, el hijo menor de una familia campesina, desobedece a su padre al comerse una naranja. Según la creencia, el que se come semillas *(seeds)*, le salen ramas *(branches)* por las orejas.

6-18 Anticipación. Antes de mirar el video, haga estas actividades.

A. Conteste estas preguntas.

1. ¿Cómo cree que es la vida de los campesinos de Colombia?
2. ¿Cuál es la fruta más cara donde vive Ud.?
3. ¿De qué tenía miedo cuando era pequeño(a)?
4. ¿Qué hacían o decían sus padres para que obedeciera de niño(a)?

B. Vocabulario útil. Estudie estas palabras del video.

pegar *to hit*
colgar *to hang*
el antojo *craving*
mimar *to pamper*
el embarazo *pregnancy*
la semilla *seed*
la mata *plant*
castigado(a) *punished*
el trompo *spinning top (toy)*
ordeñar *to milk*

6-19 Sin sonido. Mire el video sin sonido una vez para concentrarse en el elemento visual. ¿Qué pasa después de que el niño se come la naranja?

6-20 Comprensión. Después de ver el corto, escoja la mejor opción.

1. ¿Por qué solo la madre puede comerse las naranjas?
   a. porque los hijos están castigados
   b. porque es el cumpleaños de la madre
   c. porque las naranjas son solo para las mujeres
   d. porque las naranjas son muy caras, pero la madre tenía antojo

2. ¿Por qué los personajes se hablan de «usted»?
   a. porque no se conocen
   b. porque los padres respetan a los hijos
   c. porque los campesinos colombianos hablan así
   d. porque es una fábula

3. ¿Cómo es la relación entre Juanito y su madre?
   a. Juanito le tiene mucho miedo
   b. se quieren y se defienden
   c. es muy formal porque se hablan de «usted»
   d. la madre le da preferencia a sus hermanos mayores

4. ¿Por qué la madre de Juanito no le corta las ramas que le salen por las orejas?
   a. porque forman parte del cuerpo de Juanito y le duelen
   b. porque la madre de Juanito quiere darle una lección
   c. porque tienen hambre y necesitan las naranjas
   d. porque Juanito quiere cargar la culpa sobre la cabeza

5. ¿Por qué está Juanito solo en casa con su hermanita y su madre?
   a. porque los hombres malos se llevaron a su padre y a sus hermanos
   b. porque su madre y la bebé son las únicas personas que no le tienen miedo
   c. porque su padre y sus hermanos se fueron a buscar más naranjas
   d. porque Juanito tiene que alimentar a las mujeres de la familia

6. En realidad, el naranjo fue...
   a. el mejor castigo.
   b. solo un sueño.
   c. la salvación de la familia.
   d. invento de los hombres malos.

6-21 Opiniones. En grupos de tres o cuatro estudiantes, comenten estos temas.

1. ¿Por qué son las naranjas un lujo *(luxury)*?
2. ¿Quiénes serán los hombres malos?
3. ¿Por qué Juanito confiesa que se comió la naranja?
4. ¿Cree que es bueno que los padres amenacen *(threat)* a los hijos con supersticiones? Explique.
5. ¿Cuál es la moraleja del cortometraje?

Los movimientos revolucionarios del siglo xx

«Che» Guevara fue uno de los revolucionarios más famosos de Hispanoamérica. Todavía aparece en carteles y murales, particularmente en Cuba. ¿Sabe Ud. algo sobre él?

Lecturas culturales

- **I.** Revolución y «golpe de estado»
- **II.** La Revolución Mexicana de 1910
- **III.** Bolivia en 1952, Cuba en 1959 y Nicaragua en 1979
- **IV.** Los guerrilleros

Expansión

¡A explorar!

En pantalla
«La rebelión campesina en Chiapas»

🌐 www.cengagebrain.com

Lecturas culturales

Enfoque

Coup d'état

unbearable;

has rebelled

Con frecuencia, en la América Latina, un cambio violento de gobierno no es más que un «golpe de estado»° en que el cambio solo afecta a la presidencia. Sin embargo, a veces las condiciones han sido tan insoportables° que el pueblo se ha rebelado°. La pobreza y la escasez de oportunidades económicas, los gobiernos opresivos y otros factores han favorecido, en ciertas épocas y en ciertos países, la creación de movimientos guerrilleros o revolucionarios. Veamos aquí algunos casos de revoluciones o insurrecciones ocurridas a lo largo del siglo XX.

Vocabulario útil

Verbos

efectuar *to effect, to cause to occur*
ejercer *to exercise*
eliminar *to eliminate*
fracasar *to fail*
modificar *to modify, to change*
pertenecer *to belong*
reforzar (ue) *to reinforce*
sacrificar *to sacrifice*

Sustantivos

el apoyo *support*
la dictadura *dictatorship*
el ejército *army*
el éxito *success*
    tener éxito *to succeed*

el fracaso *failure*
la fuerza *force*
la huelga *strike*
    en huelga *on strike*
la ideología *ideology, political belief*
el poder *power*
el (la) rebelde *rebel*
el secuestro *kidnapping*

Otras palabras y expresiones

algo *something, somewhat*
autocrático(a) *autocratic, dictatorial*
poderoso(a) *powerful*

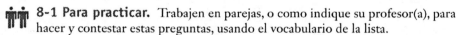

8-1 Para practicar. Trabajen en parejas, o como indique su profesor(a), para hacer y contestar estas preguntas, usando el vocabulario de la lista.

1. ¿Tienes una ideología política clara ahora? ¿Puedes describirla? ¿Sabes a quién vas a apoyar en las próximas elecciones? ¿Perteneces a algún partido u organización política? ¿A cuál?
2. ¿Has participado en alguna huelga o has sacrificado algo por una causa política? ¿Por cuál? ¿Tuviste éxito o fracasaste?
3. ¿Te consideras un(a) rebelde? ¿Por qué sí o por qué no?
4. ¿Crees que está justificado efectuar cambios por la fuerza a veces? ¿Cuándo? ¿O siempre se puede modificar el gobierno y eliminar la injusticia usando métodos pacíficos? ¿Crees que la violencia genera más violencia? Explica tu posición.

8-2 Anticipación. Trabajen en grupos de dos o tres. Vean los mapas al principio de este libro. Hagan una lista de los países y sus capitales en Centroamérica y Norteamérica. Indiquen en qué parte del país está situada cada capital. ¿Cómo influye la geografía de un país en su desarrollo político y económico?

I. Revolución y «golpe de estado»

through democracy

suggest

hold

Durante el siglo xx, en casi todos los países hispanoamericanos se efectuaron más cambios de gobierno por la fuerza que por vía democrática°. Sin embargo, estos cambios, que raramente tienen las características de revoluciones, son simples golpes de estado. Estos se pueden definir como cambios que solo sustituyen un elemento por otro sin que se modifiquen los verdaderos poderes socioeconómicos. Algunos autores sugieren° que en algunos países el golpe de estado ha asumido la misma función que tienen las elecciones parlamentarias en el sistema europeo. Es decir que cuando un presidente pierde el apoyo del congreso, sus rivales organizan un golpe en vez de fijar° elecciones. El procedimiento tiene una serie de reglas tradicionales y generalmente se lleva a cabo con gran eficacia[1]. Claro que se elimina el elemento popular porque el cambio es de una fuerza militar a otra, de un grupo económico poderoso a otro grupo semejante, o de un partido autocrático a otro de tendencias iguales. Lo esencial es que las verdaderas bases del poder no cambian, sino solo los individuos que lo ejercen.

basic

Las verdaderas revoluciones implican cambios mucho más profundos en la distribución del poder. Ocurren de una clase social a otra, de los propietarios a los empleados, o de los oficiales a los soldados rasos del mismo ejército. Según la mayoría de los especialistas en política hispanoamericana, hubo solo tres revoluciones en el siglo xx: la de México de 1910, la boliviana de 1952 y la cubana de 1959. Esto significa que en los tres casos se efectuó una modificación radical° en la organización de los elementos del poder.

long term

Ocurrieron otros movimientos con aspectos revolucionarios como el del gobierno de Salvador Allende[2] en Chile, el movimiento peronista en la Argentina[3] o la rebelión militar en el Perú[4]. En los tres casos la base del poder era demasiado limitada para tener éxito a largo plazo°. Los sandinistas en Nicaragua tomaron el poder en 1979 con una ideología revolucionaria verdadera, pero las presiones internacionales de los adversarios de la «guerra fría» resultaron en la destrucción de su revolución. Pero el caso es que la mayoría de los cambios eran golpes de estado.

millennium
duly elected; carried out

En las dos últimas décadas del siglo xx vimos la desaparición de los gobiernos militares y la llegada de la democracia, de alguna u otra forma, a casi todos los países hispanoamericanos. Pero comienzan las dificultades al inicio del tercer milenio°. En el Perú un presidente debidamente elegido°, Alberto Fujimori, llevó a cabo° un «autogolpe de estado». Esto quiere decir que suspendió la constitución y el Congreso y comenzó a gobernar autocráticamente.

measures
to grant them
claiming
favorable

El presidente Menem en la Argentina, y Cardoso en el Brasil insistieron en tomar medidas° para poder ocupar el puesto durante más de un mandato. En todos los casos los presidentes han convencido a los Congresos para que les otorguen° poderes extraordinarios, alegando° que era necesario para gobernar efectivamente. Los resultados no han sido del todo ventajosos°. Al salir Menem de la presidencia, la Argentina entró en un largo período de inestabilidad en el que se vieron varios presidentes entrar y salir de la Casa Rosada. En el Ecuador grandes protestas públicas resultaron en la salida de dos presidentes y nuevas elecciones. En Venezuela el presidente Hugo Chávez gobierna autocráticamente y en 2009 pudo conseguir la abolición de límites de mandatos, así que puede ser reelegido las veces que quiera. Confiesa que piensa seguir hasta que Venezuela tenga una sociedad socialista.

[1] It has been said that some coups are settled by a phone call between two generals who compare forces and declare a winner. Although some are violent, many involve little or no actual shooting.
[2] **Salvador Allende** Allende came to power in 1970 by the electoral process but with a somewhat revolutionary platform, which was beginning to change the actual power base until he was overthrown by the military in 1973. [3] **movimiento peronista en la Argentina** Juan Perón became president twice, in 1946 and 1974, with a very specialized power base. The president during the 1990s, Carlos Menem, was a peronista, as have been the presidents of the twenty-first century. [4] **la rebelión militar en el Perú** General Juan Velasco Alvarado took power in 1968 with a revolutionary program, much of which was dismantled after his death in 1975.

8-3 Comprensión. Escoja la respuesta que mejor complete las siguientes oraciones.

1. En Hispanoamérica se han efectuado más cambios de gobiernos por…
   a. revoluciones.
   b. elecciones democráticas.
   c. golpes de estado.
2. Una verdadera revolución ocurrió en…
   a. el Ecuador.
   b. México.
   c. el Brasil.
3. El golpe de estado solo cambia… en el poder.
   a. a los individuos
   b. las bases
   c. el ejército
4. Las verdaderas revoluciones implican un cambio en la distribución del…
   a. ejército.
   b. poder.
   c. estado.

8-4 Opiniones. Exprese su opinión personal.

Elementos de la lectura

1. ¿Hubo un golpe de estado recientemente en Hispanoamérica? ¿Unas elecciones que hayan causado un cambio muy radical en el gobierno? ¿Quién ganó?
2. ¿Hay gobiernos que pueden caer dentro de poco?

Conceptos generales

3. ¿Sabe lo que dice la Declaración de la Independencia norteamericana sobre la revolución?
4. ¿Cree que podría haber una situación donde las fuerzas armadas norteamericanas tomaran el poder? Explique. ¿Qué pasaría si lo hicieran?
5. ¿En qué condiciones se haría Ud. revolucionario(a)?

II. La Revolución Mexicana de 1910

rose up

charisma

Después de un largo período de dictadura, un pequeño ejército formado principalmente por hombres del norte de México se levantó° violentamente, produciendo en el año 1910 una revolución en el país. La guerra duró varios años y terminó con una nueva constitución nacional en 1917. Como ocurre en muchos
5 movimientos violentos, la ideología se creó después de la guerra. Pancho Villa y Emiliano Zapata[5], que luchaban al frente de ejércitos desorganizados y populares, se convirtieron en héroes nacionales. Los soldados respondían al carisma° de los líderes sin saber mucho ni de ideologías ni de teorías políticas. También sentían deseos de vengarse de la opresión que habían sufrido bajo la dictadura de Porfirio Díaz[6].

[5] **Pancho Villa y Emiliano Zapata** The two most popular revolutionary leaders of the Mexican Revolution of 1910. Neither was really an ideological leader, and both were eventually excluded from the new government. Both men, however, retain an almost mystical image to the present day. [6] **Porfirio Díaz** President of Mexico from 1872 to 1911. His oppressive regime and his reluctance to relinquish the office formed the basic political motivation for the Revolution.

Pancho Villa (a la izquierda) y Emiliano Zapata en un momento de unidad. ¿Cuál es la imagen que tienen hoy día estas figuras de la Revolución Mexicana de 1910?

10 Sin embargo, la lucha produjo una ideología que favoreció a las clases bajas a expensas de los ricos del régimen anterior.

rules

La constitución de 1917, que todavía rige° en México, incluye varios artículos dedicados a la justicia social, especialmente para los trabajadores urbanos. Permitió por primera vez los sindicatos, y estos vinieron a ocupar un puesto de poder en la

passed

15 vida nacional. Además, se promulgaron° leyes para reducir el poder de dos grupos importantes del régimen anterior: el de la Iglesia y el de las compañías e individuos extranjeros.

En el primer caso, se estableció un sistema de enseñanza pública para todo el pueblo. La educación había estado en manos de la Iglesia desde los principios

soil; including

20 de la colonia. En el segundo caso, se declaró que el suelo° mexicano, incluso° los minerales del subsuelo, pertenecía al pueblo. Esto daba al gobierno el derecho de prohibir la explotación del petróleo por elementos extranjeros. Durante el mandato

crude oil

del presidente Lázaro Cárdenas (1934–1940) todo el petróleo° fue expropiado; entonces quedó en manos del gobierno. En vista de los descubrimientos posteriores,

25 este hecho asumió después muchísima importancia económica.

Muchos han criticado la Revolución por ayudar principalmente a la clase media y a los capitalistas nacionales, y por no beneficiar al pueblo. Entre las únicas

literacy

verdaderas mejoras figuran el aumento del alfabetismo° y la construcción de un mayor número de hospitales y de otras obras públicas.

30 El Partido Revolucionario Institucional (PRI), una coalición creada en la década de los veinte, ha tenido casi un monopolio del poder político durante unos

restricted

70 años. Aunque ha restringido° la libertad democrática, también ha traído una estabilidad política bastante sólida. Pero últimamente otros partidos han comenzado a atacar ese poder exclusivo y el PRI, respondiendo a la presión pública, ha tenido

35 que abrir el proceso electoral. Esta abertura resultó en la elección de un presidente, Vicente Fox, del PAN (Partido de Acción Nacional) en el año 2000. Es un partido relativamente más conservador que el PRI. Fox pudo resistir la oposición que surgió por no resolver él todos los problemas. Sin embargo, el PAN ha podido seguir

challenge
at the same time

en la presidencia en 2006 con Felipe Calderón. El desafío° será mantener en el 40 futuro la estabilidad política tradicional en México, y a la vez° permitir un proceso democrático más abierto.

Aunque no ha sido perfecta la Revolución, no se puede negar que ha llegado a crear un orgullo de ser mexicano entre el pueblo de ese país.

8-5 Comprensión. Responda según el texto.

1. ¿Por qué siguieron los soldados a hombres como Villa y Zapata?
2. ¿Qué documento resultó de la Revolución de 1910?
3. ¿Qué cambios trajo la Revolución Mexicana al sistema de educación de México?
4. ¿Qué mejoras verdaderas ha logrado la Revolución?
5. ¿Qué es el PRI y qué ha hecho durante 70 años?
6. ¿Qué cambio hubo en el gobierno mexicano en el año 2000?

8-6 Opiniones. Exprese su opinión personal.

Elementos de la lectura

1. ¿Bajo qué condiciones se justifica efectuar una revolución, en vez de cambiar el gobierno por medios legales?
2. ¿Cree que es mejor que los minerales y el petróleo se consideren propiedad del pueblo? ¿Por qué sí o por qué no?

Conceptos generales

3. ¿Ha visitado México? ¿Quisiera visitar ese país? ¿Qué parte?
4. ¿Le gusta a Ud. o le molesta ser turista en un país extranjero? Explique.

III. Bolivia en 1952, Cuba en 1959 y Nicaragua en 1979

Around the middle
seaport
tin

A mediados° del siglo xx, Bolivia, además de ser el único país del continente sin puerto marítimo°, tenía una gran población indígena sin tierra, y dependía de su producto único, el estaño°. En 1952 el Movimiento Nacional Revolucionario asumió el poder e inició dos cambios radicales: la reforma
5 agraria y la nacionalización del estaño.

reduced

Como en muchos otros casos, la reforma agraria redujo° la producción de comestibles porque los campesinos no tenían interés en producir más de lo que

income

consumían. El estaño perdió su importancia y no produjo los ingresos° necesarios para comprar la comida que faltaba. Los resultados generales de la Revolución
10 boliviana no han sido muy prometedores.

De todas las revoluciones del siglo xx en Hispanoamérica, después de la de México, la que más atención atrajo en los Estados Unidos ha sido la cubana. El movimiento del «26 de julio»[7] fue encabezado por Fidel Castro y Ernesto «Che» Guevara, quienes entraron victoriosos a La Habana el primero de enero de 1959.
15 La personalidad de Fidel y su imagen pública le atrajeron mucho apoyo popular.

beard; cap; rejection

La barba°, la gorra° militar, el rechazo° del lujo público generalmente asociado con el puesto de presidente, lo identificaron —sinceramente o no— con el pueblo que lo había ayudado tanto en su lucha militar.

La presencia del «Che» Guevara, argentino de nacimiento, reforzó esta
20 identificación. Guerrillero de profesión, Che aumentó su imagen casi mística cuando fue a Bolivia a morir en una lucha revolucionaria de ese país en 1967.

machinery

Después de la victoria revolucionaria cubana vino el problema de encontrar un mercado para su producto único: el azúcar. Nacionalizaron las maquinarias° norteamericanas y los Estados Unidos ya no quiso comprar su producto. Castro,

---

[7] **26 de julio** This is the date, in 1953, of the first attack by the rebels and so became the name of the movement.

imposed

25 al proclamarse leninista, consiguió apoyo de la Unión Soviética durante casi tres décadas, frente a un embargo económico impuesto° por los Estados Unidos. Desapareció el apoyo cuando desapareció la Unión Soviética y desde entonces Cuba ha sufrido una caída severa en sus condiciones económicas. Parece que toda esta presión resultará en unos cambios básicos en el sistema de gobierno cubano, pero

30 hasta ahora el único cambio notable ha sido la entrega de la presidencia al hermano de Fidel, Raúl Castro.

La larga dictadura de las varias generaciones de la familia Somoza en Nicaragua dio origen a una oposición popular encabezada por el «Frente Sandinista de Liberación Nacional»[8]. Cuando llegó al poder en 1979 proclamó una ideología

35 izquierdista. Fidel Castro les prestó apoyo económico y también el apoyo militar que requerían para luchar contra sus enemigos nacionales e internacionales. Esta

pressured

oposición violenta presionó° al gobierno a permitir elecciones y la victoria electoral de Violeta Chamorro puso fin a la revolución sandinista. Aunque lograron mejoras en el sistema de educación y en la salud pública, no pudieron estabilizar la economía

40 ni pacificar la oposición. A pesar de la falta de progreso, Daniel Ortega, el dictador sandinista, fue elegido presidente en 2006 y reeligido en 2011.

[8] **Sandinista** The name is derived from Augusto César Sandino (1895–1934) who headed the resistance in Nicaragua to the U.S. occupation (1927–1933) and was thus a national hero.

8-7 Comprensión. Responda según el texto.

1. ¿Cuál fue el problema que resultó de la reforma agraria en Bolivia?
2. ¿Qué hombres famosos se asocian con la Revolución cubana?
3. ¿Por qué dejó la Unión Soviética de apoyar al gobierno cubano?
4. ¿Qué presión le impusieron los Estados Unidos a Cuba?
5. ¿A qué familia depusieron los sandinistas?
6. ¿Qué mejoras lograron los sandinistas antes de perder el poder?

8-8 Opiniones. Exprese su opinión personal.

Elementos de la lectura

1. ¿Qué responsabilidad tienen los Estados Unidos hacia los países pobres como Bolivia?
2. ¿Por qué salieron tantos cubanos de su país después de la victoria de Castro?
3. ¿Cree que es importante la imagen de los revolucionarios además de su política? Explique.

Conceptos generales

4. ¿Puede nombrar algunos héroes revolucionarios de los Estados Unidos? ¿Qué hicieron?
5. ¿Tiene Ud. alguna obligación en las luchas por los derechos humanos de los pueblos de otros países? ¿Por qué sí o por qué no?

IV. Los guerrilleros

Uno de los héroes del movimiento del 26 de julio en Cuba fue Ernesto «Che» Guevara (1928–1967), prototipo del guerrillero hispanoamericano. Los rebeldes cubanos pasaron varios años en la sierra sirviendo como símbolo de la oposición a la dictadura de Fulgencio Batista, el presidente cubano. «Che» Guevara sirvió en esa época como maestro material y espiritual en los métodos de la guerra de guerrillas. La base de esta guerra, tan común en la época contemporánea, es el ejército popular, secreto y móvil, que cuenta con° el apoyo del pueblo para obtener provisiones. Guevara, en su manual sobre la organización de los guerrilleros (libro que forma parte de la lectura básica sobre el asunto), dice acerca de las posibilidades de éxito: «Donde un gobierno haya subido al poder por alguna forma de consulta° popular, fraudulenta o no, y se mantenga al menos una apariencia de legalidad constitucional, el brote° guerrillero es imposible de producir por no haberse agotado° las posibilidades de la lucha cívica». Es decir que la guerrilla no puede funcionar sin el apoyo del pueblo ni puede funcionar contra un gobierno que mantenga la apariencia de libertad.

Por motivos propagandísticos los grupos guerrilleros por lo general se llaman a sí mismos «frentes de liberación» o «ejércitos populares» mientras los gobiernos amenazados los denominan° «terroristas».

Basque Country - Mark Baynes/Alamy

En Bilbao, nacionalistas vascos marchan y demandan la amnistía para el grupo ETA. ¿Ha participado Ud. alguna vez en una protesta?

El caso de España muestra la dificultad que presentan tales grupos. La región vasca° del norte de España tiene una larga historia de sentimiento separatista. Los vascos tienen una cultura algo distinta y su lengua es de origen desconocido[9]. Han luchado contra el dominio del gobierno de Madrid por muchos años, pero últimamente esta lucha ha resultado en una trágica violencia de tipo guerrillero. Los vascos rebeldes exigen la separación completa del país vasco para crear una nación independiente. La nueva constitución española, adoptada en 1978, hace posible cierto grado° de autonomía para las regiones españolas[10], pero esto no parece satisfacerles a los rebeldes. Sus métodos incluyen ataques de sorpresa contra la policía nacional, bombas que estallan° en lugares públicos, secuestros de personas

---

Margin glosses:
- *depends on*
- *consent*
- *outbreak*
- *exhausted*
- *call*
- *Basque*
- *degree*
- *explode*

---

[9] **origen desconocido** Basque, unlike the other regional languages of Spain, is not a romance language. The region is called Euzkadi in Basque. The terrorists use the intials ETA for Euzkadi ta Askatasuna or "Euzkadi and Freedom." [10] **las regiones españolas** Spain has 14 traditional regions: Galicia, Asturias, León, Navarra, Cataluña, Aragón, Castilla la Vieja, Castilla la Nueva, Extremadura, Andalucía, Murcia, Valencia, Canarias (islands in the Atlantic), and Baleares (islands in the Mediterranean of which Mallorca is the largest). The regions had not had official status for some time, but the 1978 Constitution allowed those wishing it to acquire some autonomy similar to that enjoyed by the states in the U.S.

famous; unions

ETA leaders
is worth; pejorative

placing; despite the risk

group
union officials; entrepreneurs

destabilize

ilustres° y poderosas y otros actos de violencia. Su influencia en los sindicatos°
30 vascos es tan grande que los empresarios se ven obligados a pagarles un «impuesto
revolucionario» a los rebeldes para evitar que hagan huelga. Así los rebeldes ganan
dinero para sus otras actividades. Según un informe de *El País*, periódico de Madrid,
una carta de los dirigentes etarras° a los terroristas dice que «la vida de un terrorista
‹vale° cien veces más que la de un hijo de un txakurra› (término despectivo° para
35 designar a un policía)… [y] los dirigentes ordenan a los terroristas que sigan
colocando° bombas en automóviles de policías, pese al riesgo° de que también
mueran niños.» En otro caso una agencia calcula que unos 42 000 ciudadanos de
las provincias vascas están sometidos a la amenaza directa de ETA por el hecho de
defender ideas contrarias a las de la banda° terrorista «o haber elegido ser jueces,
40 profesores, políticos, sindicalistas°, policías, empresarios° … »

Debido probablemente a que el pueblo vasco ya no apoya a los etarras que
llevan más de veinte años en su esfuerzo, ETA ha tentado llegar a un acuerdo con
el gobierno de Madrid. En 2011 han declarado un «cese el fuego» por tercera vez.
El gobierno insiste en más condiciones antes de aceptar la oferta. Han roto las dos
45 veces anteriores con algún ataque que trae la muerte a alguna gente.

Uno de los propósitos de los grupos terroristas es desestabilizar° el gobierno
legítimo y provocar una reacción excesiva de parte de las autoridades. Por ejemplo,
se ha acusado a varios miembros del gobierno español de actos ilegales en la
guerra contra los etarras. Hubo una organización secreta llamada GAL (Grupo
50 Antiterrorista de Liberación) que se dedicó a matar a los terroristas sin el beneficio
de un proceso judicial. Posiblemente recibió el permiso y el apoyo financiero
del gobierno nacional y el escándalo afectó mucho el esfuerzo oficial contra los
rebeldes.

Casi todos los países tienen o han tenido grupos rebeldes. El Sendero
55 Luminoso del Perú y las Fuerzas Armadas Revolucionarias de Colombia son dos de
los activos del siglo xxi. Pero la vuelta a la democracia ha causado una disminución
de su apoyo popular, sin la cual no pueden funcionar muy bien.

8-9 Comprensión. Responda según el texto.

1. ¿Sobre qué es el manual que escribió «Che» Guevara?
2. ¿Qué exigen los terroristas vascos? ¿Dónde?
3. ¿Qué es el «impuesto revolucionario» de los vascos?
4. ¿Qué querían provocar los etarras de parte del gobierno?
5. ¿Por qué ha disminuido el apoyo popular a los grupos rebeldes en
   Hispanoamérica?

8-10 Opiniones. Exprese su opinión personal.

Elementos de la lectura

1. ¿Cree que es posible que un movimiento guerrillero se mantenga limpio
   e idealista? ¿Por qué sí o por qué no?
2. ¿Cuáles serían los elementos negativos de un grupo guerrillero? Explique.

Conceptos generales

3. ¿Ha participado Ud. en una manifestación? ¿A favor o en contra de qué?
4. ¿Le gusta participar en la política de la universidad? Explique.
5. ¿Presta mucha atención a la política nacional? ¿Por qué sí o por qué no?

8-11 Actividades de vocabulario. En grupos de dos o tres personas, hagan las siguientes actividades.

> **Los sufijos** *Los sufijos son grupos de letras que se añaden al final de una palabra con el propósito de modificar el significado. Por ejemplo, se puede añadir el sufijo* **-mente** *a un adjetivo para obtener un adverbio:* **terrible + mente = terriblemente.** *Estudie estos sufijos de uso común.*
>
> | Sufijo | Significado | Ejemplo |
> |--------|-------------|---------|
> | -ero(a) | oficio o profesión | zapatero |
> | -oso(a) | cualidad o abundancia | furioso |
> | -ense | gentilicio | costarricense |
> | -nte | que hace la acción | oyente |
> | -ario(a) | relativo a | legionario |

A. Definiciones. Escriba la palabra que corresponda a la definición.

1. miembro de la guerrilla _____
2. lleno de poder _____
3. de Nicaragua _____
4. que ama _____
5. relativo a la revolución _____

B. Formar palabras con sufijos. Complete según los modelos.

Modelo   pistola   *pistolero*

1. cocina _____
2. mensaje _____
3. camión _____
4. jardín _____
5. mina _____

Modelo   bondad   *bondadoso*

6. sudor _____
7. éxito _____
8. peligro _____
9. desastre _____
10. sospecha _____

Modelo   voluntad   *voluntario*

11. propiedad _____
12. partido _____
13. total _____
14. minoría _____
15. reacción _____

8-12 ¿Qué opinan? En grupos de dos o tres personas, hagan y contesten las siguientes preguntas.

1. ¿Cuáles son las diferencias en la importancia de la agricultura entre los Estados Unidos e Hispanoamérica?
2. ¿Hay necesidad de reformas en la agricultura de los Estados Unidos? Explique.
3. Han existido grupos de guerrilleros en los centros urbanos de los Estados Unidos, pero nunca en el medio rural. ¿Por qué es distinta la situación en Hispanoamérica?

8-13 Debate. Organice dos equipos para que ataquen o apoyen esta resolución.

Un país debe ayudar a un movimiento revolucionario en un país vecino si le es ideológicamente conveniente.

8-14 Situación. Imagínese que es víctima de un secuestro político. Los guerrilleros le dicen que lo han hecho para conseguir la libertad de unos presos políticos y que lo (la) van a matar si no cooperan las autoridades. ¿Qué les diría a los guerrilleros en su propia defensa? Si permiten que Ud. haga una llamada a las autoridades, ¿qué les diría?

8-15 Investigación. Trabajando en grupos, busquen en Internet o en la biblioteca información sobre uno de los movimientos guerrilleros mencionados u otro semejante. Prepárense para describirles a sus compañeros algo sobre sus actividades.

8-16 El arte de escribir

A. Composición dirigida. Dé su opinión personal, utilizando las palabras apropiadas de las listas.

1. las razones de la violencia en la política
   (opresión, frustración, desconfianza, proceso electoral fraudulento, tortura, libertad)
2. la reacción oficial apropiada frente a los secuestros políticos
   (rescate, asilo político, desaliento, preso, éxito, fracaso, ánimo, cooperación)
3. la violencia política en los Estados Unidos
   (asesinar, presidente, seguridad, policía, candidato, carisma, televisión, campaña electoral)
4. la violencia urbana y la inseguridad personal en los Estados Unidos
   (autoridad, respeto, familia, móvil, ataque, escuela, pobreza, miedo, robo, violación sexual, armas disponibles)

B. El arte de la exposición (primera parte). La exposición es esencialmente una explicación o una declaración de algo. Frecuentemente es sobre algo abstracto o literario, pero también puede ser sobre cualquier cosa.

En un ensayo el objetivo es hacer que el lector comprenda la idea, de modo que por lo general se dirige a su inteligencia y no a sus sentimientos.

Para escribir una exposición es necesario formular una pregunta y responderla en el ensayo. La extensión y la complejidad del ensayo resultarán de la complejidad del tema. Si se hace una pregunta como: *¿De qué tratan las obras de Borges?*, se tendría que escribir un libro entero para agotar el tema. Pero, si se pregunta: *¿De qué trata el cuento* Un día de estos *del colombiano García Márquez?*, se podría contestar así:

El ambiente del cuento refleja las guerras fratricidas que caracterizaron las luchas entre liberales y conservadores en Colombia entre 1948 y 1958. El cuento muestra cómo «La Violencia» (como dicen los colombianos) tuvo un efecto profundo en todo el país, especialmente en los pueblos más pequeños.

Claro, en cualquier ensayo puede variar la cantidad de puntos que se incluyen.

Ahora, lea estas preguntas posibles y con unos compañeros de clase decida cómo se pueden reformular para hacer una exposición más corta.

1. ¿Qué ideología tenía la Revolución Mexicana?
2. ¿Qué querían los sandinistas?
3. ¿Por qué se estudia en la universidad?
4. ¿Qué es la literatura?
5. ¿Qué hace un presidente?
6. ¿Quién es Fidel Castro?

Después escriba una exposición sobre algo que ha aprendido en otra clase. No se olvide de ponerle atención al proceso de limitar el tema.

8-17 Las noticias. Lea los dos artículos periodísticos que se presentan a continuación. Luego haga una comparación entre la FARC y ETA. Use algunos detalles de los artículos en su comparación.

Ejército desmanteló caleta° de las FARC en Cauca

cache

*L*os operativos se llevaron a cabo° en el municipio de Caldono.

Las operaciones ofensivas adelantadas° contra los grupos terroristas que delinquen° en esta región del país permitieron que tropas de la Vigésima Novena° Brigada hallaran un escondite° clandestino en el que terroristas de las Farc mantenían ocultos° explosivos y material de guerra.

La acción militar tuvo lugar° en la vereda° Vilachí, municipio de Caldono, sitio hasta donde llegaron soldados del Batallón de Infantería No. 7 «General José Hilario López»; quienes hallaron una caleta con siete

granadas de mano, tres artefactos° explosivos improvisados tipo tatuco° y 10 rampas de lanzamiento de cilindros bomba°, los cuales pertenecían a terroristas de la cuadrilla° 'Jacobo Arenas' de las Farc.

Según información suministrada por la red de cooperantes°, el material ubicado° pretendía° ser utilizado por esta facción terrorista para atentar° contra la población civil del municipio de Caldono.

El material incautado° fue destruido de manera controlada por expertos antiexplosivos.

El Espectador, Bogotá

*were carried out / devices
homemade explosive*

*advanced / missile launchers
commit crimes / gang*

*Twenty-Ninth; hideout;
provided by the intelligence
network
hidden / located; was meant
attack*

*took place
road / seized*

"El Ejército desmanteló caleta de FARC en Cauca". El Espectador, Colombia.

La vida sin la amenaza° de ETA

Las voces de políticos, fiscales, escoltas° y víctimas que han sufrido de una forma u otra el terrorismo de ETA se alzan° al coincidir que se vive con más «tranquilidad» desde que hace seis meses la banda anunciase el cese° definitivo de la violencia. Pero falta algo; la disolución y la entrega° de armas.

«Hasta que ETA no desaparezca° y podamos vivir en paz y libertad no podremos hacer una vida normal y cotidiana», dice Ramón Gómez, portavoz° municipal del Partido Popular en el Ayuntamiento de San Sebastián, de 36 años, los últimos 15 viviendo al resguardo° de los escoltas. El político popular reconoce que en estos últimos seis meses la sociedad vasca «indudablemente ha vivido más tranquila sin la amenaza de muerte de ETA». En su caso, ha vuelto a subirse a la moto —que tuvo que vender para comprarse un coche en el que entraran los escoltas— y de vez en cuando pasea solo o con sus hijos, cosas cotidianas que hace un año eran impensables° para él. «A pesar de que hay más tranquilidad, hay cosas que todavía no hago con normalidad, sobre todo, con libertad», asegura. Ir a la Parte Vieja° un viernes por la noche, por ejemplo, aún no se atreve°. «Porque una cosa es que ya no nos vayan a pegar un tiro° pero me expongo a que si se les cruza el cable me peguen una paliza°», asegura.

Gómez insiste en que la amenaza de ETA no ha finalizado: «Una cosa es que no vayan a matar y otra que un día puedan retomar las armas que aún no ha entregado. Una cosa es que no maten y otra que haya libertad, que no hay porque hay muchos ciudadanos vascos que todavía no se atreven a hablar libremente. No es lo mismo la paz que la libertad, una cosa es que no te maten y otra que te dejen vivir: que te puedas expresar o ir por la calle como quieras. Algo que yo todavía no puedo hacer». Lo mismo ocurre cuando se habla de convivencia° y de reconciliación. «En un futuro los vascos tendremos que aprender a convivir°, pero la reconciliación es otra cosa; porque para una víctima es muy difícil hablar de reconciliación cuando le han asesinado° a un familiar».

El País, Madrid

Marginal glosses (left column):
- threat
- Old Town
- bodyguards
- dare
- raise / shoot
- cease fire / give me a beating
- surrender
- disappear
- spokesman
- protection
- coexistence
- live together in harmony
- unthinkable / murdered

Trademark and Copyright ABC News

«La rebelión campesina en Chiapas»

El movimiento zapatista comenzó como una rebelión armada seguida de manifestaciones en el campo, pero tuvo poco éxito. El líder es el Subcomandante Marcos, ahora el Delegado Cero, quien vive con una máscara para guardar su anonimidad. La causa de los rebeldes es conseguir tierra para los indígenas de Chiapas. Ahora inician un viaje a todos los estados mexicanos para iniciar otra etapa de la lucha que consiste en formar una alianza con otros partidos izquierdistas para ganar más poder político.

8-18 Anticipación. Antes de mirar el video, haga estas actividades.

A. Conteste estas preguntas.

1. ¿Ha habido una manifestación en su universidad recientemente? Explique la causa.
2. ¿Su universidad tiene un proceso para escuchar las opiniones de los estudiantes sin que sea necesaria una manifestación? Descríbalo.
3. ¿Ha tratado Ud. de cambiar alguna regla en su universidad? Explique.
4. ¿Es más fácil conseguir lo que quiere por medio de negociación o por medio de manifestaciones?

B. Vocabulario útil. Estudie estas palabras del video.

la alianza *alliance*
el anonimato *anonimity*
el Delegado Cero *Delegate Zero*
la etapa *stage, level*
el éxito *success*
la manifestación *demonstration; public protest*
la máscara *mask*
mostrar *to show*

8-19 Sin sonido. Mire el video sin sonido una vez para concentrarse en el elemento visual. ¿Cómo se viste el Delegado Cero?

8-20 Comprensión. Estudie estas actividades y trate de descubrir las respuestas correctas al mirar el video.

A. Comente estas oraciones con los compañeros de clase. Decida si son **verdaderas (V)** o **falsas (F).**

1. Los Zapatistas van a continuar su rebelión armada en todo México. _____

2. El subcomandante Marcos ha dejado el poder en manos del Delegado Cero. _____

3. Los Zapatistas van a crear una alianza con los partidos derechistas. _____

B. Escoja la mejor palabra o frase para completar estas oraciones.

4. El viaje de los Zapatistas tiene como propósito aumentar su influencia…
   a. militar.
   b. política.
   c. económica.

5. El Delegado Cero siempre lleva una máscara para guardar su…
   a. dinero.
   b. apoyo.
   c. anonimato.

6. La acción armada de los campesinos ha tenido…
   a. poco éxito.
   b. un gran efecto.
   c. muchas reuniones.

7. El ejército campesino lleva el nombre de…
   a. un presidente de México.
   b. un general contemporáneo.
   c. un héroe de la Revolución de 1910.

8. Se cree que el subcomandante Marcos es en realidad…
   a. un periodista.
   b. un profesor.
   c. un conservador.

8-21 Opiniones. En grupos de tres o cuatro estudiantes, comenten estos temas.

1. Casi nunca hay violencia en la política cuando los procesos para modificar el gobierno existen y funcionan bien. ¿Está de acuerdo o no?
2. Cuando hay esperanza de mejorar las condiciones económicas hay poco apoyo para las acciones violentas. ¿Sí o no?
3. En la guerra de independencia de los Estados Unidos solo un 20% de la población apoyó el movimiento. ¿Qué significa este hecho para los rebeldes actuales?

Los tzeltales son el mayor grupo indígena de Chiapas.

La educación en el mundo hispánico

Mike Theiss/National Geographic Society/Corbis

Los uniformes son muy típicos en las escuelas hispánicas. ¿Cuáles son las ventajas de usar uniforme en la escuela?

Lecturas culturales

Expansión

¡A explorar!

En pantalla
«Lo importante»

🌐 www.cengagebrain.com

Enfoque

La organización y los métodos de enseñanza reflejan los valores, los ideales y la situación socioeconómica de un pueblo. Además de aumentar los conocimientos tecnológicos, el sistema de enseñanza se dedica a transmitir la cultura de una generación a otra.

Esto se hace explícitamente en las clases de historia, de política o de religión; pero el sistema de enseñanza también tiene una influencia implícita en la sociedad a través de los métodos usados en la enseñanza, los cursos ofrecidos o la selección de alumnos.

Estos ensayos se dedican a la explicación de algunas de las grandes diferencias entre el sistema de enseñanza del mundo hispánico y el del norteamericano.

Vocabulario útil

Verbos

contratar *to contract*
convenir (ie) *to suit*
dar una clase *to teach, to lecture*
diferir (ie) *to differ, to be different*
elegir (i, i) *to choose*
especializarse *to major, to specialize*

Sustantivos

la asistencia *attendance*
la elección *choice*
la instrucción *instruction, teaching*
la investigación *research*
el (la) maestro(a) *teacher*
la manifestación *demonstration*
la matrícula *tuition*

la nota *grade*
el título *degree (education)*

Adjetivos

educativo(a) *educational*
escolar *pertaining to school*
estudiantil *pertaining to students*
explícito(a) *explicit*
gratuito(a) *free*
implícito(a) *implicit*
particular *private*
primario(a) *primary*
privado(a) *private*
secundario(a) *secondary, high school*
superior *higher*

 9-1 Para practicar. Trabajen en parejas, o como indique su profesor(a), para hacer y contestar estas preguntas, usando el vocabulario de la lista.

1. ¿Qué materias estudias este semestre? ¿En qué te especializas? ¿Por qué elegiste esa especialización?
2. ¿Tienes mucha libertad para escoger las clases que tomas para tu especialización? ¿Qué título tendrás al final?
3. ¿En esta universidad los profesores ponen más atención a la investigación o a la instrucción?
4. ¿Es muy cara la matrícula en tu universidad? ¿Ha subido mucho últimamente? ¿La pagas tú o la pagan tus padres?
5. ¿Crees que tu experiencia educativa en las escuelas primaria y secundaria fue buena? ¿Por qué sí o por qué no? ¿Sacabas buenas notas?
6. ¿Has asistido a alguna escuela particular? ¿Cuál? ¿Crees que se debe crear un sistema de «vales» *(vouchers)* para ayudar a los alumnos que quieran asistir a una escuela particular?

1. Durante la primera época de la dominación árabe España fue el centro de la enseñanza *superior* en Europa.
2. La meta final era el *ingreso* a la universidad.
3. Hasta el siglo XIX la facultad de *teología* era la más importante; después la facultad de derecho o de jurisprudencia comenzó *a prevalecer.*
4. Para pasar de un año a otro el alumno tenía que *aprobar* los exámenes finales.

I. Historia de la enseñanza hispánica

Durante la primera época de la dominación árabe (siglos VIII-XIII) España fue el centro de la enseñanza superior en Europa. La tradición griega, traída por los musulmanes, se extendió° por todo el continente desde Córdoba. La conocida tolerancia de los moros hacia las ideas heterodoxas° los colocó al frente° de los impulsos renovadores° de la época. Basándose en esta tradición se establecieron las primeras universidades españolas: las de Salamanca, Valencia y Sevilla en el siglo XIII. Estas universidades, como también sus contemporáneas de Oxford, Bolonia (Italia) y París, tenían una estructura bastante floja° —consistían en un grupo de profesores particulares que se ponían de acuerdo para dar sus clases en un sitio común. Su categoría° oficial venía de una carta real° y de una autorización del Papa°. En la Universidad de París el profesorado° tenía el poder, mientras que en la de Bolonia el poder estaba en manos de los estudiantes. Las universidades españolas, y las hispanoamericanas, siguieron el modelo italiano. Las universidades del resto de Europa y de los Estados Unidos prefirieron el modelo francés.

Durante el Renacimiento (siglos XV-XVII) aumentó la importancia de la educación y en esta época se fundaron en España la Universidad de Alcalá de Henares —hoy de Madrid— y la mayoría de las americanas: en Santo Domingo en 1538; en México y Lima en 1551; en Bogotá en 1563; Córdoba, en la Argentina, en 1613; en Quito en 1622; en Sucre, Bolivia, en 1624; en Guatemala en 1676, etcétera. Casi todas estas instituciones fueron fundadas por órdenes religiosas, principalmente por los dominicos y los jesuitas. Como punto de comparación, Harvard fue fundada en 1636, William and Mary en 1693 y Yale en 1701.

Las universidades tradicionales tenían solo cuatro facultades[1]: Teología, Leyes, Artes y Medicina. La Facultad de Artes (hoy Filosofía y Letras) tenía dos funciones: preparación para las otras facultades y preparación de maestros de enseñanza secundaria. La de Teología, dedicada a la formación de sacerdotes, era la más importante hasta el siglo XIX cuando las de Derecho° y Medicina comenzaron a prevalecer, y las universidades se convirtieron en centros de investigación científica y añadieron otras facultades: las de Ingeniería°, Comercio, Farmacia, etcétera.

La enseñanza primaria y secundaria se consideraba una responsabilidad personal y era una actividad religiosa o particular, pero los ideales democráticos dieron doble impulso al desarrollo de sistemas públicos de enseñanza: 1) la igualdad de oportunidad exigía° escuelas pagadas por el gobierno; 2) para poder ejercer sus nuevas obligaciones cívicas, el pueblo necesitaba alcanzar° cierto nivel de conocimientos. Con la idea de escuelas públicas y gratuitas nació el concepto de asistencia obligatoria, concepto más o menos universal hoy día.

[1] *facultades* The word *facultad* means "faculty" only in the specialized sense of the professors of a "school" or "college." The more usual translation for the *Facultad de Medicina* would be the School of Medicine. Faculty in its most common sense in English is *profesorado* (professoriate) or *cuerpo docente* (teaching corps).

Margin glosses:
spread
heretical; situated
in the forefront; impulses
toward change

loose

status; royal decree
Pope; faculty

Law

Engineering

required
to achieve

9-3 Comprensión. Responda según el texto.

1. ¿Cuáles fueron las tres primeras universidades de España y cuándo se fundaron?
2. ¿Cuál era la diferencia entre la organización de las universidades de París y Bolonia?
3. ¿Cuándo comenzaron a ser más importantes las facultades de Derecho y de Medicina que la de Teología?
4. ¿Qué ideas nuevas requerían un pueblo educado?
5. ¿Cuándo apareció la idea de asistencia obligatoria?

9-4 Opiniones. Exprese su opinión personal.

Elementos de la lectura

1. ¿Tienen los estudiantes mucho poder en la dirección de su universidad? ¿Cree que deberían tenerlo?
2. ¿Cree que es importante estudiar la ciudadanía y la historia para ser buen ciudadano (citizen)?

Conceptos generales

3. ¿Cree Ud. que la educación en la universidad debe ser gratuita como lo es la de la escuela secundaria?
4. ¿Cree Ud. que la educación va a tener mucha importancia en su vida futura? Explique.

II. «Educación» y «enseñanza»

Para entender algo del concepto de la enseñanza en el mundo hispánico y de cómo difiere del de los Estados Unidos es necesario aclarar° algunas cuestiones de terminología. La palabra «educación» tradicionalmente se refiere al proceso total de formar un adulto desde que era niño. Incluye, pero no se limita
5 a la instrucción recibida en la escuela. El niño también recibe su formación de su familia, de la Iglesia y de sus experiencias. El proceso académico es la «enseñanza». La palabra deriva de «enseñar», y esta es la tarea° del maestro. Solo recientemente se encuentra la palabra «educación» usada en el sentido del proceso escolar.

Los niveles de la instrucción académica son la enseñanza preescolar, la enseñanza
10 primaria o elemental, la enseñanza media o secundaria y la enseñanza superior o universitaria. Como se verá, estos niveles no son exactamente iguales a sus equivalentes en el sistema norteamericano.

Otros términos pueden confundir al estudiante norteamericano. La palabra «curso» significa todo un año escolar: por ejemplo, «el sexto curso de medicina».
15 «Materia» es una serie de clases dedicadas a un curso. El curso, entonces, consiste en varias materias que por lo general están prescritas° sin que el estudiante tenga ninguna elección. El concepto de requisitos° apenas existe, puesto que casi todas las materias dentro del curso son obligatorias. Hay casos en que el alumno puede elegir entre secciones: por ejemplo, el curso de lenguas modernas ofrece elección
20 entre varias lenguas, pero en cualquier caso se estudia la misma serie de materias: gramática, cultura, literatura, etcétera.

El «bachillerato» es más o menos equivalente al diploma secundario en los Estados Unidos y no al título universitario. Este, por ser más especializado, no tiene nombre genérico° sino que se le llama por el título profesional: profesor para
25 los graduados de la Facultad de Filosofía y Letras, médico para los de Medicina, ingeniero para los de Ingeniería, abogado o licenciado para los de Leyes (Derecho)[2],

to clarify

task

prescribed
requirements

general

---

[2] **Leyes (Derecho)** These two terms are used interchangeably to refer to law. *Licenciatura*, properly a law degree, has come to be used to refer to what is the equivalent of a master's degree in the United States.

etcétera. Las «facultades» equivalen más o menos a las «escuelas» profesionales de las universidades norteamericanas, con la diferencia de que se hacen responsables de la enseñanza total del alumno. Esto quiere decir que hay profesores de inglés o de castellano en la Facultad de Medicina y otros en la Facultad de Ingeniería. Esto muestra dos contrastes muy importantes con el sistema norteamericano: la especialización que, en algunos países, comienza temprano, y la falta de posibilidad de elección de las materias por el alumno. Es posible, por lo general, tomar clases en otras facultades pero no cuentan para el título.

Esta ceremonia de graduación de la Universidad Nacional Autónoma de México (UNAM) fue en junio. En otras universidades hispánicas, la ceremonia de graduación es en febrero. ¿Cuándo será la suya?

9-5 Comprensión. Complete según el texto.

1. El proceso total de formar a un individuo se llama _____.
2. Un curso consiste en varias _____.
3. Cuando un individuo termina su enseñanza secundaria, recibe un _____.
4. Al graduarse de la Facultad de Leyes uno recibe el título de _____.
5. En las universidades hispánicas comienza temprano la _____.

9-6 Opiniones. Exprese su opinión personal.

Elementos de la lectura

1. ¿Cree Ud. que es mejor especializarse temprano o esperar para estar más seguro(a)?
2. ¿Cree que es mejor tener mucha elección en la selección de materias? ¿Prefiere no tener que elegir? Explique.

Conceptos generales

3. ¿Ha decidido Ud. qué especialización va a estudiar? ¿Cuándo decidió? ¿Ha cambiado de opinión muchas veces?
4. ¿Le parecen los estudios de su universidad muy, poco o nada difíciles?
5. ¿Cree que todos los estudios universitarios deben ser ofrecidos en facultades especializadas?

La educación en el mundo hispánico ▪ **131**

III. La organización de la enseñanza hispánica

kindergartens

Aunque sería imposible describir en detalle todos los sistemas de enseñanza de los países hispánicos, se puede dar una idea general de estos. Hay jardines infantiles° que aceptan alumnos desde los dos o tres años hasta los seis. Este nivel se clasifica generalmente como educación «infantil» o «preescolar», pero
5 frecuentemente no es obligatoria.

covers
sixth

La enseñanza primaria abarca° desde los seis años hasta los doce. En la mayoría de los países hispánicos es obligatoria y gratuita. Termina con un certificado de sexto° grado.

La próxima etapa es la de los «colegios» o «liceos» o a veces «institutos»³. La enseñanza media o secundaria en Hispanoamérica generalmente se divide en
10 dos ciclos que suman cinco o seis años en total. Por lo general el primer ciclo, o ciclo básico, termina en el bachillerato elemental o general y el segundo en el bachillerato. Este segundo ciclo representa una preparación más especializada para una carrera profesional.

civics

Las materias de la escuela primaria son las mismas que en los Estados Unidos:
15 idiomas, matemáticas elementales, estudios sociales (historia y geografía, tanto nacional como universal), ciencias naturales, ciudadanía°, higiene y estética (arte y música). Hay generalmente también cursos de desarrollo moral y social que tienen

purpose
doctrinal

el propósito° de transmitirles valores personales a los niños. En España hay dos tipos de materia de sociedad, cultura y religión: una de carácter «confesional»°
20 realizada por las autoridades religiosas y otra «no confesional».

instead of

El día escolar en la escuela primaria es generalmente más corto que en los Estados Unidos: dura cinco horas en vez de° seis. Sin embargo, la enseñanza tiende a ser más concentrada durante este tiempo. Algunas materias como la gimnasia o la práctica de la música y del arte no se incluyen en el currículum tradicional.
25 La enseñanza media o secundaria generalmente inicia la especialización del alumno. Después de recibir el certificado de la escuela primaria, los jóvenes eligen entre varios campos de estudio: humanidades, para los que piensen cursar la carrera de maestro o profesor en la universidad; ciencias para la ingeniería o la medicina; escuela vocacional, etcétera. Frecuentemente existen escuelas separadas
30 especializadas para comercio, para maestros y para las fuerzas militares.

En muchos países hispánicos los exámenes finales en las escuelas secundarias se dan por materia y el alumno recibe una nota final entre 0 y 10. Generalmente el 6 es la nota mínima de aprobación. Si recibe menos de 6 en cualquier materia, tiene que repetirla, pero puede seguir al próximo nivel en las materias aprobadas.

excellent; very good
midterm exams
everything rides on

35 Un 10 se califica de «sobresaliente»° y un 9 de «notable»° en muchos casos. Tradicionalmente no se acostumbra dar exámenes parciales° durante el año; el alumno se juega todo° en la nota recibida en el examen final. Este examen casi siempre tiene al menos una parte oral, en la que el alumno se presenta ante un

panel

tribunal° de profesores que le hacen preguntas sobre la materia en cuestión. Por lo
40 general el alumno tiene muy poca idea del nivel de sus conocimientos antes de ese momento. No es necesario decir que la época de los exámenes, que dura dos o tres semanas, inspira cierto miedo en el alumno.

En casi todos los países hispánicos el sistema escolar se organiza a nivel nacional. Hay, por lo general, un ministerio de educación que, con sus consejeros
45 profesionales, determina la forma que tendrá el sistema en todos los niveles. El concepto de control al nivel de distrito escolar no existe.

---

³ *«colegios» o «liceos» o «institutos»* The European system of names has traditionally been used both in Spain and Spanish America. Many universities have their own *colegio* to prepare students for entrance. The *"bachillerato"* is difficult to compare to the U.S. system.

9-7 Comprensión. Responda según el texto.

1. ¿A qué nivel está el colegio en los sistemas hispánicos?
2. ¿Qué materias no tiene el día típico en la escuela primaria?
3. ¿Cuáles son algunas escuelas separadas que pueden tener?
4. ¿Qué notas se usan en el sistema hispánico?
5. ¿Dónde está el control principal de las escuelas hispánicas?

9-8 Opiniones. Exprese su opinión personal.

Elementos de la lectura

1. ¿Qué opina Ud. de la práctica de los exámenes orales en el sistema hispánico?
2. ¿Qué piensa Ud. del concepto de dar clases sobre el desarrollo moral y social?

Conceptos generales

3. ¿Piensa Ud. que el fútbol, el arte y la educación física deben ser parte del currículum de la universidad? ¿Cuáles sí y cuáles no?
4. ¿Le gustan sus clases generalmente? ¿Por qué sí o por qué no?
5. ¿Cree que el sistema de calificaciones en su escuela es justo? Explique.

IV. Las universidades en el mundo hispánico

Desde el establecimiento de la Universidad de Salamanca en el siglo XIII hasta la actualidad, la universidad ha ocupado una posición de importancia en la sociedad hispánica. El título universitario de doctor en medicina o licenciado en derecho es muchas veces un símbolo de prestigio más que una preparación
5 práctica. Así que se encuentran en todas las carreras personas que poseen un título profesional que no tiene mucha relación con su verdadera profesión. Además, las facultades se componen en gran parte de profesionales. Invitar a un médico de la comunidad a dar una clase en la facultad de medicina es uno de los honores más grandes que se le puede hacer[4].

advantage 10 Esta costumbre tiene la ventaja° de proveer instrucción práctica especializada y variada. La desventaja es que el médico o abogado solo se presenta en la universidad tres o cuatro veces a la semana para dar sus clases y tiene poca oportunidad para el contacto fuera de clase, que forma parte importante de la experiencia educativa.
15 La mayoría de las universidades mantiene cierta autonomía sobre sus asuntos internos. Por lo general el sistema de universidades se encuentra bajo la jurisdicción del gobierno nacional, y no bajo la de los estados o provincias. Aun cuando hay centros provinciales, están obligados a seguir el currículum de la universidad nacional si quieren que sus títulos sean legalmente válidos.

reinforces 20 Esta práctica refuerza° el control que ejerce el gobierno federal sobre todo el sistema. Solo las universidades particulares, que casi siempre son religiosas, tienen algo de libertad en el campo de la experimentación educativa. Esto ha resultado en la creación y expansión de las universidades católicas en el mundo

---

[4] Most administrators feel that the widespread practice of part-time teaching is undesirable: salaries are kept low, teacher-student contact is minimal, rational curriculum planning is difficult, faculty communication is poor, etc. Typically, universities outside large cities have made progress toward establishing a full-time faculty since they have fewer community resources to draw on. The same prestige factor that induces eminent physicians and attorneys to teach for very little pay makes eliminating the practice difficult. In the humanities, it is not uncommon for a professor to have three or four different schools to go to each day.

hispánico. Estas han sido centros de innovación y modernización en muchos de
25 los países[5].

En la mayoría de las universidades nacionales hispánicas la matrícula es casi
gratuita y por eso teóricamente accesible a todos. En la práctica, sin embargo, los
jóvenes pobres tienen que trabajar para ganarse la vida. Además, en algunos países

entrance   los exámenes de ingreso° muchas veces requieren preparación especial que solo
gained   30 puede ser alcanzada° por medio de colegios particulares.

Muchos turistas visitan la fachada *(façade)*
de la Universidad de Salamanca, una obra
maestra del arte Plateresco del siglo XVI.
¿Cuál es el edificio más impresionante de
su campus?

[5] Many administrative and curricular reforms are impossible in the traditional universities due to the several
factors mentioned. The tenure system in which one professor is chosen in each subject for a life term stifles
change. The private universities can avoid some of these problems as can new public institutions.

9-9 Comprensión. Elija la respuesta que mejor complete la oración según el texto.

1. La Universidad de Salamanca fue fundada...
   a. en el siglo XX.
   b. antes de Cristo.
   c. en el siglo XIII.

2. Los profesorados hispanos se componen en gran parte de...
   a. profesores.
   b. mujeres.
   c. profesionales.

3. Últimamente las universidades católicas han sido centros de...
   a. desestabilización.
   b. experimentación educativa.
   c. control momentario.

4. Generalmente las universidades son controladas a nivel...
   a. local.
   b. nacional.
   c. católico.

9-10 Opiniones. Exprese su opinión personal.

Elementos de la lectura

1. ¿Es fácil o difícil ingresar en su universidad? ¿Por qué?
2. ¿Sabe cuál es la facultad más famosa de su universidad? ¿Por qué es famosa?

Conceptos generales

3. ¿Cuáles son las ventajas y desventajas de una universidad particular?
4. ¿Cree que es mejor seguir un curso general (por ejemplo, de Filosofía y Letras) o uno más dirigido a la preparación para una carrera específica? Explique.

V. La vida estudiantil

Se puede decir que los estudiantes universitarios forman una clase aparte. Tienen más contacto que el resto de la población con las actividades políticas de la nación y del mundo. Están más conscientes de los problemas y de sus posibles soluciones. Durante gran parte del siglo xx esta conciencia a veces se manifestó en forma de actividades importantes para la política nacional. En algunas ocasiones esto resultó en violencia.

Una manifestación estudiantil en Tlatelolco[6] en México el 2 de octubre de 1968 resultó en la muerte de tal vez 300 personas, varias de ellas estudiantes universitarios. Fue un episodio trágico, cuyos detalles fueron mayormente encubiertos por el gobierno porque ocurrió en vísperas° de los Juegos Olímpicos, cuando la ciudad estaba llena de periodistas internacionales. Solo después de la subida de otro partido a la presidencia en el año 2000 se le han abierto los archivos del gobierno al público y se ha nombrado un fiscal especial° para tratar de aclarar lo que pasó hace más de treinta años.

En Hispanoamérica los estudiantes universitarios participan activamente en el gobierno de la universidad. La primera manifestación estudiantil fue el movimiento de la reforma universitaria iniciado en la Universidad de Córdoba, Argentina, en 1918. Se extendió por el continente y en muchos centros se convirtió en un nuevo sistema de gobierno universitario con mucho poder en manos de las juntas estudiantiles°.

Es importante recordar que el sistema de exámenes finales en algunas universidades, donde el candidato se presenta° a fin de curso y el hecho de que la asistencia a clases no es obligatoria le dejan al individuo el tiempo necesario para la política. Aunque la mayoría de los cursos son de cuatro o seis años, es bastante común encontrar estudiantes que llevan el doble de ese tiempo sencillamente porque no han querido presentarse a los exámenes.

Debido a° la división de la universidad en facultades especializadas, los centros hispánicos muchas veces no tienen un solo «campus» o ciudad universitaria como en los Estados Unidos. En algunas universidades los estudiantes que asisten a la Facultad de Ingeniería, por ejemplo, no toman clases en otras facultades, las cuales frecuentemente están en varias partes de la ciudad y por eso la vida estudiantil es distinta.

La mayoría de los estudiantes viven en casas particulares o en pensiones° porque pocas universidades hispánicas tienen residencias oficiales para estudiantes. Las pensiones que se encuentran cerca de la Universidad suelen estar° llenas de estudiantes y así hay cierto contacto entre ellos. Los estudiantes hispanos también tienen sus actividades sociales: bailes, fiestas, grupos musicales, grupos dedicados a intereses especiales. Estas actividades son casi siempre funciones de los estudiantes de una facultad.

[6] **Tlatelolco** A historical plaza in Mexico City where a student demonstration was stopped by the military. A large number of students died—some people claimed as many as 500—although the government vigorously denied it.

days before

special prosecutor

student councils

presents him/herself

Due to

boarding houses

are usually

were rebuilt
do have; fact
located

somewhat apart

foster
leaves aside

reflection

appropriate

Algunas universidades nuevas y las que se reconstruyeron° en el siglo xx a veces sí tienen° su «campus» general, pero la falta de residencias y el hecho° de que
40 están generalmente ubicadas° en un centro urbano, no apoyan ese sentido típico de muchas universidades norteamericanas de ser el centro de la vida del estudiante. El sentido algo apartado° del «campus» ubicado en el medio rural o en un pueblo pequeño, como lo están en muchos casos las universidades norteamericanas, es muy raro en el mundo hispánico. La universidad no tiene ni quiere tener una función
45 social en la vida del estudiante. Después de todo, no fomenta° el concepto de la carrera universitaria como una época definida en que el estudiante deja al lado° la vida real. Se limita la universidad hispánica a su función pedagógica.

El sistema de enseñanza se crea como reflejo° de los valores sociales del país, pero puede constituir una fuerza que actúe sobre esos mismos valores para
50 cambiarlos o para modificarlos. Aunque la organización y la tradición del sistema son conservadoras, el proceso de educar a los jóvenes es revolucionario y crea las condiciones adecuadas° para el cambio.

9-11 Comprensión. Responda según el texto.

1. ¿Por qué son una clase aparte los estudiantes universitarios?
2. ¿Qué ocurrió en la Universidad de Córdoba en 1918?
3. ¿Por qué es fácil tomar mucho tiempo para terminar la carrera en algunas universidades hispánicas?
4. ¿Por qué no es necesario tener un «campus» central en las universidades hispánicas?
5. ¿Cómo son diferentes las universidades hispánicas de las norteamericanas en cuanto a la función social?

9-12 Opiniones. Exprese su opinión personal.

Elementos de la lectura

1. ¿Cree Ud. que es bueno tener residencias para estudiantes en las universidades? ¿Por qué?
2. ¿Cree que la universidad debe tener control sobre la vida del estudiante (fuera de las clases)? ¿Por qué sí o por qué no?

Conceptos generales

3. ¿Dónde y cómo vive Ud. mientras asiste a la universidad? ¿Le gusta o preferiría otra situación? Explique.
4. ¿Prefiere estudiar en un «campus» central o no le importa? Explique.
5. ¿Cuáles son algunos problemas en la universidad contemporánea en los Estados Unidos?

9-13 Actividades de vocabulario. En grupos de dos o tres personas, hagan las siguientes actividades.

> **Lexemas de origen latino** *Toda palabra tiene un elemento básico que contiene su significado, el cual se llama lexema o raíz. Estos lexemas se pueden combinar con prefijos, sufijos u otros lexemas para formar nuevas palabras. En español, muchos lexemas son de origen latino. He aquí algunos de uso común.*

LEXEMA LATINO	SIGNIFICADO	EJEMPLO
bene, bonus	bien, bueno	bondad
terra	tierra	terremoto
gratia	placer, favor, regalo	gratis
extra	fuera de	extraterrestre
fortis	fuerte	fortaleza

A. Definiciones. Busque una palabra en la segunda columna que corresponda a cada definición de la primera columna.

I.
1. extensión de tierra
2. que no hay que pagar
3. que se realiza fuera de las horas de la escuela
4. que es comprensivo
5. obligado por fuerza
6. complacer, gustar

II.
a. gratuito
b. benévolo
c. terreno
d. forzado
e. gratificar
f. extraescolar

B. Palabras relacionadas. Complete con una palabra relacionada a la palabra entre paréntesis.

Modelo   (especializarse)
¿Cuál es tu *especialización*?
El curso de programación informática es muy *especializado*.

1. (conocer)
   a. Es el _____ profesor de español.
   b. Se dedica a aumentar los _____ tecnológicos.
   c. Yo lo _____ en la escuela primaria.

2. (beneficiar)
   a. Es para el _____ de la escuela.
   b. Es una comida _____ para la salud.
   c. El costo de la matrícula no _____ a los estudiantes.

3. (educar)
   a. Hay necesidad de reforma _____.
   b. Los padres tienen la responsabilidad de _____ al niño.
   c. Muestra su mala _____.

4. (obligar)
   a. Cumple con sus _____.
   b. Es una clase _____.
   c. Se vio _____ a repetirla.

9-14 ¿Qué opina? En grupos de dos o tres personas, contesten las siguientes preguntas.

1. ¿Cuáles son algunas implicaciones de la diferencia de modelos universitarios entre el mundo hispánico y el mundo anglosajón?
2. ¿Qué implica el hecho que se distinga entre la educación y la enseñanza en la cultura hispánica?
3. ¿Qué diferencias hay en el currículum secundario de los dos sistemas?
4. ¿Qué significan las diferencias entre la vida estudiantil hispánica y la de los estudiantes norteamericanos?

 9-15 Debate. Organice dos equipos para que ataquen o apoyen esta resolución.

Las universidades no deben cobrar matrícula, sino que deben ser mantenidas por el estado.

9-16 Situación. Imagínese que puede cambiar de lugar con uno(a) de sus profesores(as). ¿Con cuál cambiaría? ¿Por qué? Ahora, su profesor(a) es «estudiante». ¿Cómo lo (la) va a tratar? ¿Cómo va a tratar a los estudiantes en general? ¿Da Ud. muchos exámenes? ¿Qué les va a decir el primer día de clase?

9-17 Investigación. Trabajando en grupos, busquen en Internet o en la biblioteca información sobre una universidad hispánica. ¿Cuáles son algunos programas que ofrece? ¿Hay programas para estudiantes del extranjero? Prepárense para describirles a sus compañeros un resumen de los datos encontrados.

9-18 El arte de escribir

A. Composición dirigida. Dé su opinión personal, utilizando las palabras apropiadas de la lista.

1. la elección de la carrera a los dieciséis años (temprano, arrepentirse, decidirse, joven, maduro, equivocarse, malgastar)
2. la educación vocacional y el estudio de filosofía y letras (útil, trabajo, dinero, moralidad, desarrollo, ampliar, mundo)
3. el poder estudiantil contra el poder del profesorado (equilibrio, contribución, joven, anciano, exámenes, notas, sistema, democrático)
4. el costo de la educación superior (público, privado, impuestos, matrícula, bien social, mejora personal, gratuito, gobierno)

B. El arte de escribir la exposición (segunda parte). Este segundo tipo de exposición no es muy diferente al tipo que vimos en la unidad anterior. Es cuestión de explicar su opinión o su punto de vista sobre algún tema. Frecuentemente se pueden usar las técnicas siguientes: usar ejemplos para aclarar las ideas, hacer la descripción más detallada, hacer una comparación o un contraste con algo que el (la) lector(a) ya conoce, etcétera.

Generalmente la exposición es un modo de escribir algo formal. Por eso requiere alguna distancia de la personalidad del (de la) autor(a), y es común el uso de la voz pasiva y de las expresiones impersonales. Es de notar que la exposición no trata de convencer al (a la) lector(a) que acepte su opinión, sino claramente explicarla. Sugiere también el uso de un tono neutral y una actitud objetiva de parte del autor.

Ahora, con unos compañeros de clase, escojan entre las oraciones que sean apropiadas para una exposición y las que no lo sean. En el caso de las que no sean apropiadas trate de cambiarlas.

1. ¡Ojalá que creas lo que te voy a decir!
2. Es obvio que se trata de una opinión personal.
3. Siempre he pensado que eso es indudable.
4. No dejes de leer ese libro.
5. ¡Qué película más fenomenal!
6. Muchas personas comparten esta opinión.
7. Es necesario entender el origen de esta idea.
8. Esta pintura es muy divertida por su tema.

Ahora, escriba Ud. una exposición sobre una opinión o una interpretación suya de una obra de arte, una película o una novela.

9-19 Las noticias. Lea los dos artículos periodísticos que se presentan a continuación. Luego conteste la siguiente pregunta: ¿Debe ser la enseñanza de las artes obligatoria en las escuelas? Use la información de los artículos para apoyar su opinión.

Costa Rica apuesta por° la música clásica para educar

Gilberto Lopes Costa Rica

«Para Brad, entrar aquí fue como una explosión de arte, ha sido como mágico».

¿Una explosión de arte?

«Ha sido un cambio en la casa. Tal vez, por nuestros propios medios°, nunca lo hubiéramos podido lograr. Cuando Brad escogió° el oboe, no conocíamos ese instrumento. Solo cuando lo vimos lo conocimos. Escucho una música que, antes, no me hubiese imaginado. No es solo el núcleo familiar, son los tíos, los primos... Mi familia me dice que, si hay un concierto, que los invitemos también».

Enid Villalobos es la mamá de Brad: «Yo, de música, no sé nada», asegura°.

Brad oye, con el oboe en la mano. ¿Será eso «una explosión de arte»?

«Yo siempre he tenido un gusanillo de probar° actividades que uno desconoce», dice Brad. A sus doce años, sorprende lo claro y articulado° de su explicación. «Es una experiencia que uno no puede conseguirla en otro lugar así tan fácil, en el sentido monetario y de educación».

Nunca entraron a un teatro

«En los sectores más desposeídos° es raro hablar de música clásica. Muchos de nuestros alumnos nunca habían entrado a un teatro. Pero ahora casi todos van a conciertos. El tema de la música está sobre la mesa: en la comida, en la cena, en el café, es parte de la familia. De modo que el proyecto tiene un gran impacto familiar», explica a la BBC Joel Sojo, profesor de trombón y director de la Escuela de Artes Musicales Sinem, de Pavas.

El SINEM es el Sistema Nacional de Educación Musical, la mecha° que prendió° esta «explosión».

Pavas es el barrio de San José donde funciona una de estas escuelas. «Es una comunidad heterogénea, con una sector acomodado°, pero también con otros donde se puede encontrar todos los problemas sociales imaginables», explica.

La idea es impactar a estos muchachos, «darles acceso real a la cultura, pero con varios objetivos transversales. Además de tocar un instrumento pretendemos inculcarles° disciplina, responsabilidad, la idea de que hay que trabajar muy fuerte. Inculcando esos valores no solo les damos la oportunidad de formarse como músicos, sino también como personas», agrega Sojo.

«He visto cambios en mi forma de expresarme, me ha ayudado la música. El instrumento me llena. Lo que me gusta es la música clásica. Me permitió desarrollarme° de una forma

bets on

our own means

chose / fuse

set off

well-off

she assures

urge to try / instill in them

how clear and articulate

have-nots

to develop

más integral, lo transforma a uno positivamente», asegura Mónica Obando. «Es una de nuestras mejores chelistas°», dice Sojo. Obando tiene hoy 21 años.

Tenía 17 cuando empezó aquí.

Orquestas sinfónicas, bandas y coros°

«El SINEM se ha convertido en lo que llamamos una punta de lanza° para lograr el acceso a la cultura en todo el país. Es la herramienta° más directa para democratizar la cultura», le dice a BBC Mundo el pianista y actual ministro de Cultura, Manuel Obregón.

Se trata de escuelas de música, de orquestas de formato sinfónico, para niños y jóvenes principiantes°, medios, avanzados, pero también de bandas y coros.

En este momento hay 37 escuelas participando de este programa, lo que permite tener una incidencia° directa en las comunidades. En playa Tambor —relata Obregón, refiriéndose a una playa en el Pacífico costarricense— «de repente° empiezan a sonar violines y chelos, en casas muy humildes».

«Hemos iniciado un proceso de transformación social que puede generar impacto positivo en todo el país. En

momentos en que sufrimos una grave crisis de valores, de inseguridad, esto se transforma en respuesta a esos desafíos°. Nos permite sacar a los chicos de las calles», afirma Manuel Peña, Director General del SINEM.

«El que quiera puede venir aquí. No hay pruebas° de aptitud, sino una prueba de actitud. El padre viene a una charla°, escucha cual es el compromiso° que asume al traer a su hijo acá°. Después viene la matrícula, gratis°. Pero se les solicita una contribución de siete mil colones (unos 14 dólares), aunque el que no puede, no paga», aseguró Joel Sojo.

La debilidad mayor —añade— «es la falta de una infraestructura propia°. Muchos chicos tienen que dejar el instrumento acá para poder viajar en el transporte público porque, con el instrumento, tienen que transportarse en lo que llamamos 'taxis piratas', más baratos que los taxis regulares pero, para muchos de ellos, todavía caros. »

Mientras tanto, Brad escucha, alista° el oboe, y toca… Es algo mágico, una explosión de arte.

BBC Mundo, Costa Rica

Poniatowska: llevar la cultura a la escuela

Convencida de que la política cultural° no puede estar desligada° de la educación, la escritora Elena Poniatowska plantea fomentar° el estudio de las artes desde temprana edad; que los medios de comunicación apoyen en la formación de niños y jóvenes; que los empresarios° apoyen los proyectos culturales, y que el gobierno estimule una nueva conciencia cultural….

Lo que considera esencial para una política cultural y educativa es vincular° la enseñanza a las artes.

«Es muy importante que en las escuelas los niños desde temprana edad se les enseñe a pintar, modelar°, que estén incluso más tiempo para que aprendan música»….

«No hay atención al teatro; los directores de cine mejor van a los Estados

Unidos. En tiempos de Gabriel Figueroa y Emilio El Indio Fernández hubo una época de oro del cine, puede ser que ese cine pintaba una realidad inexistente° pero atrajo la atención sobre los cielos, los volcanes, las costumbres de México»….

También considera que la sociedad, la familia, los padres tendrán que participar para generar cambios culturales; por ejemplo, al fomentar la lectura en los niños.

«La televisión se encarga de todo°; es más fácil aplastar° a un niño frente a la tele para que se quede quieto, hasta darle de merendar° frente a la tele, que explicarle lo que es un libro. Ahí entra mucho el papel de la mamá.»

El Universal, Ciudad de México

Lo importante directed by Alauda Ruiz de Azúa. Encanta Films S. L.

Lo importante

El video es un cortometraje escrito y dirigido por la española Alauda Ruiz de Azúa. El personaje central es Lucas, un niño de doce años que es portero suplente de su equipo de fútbol. Lo que más quiere es jugar un partido, pero su entrenador siempre dice lo mismo: «el próximo».

9-20 Anticipación. Antes de mirar el video, haga estas actividades.

A. Conteste estas preguntas.

1. Cuando tenía doce años, ¿practicaba usted algún deporte en equipo? ¿Qué deporte? ¿Qué posición jugaba? ¿Era buen(a) jugador(a)?
2. ¿Cómo cree que deben ser los entrenadores de fútbol? ¿Cree que deben actuar diferente si entrenan a un equipo de niños que a uno de adultos? Explique.
3. ¿Cree que es importante practicar un deporte en equipo? ¿Por qué?
4. ¿Cómo terminaría esta oración? Lo importante de la vida es....

B. Vocabulario útil. Estudie estas palabras del video.

pitar *to whistle*
todo vale *anything goes*
el portero *goalie*
suplente *substitute*

9-21 Sin sonido. Mire el cortometraje sin sonido una vez para concentrarse en el elemento visual. ¿Qué emociones expresa el niño?

9-22 Comprensión. Estudie estas preguntas y trate de descubrir las respuestas correctas al mirar el video.

1. ¿Por qué el entrenador no deja a Lucas jugar?
   a. porque Lucas traiciona al equipo
   b. porque Lucas no es buen jugador
   c. porque quiere darle una lección
   d. porque necesita a alguien que recoja los balones

2. ¿Cuándo tiene Lucas la oportunidad de jugar?
   a. nunca
   b. cuando habla con el árbitro
   c. cuando el portero se lastima
   d. cuando su mamá llama al entrenador

3. ¿Qué es lo más importante para el entrenador?
   a. que todos sus jugadores participen
   b. tener el sábado libre
   c. que Lucas pierda peso
   d. que su equipo gane

4. Al final, ¿por qué Lucas sale de la portería?
   a. para darle la lección de respeto a su equipo
   b. porque no sabe cómo parar el balón
   c. porque quiere jugar para el otro equipo
   d. para que el entrenador finalmente le dirija la palabra

9-23 Opiniones. En grupos de tres o cuatro estudiantes, comenten estas preguntas.

1. ¿Con quién se identifican más en el cortometraje? ¿Por qué?
2. ¿Creen que Lucas hizo bien al final? ¿Qué habrían hecho ustedes en su lugar?
3. ¿Qué creen que le dirá el entrenador la próxima vez que vea a Lucas?

En las ciudades hispánicas es común ver a mucha gente en las calles como se ve aquí en Barcelona, España. ¿Le gusta a Ud. pasearse por las calles de la ciudad?

Lecturas culturales

I. Las ciudades del mundo hispánico
II. El aspecto físico de la ciudad hispánica
III. La vida urbana
IV. El significado de la ciudad en el mundo hispánico

Expansión

¡A explorar!

En pantalla
«Barcelona Venecia»

🌐 www.cengagebrain.com

Lecturas culturales

Enfoque

Según los historiadores, las primeras ciudades de la región mediterránea nacieron de la alianza de varias tribus motivada por necesidades económicas, sociales y religiosas. Las descripciones de la fundación de las grandes ciudades como Atenas y Roma siempre hacen hincapié en° el aspecto religioso: se consultaba con los dioses para saber dónde se debía construir la ciudad. Lo primero que se hacía era consagrar° el lugar a un dios cívico, lo cual creaba lazos permanentes para la gente, que por esta razón no podía abandonar la ciudad. El templo, las ceremonias, los sacerdotes, todo se relacionaba con el lugar. Para los pueblos antiguos la ciudad era el centro de su religión y la razón principal de su existencia. Esta es la tradición en la que se formó la sociedad española.

Las grandes ciudades indígenas de América tuvieron orígenes semejantes. Tenochtitlán, el centro de la civilización azteca, fue establecido en el lugar indicado por un dios. Los aztecas eran una tribu del norte que había vagado° por el valle de México, llamado Anáhuac («cerca del agua»), hasta que recibieron la visión maravillosa de un águila° con una serpiente en la boca, posada° sobre un nopal°. Allí se detuvieron y construyeron su ciudad sobre un lago, poniendo las casas sobre largas estacas°.

En muchas culturas la ciudad ejerció siempre una gran atracción sobre el pueblo como el centro de lo bueno de la vida. Esta atracción aumentó durante el Renacimiento europeo[1] con el nuevo papel comercial que asumieron las grandes ciudades mediterráneas.

En estas lecturas vamos a examinar algunas de las grandes ciudades hispánicas y las actitudes de los hispanos hacia la vida urbana.

margin glosses:
emphasize
consecrate
wandered
eagle; perched
cactus
stakes

[1] **Renacimiento europeo** The Renaissance (or rebirth of classical culture after the Middle Ages) during the 14th and 15th centuries also marked the rise of the city in Western civilization. Cities were centers of culture and, because of the rise of the banking and export-import systems, they also became commercial centers of great economic power.

Vocabulario útil

Verbos
almorzar (ue) *to eat lunch*
asociar *to associate*
atraer *to attract*
fundar *to found, to create*
provenir (ie) de *to come from*
reunirse *to meet, to join with*
rodear *to surround*
   rodeado de *surrounded by*

Sustantivos
el almuerzo *lunch*
el banco *bank, bench*
el barrio *neighborhood, area of a city*
la basura *garbage*
el centro *center; downtown*
la compra *purchase*
   hacer compras *to shop*
   ir de compras *to go shopping*

la esquina *corner (outside)*
el lazo *tie, connection*
el museo *museum*
el núcleo *nucleus, center*
el piso *floor; story (of a building)*
la población *population*
el recuerdo *memory*
el sabor *flavor; taste*
la soledad *solitude, loneliness*
el (la) usuario(a) *user (especially of computers)*
el (la) vecino(a) *neighbor, resident of a barrio*

Adjetivos
antiguo(a) *old, antique*
campestre *rural*

🚶🚶 10-1 Para practicar. Trabajen en parejas, o como lo indique su profesor(a), para contestar estas preguntas usando el vocabulario de la lista.

1. ¿Cómo es la ciudad en que vives (o en que naciste)? ¿Qué población tiene? ¿Es muy antigua? ¿Sabes cuándo fue fundada? ¿Tiene metro? ¿Tiene muchos edificios? ¿Cuántos pisos tiene el edificio más alto?

2. ¿Te gusta ir de compras? ¿Vas frecuentemente de compras en el centro o prefieres hacer compras en las afueras? ¿Cuál es tu tienda preferida? ¿Qué te atrae de esa tienda?

3. ¿En qué estado viven tus padres? ¿Sabes a partir de qué año viven allí? ¿Te has mudado alguna vez? ¿Todavía mantienes lazos con las personas del barrio donde vivías antes?

🚶🚶🚶 10-2 Anticipación. Trabajen en grupos de tres o cuatro. ¿Conocen Uds. una ciudad hispánica? Hagan una lista de diez ciudades hispánicas. ¿Cuáles son algunas características de cualquier ciudad grande? ¿Cuáles son las ventajas y las desventajas de la vida urbana?

I. Las ciudades del mundo hispánico

Desde la dominación romana, la historia de España ha sido una historia de ciudades. El concepto romano —y por lo tanto occidental— de civilización se ve en la raíz de la palabra misma: *civitas*, que se refería a las asociaciones religiosas y políticas que formaban las asambleas de familias y tribus. En otras palabras, la «civilización» es el resultado de la ciudad. El espacio en el cual se juntaban° las asambleas se llamaba *urbs*, de donde proviene la palabra «urbano».

gathered

Los visigodos se adaptaron a la forma de vida romana, aunque tenían más interés en la sociedad rural del feudalismo. La única ciudad importante de la época visigoda es Toledo, que fue la primera capital de la península. Esta ciudad simboliza la gloria medieval de España.

Cuando los árabes invadieron España ocuparon las ciudades que encontraron, pero establecieron su centro en la ciudad sureña° de Córdoba. Gran parte de esta culta° y brillante ciudad fue destruida durante la Reconquista por ser símbolo del poder islámico. Solo queda la mezquita° principal como recuerdo de su pasado glorioso.

southern
cultured
mosque

La capital actual, Madrid, solo comenzó a ocupar un lugar de importancia en la vida española cuando el rey Felipe II trasladó la corte de Toledo a la comunidad de Majrit en 1560, a fin de observar la construcción de su propio monumento, El Escorial². Felipe quería situar la capital en el centro para afirmar la unidad nacional, concepto bastante tenue° en aquella época.

tenuous
synthesizes

Hoy día Madrid es una ciudad de más de 4 millones de habitantes que sintetiza° la cultura moderna española. La historia de España se refleja en la Plaza Mayor³, que recuerda los primeros años de la ciudad, en el Palacio Real y en la Plaza de España, rodeada de rascacielos° modernos. En el Museo del Prado se encuentra el tesoro° artístico de España: obras no solo de artistas españoles sino también

skyscrapers
treasure

---

² **El Escorial** The Moorish name for Madrid was *Majrit*. Felipe II ordered the construction of *El Escorial*, a group of buildings containing a church, a monastery, and a palace, because of a vow made to St. Lawrence (*San Lorenzo*) prior to an important victory over the French in 1557. It is 30 miles northwest of the modern city. ³ **Plaza Mayor** Virtually all Hispanic cities have a main *plaza* or open space surrounded by government buildings and usually the cathedral. It may be called the *Plaza Mayor* or it may bear the name of some national hero or in Mexico it may be called the *Zócalo*.

de holandeses e italianos de los siglos XVI y XVII, cuyos países formaban parte del Imperio español.

Otra ciudad española que floreció° en el siglo XVI fue Sevilla. Esta simboliza la España romántica de Carmen, de Don Juan, de los gitanos°. La imagen
30 española más conocida en el resto del mundo, y que generalmente se reproduce en los afiches° de viajes, corresponde a la región de Andalucía en el sur y a su capital, Sevilla. Esta ciudad, que perteneció al reino árabe desde 712 hasta 1248, experimentó su verdadero florecimiento en el siglo XVI, época en que fue el principal puerto fluvial° de España. Después del descubrimiento de América, Sevilla
35 se convirtió en el centro de las grandes casas comerciales que financiaban las nuevas expediciones. Atrajo° a gente de toda Europa y su nombre se llegó a asociar con lo exótico, lo romántico y lo misterioso.

Sevilla ha mantenido esa personalidad hasta hoy. Triana, barrio gitano, el espectáculo de la Semana Santa[4], la famosa feria[5] traen el recuerdo del pasado
40 romántico. Velázquez y Murillo nacieron en Sevilla, y la catedral del siglo XV, uno de los mayores edificios góticos° del mundo, contiene muchos de los tesoros traídos del Nuevo Mundo.

Otra ciudad importante es Barcelona, un puerto comercial mediterráneo. Es el punto de contacto entre España y Europa y por eso es la ciudad más europea del
45 país. Su importancia data de la revolución industrial del siglo XIX.

Barcelona se encuentra en la región de Cataluña. Esta región simboliza la independencia e individualismo del carácter español. A pesar de° los esfuerzos del gobierno del dictador Franco por imponer el idioma castellano, el catalán, que es una lengua distinta, todavía dominaba en las calles de Barcelona. Los conocidos
50 pintores Miró y Dalí se consideraban catalanes antes que españoles.

Barcelona se enorgullece° de su modernidad, mientras que Sevilla pone énfasis en su pasado romántico y Madrid en sus tradiciones reales e imperiales. Son tres ciudades que muestran claramente la diversidad de la España de hoy.

Con la importancia de la ciudad, tanto en la península ibérica como en las
55 culturas indígenas, era natural que durante la colonización se pusiera mucho énfasis en los centros urbanos del Nuevo Mundo. La Ciudad de México y Lima eran las ciudades principales de las colonias, pero Buenos Aires no tardó en cobrar suma° importancia comercial. La Habana, Caracas, Bogotá y Santiago de Chile asumieron su verdadera importancia en el siglo XIX; la Ciudad de México, Lima y Buenos Aires
60 contienen el pasado colonial.

La Ciudad de México fue construida, en un acto simbólico de la dominación española, literalmente encima de los escombros° de Tenochtitlán, la capital azteca. Al excavar una ruta del tren subterráneo en los años sesenta los trabajadores encontraron un templo azteca que hoy se conserva en una estación del metro°:
65 buen ejemplo de la mezcla de lo nuevo y lo antiguo en México.

La Ciudad de México siempre ha sido la principal del país. Tiene áreas identificadas con cada época de su historia, como las casas de hidalgos° coloniales en la calle Pino Suárez cerca de la Plaza Mayor, llamada también el Zócalo; allí se encuentran tanto la Catedral como el Templo Mayor del imperio azteca
70 (desenterrado° en los años 1978–1982).

[4] *la Semana Santa* Holy Week is traditionally one of the more elaborate spectacles in Spain, with religious processions and ceremonies. In Sevilla, the passion and fervor of this period are considered to be unequaled anywhere in the world. [5] *famosa feria* Just as Holy Week is observed with religious fervor, the *feria* or fair of Sevilla, which follows it, is characterized by a similar, though secular, intensity. Ten square blocks of colorful private booths, a large carnival, and numerous restaurants are constructed and serve as the scene of 10 days of constant partying. By day the grounds are filled with men and women on horseback or in horse-drawn carriages, dressed in typical costumes. The origin of the *feria* was a stock show, but it has become the major festival of the year for the *sevillanos*.

flourished (29)
gypsies (29)

posters (31)

river port (34)

It attracted (36)

Gothic (41)

Despite (47)

takes pride in (51)

extreme (57)

rubble (62)

subway (64)

nobles (67)

unearthed (70)

Al oeste del Zócalo se encuentra la parte más moderna de la ciudad, casas del siglo XIX y edificios modernos. Más al oeste hay un recuerdo de la época del emperador Maximiliano[6], el Paseo de la Reforma, una calle ancha con grandes árboles al estilo europeo. Conduce al Parque de Chapultepec, un lugar popularísimo 75 entre las familias capitalinas los domingos por la tarde. El Parque también contiene el magnífico Museo Nacional de Antropología, construido en el siglo XX para conservar el pasado indígena de la nación.

Al sur está la Ciudad Universitaria con sus pinturas murales dentro de la tradición de Rivera, Orozco y Siqueiros, las cuales crean una vista impresionante 80 para los casi 245 000 estudiantes y 30 000 profesores.

La capital del Perú moderno, Lima, también muestra el pasado lejano pero con una importante diferencia: los incas establecieron sus centros urbanos en las montañas, los españoles prefirieron la costa. Por eso los españoles en 1535 abandonaron Cuzco, en los Andes, que había sido la primera capital. Lima, 85 entonces, no fue construida sobre las ruinas de una ciudad indígena. Lima fue llamada la Ciudad de los Reyes por el conquistador Pizarro. Su nombre actual deriva de Rimac, nombre quechua° del río cercano°.

Inca language; nearby

Lo que distingue a Lima hoy es su sabor colonial. La Plaza de Armas, la más importante de la ciudad está rodeada de antiguos edificios e iglesias, y la Plaza de 90 la Inquisición[7] recuerda que Lima fue el centro de esa institución en la colonia. La iglesia de Santo Domingo, construida en 1549, contiene los restos de Santa Rosa de Lima, la primera religiosa del Nuevo Mundo en ser canonizada y es considerada la creadora° del servicio social en el Perú.

originator

La capital de la República Argentina, Buenos Aires, fue fundada en 1536 con 95 el nombre de Puerto de Nuestra Señora de los Buenos Aires —la santa patrona de los marineros° sevillanos— pero fue destruida poco después por los indígenas. Aunque fue fundada por segunda vez, la ciudad no tuvo gran importancia hasta el siglo XVIII, porque España no permitió que los productos salieran sino por° Lima hasta fines de ese siglo. Cuando el puerto de Buenos Aires se abrió al 100 comercio, su posición geográfica le aseguró un crecimiento° continuo. Además, la ciudad fomentó la inmigración de europeos, que continuó durante un siglo y medio y que dio a Buenos Aires el carácter único de ser la ciudad más europea de América. Ingleses, alemanes, italianos, franceses y otros europeos vinieron en grandes números y se establecieron en diferentes barrios. Las lenguas europeas, 105 especialmente el italiano, han influido mucho en el español que se habla en Buenos Aires.

sailors

except through

growth

La ciudad actual es uno de los grandes centros comerciales de todo el continente. Es muy industrializada y tiene las dársenas° más grandes de Hispanoamérica. Muchos de los edificios son relativamente nuevos porque el 110 crecimiento rápido en el siglo XIX trajo la destrucción de los edificios viejos a fin de ampliar° las calles para el automóvil que comenzaba a llenar la ciudad. En 1913 se inauguró el servicio de subterráneos, uno de los primeros del mundo. La Avenida 9 de Julio con sus 480 pies de ancho° es la mayor del mundo.

docks

in order to widen

480-foot width

[6] *el emperador Maximiliano* Maximilian of Austria was emperor of Mexico for a short time in the 1860s as a result of a French move to acquire a colony with the help of some misguided Mexican conservatives who were disenchanted with the liberalism of the government. Maximilian naively thought the people supported him until he died in front of a firing squad. His beautiful wife, Carlota, who had urged him to assume the position, went insane. The story is one of the great romantic tragedies of world history.

[7] *Inquisición* The Holy Inquisition was a major instrument of the Catholic Church in the Counter-Reformation. Its function was to seek out heretics, and it was frequently marked by violence.

10-3 Comprensión. Responda según el texto.

1. ¿Cuáles son las características principales de Sevilla y Barcelona?
2. ¿Quién estableció Madrid como la capital y por qué?
3. ¿Quiénes se establecieron en Córdoba?
4. ¿Por qué se construyó la Ciudad de México sobre las ruinas de Tenochtitlán?
5. ¿Cómo y por qué fue distinta la fundación de Lima?
6. ¿Cuándo asumió Buenos Aires su puesto de importancia?

10-4 Opiniones. Exprese su opinión personal.

Elementos de la lectura

1. ¿Cuál de las ciudades descritas le parece más interesante? ¿Por qué?
2. ¿Le gusta más viajar principalmente por centros urbanos o prefiere el campo y los pueblos pequeños? Explique.

Conceptos generales

3. ¿Piensa viajar por el mundo hispánico? ¿Adónde quisiera ir primero? ¿Por qué?
4. ¿Qué elementos de la ciudad atraen al turista? Explique.
5. ¿Cuáles son las atracciones turísticas de su ciudad o área metropolitana?

II. El aspecto físico de la ciudad hispánica

Hay ciertos aspectos físicos característicos de casi toda ciudad hispánica típica. En primer lugar, las grandes ciudades se fundaron antes que las ciudades norteamericanas y retienen por lo tanto un sabor más antiguo. Aun las del Nuevo Mundo fueron fundadas en el siglo XVI. Tienden a tener calles estrechas° con los edificios muy junto a la calle. Claro que existen secciones nuevas con calles anchas construidas para el automóvil, pero esto es más típico de las afueras° que del centro de la ciudad. Por lo general, ha habido menos tendencia a derribar° los edificios antiguos que en los Estados Unidos: se reforman° por dentro y por fuera mantienen su apariencia original.

Otro aspecto notable de muchas ciudades hispánicas es la falta de simetría de las calles: corren en todas direcciones sin preocuparse por los ángulos rectos°, lo cual crea cruces° de una complicación formidable donde se encuentran seis u ocho calles en un mismo punto. Tanto en España como en América continúan el plan europeo de usar círculos para el tránsito de estos cruces. Los círculos frecuentemente contienen monumentos, fuentes, estatuas° u otros elementos decorativos.

En general, las ciudades han crecido alrededor de° una plaza central donde se encuentran la catedral, la casa de gobierno, los bancos, los negocios grandes y los mayores hoteles. Se han añadido otras plazas menores sin patrón, al azar°, que forman los centros de los barrios residenciales de la ciudad.

Lo más típico es encontrar alrededor de las plazas menores una iglesia, varias tiendas pequeñas, un café al aire libre°, el quiosco de diarios y revistas° y otros negocios para atender las necesidades de la vida de los vecinos. Cada habitante de la ciudad vive a poca distancia de una de estas plazas y es allí donde hace sus compras diarias.

narrow

outskirts
tear down
they are remodeled

right angles
intersections

statues
around

random

outdoor; newsstand

La Plaza de Independencia, en Montevideo, Uruguay.

25   La gente en su gran mayoría vive en grandes edificios de apartamentos, frecuentemente «condominios», lo que produce una concentración de población relativamente alta. De esta manera las ciudades no se desarrollan como las ciudades norteamericanas de igual población. Esta concentración resulta en ciertas ventajas y ciertas desventajas. Las distancias son cortas, el transporte público es muy eficaz 30 y muy usado y es menor la necesidad de un automóvil particular. En cambio, el amontonamiento° de gente en todas partes, el tráfico abrumador° y el ruido callejero° pueden ser desagradables. Sin embargo, los habitantes se acostumbran a los aspectos negativos y gozan de una vida activa e intensa.

crowding; overwhelming
street noise

10-5 Comprensión. Complete según el texto.

1. Tres cosas que se encuentran con frecuencia en los círculos de tráfico son _____.
2. Por lo general, un edificio que se suele ver en la plaza central es _____.
3. Las ventajas de concentrar la población en relativamente poco espacio son _____.
4. Las desventajas son _____.
5. Los habitantes de las ciudades típicamente gozan de una vida _____.

10-6 Opiniones. Exprese su opinión personal.

Elementos de la lectura

1. ¿Piensa Ud. vivir en una ciudad después de terminar los estudios? ¿Por qué?
2. ¿Prefiere vivir en una casa o en un apartamento? Explique.

Conceptos generales

3. ¿Qué elementos de las ciudades le atraen más?
4. ¿Le gusta la ciudad en que está su universidad? Explique.
5. ¿Utiliza Ud. el transporte público? ¿Por qué sí o por qué no? ¿Hay un buen sistema donde Ud. vive?

III. La vida urbana

Como se ha dicho anteriormente, la vida diaria del habitante de una ciudad hispánica se concentra en el barrio. Es aquí donde es conocido y donde conoce a sus vecinos. Cuando hace buen tiempo tiene una fuerte tendencia a salir a la calle en busca de contacto humano.

5   Prefiere hacer sus compras en las pequeñas tiendas especializadas del barrio. Estas tiendas son comúnmente negocios° familiares que pertenecen a una familia local. Ir de compras, lo que generalmente se hace a pie, se convierte en una ocasión social. A la persona hispánica —gregaria por naturaleza— no le atrae mucho la anonimidad de los grandes supermercados ni los grandes almacenes°, aunque sí existen estos en 10 todas las ciudades. Los dueños de las panaderías, carnicerías, pescaderías, fruterías, lecherías, papelerías°, tabaquerías, ferreterías°, farmacias, etcétera, consideran parte de su servicio el conocer los gustos de sus clientes regulares y también a las familias de estos. Es muy importante charlar un rato con la persona que ha llegado a comprar algo, especialmente si ha ocurrido un cambio en el gobierno o la política del momento.

15   Tradicionalmente, las personas que tienen que trabajar fuera° del barrio vuelven a casa a almorzar. Puesto que es todavía común en varios países dormir la siesta del mediodía, todo se cierra durante unas tres horas después de la una. Los niños vuelven de la escuela y es a esta hora que las familias tienen la comida principal del día. Las empresas y los gobiernos quieren eliminar esta costumbre, alegando que la 20 participación de España en el comercio global requiere un horario más semejante al horario del resto de Europa. Hay otros horarios: trabajan de las ocho de la mañana a las tres de la tarde cuando salen para comer en casa para no volver, por ejemplo. Pero hay mucha resistencia a los cambios especialmente en las ciudades más tradicionales. Los trabajadores de las grandes ciudades no han resistido tanto.

25   Lo más importante de este estilo de vida es el sentido de comunidad que se mantiene frente a la gran masa impersonal de las grandes ciudades modernas. En las calles del barrio, o en la plaza, o reunida con los amigos en el café de la esquina, la persona no sufre una crisis de identidad. Aun cuando hace las tareas diarias —ir de compras, ir al trabajo, etcétera— se siente rodeada de vecinos que saben que existe y 30 que se preocupan por su bienestar°.

businesses (línea 6)
department stores (línea 9)
stationery store; hardware stores (línea 11)
outside (línea 15)
welfare (línea 30)

10-7 Comprensión. Decida si las siguientes oraciones son **verdaderas** o **falsas.** Corrija las falsas.

1. En la ciudad hispánica los vecinos raramente se conocen.
2. A la persona hispana le gustan las tiendas pequeñas.
3. Para la mayoría de los hispanos la comida más importante se come un poco después del mediodía.
4. En el mundo hispánico la vida social en el barrio no tiene importancia.

10-8 Opiniones. Exprese su opinión personal.

Elementos de la lectura

1. ¿Conoce Ud. a muchos de sus vecinos? Explique.
2. Cuando Ud. va de compras, ¿prefiere las tiendas pequeñas o los almacenes grandes? ¿Por qué?

Conceptos generales

3. ¿Va Ud. de compras frecuentemente? Explique.
4. ¿Qué cosas le gusta comprar? ¿Qué no le gusta comprar? ¿Por qué?
5. ¿Prefiere comprar comida hecha o prefiere comprar los ingredientes y cocinar? ¿Por qué?

IV. El significado de la ciudad en el mundo hispánico

carried out
empire; the one developed
starting out in
statistics
rate
to assimilate
resulting

sever
move

barbarism

Un artículo del periódico *El Mundo* de San Juan, Puerto Rico, dice así: «La más grande empresa de creación de ciudades llevada a cabo° por un pueblo, una nación o un imperio° en toda la historia, fue la desarrollada° por España en América a partir de° 1492, que llenó un continente de ciudades...» dice Fernando Terán,
5 catedrático de Urbanismo... Las estadísticas° indican que hasta recientemente la tasa° de crecimiento de las ciudades llega al doble de la población total. Fuera de los problemas obvios, como la incapacidad de los centros urbanos de asimilar° a tantas personas, el desempleo, la pobreza y el descontento social resultantes°, existen otros factores negativos. El éxodo de gente del campo es cada vez más grave: España,
10 antes predominantemente rural, solo cuenta hoy con una fuerza agrícola del 20% de los trabajadores. Esta gran migración también efectúa cambios profundos en algunas de las antiguas instituciones de la cultura: la familia, la Iglesia y la moral tradicional pierden algo de su importancia cuando las personas cortan° sus raíces rurales para mudarse° a los centros urbanos.
15   Debido a la experiencia de los 75 primeros años del siglo xx, los expertos en cuestiones de población predecían números espantosos para el fin del siglo. Esperaban contar, por ejemplo, unos 30 millones de habitantes en la Ciudad de México. Ocurre, sin embargo, que en la mayoría de los países ha bajado la tasa de crecimiento de la población en general y por eso tampoco crecen tan
20 rápidamente las ciudades. Según las estadísticas oficiales, por ejemplo, México, entre 1987 y 1992, recibió 404 000 residentes nuevos, mientras perdió 586 000 habitantes. Desafortunadamente, los residentes más cómodos económicamente son los que se pueden mudar, mientras que los pobres no tienen tal oportunidad. El dilema es obvio. Si el gobierno mejora las condiciones de los servicios sociales,
25 viviendas, trabajos, etcétera, atraerá a más gente. Además quedaría solo un 20% de la población del continente para producir los comestibles necesarios para el otro 80%, lo que sería difícil aun con los métodos más mecanizados de agricultura.
   En el siglo xix un argentino, Domingo Faustino Sarmiento[8], formuló una interpretación de la sociedad argentina a través del conflicto entre «la civilización
30 y la barbarie°». Con la «civilización», Sarmiento identifica la ciudad de Buenos Aires y con la «barbarie», la pampa argentina. Este concepto sirvió como base del pensamiento hispanoamericano durante todo un siglo. La actitud hispánica hacia la ciudad como centro de la civilización todavía existe como valor básico de la vida.

[8] ***Domingo Faustino Sarmiento*** (1811–1888) Sarmiento was one of Spanish America's greatest essayists. He felt that the future of Argentina lay in allowing the cities, with their higher level of culture and civilization, to dominate the provincial areas. His long essay (1845) on a brutal gaucho named Juan Facundo Quiroga showed how the rural element was backward and primitive and brutalized the city when in power.

10-9 Comprensión. Responda según el texto.

1. ¿Qué porcentaje de los trabajadores españoles constituye la fuerza agrícola?
2. ¿Qué instituciones tradicionales sienten el efecto de la migración hacia la ciudad?
3. ¿Por qué tienen que cambiar los expertos sus predicciones sobre la población de las grandes ciudades hispanoamericanas?
4. ¿Qué significaba «civilización y barbarie» para Sarmiento?

10-10 Opiniones. Exprese su opinión personal.

Elementos de la lectura

1. ¿Cree que la vida urbana es mejor que la vida del campo? ¿Por qué? ¿Cuáles son algunas ventajas y desventajas de cada una?
2. ¿Preferiría criar a sus hijos fuera de la ciudad? ¿Por qué?

Conceptos generales

3. ¿Nació Ud. en una ciudad o en el campo?
4. ¿Sus padres nacieron y se criaron en una ciudad o en el campo?
5. En su opinión, ¿cuáles serían las condiciones ideales de vida?

Buenos Aires se la conoce también como el «París de Sudamérica».

👥👥👥 **10-11 Actividades de vocabulario.** En grupos de dos o tres personas hagan las siguientes actividades.

> **Las palabras con significados múltiples** *Algunas palabras tienen más de un significado. Por ejemplo, **lazo** puede significar 1. nudo de cinta u otro material que sirve para sujetar o adornar; 2. cinta para adornar el pelo; 3. cuerda para atrapar algunos animales; 4. unión, conexión. El significado que tiene en una oración depende del contexto. He aquí otras palabras con significados múltiples.*

BANCO	CURA	PATRÓN
1. asiento 2. lugar para guardar dinero	1. tratamiento para una enfermedad 2. sacerdote	1. persona que manda 2. modelo para la confección 3. santo de un pueblo
CITA	ESTACIÓN	TIPO
1. encuentro 2. referencia textual	1. época del año 2. terminal 3. emisora de radio	1. ejemplar característico 2. clase 3. individuo
COLA	FALDA	VELA
1. pegamento 2. parte del animal 3. fila	1. prenda de vestir 2. parte baja de una montaña	1. del verbo **velar** 2. pieza de un barco que recibe el viento 3. candela

A. Deducir el significado. Use el contexto para deducir el significado de las palabras en cursiva. Para cada una, indique el número de la definición que aparece en el recuadro.

1. La *cola* del cine llegaba hasta la esquina.
2. Este mercado venden hierbas medicinales y otras *curas*.
3. Si una *cita* se toma de Internet, indica el autor y la fecha.
4. Prendieron una *vela* en conmemoración del joven muerto.
5. En la ciudad hay restaurantes de todo *tipo*.
6. El parque metropolitano necesita más *bancos*.
7. Allí viene el *patrón* de la hacienda.
8. ¿Puedes recogerme en la *estación* de tren?
9. Vive en una granja en la *falda* del volcán.

B. Repaso de sinónimos. Relacione los sinónimos.

1. comercio   **a.** oeste
2. caminante   **b.** indicar
3. monarca   **c.** negocios
4. nativo   **d.** indígena
5. sacerdote   **e.** peatón
6. señalar   **f.** cura
7. occidente   **g.** rey

10-12 ¿Qué opina? En grupos de dos o tres personas, contesten las siguientes preguntas.

1. La tradición anglosajona es la de vivir en comunidades pequeñas y rurales. La mediterránea es bastante distinta. Hoy día, ¿cuáles son las diferencias entre tradiciones?
2. ¿Creen que lo más valioso de una sociedad está en los centros urbanos o en el campo? ¿Existe una actitud anti-urbana en los Estados Unidos?
3. ¿Qué diferencias existen entre los problemas de urbanización en Hispanoamérica y en los Estados Unidos?
4. ¿Qué diferencias hay entre la orientación de la vida urbana en las dos regiones?

10-13 Debate. Organicen dos equipos para que ataquen o apoyen esta resolución.

A causa de la contaminación y el crimen, es mejor criar a los niños en un medio rural en vez de uno urbano.

10-14 Situación. Imagínese Ud. que es un(a) gran arquitecto(a) que ha recibido una comisión de planear una ciudad nueva para 100 000 habitantes. ¿Cómo sería su ciudad? ¿Cómo viviría la gente? ¿En casas? ¿apartamentos? ¿condominios? Para Ud., ¿qué aspectos serían más importantes en el plan? ¿Las diversiones? ¿los centros comerciales? ¿el transporte? ¿las viviendas?

10-15 Investigación. Trabajando en grupos, busquen en Internet o en la biblioteca información turística sobre una ciudad hispánica. ¿Cuáles son algunos puntos de interés (museos, espectáculos, recintos históricos, etcétera)? ¿Qué tipos de transporte público hay? ¿Cuáles son algunos hoteles en la ciudad? Prepárense para describirles a sus compañeros las posibles actividades de un turista típico.

10-16 El arte de escribir

Repaso. De aquí en adelante esta sección sugerirá algunos temas de composición para que Ud. utilice todas las estrategias que ha aprendido. También repasaremos los puntos más importantes de las unidades anteriores.

Escriba Ud. una composición que resuma lo que dice el texto sobre dos de las ciudades principales. No se olvide de enumerar lo que dice el texto y poner la lista en orden lógico. Luego decida cuáles de los detalles va a incluir y cuáles no son necesarios.

10-17 Las noticias. Lea los dos artículos periodísticos que se presentan en la página 155. Luego conteste la siguiente pregunta: ¿Cree Ud. que la tecnología está mejorando la calidad de vida en las grandes ciudades? Use la información de los artículos para apoyar su opinión.

Coche articulado°: el transporte público de la ciudad suma nueva tecnología

«Otra vez la ciudad de Santa Fe° es pionera en la provincia en relación a este tipo de vehículos que, además de generar mayores comodidades° y un mejor servicio, seguimos trabajando por una ciudad ambientalmente° más saludable en lo que refiere al transporte», dijo el intendente° Barletta en diálogo con la prensa.

En relación al coche articulado, tiene 18 metros de largo y cuenta con aire acondicionado, 43 butacas por módulo° y una capacidad máxima de 180 pasajeros. El coche tiene un costo de $ 1 100 000 y la empresa° que decidió hacer frente a la inversión° es Recreo SRL.

El vehículo también tiene otras particularidades: WiFi y dos cámaras con sus respectivos monitores LCD, ubicados° frente al chofer, que permiten controlar la última de las puertas de descenso° y el guardabarros trasero°. Asimismo, cuenta con un sistema de alarma conectado al fuelle° que alerta al conductor° cuando, al realizar° la maniobra de giro°, éste resulta inapropiado.

En tanto, Elbio Merlo, responsable del área taller° de la Empresa Recreo, afirmó que el colectivo° «es algo sin precedente en el transporte urbano de Santa Fe. Y fue construido íntegramente en el país».

www.santafeciudad.gov.ar

"Coche articulado del transporte público de la ciudad suma nueva tecnología". Municipalidad de la ciudad de Santa Fe de la Vera Cruz, Argentina.

Uno de cada cinco choques° en el DF son por culpa° del celular

CIUDAD DE MÉXICO, 8 de julio.- El vocero° del PRD en la Asamblea Legislativa, Alejandro Sánchez Camacho, aseguró que el 20 por ciento de los accidentes automovilísticos en la ciudad son causados por conductores que hablan por celular.

Por ello, pidió al Gobierno del Distrito Federal implementar una campaña para sensibilizar° a la ciudadanía° sobre la importancia de no usar el celular u otros aparatos electrónicos de comunicación de las redes° sociales.

Advirtió° que hablar por celular al conducir° es la tercera causa que provoca más accidentes de tránsito°, tan sólo después de conducir a exceso de velocidad o bajo estado etílico°, según estadísticas de la Asociación Mexicana de Instituciones de Seguros°.

Dijo que desafortunadamente todavía muchos automovilistas no toman conciencia de que el uso de celular cuando se maneja° aumenta° 40 por ciento el riesgo de accidentes, lo que pone en riesgo° no sólo su integridad° o su vida, sino la de terceros°.

Apuntó° que un choque en promedio cuesta como mínimo mil pesos y mencionó que estadísticas del Consejo Nacional para la Prevención de Accidentes señalan° que 20 por ciento de los accidentes en la ciudad son causados por conductores que hablan por celular.

Incluso advirtió que los equipos° celulares que permiten tener las manos libres no brindan° una ventaja de seguridad respecto de los equipos de mano.

Excelsior, México

"Uno de cada cinco choques en el D.F. son por culpa del cellular". Excelsior, México.

Barcelona Venecia directed by David Muñoz.

Barcelona Venecia

En este cortometraje por el director español David Muñoz, el mundo no es perfecto: existen errores a nivel subatómico y como resultado, un señor viaja de Barcelona a Venecia accidentalmente. Para regresar, tiene que pagar un billete de avión de Air Italia muy caro.

10-18 Anticipación. Antes de mirar el video, haga estas actividades.

A. Conteste estas preguntas.

1. ¿Dónde está la ciudad de Barcelona? ¿y Venecia?
2. En física, ¿qué son los «agujeros de gusano *(worm holes)*»? En la ciencia ficción, ¿que son los «viajes interdimensionales»?
3. ¿Le gustaría poder viajar instantáneamente de una ciudad a otra? ¿Adónde iría? ¿Qué haría allí?
4. ¿A qué compañía o industria no le gustaría la idea del teletransporte (el viajar instantáneamente por el espacio)? ¿Por qué?

B. Vocabulario útil. Estudie estas palabras del video.

cautela *caution*

cometer asesinato *to murder*

extraño *strange, odd*

el agujero *opening, hole*

el gesto *gesture*

el sablazo *rip off*

genial *brilliant*

la postura *position*

los matones *thugs*

no les hace gracia *they don't like at all*

terrestre *terrestrial*

vigilar *to watch, to keep an eye on*

10-19 Sin sonido. Mire el cortometraje sin sonido una vez para concentrarse en el elemento visual. ¿Qué acciones ve que hace el señor?

10-20 Comprensión. Después de ver el cortometraje con sonido, conteste las siguientes preguntas.

1. ¿Cómo viajó el señor de Barcelona a Venecia?
   a. atravesó un agujero de gusano a nivel terrestre
   b. habló por un teléfono móvil enloquecido
   c. viajó por Air Italia
   d. se imaginó el viaje

2. ¿Por qué tenía el guía un mapa?
   a. porque nunca antes había estado en Venecia
   b. porque quería ver dónde estaban los matones
   c. para buscar una entrada a Barcelona
   d. para vendérselo al señor

3. ¿Quiénes han contratado a matones para vigilar los agujeros de salida?
   a. los agentes de la bolsa
   b. los científicos aeronáuticos
   c. el gobierno de Italia
   d. las compañías aéreas

4. ¿Por qué no pudo el señor cruzar el agujero de salida?
   a. no hizo el gesto adecuado
   b. no hablaba italiano
   c. no pagó la tarifa
   d. era muy viejo

5. ¿Cómo vuelve el protagonista a Barcelona?

   a. haciendo la postura exacta en el espacio correcto

   b. en avión, pagando 500 euros

   c. en una nave extraterrestre

   d. accidentalmente, haciendo un gesto especial

6. ¿Qué denuncia el autor del cortometraje?

   a. la seguridad aeronáutica

   b. el exceso de las compañías aéreas

   c. el uso dañino de los teléfonos móviles

   d. las pérdidas de la bolsa *(stock market)*

10-21 Opiniones. En grupos de tres o cuatro estudiantes, comenten estos temas.

1. ¿Podremos en el futuro teleportar?

2. ¿Creen que viajar por avión sea demasiado caro?

3. ¿Qué impresión tienen de Barcelona y Venecia después de ver el cortometraje?

Los Estados Unidos y lo hispánico

Glowimages\Getty Images

El nombre oficial de Puerto Rico es Estado Libre Asociado de Puerto Rico. ¿Sabe Ud. lo que significa? ¿Qué relación hay entre Puerto Rico y los Estados Unidos?

Lecturas culturales

Expansión

¡A explorar!

En pantalla
«Victoria para Chino»

🌐 www.cengagebrain.com

Enfoque

Al examinar la historia de las relaciones entre los Estados Unidos y los países hispánicos lo que más sorprende es la larga tradición de desconfianza y de sospechas mutuas que la han caracterizado. Tal vez sea por las grandes desigualdades económicas, o por las profundas diferencias culturales y religiosas, pero lo cierto es que no se encuentran muchas ocasiones que revelen verdadera amistad o alianza política. En el caso de España sería posible atribuir esto a la falta de intereses comunes y al hecho de que la mayor parte del territorio de los Estados Unidos perteneció en una época al imperio español. Después de todo, España era un país colonizador que se identificaba con Europa, pero ese no era el caso de los países hispanoamericanos. Todos comparten varias tradiciones: el pasado colonial, las guerras de independencia, la proximidad geográfica y el americanismo que esta produce, un liberalismo fundamental nacido en el siglo XVIII. Sin embargo, lejos de verificar la teoría de Herbert Bolton[1] sobre «el destino común de las naciones americanas», la realidad ha sido otra. El análisis de la historia de las relaciones interamericanas resulta relativamente pesimista.

Esta unidad repasa la historia de esas relaciones y busca algunas causas importantes.

[1] **Herbert Bolton** One of the best-known historians of the Southwestern United States.

Un barco pasa por el canal de Panamá. ¿Sabe Ud. por qué ha sido un problema en las relaciones interamericanas?

Vocabulario útil

Verbos

amenazar *to threaten*
caracterizar *to characterize*
compartir *to share*
conseguir (i) *to acquire, to get*
enfrentarse (a) *to confront, to face*
firmar *to sign*
imponer *to impose, to force on*
lograr *to manage, to achieve, to get*
proclamar *to proclaim, to announce*
quejarse *to complain*
rechazar *to reject, to refuse*
reconocer *to recognize*

Sustantivos

el acuerdo *accord, agreement;*
    ponerse de acuerdo *to reach an*
    agreement

la amenaza *threat*
la amistad *friendship*
el (la) ciudadano(a) *citizen*
la enemistad *enmity*
el peligro *danger*
la pérdida *loss*
el (la) político(a) *politician*
la política *policy, politics*
el tratado *treaty*

Adjetivos

aliado(a) *allied, ally*
mutuo(a) *mutual*
político(a) *political*

Otras palabras y expresiones

verse obligado a *to have to (do*
    something)

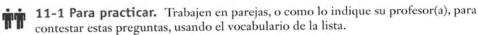 **11-1 Para practicar.** Trabajen en parejas, o como lo indique su profesor(a), para contestar estas preguntas, usando el vocabulario de la lista.

1. ¿Cómo caracterizas el problema más serio que tienes que enfrentar este año? ¿Vas a lograr superarlo? ¿Quieres o rechazas la ayuda de tus padres con este problema? ¿Por qué?
2. ¿Te has puesto de acuerdo con algún(-una) amigo(a) sobre algo importante recientemente? ¿Qué fue? ¿Cómo lograron ponerse de acuerdo? ¿Pudieron salvar su amistad? ¿Firmaron un papel?
3. ¿Te quejas mucho con tus amigos? ¿Lo reconoces cuando te quejas demasiado? ¿Tus amigos te lo dicen a veces?
4. ¿En qué crees que consiste la mayor amenaza a la paz mundial hoy? ¿Es el peligro de afuera del país mayor que el de adentro? ¿Por qué? ¿Cuál es la mayor causa de enemistad entre países?

11-2 Anticipación. Trabajen en parejas, o en grupos de tres, para contestar estas preguntas.

¿Qué saben Ud. de las relaciones interamericanas? ¿Saben cuándo ocurrió la guerra entre México y los Estados Unidos? ¿Entre España y los Estados Unidos? ¿Cómo fue que los Estados Unidos lograron tener control sobre el canal de Panamá? ¿Qué otras cosas han estudiado sobre este tema? Hagan una lista. Prepárense para presentarle su lista a la clase.

1. Los Estados Unidos, España y la independencia americana

Los primeros contactos importantes entre los Estados Unidos y España ocurrieron en el siglo XVIII. Debido a una larga historia de conflictos entre España e Inglaterra, los españoles apoyaban° el movimiento de independencia en las colonias inglesas. Esta posición se basaba más en el deseo de ver la pérdida de las colonias inglesas que en los principios filosóficos. El imperio español compartía una larga frontera con las colonias inglesas y francesas (aproximadamente a lo largo° del río Misisipí). Sin duda, España pensaba que sería más fácil defender esta frontera contra la nueva nación pequeña —los Estados Unidos— que contra Inglaterra.

Sea cual fuere° el motivo, la realidad es que los españoles, aliados con los franceses, comenzaron a incomodar° a los ingleses en Europa, especialmente en Gibraltar, la colonia inglesa estratégicamente situada en la península para controlar la entrada al mar Mediterráneo. El ataque español comprometió° la marina° inglesa en Europa en el momento más grave de la guerra en América. No se sabe si esto cambió el resultado de la lucha, pero indudablemente acortó° la guerra y facilitó la victoria de las 13 colonias.

Poco después comenzó el largo proceso de pérdidas coloniales para España. Cedió el territorio del río Misisipí (conocido como Luisiana) a Francia, y poco después, se vio obligada a vender la región que ahora es el estado de Florida. Además, inspirados por el ejemplo norteamericano, los criollos hispanoamericanos también lograron separarse de la madre patria. Ya para 1830 el imperio español se había reducido a las islas del Caribe, las Filipinas y algunas colonias pequeñas en la costa de África. Los Estados Unidos fueron uno de los primeros países en reconocer la legalidad de las nuevas naciones, con expresiones de simpatía° ideológica y moral. Declararon su apoyo en la famosa Doctrina Monroe[2] (1823) que proclamaba la soberanía° del hemisferio sobre su propio destino y decía además que los Estados Unidos no mirarían con indiferencia ninguna tentativa de imponer un sistema europeo en el continente.

Después de esta época, el problema básico en las relaciones entre España y los Estados Unidos hasta 1898 fue el caso de la isla de Cuba. Aunque Cuba era parte del imperio, siempre existieron sentimientos de independencia. Los Estados Unidos, al mismo tiempo, valoraban° la isla y no hay duda de que querían anexarla a la unión norteamericana. Había más posibilidades que esto ocurriera si Cuba fuera independiente, y no una colonia española. En 1848, los Estados Unidos se ofrecieron a comprar el territorio, alegando como motivo el peligro de que cayera en manos de otro poder europeo. El presidente Buchanan ofreció $50 000 000, pero en 1854 se llegó a ofrecer $120 000 000 por la isla. En ese mismo año el gobierno norteamericano tomó una posición algo agresiva basada en el peligro que podría representar Cuba para los Estados Unidos: si la isla cayera en manos de otro poder o si siguiera importando esclavos africanos los Estados Unidos tendrían el derecho de tomarla por la fuerza. Esta política, que siguió en efecto hasta fines del siglo XIX, sirvió de base a la invasión de 1898.

En 1895 los Estados Unidos comenzaron a sentirse suficientemente fuertes° como para apoyar la rebelión iniciada años antes por los patriotas cubanos bajo la inspiración de José Martí. Una campaña a favor de la guerra de parte de un periódico de Nueva York ayudó a convencer al pueblo norteamericano que era necesario entrar en el conflicto. Cuando el acorazado° *Maine* explotó misteriosamente en el puerto

---

[2] **Doctrina Monroe** So called because it was expressed by President James Monroe in a message to Congress in 1823.

Margin glosses:
supported
along
Whatever might have been
harass
committed; navy
shortened
solidarity
sovereignty
valued
strong enough
battleship

Este señor cubano
sostiene un cuadro de
José Martí, poeta y
héroe de Cuba.

de La Habana, los que querían que los Estados Unidos participaran en la guerra se
aprovecharon del incidente para echarles la culpa a los españoles.

En abril de 1898, el presidente McKinley pidió al Congreso permiso para
50 entrar en la guerra entre Cuba y España³. Alegó como justificación cuatro razones:
(1) el deseo humanitario de poner fin a la matanza°, (2) la necesidad de proteger a
los ciudadanos norteamericanos residentes en Cuba, (3) la protección del comercio
entre Cuba y los Estados Unidos, (4) la amenaza que significaba la guerra para
los estados situados a poca distancia de la isla. La guerra duró menos de un año,
55 durante el cual la marina norteamericana tomó Cuba, Puerto Rico y las Filipinas.
El tratado de paz firmado en París en diciembre de 1898 cedió las Filipinas, Puerto
Rico y la isla de Guam a los Estados Unidos y dejó a Cuba bajo el control de una
fuerza norteamericana de ocupación. La guerra marcó el fin del imperio colonial de
España en América. A causa de ella, surgió° en la península un movimiento cultural
60 llamado la Generación del 98, que buscaba la causa de la decadencia de España y la
manera de volver a la grandeza anterior.

Puerto Rico sigue siendo parte de los Estados Unidos. Durante los más de
cien años de esta relación la isla ha sido otro punto de conflicto. Hoy el pueblo
puertorriqueño demuestra tres actitudes hacia su situación. El primer grupo quiere
65 la estadidad°, o sea, que la isla se incorpore como el estado 51 de los Estados Unidos.
El segundo grupo prefiere la situación actual, que data de 1952, de ser un Estado
Libre Asociado° bajo el cual tienen algunos privilegios de ciudadanos regulares,
aunque no todos (por ejemplo, tienen representación, pero sin voto en el Congreso
y no pagan impuestos federales). El tercer grupo, con menos influencia, prefiere la
70 independencia. La gran mayoría quiere mantener una relación estrecha° con los
Estados Unidos, pero los intelectuales tienen cierto temor de que su cultura se pierda
o que se transforme por estar en contacto constante con su vecino y socio° gigante.

En la actualidad las relaciones entre España y los Estados Unidos se limitan a las
relaciones comerciales y la presencia de España en la OTAN⁴. Un conflicto reciente
75 ocurrió cuando España formó parte de la coalición en el Medio Oriente pero terminó
esa relación bajo la presión de las bombas que puso Al Qaeda en el metro de Madrid.

---

³ *guerra entre Cuba y España* Called the Spanish-American War in U.S. history. It began as a
struggle by Cuba for independence. José Martí was one of the inspirational leaders of the movement. The Hearst newspapers were in a circulation war with the Pulitzer papers, and both sent
reporters to Cuba to file sensational stories which had the effect of inflaming public opinion in
the United States. The National Geographic Society conducted an investigation in 1998 and
still could not decide between an accidental explosion or the effect of a Spanish mine. ⁴ *OTAN*
Organización del Tratado del Atlántico Norte The North Atlantic Treaty Organization or NATO
in English.

slaughter

there arose

statehood

Commonwealth

close

partner

11-3 Comprensión. Responda según el texto.

1. ¿Cómo ayudó España a las 13 colonias?
2. ¿Qué territorios españoles pasaron a ser de los Estados Unidos en 1898?
3. ¿Qué es la Doctrina Monroe?
4. ¿Qué quería hacer Buchanan con Cuba?
5. ¿Quién era José Martí?

11-4 Opiniones. Exprese su opinión personal.

Elementos de la lectura

1. ¿Cree que los Estados Unidos deben ayudar a los países donde hay dictadura a liberarse de la opresión? ¿Por qué sí o por qué no?
2. ¿Cree que los Estados Unidos deben tener una relación especial con Hispanoamérica a causa de su historia semejante y su proximidad? Explique.

Conceptos generales

3. ¿Sigue Ud. las noticias internacionales? ¿Dónde consigue la mayoría de la información?
4. ¿Cree que hay medios de comunicación objetivos? ¿Cuáles son?
5. ¿Cree que las cadenas *(networks)* de televisión presentan las noticias sin prejuicios políticos? Explique.

II. Los Estados Unidos y las nuevas naciones americanas

Además del reconocimiento diplomático de Cuba, los Estados Unidos se ocuparon durante el siglo XIX de las fronteras con Texas y California, que todavía restringían° la expansión norteamericana por pertenecer a México. La Doctrina Monroe fue ampliada para incluir no solo una prohibición de la
5 colonización sino también la de cualquier intervención diplomática. Esto se hizo porque el presidente Polk temía que los europeos se metieran° en el problema de Texas, pero fue el principio de una política dominadora de los Estados Unidos hacia México. Los Estados Unidos ayudaron a los texanos y también a los ciudadanos de California que buscaban la independencia de México. Al
10 lograr la independencia, Texas pidió incorporarse a los Estados Unidos. La petición fue aceptada, y México —aunque no se hallaba en condiciones de sostener esta lucha— inmediatamente declaró la guerra contra los Estados Unidos. Con el Tratado de Guadalupe Hidalgo (1848)[5], que puso fin a la guerra, los mexicanos se vieron obligados a aceptar la pérdida de casi la mitad de su
15 territorio nacional, incluyendo Texas, California, Nuevo México, gran parte del estado de Arizona y toda la región al norte de estos estados. Cinco años más tarde, con el Tratado de Gadsden, los Estados Unidos compraron otra faja° de tierra en el sur del estado de Arizona porque ofrecía una ruta hacia el océano Pacífico, algo que el gobierno consideraba necesario para el desarrollo
20 de California. Como consecuencia, el gobierno mexicano quedó en pésimas

---
[5] *Tratado de Guadalupe Hidalgo* This treaty, signed in 1848, ended the war between the United States and Mexico. Most of what is now the western United States was ceded by Mexico.

restricted

would meddle

strip

in a terrible state; test

condiciones°, lo que preparó la situación para la primera verdadera prueba° de la Doctrina Monroe.

loans

Debido al costo de la guerra contra los Estados Unidos, el gobierno mexicano bajo Benito Juárez se vio obligado a suspender el pago de los préstamos° que le
25 habían hecho varios gobiernos europeos. Inglaterra, Francia y España se pusieron de acuerdo sobre la necesidad de intervenir con una fuerza militar para proteger sus intereses[6]. En realidad, veían la posibilidad de establecer una colonia en América.

conceived

El más interesado era Napoleón III, que tramó° el plan y mandó a Maximiliano a México. A pesar de que la Doctrina Monroe prohibía tal invasión, los Estados
30 Unidos, que en ese momento se hallaban en medio de la Guerra Civil, no pudieron evitarla y los mexicanos tuvieron que defenderse solos sin la ayuda de los Estados Unidos.

Durante la segunda mitad del siglo XIX, los Estados Unidos siguieron una política de expansión. Una tentativa de conseguir más territorio de México fracasó

rejected

35 cuando el Congreso rechazó° el tratado. El gobierno de la República Dominicana pidió ser incorporado al territorio de los Estados Unidos, y estos pasaron unos años tratando de conseguir la isla[7]. Pero el único esfuerzo que tuvo éxito fue la compra de Alaska de los rusos.

Otra cuestión que interesaba a los Estados Unidos en esta época era la
40 posibilidad de construir un canal en Centroamérica. El mejor lugar para el canal

isthmus

era el istmo° de Panamá, que formaba parte de Nueva Granada, Colombia. El tratado con Nueva Granada en 1846 y el Tratado Clayton-Bulwer con Inglaterra

purpose

en 1850 tenían como propósito° asegurar los derechos de los Estados Unidos sobre cualquier canal o ferrocarril que fuera construido en la región. El tratado con
45 Inglaterra también buscaba imponer límites al establecimiento de colonias inglesas en la región y comprometía a los Estados Unidos a garantizar la neutralidad de un futuro canal. Proclamó, además, que ningún canal del futuro sería propiedad de los Estados Unidos.

Así era la situación a fines del siglo XIX. Hasta ese momento las relaciones entre
50 todos los países americanos habían demostrado cierta unidad contra las continuas amenazas europeas. La Doctrina Monroe no parecía ser un documento imperialista, sino uno que afirmaba la independencia de todas las naciones americanas. La última década del siglo XIX, sin embargo, abrió una nueva época en las relaciones interamericanas, caracterizada por declaraciones de unidad cada vez más fuertes° y

stronger and stronger

55 por actos cada vez más agresivos de parte de los Estados Unidos.

---

[6] ***para proteger sus intereses*** Default on debt payments was mainly an excuse. Napoleon III sent Maximilian, archduke of Austria, to take over and become emperor of Mexico. A large group of Mexican conservatives supported this ill-fated move. [7] ***la isla*** The island of Hispaniola consisted of the former Spanish colony, the Dominican Republic, and the former French colony of Haiti. Because Haiti served as a base for French colonial pretensions, and because the island was a strategically important naval base, the United States was continually trying to take it.

11-5 Comprensión. Complete según el texto.

1. El Tratado de Guadalupe Hidalgo puso fin a _____.
2. Los Estados Unidos ganaron una ruta hacia el océano Pacífico por _____.
3. Napoleón III era el líder europeo más interesado en _____.
4. En el siglo XIX los Estados Unidos se interesaban en _____ en Panamá.
5. El Tratado Clayton-Bulwer buscaba imponer límites al _____ en Centroamérica.
6. La Doctrina Monroe parecía afirmar _____.

11-6 Opiniones. Exprese su opinión personal.

Elementos de la lectura

1. ¿Cree que México presenta problemas de seguridad para los Estados Unidos? ¿Por qué sí o por qué no?
2. ¿Cree que las relaciones con México son más importantes que las relaciones con los otros países hispanoamericanos? ¿Por qué?

Conceptos generales

3. ¿Con qué país parecen ser las relaciones mejores hoy día? ¿Y peores? Explique.
4. ¿Cree que las relaciones interamericanas merecen más o menos atención del gobierno? Explique.
5. ¿Cuáles son los motivos más importantes de la diplomacia de los Estados Unidos?

III. El panamericanismo y «el coloso del norte»

En 1889, a petición de los Estados Unidos, tuvo lugar la primera reunión panamericana en Washington. Hubo otras en 1902 en México, 1906 en Río de Janeiro y en 1910 en Buenos Aires. Aunque el gobierno norteamericano siempre apoyó estas reuniones, sus acciones no contribuyeron a una idea de amistad y
5 alianza. Primero, los Estados Unidos participaron en la guerra contra España, que resultó en la adquisición de Puerto Rico por parte de los norteamericanos y en la ocupación de Cuba por un tiempo no determinado.

Otro aspecto de la política norteamericana hacia Cuba fue la declaración en 1901 de ciertas prohibiciones contra el gobierno cubano[8]: (1) este° no permitiría
10 fuerzas de otras naciones en la isla, (2) no contraería° deudas excesivas, (3) daría a los Estados Unidos el derecho de intervención para proteger la «independencia» del país, (4) vendería a los Estados Unidos la tierra necesaria para construir en la isla una base militar norteamericana (que se llama hoy Guantánamo). En pocas palabras, el gobierno norteamericano pensaba asumir el papel de «protector» del nuevo
15 gobierno cubano.

Debido a ciertas reclamaciones° de parte de países europeos sobre deudas del gobierno dominicano, apareció la amenaza de otra invasión semejante a la que había ocurrido antes en México. Esta vez los Estados Unidos decidieron actuar primero, y en 1905 se apoderaron de° la aduana° de la isla para distribuir el dinero a los
20 gobiernos europeos.

Los recelos° hispanoamericanos aumentaron como resultado de una proclamación del presidente Theodore Roosevelt en 1904 en la que se extendía la Doctrina Monroe para incluir el derecho norteamericano de intervenir en los asuntos de los otros países en caso de una amenaza a su estabilidad y orden
25 internos. Esta idea, llamada el «corolario de Roosevelt a la Doctrina Monroe» es clasificada por la mayoría de los historiadores como la cumbre° de la

the latter
would not contract

claims

took over; custom-house

suspicions

height

[8] **prohibiciones contra el gobierno cubano** This is known as the Platt Amendment (to the Army Appropriations Bill of 1901). It was symbolic of U.S. arrogance for many years in Latin America. It was mentioned in the Cuban Missile Crisis of 1962 since that case, too, involved threatened intervention. The 1979 U.S. protest against the presence of Soviet combat troops in Cuba was another invocation of this policy.

arrogancia norteamericana en las relaciones interamericanas. Roosevelt dijo que no había peligro de intervención en los países que «se portaran bien»° y que mostraran su capacidad de gobernarse «de una manera eficaz° y decente». En casos de «errores crónicos» los Estados Unidos se verían obligados a actuar como «policía internacional» para restaurar° el orden y la civilización en el país.

Haciendo uso de esta doctrina el presidente Taft mandó fuerzas militares a varios países centroamericanos que amenazaban sufrir algún problema interior. Uno de los efectos negativos de esta política era que tendía a favorecer a los dictadores en lugar de los partidos más democráticos.

Taft creó también la «diplomacia del dólar», una tentativa de reemplazar las inversiones° europeas en Hispanoamérica con dólares norteamericanos, lo que ayudaría a eliminar la amenaza europea a la soberanía de estos países. Si no pagaban las deudas, los únicos que se quejarían serían los financieros norteamericanos, y el gobierno garantizaría las deudas. Los que se oponían a esta táctica declaraban que los países pequeños llegarían a ser° casi propiedad de los Estados Unidos. La intervención resulta mucho más fácil cuando no hay necesidad de ponerse de acuerdo con otros gobiernos acreedores°.

Otra, y probablemente la más importante, de las intervenciones de los Estados Unidos fue la construcción del canal de Panamá. Hacia fines del siglo XIX el canal asumió gran importancia en la política estadounidense° a causa de la atracción comercial del Lejano Oriente° y de la necesidad militar de proteger las dos costas de los Estados Unidos. Después de conseguir de Inglaterra el derecho de construir y dirigir el canal por su propia cuenta°, los Estados Unidos tuvieron que entrar en un acuerdo con Colombia, por cuyo territorio iba a pasar el canal. Sin embargo, cuando iba a concluirse el tratado con Colombia el congreso de ese país rehusó° aceptar los términos, porque querían aclarar algunos artículos relacionados con los derechos reservados a su propio gobierno. Mientras se debatía el problema, estalló° una revolución en la región de Panamá, una provincia de Colombia, para lograr la independencia. Los colombianos pensaron que los Estados Unidos habían fomentado la rebelión, ya que después de tres días, Roosevelt reconoció a la nueva república de Panamá y comenzaron las conversaciones sobre un tratado de concesión por el cual los Estados Unidos conseguían el derecho de construir el canal, de dirigirlo para siempre y de incorporar la tierra por la cual pasaba como territorio nacional. El canal quedó en manos del «coloso del norte» hasta el 31 de diciembre de 1999 cuando fue entregado a Panamá bajo términos de un tratado firmado en 1977.

Hubo otras intervenciones en la América Central durante la segunda década del siglo XX y no fue hasta 1936, durante la presidencia de Franklin Roosevelt —quien inició la política del «Buen Vecino»°— cuando comenzó a haber cambios notables en las relaciones entre los Estados Unidos e Hispanoamérica. Esta política rechazó varias prácticas del pasado y condujo a° algunos tratados: entre ellos, la prohibición de la intervención y de la guerra entre países del continente. Al estallar° la guerra en Europa casi todos los países de América se declararon aliados, por lo que durante los años de la Segunda Guerra mundial hubo paz y amistad entre los Estados Unidos y los países hispanoamericanos.

behaved well
efficient

restore

to replace the investments

would come to be

creditors

of the U.S.
Far East

on its own

refused

broke out

Good Neighbor

led to
break out

11-7 Comprensión. Responda según el texto.

1. ¿Por qué los Estados Unidos invadieron la República Dominicana?
2. ¿Qué era la «diplomacia del dólar», y quién la creó?
3. ¿Cuáles fueron algunos motivos para construir el canal de Panamá?
4. ¿Cómo fueron las relaciones interamericanas durante la Segunda Guerra mundial?

11-8 Opiniones. Exprese su opinión personal.

Elementos de la lectura

1. En su opinión, ¿por qué llaman los hispanoamericanos «coloso del norte» a los Estados Unidos?
2. ¿Cree Ud. que la política actual hacia Hispanoamérica es buena? ¿Por qué?

Conceptos generales

3. ¿Cómo podrían los Estados Unidos mejorar las relaciones generales en el mundo?
4. ¿Cree Ud. que la diplomacia de los Estados Unidos se ha mostrado arrogante? Explique.

IV. Las relaciones en la época de la posguerra

Casi todas las relaciones norteamericanas después de la Segunda Guerra mundial fueron influenciadas por la «guerra fría» entre los Estados Unidos y la Unión Soviética. Los aliados hispanoamericanos ocuparon un lugar importante en este juego diplomático porque casi todos tenían gobiernos conservadores, pero al mismo 5 tiempo veían el nacimiento de nuevos movimientos izquierdistas°. Por lo general, aunque estos movimientos mostraban una ideología de izquierda, sus lazos con el movimiento comunista internacional eran débiles°. Sus intereses tendían a ser nacionalistas, antinorteamericanos y anticapitalistas.

Basándose en° los acuerdos y tratados interamericanos, los Estados Unidos 10 comenzaron a formular tratados de seguridad mutua. Los gobiernos conservadores firmaban con gusto estos acuerdos porque contenían garantías de estabilidad interna e iban acompañados de° ofertas° de ayuda económica en forma de armas modernas. Puesto que estos dictadores generalmente mantenían su poder gracias a las fuerzas militares, las armas representaban una ayuda efectiva contra cualquier 15 grupo rebelde. De nuevo, la política norteamericana aparecía como una política dominadora que exigía cierta conducta de los países vecinos a cambio de° la ayuda económica y la amistad. Esta nueva actitud fue formalizada en el Tratado de Río de Janeiro⁹ de 1947. Se trataba en realidad de una alianza militar, la primera de este tipo para los Estados Unidos desde 1778, cuando el nuevo gobierno había aceptado 20 la ayuda francesa.

En 1948 los representantes de veintiuna repúblicas se reunieron en Bogotá para el Noveno Congreso Internacional de Estados Americanos. En medio de tumultos° y violencia¹⁰ se formularon los principios de un nuevo cuerpo: la Organización de Estados Americanos (OEA), que primero se había llamado La Unión de Repúblicas 25 Americanas y luego El Sistema Interamericano. La nueva organización, además de reconocer el alto nivel de actividad nacida durante la guerra, creó un consejo° permanente de defensa para coordinar la cooperación militar, es decir, la venta de armas y el entrenamiento° de oficiales. La Unión Panamericana fue designada como Secretariado de la organización y el órgano principal de las relaciones culturales.

⁹ **Tratado de Río de Janeiro** Known as the Rio Pact; the full name: Inter-American Treaty of Reciprocal Assistance. It expressed adherence to the recently formed United Nations and declared the intention to settle disputes peacefully. It also declared that an armed attack against any American State constituted an attack against all.
¹⁰ **tumultos y violencia** Known as the *Bogotazo;* rioting and burning broke out when a popular political leader was assassinated. The conference seemed to be part of the motive.

leftist

weak

Based on

were accompanied by; offers

in exchange for

riots

council

training

A pesar de los acuerdos, la corriente anticomunista en los Estados Unidos llevó
al gobierno a mezclarse° en los asuntos de varias naciones para que el comunismo
no ganara ninguna ventaja.

El caso más notable fue el de Guatemala. El Partido Comunista logró alguna
influencia en el gobierno de Jacobo Árbenz Guzmán, un presidente reformista con

ideología de izquierda. La oposición, encabezada° por el General Carlos Castillo
Armas, estaba preparando una revolución en el vecino país de Honduras. Árbenz
aceptó la ayuda ofrecida por la Unión Soviética, y eso despertó el interés de los
Estados Unidos. Estos ofrecieron ayuda secreta a Castillo Armas, en forma de armas y

de entrenamiento, que fue llevado a cabo° por la Agencia Central de Inteligencia. Esto
hizo posible el triunfo de la revolución en 1955. Aunque los Estados Unidos negaron°
sus acciones durante diez años, las admitieron después. Con un caso comprobado°, los
hispanoamericanos comenzaron a culpar° a los Estados Unidos cada vez que ocurría
un incidente semejante. Los Estados Unidos siempre han negado su interés en estas
situaciones, pero ocurrieron otros casos, como el de la Bahía de Cochinos° en Cuba

en 1961, donde la misma táctica fue empleada, aunque sin éxito.

Cuba, por su proximidad geográfica, ha sido otro punto de conflicto entre los
Estados Unidos y los países hispanoamericanos.

El presidente John F. Kennedy formuló una nueva política hacia Latinoamérica
llamada «La Alianza para el Progreso». El nuevo programa consistía en un esfuerzo°

continental de cooperación, cuya base era la oferta de ayuda económica en casos
donde el gobierno local demostrara algún esfuerzo propio, es decir, donde se pudiera
formar una alianza entre la ayuda norteamericana y el capital nativo para un programa
de desarrollo. Este plan atrajo mucho interés entre los intelectuales americanos por su
indiscutible idealismo. En la práctica, sin embargo, logró muy poco.

Con la llegada al poder de los sandinistas en Nicaragua, Centroamérica volvió

a ocupar la atención del gobierno norteamericano porque prestaban° apoyo a los
guerrilleros de los países vecinos como El Salvador. Los dos países fueron la escena
de violencia constante durante la década de 1980. En 1990 los sandinistas perdieron
las elecciones y su poder político. En 1992 los guerrilleros salvadoreños y el

gobierno moderado llegaron a un acuerdo° que puso fin a° la lucha° armada.

En 1989 en Panamá y otra vez en 1993 en Haití, los Estados Unidos volvieron
a sus métodos antiguos. En los dos casos intervino el ejército norteamericano para

derrocar° a un gobierno militar y devolver a los candidatos elegidos a la presidencia.
Por un lado actuaron a favor de la democracia, pero por el otro constituyeron
otras intervenciones más en la larga serie que ha caracterizado las relaciones
interamericanas.

El caso de la guerra en 1982 entre la Argentina y Gran Bretaña por las islas
Malvinas[11] muestra otro aspecto de la complejidad de las relaciones interamericanas.
Por un lado un antiguo aliado de Europa y por el otro una nación americana
quieren el apoyo de los Estados Unidos. Ni la Doctrina Monroe ni el Tratado de

Río impidieron° que el gobierno norteamericano apoyara a los ingleses. El hecho
de que el gobierno militar argentino estaba casi totalmente desacreditado° en el
continente añadió otro factor a la decisión. La presidenta Fernández (Argentina) ha
vuelto a abrir el caso en 2012 ante las Naciones Unidas.

El Tratado de Libre Comercio[12], firmado por Canadá, los Estados Unidos
y México es el primer paso a la creación de una zona de libre comercio en el

---

[11] **Islas Malvinas** Called the Falkland Islands in English. Argentina has long claimed sovereignty
over these islands but Great Britain has refused to give them up. In 1982 Argentina attempted to
take them by force but was unsuccessful in the face of an all-out British defense.   [12] **Tratado de
Libre Comercio** This treaty is abbreviated TLC in Spanish. It is called the North American Free
Trade Agreement or NAFTA in English.

sources
trust

are raised

basically

80

85

90

hemisferio entero para el futuro. Este proceso tampoco es sencillo puesto que algunos países, como el Brasil, no quieren perder su dominio económico sobre sus vecinos. Con el fin de la «guerra fría» las relaciones han perdido algo de su base ideológica para concentrarse en cuestiones económicas. El presidente Chávez de Venezuela se ocupa en la construcción de un grupo de países que pueden resistir la dominación. Está usando las ganancias de la venta de su petróleo para conseguir apoyo de otros países latinoamericanos. Otro conflicto viene del hecho de que varios países hispanoamericanos son las fuentes° principales de drogas ilegales.

La historia hace difícil lograr una actitud de confianza° y respeto mutuos. Es interesante notar que un latinoamericano o un español y un norteamericano pueden llegar fácilmente a ser buenos amigos a pesar de sus diferencias culturales, religiosas o económicas. Pero, cuando estas diferencias se elevan° al nivel nacional se vuelven verdaderos obstáculos para la paz y comprensión que todo el mundo, en el fondo°, desea.

11-9 Comprensión. Responda según el texto.

1. ¿Por qué atraían tanta atención los países hispanoamericanos durante la «guerra fría»?
2. ¿Qué aspecto único tenía el Tratado de Río de Janeiro?
3. ¿Cuál era la misión principal de la OEA?
4. ¿Cuáles eran las bases de la «Alianza para el Progreso», y quién originó esta política?
5. ¿Qué dilema para las relaciones interamericanas surgió durante la guerra de las Malvinas?

11-10 Opiniones. Exprese su opinión personal.

Elementos de la lectura

1. ¿Cree Ud. que los tratados de libre comercio entre los Estados Unidos y los países hispánicos mejoran o empeoran las relaciones? Explique su respuesta.
2. ¿Cómo debe el gobierno norteamericano resolver el problema de las drogas?

Conceptos generales

3. ¿Cree que puede haber una prohibición total de armas nucleares? ¿Cómo?
4. ¿Cuáles son los países más agresivos hoy día en querer entrar en el «club nuclear»?
5. ¿Es la obligación de los Estados Unidos evitar que otros países tengan armas nucleares?

11-11 Actividades de vocabulario. En grupos pequeños, hagan las siguientes actividades.

> **Los prefijos** *Un prefijo es un grupo de letras que se añade al inicio de una palabra o de un lexema para formar una nueva palabra. Así por ejemplo, el prefijo **pre-** puede formar las palabras **prehispánico, predecir, preseleccionar, prelavado**. Estudie estos prefijos de uso común.*

PREFIJO	SIGNIFICADO	EJEMPLO
re-	acción repetida	reconquistar
anti-	contra	antiácido
sub-	debajo de	subterráneo
in-, im-	contrario de	indecisión, imperfecto
con-, com-	unión, colaboración	compadre

A. Prefijos. Escriba el prefijo adecuado para completar la palabra correspondiente a la definición.

1. persona que sirve inmediatamente a las órdenes del director   _____ director
2. comenzar otra vez   _____ iniciar
3. que está en contra de la democracia   _____ democrático
4. vivir en compañía de otros   _____ vivir
5. que no es correcto   _____ correcto
6. persona que tiene la misma patria (*homeland*)   _____ patriota
7. contrario a la sociedad   _____ social
8. volver a construir   _____ construir

B. Repaso de familias de palabras. Complete usando una palabra relacionada con la palabra entre paréntesis.

1. (prohibir) El tratado contiene _____ contra la intervención.
2. (los Estados Unidos) La política _____ se basaba en la «guerra fría».
3. (ideal) Ese programa es caracterizado por un tono _____.
4. (ideología) El movimiento tiene semejanzas _____ con el comunismo.
5. (colonia) España fue un país _____.

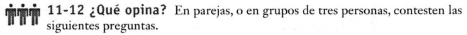

¡A explorar!

11-12 ¿Qué opina? En parejas, o en grupos de tres personas, contesten las siguientes preguntas.

1. ¿Cuáles son las causas de la enemistad entre los gobiernos hispanoamericanos y los Estados Unidos?
2. ¿Qué diferencias hay entre los motivos básicos de la política internacional de los Estados Unidos y los de un país hispánico?
3. ¿Cree que es posible tener unidad en el hemisferio occidental? ¿Por qué?

11-13 Debate. Organice dos equipos para que ataquen o apoyen esta resolución.

La influencia de las grandes compañías multinacionales es mala para los países en vías de desarrollo.

11-14 Situación. Ud. acaba de ser elegido(a) presidente(a) de los Estados Unidos. En la campaña electoral prometió mejorar las relaciones interamericanas. Ahora tiene que cumplir con su promesa. ¿Qué va a hacer en ese campo?

11-15 Investigación Trabajando en grupos, busquen en Internet o en la biblioteca información sobre la historia reciente de uno de los países hispánicos. ¿Quién es el (la) presidente? ¿Cuáles son las mayores características de su economía? ¿Qué partidos políticos dominan? ¿Cómo son sus relaciones con los Estados Unidos? Prepárense para describirles a sus compañeros la información encontrada.

11-16 El arte de escribir

Repaso. Escriba una composición en la que exponga su opinión sobre la idea de que todos los habitantes de este hemisferio deben hablar tanto el español como el inglés. Incluya ideas que apoyen su opinión.

iStockphoto

11-17 Las noticias. Lea el siguiente artículo y coméntelo entre los miembros de la clase. ¿Cuáles son los tres procesos que van a cambiar en el futuro según el autor del artículo? ¿Qué opina Ud.?

TRIBUNA°: JUAN GABRIEL TOKATLIAN
—Opinión—
El ocaso° de la doctrina Monroe

Public platform

twilight

fifth Summit

survives
discordant / heat up again
encouraging; closing

withdrawal

unforeseen

suppliers

food
revaluation
clashes / solidify

made clear

goal

undertook
resume

behavior

La V Cumbre° de las Américas recién celebrada en Trinidad y Tobago tuvo un desarrollo convencional y una conclusión disonante°, pero un alcance eventualmente alentador°. La clausura° del encuentro fue el cierre simbólico de tres procesos históricos diferentes.

En primer lugar, parece que se acentúa el ocaso de la doctrina Monroe. En efecto, el retraimiento° de Washington respecto a Latinoamérica en el comienzo del siglo XXI fue notorio, mientras el avance de China en América Latina es elocuente. Rusia parece dispuesta a retornar al área, al tiempo que Irán, India y Suráfrica se proyectan activamente hacia la región. Los cinco —Pekín, Moscú, Teherán, Pretoria y Nueva Delhi— procuran, como proveedores° en unos casos y consumidores en otros, reforzar los lazos en materia energética y alimenticia° en el marco de la revalorización° de las pugnas° estratégicas en torno a los recursos vitales...

En segundo lugar, la cumbre explicitó° la decidida urgencia (de la región) y la relativa voluntad (de Washington) de terminar la vieja guerra fría y no iniciar una nueva. En efecto, la guerra fría concluyó en gran parte del mundo y difícilmente va a reanudarse°: Rusia es un actor insatisfecho, pero no revisionista, mientras China, como lo demuestra su comportamiento° ante la actual crisis económica, continúa su ascenso como un poder moderado y pragmático. El único lugar donde sobrevive° la guerra fría, y puede aún recalentarse°, es América Latina. El embargo impuesto por Estados Unidos a Cuba y la persistencia de una obsesión geopolítica con la isla no pueden preservarse más por razones éticas y prácticas. Evitar una nueva guerra fría entre Washington y Caracas resulta imperativo: la inestabilidad que se produciría en la región en el evento de una exacerbación incontrolada de las tensiones entre EE.UU. y Venezuela sería de enorme peligro para Latinoamérica y de consecuencias imprevistas° para Washington.

En tercer lugar, el encuentro de Puerto España demostró el fin de un tipo determinado de cumbre. La principal razón de ser de los sucesivos cónclaves —Estados Unidos (1994), Chile (1998), Canadá (2001) y Argentina (2005)— fue cimentar° las bases políticas para la concreción de un Área de Libre Comercio de América (ALCA). Cuando el 1 de enero de 2005 —meses antes de la IV Cumbre de Mar del Plata— no se materializó el ALCA, esa meta° perdió sentido. Desde antes de esa fecha Estados Unidos emprendió° acuerdos de comercio binacionales (Chile, Perú, Colombia, Panamá) y con subregiones (Centroamérica más República Dominicana).

Asistimos a un momento infrecuente en las relaciones interamericanas: pocas veces se han presentado tantas condiciones concurrentes° para que Latinoamérica reduzca la subordinación respecto de Estados Unidos. La oportunidad está presente; su buen o mal uso depende, en mayor grado, de América Latina. Esto se produce en un contexto en el que sobresalen° múltiples mandatarios° con vocación transformadora° y visión estratégica. Casi todos los hombres y mujeres al frente de los Ejecutivos en la región poseen un perfil orientado por el cambio, independiente de la mirada° ideológica de cada uno.

Por último, EE UU. paradójicamente necesita hoy más de Latinoamérica que ésta de Washington: la importancia del electorado «hispano» crece; temas como el narcotráfico que entrelazan°

el continente no se pueden resolver seriamente con más prohibición; la energía procedente del área sigue siendo segura; desde la región no hay amenazas del terrorismo transnacional ni actores con armas de destrucción masiva. Aunque parezca exagerado, en el futuro será Washington el que deba ajustar mejor sus políticas hacia Latinoamérica: no hacerlo incrementará la propensión en la región a desoír° sus prescripciones y deslegitimar° sus acciones. En ese sentido, la V Cumbre significa posiblemente el fin de una época y el inicio, ojalá promisorio, de una nueva era en las relaciones interamericanas.

Juan Gabriel Tokatlian es profesor de Relaciones Internacionales de la Universidad de San Andrés (Argentina).

El País, Madrid

simultaneous

stand out
leaders / ignore
a desire for change / discount

view

intertwine

Victoria para Chino directed by Cary Fukunaga

▶ Victoria para Chino

En mayo de 2003, un camión llevaba a 90 indocumentados mexicanos y centroamericanos. Nunca llegó a su destino: la ciudad de Houston. En Victoria, Texas, la policía encontró el camión abandonado y dentro de él, a 19 personas muertas.

11-18 Anticipación. Antes de mirar el video, haga estas actividades.

A. Conteste estas preguntas.

1. ¿Cuáles estados tienen frontera con México?
2. ¿Cómo cruzan la frontera los inmigrantes indocumentados?
3. ¿Cree que tratar de entrar a los Estados Unidos en forma ilegal es peligroso? Explique.
4. ¿Por qué hay personas que arriesgan *(risk)* la vida para entrar a los Estados Unidos?

B. Vocabulario útil. Estudie estas palabras del video.

chino *nickname used to refer to a kid*
el retén *police checkpoint*
un chingo *regionalism for «a lot»*
calladitos *very quiet*
buey *Mexican expression to refer to a friend*
el agüita *a litte bit of water*

11-19 Sin sonido. Mire el video sin sonido una vez para concentrarse en el elemento visual. ¿Qué les pasó a las personas en el camión?

11-20 Comprensión. Después de ver el cortometraje con sonido, conteste las siguientes preguntas.

1. ¿Por qué suben las personas al camión?
   a. porque no tienen dinero para pagar un autobús
   b. porque quieren entrar a los Estados Unidos ilegalmente
   c. porque son prisioneros
   d. porque son fugitivos

2. Tienen que mantener silencio cuando pasan por...
   a. Houston.
   b. Victoria.
   c. el retén.
   d. la autopista.

3. ¿Por qué muere el niño?
   a. porque no ha comido en muchos días
   b. porque estaba enfermo y no llegaron a tiempo al hospital de Houston
   c. porque hace mucho calor en el camión y no tienen agua
   d. El niño no muere; solamente pierde conciencia.

4. ¿Por qué no llega el camión a Houston?
   a. porque el chofer lo abandona en Victoria
   b. porque la policía los para en el retén
   c. porque todos en el camión mueren
   d. porque las personas hacen demasiado ruido

5. El título del cortometraje es irónico porque...
   a. el video no es sobre la China.
   b. Victoria es un lugar en Texas.
   c. está basado en un hecho real.
   d. Chino no es victorioso.

11-21 Opiniones. En grupos de tres o cuatro estudiantes, comenten estos temas.

1. ¿Arriesgarían Uds. la vida para lograr el sueño americano?

2. ¿Qué harían si estuvieran atrapados en el camión?

3. ¿Quién creen que fue responsable de la muerte del niño?

4. ¿Qué opinan sobre la inmigración indocumentada? ¿Ha cambiado su opinión después de ver el cortometraje?

5. ¿Cuál es la solución más eficaz a la cuestión de la inmigración?

La presencia hispánica en los Estados Unidos

Richard Levine/Alamy Limited

El Desfile Nacional Puertorriqueño tiene lugar el segundo domingo de junio en Manhattan.
¿Qué otros desfiles grandes tienen lugar en Nueva York?

Lecturas culturales

   I. El orgullo del apellido hispano
   II. Importantes comunidades hispanas
   III. ¿Qué español es mejor?
   IV. La inmigración del nuevo siglo

Expansión

¡A explorar!

En pantalla

«La experiencia inmigrante»

🌐 www.cengagebrain.com

Enfoque

Por varias razones históricas, la población actual de los Estados Unidos contiene más del 16% de personas de ascendencia hispana. Esto hace que los hispanos constituyan la primera minoría étnica de la nación. Se proyecta que para el año 2050 los hispanos constituirán el 30% de la población. Se calcula que hay unos 32 millones de personas de antecedentes mexicanos, 4 millones de puertorriqueños°, 2 millones de cubanos, 7 millones de Centroamérica y Sudamérica, y unos 3 millones de otros países hispánicos. A diferencia de otros grupos étnicos, la mayor parte de estos nunca inmigraron a los Estados Unidos, ni son descendientes de inmigrantes. En el suroeste de los Estados Unidos, muchas personas fueron incorporadas a los Estados Unidos a través del Tratado de Guadalupe Hidalgo en 1848. Los puertorriqueños se convirtieron en ciudadanos en 1917. En otras palabras, la mayoría de las personas de habla hispana en los Estados Unidos son los habitantes de territorios ocupados en dos guerras.

Generalmente el inmigrante llega a una nueva tierra dispuesto a asimilar la cultura, a aprender una lengua, a adaptarse a las costumbres y a los valores del país, muchas veces con un entusiasmo extremado. Pero cuando se ve incorporado por la fuerza° a otra cultura, no siente esta disposición. Más bien tiende a resistirse y a tratar de preservar su cultura original como un tipo de defensa. Un caso comparable es el de la provincia de Quebec, en Canadá, donde la situación de los habitantes de cultura francesa se asemeja a la de los de origen hispánico en los Estados Unidos. Es indispensable conocer este contexto para comprender las actitudes contemporáneas de esta minoría étnica.

Puerto Ricans

by force

Lucan Jackson/Corbis

Muchos inmigrantes llegan a los Estados Unidos en busca de trabajo.
¿En qué industrias encuentran trabajo?

Vocabulario útil

Verbos

aceptar *to accept*
aprovechar *to make good use of*
aspirar *to aspire*
criticar *to criticize*
denunciar *to report, turn in*
emigrar *to emigrate*
exiliarse *to go into exile*
mantener *to support*
transmitir *to transmit*

Sustantivos

el acento *accent*
el apellido *last name*
el asentamiento *settlement*
el asilo político *political asylum*
la barrera *barrier*
el choque cultural *culture shock*
la controversia *controversy*
los derechos humanos *human rights*
la discriminación *discrimination*
la enculturación *enculturation*
la entonación *intonation*
la frontera *border*
el idioma *language*
la inmigración *immigration*
la lengua *language*
el lenguaje *language, means of communication*
el modismo *idiom*
el mural *mural*
la reforma migratoria *immigration reform*
la tradición *tradition*
la variante *variant*
la vergüenza *embarrassment*

Adjetivos

coloquial *colloquial*
poblado(a) *populated*
proveniente *from*

12-1 Para practicar. Trabajen en parejas, o como lo indique su profesor(a), para contestar estas preguntas, usando el vocabulario de la lista.

1. ¿Cuál es tu apellido? ¿De qué país es proveniente?

2. ¿Cuándo emigraron tus antepasados a los Estados Unidos? ¿De dónde vinieron? ¿Cuál es su ascendencia? ¿Sabes por qué inmigraron? ¿Vinieron dispuestos a asimilarse a la cultura?

3. ¿En tu familia se mantienen algunas tradiciones étnicas? ¿Cuáles son?

4. ¿Crees que es mejor que los inmigrantes se adapten a su nuevo país o es mejor que se queden aparte en su propia comunidad? ¿Por qué?

12-2 Anticipación. En parejas o grupos de tres, hagan una lista de los problemas con que se encuentran los hispanos en los Estados Unidos y algunas soluciones posibles. Prepárense para presentarle su lista a la clase.

I. El orgullo del apellido hispano

pride
paternal

maternal; lies

disclose

ascribed to

ignored

arguing
cultural baggage

indication

peers
marketing; salable

succeed

ancestors; post

countless; councilors;
representatives

it will become stronger

to pronounce

Para los hispanos, el apellido es un gran orgullo°. El hispano utiliza principalmente el apellido paterno°, aunque en muchos países, como Colombia y España, es muy común ver que la gente usa dos apellidos, el paterno y el materno°. Sea cual sea el caso, la importancia del apellido radica° en que representa
5 la tradición familiar y, en muchos casos, el reconocimiento de la sociedad. Por ello se ve con más frecuencia que se divulgue° un apellido y no que se oculte.

En los Estados Unidos el criterio en cuanto al apellido hispano ha sido diferente y ha experimentado varios cambios a través del tiempo. Por diversas razones, seguramente atribuibles° a la discriminación, el apellido hispano fue en una época
10 motivo de vergüenza, ya que con el solo hecho de escribirlo se dejaba en claro que los orígenes del individuo eran latinos, lo que décadas atrás originaba que dicha persona fuera dejada de lado° y no gozara de las mismas oportunidades que los anglosajones.

No es raro encontrar familias hispanas que dejaron de hablar español con sus hijos argumentando° que para progresar en estas tierras se debe hablar inglés, y por
15 esa razón abandonaron todo su bagaje cultural°. Existe también el caso de niños que cambiaron automáticamente su nombre para no ser discriminados en la escuela, como sería el caso de «Aurora» por «*Dawn*», o «Margarita» por «*Maggie*».

Lo cierto es que años atrás, el uso del apellido hispano era indicio° de problemas, lo cual es claramente apreciable en el mundo del espectáculo de la
20 década del 1950 y 1960. En la década de 1950 el famoso cantante Ritchie Valens, que popularizó la mundialmente conocida canción «La bamba» no se llamaba sino Ricardo Valenzuela. Hijo de padres mexicanos, Valenzuela aspiraba a entrar al mercado de música americana enfocándose en la música popular de esa época y añadiendo ciertos detalles hispanos. Talento no le faltaba, lo que llamó la atención
25 de los productores discográficos. Sin embargo, la condición para acceder a la fama era cambiarse el apellido por uno más atractivo, corto, fácil de pronunciar y, por supuesto, no asociado con la cultura latina. A consecuencia de ello, Valenzuela pasó a utilizar el apellido Valens, compatible con el de sus pares° Buddy Holly y Bill Haley.

Más allá de la presión de mercadeo° por obtener un nombre más vendible°, hay
30 que destacar que detrás de esa decisión estaba el asegurarse de *no* vender a un artista hispano, ya que el público de esos años no se hubiera sentido atraído por su origen étnico y se habría convertido en un fracaso comercial.

Las cosas han cambiado y, hoy por hoy, el idioma español está incorporado a la cultura estadounidense. No es raro ver películas estadounidenses que en su guión
35 incorporan alguna palabra en español, para darle cierto toque de distinción a lo que expresan los actores. Incluso podemos ver modelos de autos que utilizan estas palabras para otorgarles estilo.

Este cambio de perspectiva ha hecho que grandes actores de Hollywood, como el español Antonio Banderas o el puertorriqueño Raúl Juliá, hayan podido
40 trascender° en el cine en inglés sin necesidad de cambiar su nombre. O como la actriz Cameron Díaz, quien decidió usar su apellido real, heredado de su padre de ancestros° cubanos y españoles, en vez de apostar° al apellido inglés de su madre.

A diario podemos ver en la televisión, radio y cine nombres como Geraldo Rivera, Jennifer López y George López. En el mundo político vemos un
45 sinnúmero° de apellidos hispanos de concejales°, diputados° y senadores. Se ha demostrado que el hispano tiene talento y se esfuerza en hacer que los Estados Unidos sigan siendo una gran nación, en la que existe desde hace mucho una conciencia latina que ya ha sido aceptada socialmente. Esta conciencia crecerá y se fortalecerá°. Ya no hay razón por ocultar las raíces hispanas. Los hijos de
50 las personalidades mencionadas anteriormente se multiplicarán y seguirán pronunciando° en voz alta, con orgullo, sus apellidos hispanos.

12-3 Comprensión. Responda según el texto.

1. ¿Por qué es importante el apellido para los hispanos?
2. En la década de 1950 en los Estados Unidos, ¿qué representaba tener un apellido hispano desde el punto de vista comercial?
3. ¿Qué tendencia hay hoy entre las celebridades con respecto a un apellido hispano?
4. Explique brevemente la frase del ensayo «una conciencia latina que ya ha sido aceptada socialmente». Cite dos ejemplos.

12-4 Opiniones. Exprese su opinión.

Elementos de la lectura

1. ¿Por qué cree que la mentalidad estadounidense cambió con respecto a la aceptación de los apellidos hispanos en el mundo del espectáculo?
2. Exprese su acuerdo o desacuerdo con la idea de que las familias hispanas deben dejar su idioma y cultura a un lado para adaptarse mejor y tener éxito en los Estados Unidos. Dé razones.

Conceptos generales

3. ¿Qué importancia tiene para Ud. el apellido? ¿En qué casos considera que podría causar vergüenza o problemas un apellido anglosajón?
4. Explique si está de acuerdo o no con las personas que cambian sus nombres en los documentos oficiales. ¿Cuáles serían razones válidas para hacerlo? ¿Cree que cambiarse el nombre significa cortar un lazo familiar?
5. ¿Cómo compara la participación de hispanos en el mundo cultural estadounidense con la de otros grupos étnicos?

II. Importantes comunidades hispanas

Las comunidades hispanas se encuentran distribuidas a lo largo de todos los Estados Unidos. Razones históricas y políticas hicieron que ciertos grupos se establecieran en determinadas zonas y, con el tiempo, sus parientes°, amigos o individuos provenientes del mismo país o región se unieran a la misma comunidad.

5 Este proceso de inmigración y asentamiento en una zona determinada dio origen a fuertes y sólidas comunidades que mantienen su cultura, idioma y tradición, y que pueden ser detectadas geográficamente.

Sin duda, el grupo hispano más prominente es el de origen mexicano. Cualquier persona que haya viajado por los estados de Texas, Nuevo México,
10 Colorado, Arizona y California habrá visto que existe una gran influencia hispana en los toponímicos°, los apellidos, la arquitectura, la comida y la lengua que se escucha en la calle o en la radio. Si una ciudad lleva su nombre en inglés, se puede estar seguro de que su origen es reciente°, como Phoenix, en el estado de Arizona, que fue fundada° en el siglo XIX como parada° de ferrocarril°, mucho después de
15 Casa Grande, Mesa, Ajoy, Yuma, entre otras. Los nombres de montañas, como Guadalupe y Sangre de Cristo, no solo denotan la presencia mexicana sino también su devoción° por la religión católica que trajeron desde su país.

Estas regiones fueron pobladas por mexicanos desde la época colonial. Debido a su proximidad a México, la inmigración mexicana se produjo de manera natural.
20 Más tarde, debido al conflicto de intereses con los anglosajones por esas tierras, se originó una guerra que finalizó en 1848 con el Tratado de Guadalupe Hidalgo, en el que México le cede° a los Estados Unidos parte de los territorios de Colorado,

relatives

toponymics (place names)

recent
established; stop, station; railroad

devotion

cedes, gives

Arizona, Nuevo México y Wyoming, así como todo el territorio de California, Nevada y Utah. Es por ello que en el suroeste de los Estados Unidos prevalece la

25 cultura mexicana.

Sin embargo, en el norte, específicamente en la zona de Chicago, la presencia de la comunidad mexicana también es notoria°. En la década de 1960 hubo una fuerte llegada de mexicanos que aprovechaban la gran oferta de trabajo que se prestaba en el campo industrial. Según los historiadores, esta inmigración a Chicago

30 comenzó en la década de 1920, cuando muchos mexicanos llegaban a trabajar en la construcción del ferrocarril. Es por eso que hoy, en la ciudad de Chicago, los famosos murales que adornan la ciudad nos muestran parte de la cultura hispana que se ha instalado allí.

La segunda comunidad hispana importante es la puertorriqueña, que se

35 concentra° principalmente en el noreste del país. La ciudad de Nueva York y sus suburbios son famosos por ofrecer comida de Puerto Rico en muchos restaurantes, arte y cultura, como en el Museo del Barrio de Manhattan, y música y diversión en el famoso Festival Puertorriqueño que recorre° la ciudad con desfiles y trajes folclóricos.

40 Los puertorriqueños pasaron a ser ciudadanos estadounidenses en 1917, por resolución del Acta Jones. En 1952 la isla fue declarada Estado Libre Asociado. Por esa razón, los puertorriqueños son ciudadanos estadounidenses y pueden entrar y salir libremente de los Estados Unidos. Su motivo para migrar de las cálidas° tierras caribeñas a Nueva York y otras ciudades del este es básicamente económico.

45 Las posibilidades de trabajo que hay aquí no existen en Puerto Rico. La cantidad de puertorriqueños que aumenta cada año refleja° el estado económico de la isla. Contrariamente, cuando la economía de los Estados Unidos disminuye°, el número de puertorriqueños decrece°. La condición política de los puertorriqueños les da la flexibilidad de escoger la isla o el continente, según sus necesidades.

50 El tercer grupo hispano de importancia lo constituyen los cubanos. A fines de la década de 1950, cuando Fidel Castro tomó el poder de la isla de Cuba implementando un sistema comunista, muchos cubanos decidieron refugiarse en los Estados Unidos. Dada su proximidad con Florida, fueron poblando esta zona hasta hacerla el estado cubano por excelencia.

55 En las calles de Miami se respira la cultura cubana, tanto es así que la comunidad se ha concentrado en lo que se conoce como *La pequeña Habana*, un barrio donde se escucha el son°, se saborea el sándwich cubano, se habla de peloteros° famosos y se disfruta de partidos de dominó.

No solo los residentes de Miami sino también millones de turistas participan

60 todos los años en el imponente° Festival de la Calle Ocho, al ritmo de la música y tradiciones caribeñas.

Pero Miami también ha pasado a ser el hogar de muchos otros inmigrantes. Una variedad de razones, como la distancia, el clima y una mayor posibilidad de comunicarse en español, hacen que Miami sea el primer sitio elegido para evitar un

65 fuerte choque cultural. Florida parece ser el lugar preferido por los sudamericanos, en especial los argentinos, que desde la gran crisis económica del año 2000 decidieron emigrar masivamente°.

Los argentinos han hecho crecer su comunidad al punto de tener su propia *Pequeña Buenos Aires* en Miami Beach. No es raro caminar por las calles y escuchar

70 el característico acento argentino o música de tango sonando en los negocios. Tiendas y panaderías al mejor estilo rioplatense° ofrecen una variedad de productos que hacen sentir a los argentinos más cerca de su distante país, invitándolos a compartir un café con leche con sus amigos. En Miami se realiza el Festival

evident

gathers together

goes all over

warm

reflects, fig. indicates
decreases
decreases

Cuban type of music
baseball players

impressive

en masse

from the Río de la Plata area: Argentina and Uruguay

Argentino de Rock, donde todos los años participan los artistas más famosos que viajan desde Argentina para mostrar su música en los Estados Unidos.

La zona de Nueva Inglaterra también cuenta con grandes comunidades hispanas. La presencia colombiana es muy fuerte, especialmente en los estados de Rhode Island y Connecticut. En la ciudad de Providence, Rhode Island, se han agrupado muchos inmigrantes que han llegado a los Estados Unidos escapándose de la guerrilla de Colombia, que parece no tener fin a pesar de las diferentes políticas de los gobiernos de turno°. El colombiano ha aportado° a la cultura estadounidense con sus sabrosas comidas, como las arepas°, la picada° y el sancocho°, con el ritmo de su alegre cumbia, y con su característico sentido del humor.

Más al norte, en el área de Boston, Massachusetts, se concentran dos comunidades hispanas muy grandes, la dominicana y la salvadoreña. En ambos casos, como en la mayoría de los casos anteriores, la razón de la inmigración puede ser económica o política. La República Dominicana atraviesa° por una época de suma° pobreza, lo que hace casi imposible para algunas familias obtener las necesidades básicas para alimento y sanidad°. Al igual que sus pares caribeños, los cubanos y los puertorriqueños, la comunidad dominicana celebra anualmente° su identidad en el Festival Dominicano de la Ciudad de Boston, con un despliegue° fantástico de música y comida típica. Los dominicanos han aportado alegría con su música de merengue y han atrapado el gusto de los estadounidenses con sus deliciosos plátanos fritos.

Los salvadoreños empezaron a concentrarse en los suburbios de Boston y ciudades cercanas a mediados de la década de 1980, cuando la sangrienta° guerra civil los obligó a exiliarse. Los Estados Unidos les ofreció asilo político y les permitió inmigrar en condición de refugiados°, permitiéndoles trabajar e instalarse para mantener a sus familias. Afortunadamente, la situación política actual de El Salvador está controlada y no hay guerra civil. Sin embargo, la economía no es de lo mejor, lo cual obliga a que la inmigración salvadoreña en los Estados Unidos siga en aumento. Programas de radio y televisión a cargo de locutores salvadoreños nos transmiten parte de la cultura y belleza de su país.

Por supuesto, los límites de estas comunidades no son fijos; simplemente sirven para orientar al lector en cuanto a la importancia de las comunidades hispanas en este país. Aquellos países no mencionados en este ensayo, como Perú, Costa Rica y Bolivia, no cuentan con comunidades fuertemente establecidas, pero sus individuos también forman parte del crisol° de nacionalidades que caracteriza a los Estados Unidos.

Glosses (left margin):
- *of the moment; has contributed; cornmeal roll; mixture of fried meat, bread, and lard; stew, casserole*
- *goes through*
- *great*
- *health*
- *annually*
- *display*
- *bloody*
- *refugees*
- *melting pot, fig. mixture*

12-5 Comprensión. Responda según el texto.

1. ¿Por qué la mayoría de los mexicanos se concentran en el suroeste de los Estados Unidos?
2. ¿Cuál es la causa principal del exilio de cubanos en el estado de Florida?
3. ¿Qué factores asemejan la isla de Cuba con el estado de Florida?
4. ¿Qué ventaja tienen los puertorriqueños en cuanto a su estatus político?
5. ¿Cuáles se podrían decir que son las causas principales de la inmigración hispana a los Estados Unidos? Cite ejemplos.

12-6 Opiniones. Exprese su opinión.

Elementos de la lectura

1. ¿Cuál cree que es la diferencia de Puerto Rico en ser un Estado Libre Asociado y no un estado como los demás?
2. ¿Considera que todos los inmigrantes que vienen de países con problemas políticos deben recibir asilo político? Dé razones.
3. ¿Cree que las comunidades hispanas o de otras etnias son positivas o negativas para una ciudad? Dé razones.

Conceptos generales

4. Escoja un país de Latinoamérica e indique qué estados serían apropiados para crear una comunidad con personas de ese país. Considere factores como la geografía, el clima, la producción y los tipos de trabajo, entre otros.
5. Explique cuáles serían las causas para que usted decidiera emigrar a otro país. ¿Qué país elegiría y por qué?

III. ¿Qué español es mejor?

La presencia hispana en los Estados Unidos ha dejado en claro que existe una amplia° variedad de acentos, vocabulario y entonaciones dentro del mismo idioma. De la misma manera que existen distintos acentos en inglés, dependiendo del estado e incluso de la ciudad, existen distintos acentos entre los
5 hispanohablantes.

Algunas de las preguntas que los estudiantes de español les hacen a sus profesores son: ¿Qué español es mejor? ¿Qué tipo de español conviene° aprender? ¿Cuál es el español más universal? La respuesta a este tipo de pregunta es la misma: ninguno en particular.
10 A lo largo de la historia el lenguaje evoluciona eliminando palabras, incorporando otras apropiadas a la época en que se vive, e incluso adoptando palabras de otros idiomas. Este proceso hace que el lenguaje esté en constante cambio y que el español que en un momento se consideró correcto pase a ser arcaico°, y que el lenguaje popular pase a incorporarse a los diccionarios. Este es
15 un proceso normal, ya que toda lengua deriva° de otra. El español mismo era la variante inculta° del latín y solo la hablaba el pueblo, no los intelectuales. Con el tiempo, esa lengua vulgar continuó desarrollándose hasta convertirse en el idioma oficial de España.

Los estadounidenses aprenden español de diversas fuentes. Muchos de los que
20 lo aprenden en la escuela primaria tienen maestros que generalmente han tenido experiencias en España y hablan con el deje° español, pronunciando la **c** y la **z** de manera diferente que los latinoamericanos y aprendiendo el uso de la forma **vosotros**. Luego, cuando estos estudiantes miran un programa de televisión con actores latinoamericanos, se dan cuenta de que lo que aprendieron no concuerda°
25 con lo que escuchan. Su acento y pronunciación son completamente distintos. Por otra parte, aquellos que se criaron en barrios latinos y convivieron° con cierta comunidad hispana, adoptan el acento y el vocabulario de esos países.

Existe una tercera posición, que es la adopción de palabras del inglés, mecánicamente natural al vivir en un país de habla inglesa y que, por estar lejos de
30 las fuentes del español, resulta más conveniente que averiguar la palabra correcta. Es así que entre los inmigrantes se produce el fenómeno conocido como *spanglish*, en el que se generan palabras como *mopear* para «fregar», o «te doy un *ride*» en

wide

is advisable

archaic
derives
vulgar

lilt

coincides

lived together

neologisms, new words

lugar de «te llevo». Es tan frecuente el uso de estos términos, ahora considerados incultos, que tarde o temprano se aceptarán y se convertirán en neologismos°.

35 La reflexión sobre las preguntas mencionadas anteriormente es que la variedad del español es tan grande que uno tiene la libertad de escoger la variante que más se adapte a sus necesidades, ya sea un viaje a Europa, al Caribe o a Sudamérica, la necesidad de comunicarse con personas del suroeste del país o de pedir comida caribeña en el noreste.

40 A pesar de las preferencias, es importante aclarar que no hay barreras entre

incomprehensible

una variante y otra. Probablemente existan palabras incomprensibles° al principio, la mayoría ligada a tradiciones o a modismos, que serán fácilmente interpretadas dentro del contexto. Así, un argentino dirá **colectivo**, un puertorriqueño dirá **guagua** y un colombiano dirá **bus**, pero todos entenderán que están hablando de un 45 autobús.

proclaim
myth
claim

Además de las preguntas cuestionadas por los estudiantes de español, existe el otro lado del dilema, el de la competencia entre países y los que proclaman° tener el español más puro. Esta idea no es nada más un mito° ya que el español ha dejado de ser puro desde tiempos remotos. Los lingüistas aluden° a que el español puro 50 no existe ni siquiera en España, dada la evolución que se indicó anteriormente. Por ello, ante la pregunta de si el español de Colombia es mejor que el español de México, la respuesta es simple: ambos tienen el mismo valor lingüístico y sirven para el mismo propósito de comunicación. La riqueza de una u otra variante dependerá de cómo lo emplee el hablante, sin importar de qué país provenga o qué 55 acento tenga. En todos los países hay personas que hablan más la lengua coloquial y personas que prefieren utilizar un lenguaje más académico; por consiguiente estamos expuestos a escuchar diferentes estilos provenientes del mismo país, lo cual hace que ningún país tenga un español mejor que otro.

pronouns

El estudio oficial del español nos dice que los pronombres° en las preguntas 60 deben ir al principio o al final de la misma, por ejemplo **¿Tú qué quieres?** o **¿Qué quieres tú?**, calificando de agramatical° la construcción **¿Qué tú quieres?** con

ungrammatical

el pronombre entre medio. Sin embargo, esta forma de sintaxis es una de las más escuchadas en los Estados Unidos por parte de la población caribeña. Cabe aclarar que no se trata de un uso vulgar, puesto que esta construcción es empleada por 65 periodistas, abogados, médicos y profesionales de diversas áreas. ¿Podemos decir entonces que el español de Cuba, Puerto Rico o República Dominicana es inferior al de Costa Rica o Uruguay? Definitivamente que no.

Las variedades lingüísticas están relacionadas con la cultura de cada país y en gran parte con las influencias migratorias recibidas. De la misma manera, la 70 influencia migratoria en los Estados Unidos está cambiando el idioma y quizás en el futuro se genere uno nuevo.

Si bien existen reglas generales que se intentan respetar para mantener cierta uniformidad, no existe un español mejor ni peor. Cada variedad viene cargada de una historia cultural y popular que se transmite a todos aquellos que deseen 75 aprenderla.

12-7 Comprensión. Responda según el texto.

1. ¿Cómo se originó el español?
2. Mencione dos problemas que puede encontrar al hablar con un hispanohablante. Dé ejemplos.
3. En la variante lingüística *spanglish*, ¿cuál es el idioma dominante?
4. ¿Qué se quiere decir con que no hay español puro?
5. ¿Qué característica sintáctica tiene el español caribeño?
6. ¿En qué momento los idiomas dejan de transformarse?

12-8 Opiniones. Exprese su opinión.

Elementos de la lectura

1. ¿Cuál es el mayor desafío que Ud. enfrentó cuando habló con un hispanohablante?
2. ¿Cuál es el español apropiado para Ud. y por qué?
3. ¿Cree que las escuelas deben enseñar el español de un país en particular o presentar una variedad? Explique.

Conceptos generales

4. Escoja un cuento o artículo en español que haya leído y mencione qué elementos del lenguaje le llamaron más la atención.
5. ¿Cuál cree que es la razón de la existencia del *spanglish*?
6. ¿Cree que al estadounidense le interesa más aprender el español coloquial o el académico? Explique.
7. ¿Hasta qué punto considera que se deben seguir las reglas estipuladas de un idioma?

IV. La inmigración del nuevo siglo

El fenómeno° de inmigración en los Estados Unidos es indudablemente una parte importante de la historia nacional. Este proceso ha presentado diferentes aspectos: se lo ha defendido, se lo ha criticado, ha causado beneficios y ha provocado controversia en la vida política. En la actualidad, la inmigración hispana
5 es un tema candente° que parece no terminar nunca. Se escucha con frecuencia a inmigrantes y políticos pidiendo una reforma migratoria; se ven imágenes de la frontera con México donde se levanta un muro° para evitar el paso de personas; e incluso existen los autodenominados° *minutemen*, que ayudan voluntariamente a la policía de inmigraciones denunciando a inmigrantes. Por otra parte vemos que los
10 inmigrantes trabajan y aportan elementos importantes para esta nación. Muchos se destacan° en el campo académico, científico, político, artístico y deportivo. Otros vienen a aprovechar las posibilidades laborales° que no tuvieron en sus países o que no eran suficientes para mantener a sus familias. Otros llegan dispuestos° a estudiar en universidades importantes para poder aportar sus conocimientos en el futuro.
15   Lo cierto de la historia es que nadie puede negar que la inmigración es un proceso histórico natural que no se detendrá. Las condiciones de los Estados Unidos son ideales para que personas de todo el mundo se acerquen a buscar nuevas oportunidades. El famoso sueño americano no es fácil de conseguir y hay que trabajar duro para lograrlo, pero es posible. Por esa razón, la inmigración ha
20 existido desde siempre.
    Sin retroceder° demasiado en el tiempo, a fines del siglo XIX se produjo una inmigración muy fuerte de irlandeses. Dadas las pobres condiciones de trabajo y el hambre que se sufría en Irlanda, los irlandeses llegaron masivamente a trabajar en los campos y en el ferrocarril. A principios del siglo XX, millones de italianos
25 escaparon de la guerra en Europa, refugiándose también en América. De la misma manera y por razones semejantes°, los hispanos dieron origen a la corriente° migratoria más poderosa de la historia de los Estados Unidos.
    Se deben tener en cuenta varios factores. Los hispanos ya estaban en territorio estadounidense desde antes de la independencia. Luego de guerras y tratados°, las
30 tierras se dividieron pero los habitantes, en este caso de origen mexicano, siguieron viviendo en el ahora territorio estadounidense. La necesidad de que las familias de ambos lados de la frontera siguieran en contacto era obvia. Los mexicanos iban y

phenomenon

burning

wall
self-named

to stand out
work-related
ready

to go back

similar; current

treaties

venían; algunos regresaban y muchos se quedaban en el norte. Y esa necesidad de
buscar nuevos horizontes se extendió a otros países.

35   La proximidad de los países de habla hispana hace que los Estados Unidos
sea el sitio preferido para emigrar. A pesar de la barrera del idioma y de las fuertes
diferencias culturales, la cercanía de los Estados Unidos es más atractiva que cruzar°
to go across
el océano para llegar a Europa, sobre todo teniendo en cuenta las posibilidades de
progreso que se ofrecen aquí.

40   La historia política de Latinoamérica ha atravesado por décadas de dictadura°,
dictatorship
provocando el exilio político de muchas personas. Además, los ciclos° de crisis
cycles
económica se repiten en un país y otro, privando° a muchos de tener una forma de
depriving
vida digna°. Estos problemas sociales han afectado todo el continente, desde México
decent
hasta Chile, y han provocado que millones de personas tomen la difícil decisión de
45   dejar su país para probar suerte en otro.

El proceso de llegada de inmigrantes continúa y cada vez es más fuerte. Como
se explicó anteriormente, hay quienes lo defienden argumentando que es una
cuestión de derechos humanos y que los Estados Unidos han sido por excelencia
el país que abrazó a inmigrantes de todo el mundo. Quienes lo critican están
overpopulation
50   intentando evitar que se produzca una superpoblación° que pudiera generar una
crisis laboral y económica.

Para lograr un punto medio entre estas dos posiciones, el gobierno está
trabajando desde hace años en aprobar una ley migratoria que privilegie° a quienes
favors
ya están dentro del país y permita que aquellos que reúnan ciertos requisitos puedan
55   entrar al país.

Con esta reforma se intenta controlar la inmigración y la estadía° ilegal, y por
stay
consiguiente terminar con las numerosas redadas° que la policía de inmigración
raids
hace para buscar inmigrantes indocumentados° y luego deportarlos a su país de
illegal
origen. De esa manera se evitará la dolorosa° experiencia que ocurre cuando
painful
60   deportan a una persona, separándola de su familia.

Sabemos que el flujo° de inmigrantes hispanos no cesará°. Seguirán llegando
flow; won't stop
para aportar su trabajo y su cultura. También para ser partícipes de° un largo
to contribute to
proceso sociológico conocido como **enculturación,** por medio del cual se deben
adaptar a una nueva cultura y adoptar elementos de esta como parte de su vida
65   diaria. La enculturación suele ser un proceso difícil pero necesario para poder
asimilarse al nuevo lugar que se eligió para vivir.

Emigrar a otro país no es una decisión simple. Los inmigrantes que han llegado
a los Estados Unidos quieren formar parte de esta sociedad sin olvidar sus raíces°.
roots
La reforma migratoria que se debate en el Congreso busca beneficiar a todos y
from scratch
70   empezar desde cero° una nueva etapa en la historia del país.

12-9 Comprensión. Responda según el texto.

1. A través de la historia, ¿qué posición han mantenido los Estados Unidos con
   respecto a la inmigración?
2. ¿A qué país latinoamericano le correspondían ciertos territorios que ahora son
   estadounidenses?
3. ¿Cuáles son las dos razones principales de la inmigración hispana en los
   Estados Unidos?
4. Mencione dos razones por la que los hispanos eligen los Estados Unidos para
   emigrar.
5. ¿Cuáles son los objetivos de la reforma migratoria?
6. ¿Qué riesgos podría enfrentar una familia de inmigrantes si no se aprueba una
   reforma migratoria?

12-10 Opiniones. Exprese su opinión.

Elementos de la lectura

1. ¿Cree que la construcción de muros en la frontera es un medio eficaz *(efficient)* para detener la inmigración? Explique.

2. Entre los problemas políticos y los problemas económicos, ¿cuáles cree que son más determinantes para decidir emigrar a otro país? Explique.

3. Mencione algunos ejemplos de enculturación que experimentan los inmigrantes hispanos.

Conceptos generales

4. Explique si está o no de acuerdo con la llegada de inmigrantes. Dé razones que apoyen sus ideas.

5. ¿Bajo qué condiciones Ud. emigraría a otro país?

6. Si Ud. tuviera que escribir la reforma migratoria, ¿en qué consistiría?

Este señor latinoamericano es uno de miles inmigrantes que se convirtieron en ciudadanos de los Estados Unidos. ¿Ha asistido Ud. alguna vez a una ceremonia de naturalización?

12-11 Actividades de vocabulario. En grupos pequeños, hagan las siguientes actividades.

> **La contextualización** La mejor manera de aprender vocabulario nuevo y recordarlo es utilizar las nuevas palabras en oraciones. Esto se llama «contextualización». También se puede usar Internet para encontrar ejemplos de la palabra usada en oraciones, o sea, en contexto.

A. Contextualizar. Escriba oraciones con las siguientes palabras del vocabulario.

Modelo inmigración
La inmigración en los Estados Unidos tiene defensores y críticos.

1. emigrar
2. choque cultural
3. idioma
4. provenientes
5. modismo
6. asentamiento

B. Repaso de sinónimos. Empareje los sinónimos.

1. aspirar   a. costumbre
2. emigrar   b. habitada
3. asilo   c. idioma
4. frontera   d. límite
5. lengua   e. pasar
6. mural   f. pintura
7. tradición   g. querer
8. variante   h. refugio
9. poblada   i. salir
10. transmitir   j. variedad

C. En contexto. Complete con la palabra del **Vocabulario útil** apropiada.

1. El _____ paterno es el que más se usa entre los hispanos.
2. Casi todos tenemos _____ al hablar otro idioma.
3. La reforma migratoria es un tema que presenta mucha _____.
4. El consumo de comida chatarra puede ser un ejemplo de _____.
5. Los Estados Unidos tienen _____ con México y Canadá.
6. El lenguaje _____ es más informal que el lenguaje académico.
7. Los *minutemen* quieren _____ a los inmigrantes indocumentados.
8. Los _____ son frases o palabras que caracterizan el idioma de un país o de una región.

12-12 ¿Qué opina? En parejas o en grupos de tres personas, contesten las siguientes preguntas.

1. Comparen los aportes de la comunidad hispana en los Estados Unidos con los de otros grupos de inmigrantes.
2. Expliquen por qué en el sur de los Estados Unidos hay mucha influencia del español pero en el norte no hay tanta influencia del francés de Canadá.
3. Investiguen el significado y origen de las palabras *chicano* y *boricua*.
4. ¿Cuál creen que serían las ventajas o desventajas de devolverle a México las tierras que una vez le pertenecieron?

 12-13 Debate. Organice dos equipos para que ataquen o apoyen esta resolución:

Los Estados Unidos tenían el derecho de aumentar su territorio en el siglo XIX aunque tuvieran que quitarles la tierra a otras personas como a los hispanos y a los indígenas.

12-14 Situación. Imagine que Ud. es nativo(a) del planeta Marte y acaba de inmigrar a la Tierra por razones económicas. ¿Qué cosas tendrá que hacer al llegar aquí? ¿Cómo van a reaccionar los terrestres ante el hecho de que Ud. es de color verde claro y que mide más de tres metros? ¿Qué les va a responder? ¿Cuáles van a ser sus mayores problemas?

12-15 Investigación. Trabajando en grupos, busquen en Internet o en la biblioteca información sobre uno de los días de fiesta de un grupo latino inmigrante. Puede ser una de las nacionalidades mencionadas u otra semejante. ¿Qué celebran y en qué fecha ocurre? ¿En qué ciudades de los Estados Unidos son mayores estas celebraciones? Prepárense para describirles a sus compañeros la información encontrada.

12-16 El arte de escribir

Repaso. Escriba una composición para exponer sus opiniones sobre si existe o no la discriminación en los Estados Unidos hoy día. Trate de convencer al (a la) lector(a) de que su posición es la acertada *(the right one)*.

12-17 Las noticias. Lea los dos artículos periodísticos que se presentan a continuación. Luego conteste la siguiente pregunta: ¿Por qué es necesaria la diversificación entre las radioemisoras latinas hoy día? Use la información de los artículos para apoyar su opinión.

La radio hispana se diversifica para adaptarse a los cambios

¿Salsa? ¿Merengue? ¿Música tradicional hispana? No espere escucharlos en La Kalle 105.9 FM, la flamante radio en español.

En cambio si le interesan Daddy Yankee, Don Omar y muchos otros artistas de reggaeton, además de los astros de hip-hop y reggae, la emisora° se los ofrecerá en abundancia junto con locutores° y comerciales que usan «spanglish», una mezcla de español e inglés.

La emisora, que salió al aire hace unos seis meses, ha adoptado un formato denominado «hurban» para los hispanos urbanos, que se dirige a los jóvenes latinos.... Las emisoras «hurbanas» son el ejemplo más reciente de cómo la industria de la radio en español se está haciendo más diversa mientras trata de mantener la atención de una comunidad hispana cada vez más variada....

En otras partes del país, Entravision Communications Corporation ofrece José, una versión musical en español del formato en inglés conocido como Jack, que presenta música de una variedad de décadas y géneros. La compañía también tiene Super Estrella, que transmite pop y rock en español, como también emisoras que ofrecen música regional mexicana, tejano y tonadas románticas....

La diversidad de formatos tiene sentido si se considera la realidad de la comunidad hispana en Estados Unidos, dijo Frank Flores, vicepresidente de Spanish Broadcasting Systems en Nueva York.

En Nueva York, por ejemplo, los puertorriqueños eran la enorme mayoría del público hispano en la década del 80, pero ahora coexisten con mexicanos, dominicanos y otros. Cada país tiene diferentes tradiciones musicales, y los inmigrantes de esas diversas procedencias° quieren oír la música que les resulta familiar.

También hay un número creciente de jóvenes hispanos nacidos en Estados Unidos cuyas familias están aquí desde hace dos o tres generaciones, que hablan más inglés que español, y que han crecido oyendo la música del ambiente°, como hip-hop....

«A lo largo de los años, a causa del crecimiento del mercado hispano, cada vez más emisoras han entrado a funcionar», agregó. «Las ciudades que tenían dos emisoras hoy tienen trece».

El Nuevo Herald, Miami

broadcaster

announcers

origins

popular music

Gael García Bernal critica a Hollywood

El mexicano Gael García Bernal, uno de los actores latinoamericanos más destacados° del momento —gracias a papeles° como el de Ernesto Che Guevara en la película *Diarios de motocicleta*, o a sus interpretaciones en *La mala educación*, *Y tú mamá también*, *Amores perros* o *El crimen del padre Amaro*—, ha criticado a la industria de Hollywood por perpetuar estereotipos negativos de los hispanos con su insistencia de encasillar° a los actores latinos en papeles de malos°. En estas declaraciones, recogidas por el diario británico *The Times* y realizadas durante el Festival de Cine de Londres, el actor reconoce que también hay un estereotipo de latino bueno, «que procede de° los suburbios, con perros que juegan en la basura y gente por todas partes en cuartos llenos de niños. Para ser un buen hispano tienen que salir de allí, ir a la universidad y casarse con la chica blanca», señaló. «Para mí es un problema. Es importante no comprometer° tu identidad, no convertirte en cualquier cosa con tal de° ser aceptado. ¿Por qué tienes que blanquear° tu identidad si quieres formar parte de la sociedad°?», insistió. «Son tiempos duros. Este tipo de cosas se permiten ahora, tras el 11-S°. Como si Estados Unidos no se hubiera enriquecido° con toda la gente que vino de fuera y trajo su cultura consigo», añadió. Gael García Bernal ha interpretado su primer papel protagonista en inglés en *The King*, una película gótica que se ha estrenado en este festival de Londres, ciudad en la que estudió interpretación en la Central School of Speech and Drama.

El País, Madrid

---

outstanding; compromise
roles
in order to
whiten
American society

9/11
to pigeonhole; become rich
bad guys

comes from

"Gael García Bernal critica a Hollywood". © El País Internacional. Reprinted with permission.

«La experiencia inmigrante»

Tres jóvenes estadounidenses son entrevistados. Ellos contestan las preguntas: ¿De dónde proviene tu familia? Si pudieras elegir, ¿en dónde vivirías? ¿Cómo defines las palabras *latino* e *hispano*? ¿Qué opinas sobre los inmigrantes de este país? ¿Qué consejos le darías a alguien que quisiera hacerse ciudadano?

12-18 Anticipación. Antes de mirar el video, haga estas actividades.

A. Conteste estas preguntas.

1. ¿De dónde proviene su familia? ¿Cuándo emigraron a los Estados Unidos?
2. ¿Cree que los Estados Unidos es un país de inmigrantes? ¿Por qué?
3. ¿De qué países provienen muchos hispanos de los Estados Unidos?
4. ¿Cree que los inmigrantes deben hacerse ciudadanos tan pronto como puedan? Explique.

B. Vocabulario útil. Estudie estas palabras del video.

desarrollarse *to grow (as a person)*
elegir *to choose*
la frontera *border (between nations)*
el indocumentado *illegal immigrant*
involucrarse *to get involved*
provenir *to come from*
la vía *way*

12-19 Sin sonido. Mire el video sin sonido una vez para concentrarse en el elemento visual. ¿Cómo se llaman los tres entrevistados y dónde viven?

12-20 Comprensión. Estudie estas preguntas y trate de descubrir las respuestas correctas al mirar el video.

1. Los padres de Liz son de...
   a. México.
   b. Puerto Rico.
   c. Cuba.
   d. la República Dominicana.

2. ¿Qué tienen en común Andrew y Claudia?
   a. Ambos nacieron fuera de los Estados Unidos.
   b. Ambos elegirían vivir en los Estados Unidos.
   c. Ambos emplearían a un indocumentado.
   d. Ambos viven en la Florida.

3. Para Andrew, la palabra **latino** se refiere a una persona...
   a. de Latinoamérica.
   b. hispanohablante.
   c. española.
   d. inmigrante.

4. ¿Qué piensa Liz de los inmigrantes ilegales que están en este país?
   a. que deberían recibir la ciudadanía o residencia
   b. que deberían regresar a sus países de origen
   c. que no deberían trabajar porque esa es la ley
   d. que deberían conseguir un buen abogado

5. Claudia aconseja que...
   a. empleemos a los indocumentados porque son honestos.
   b. nos involucremos en nuestras comunidades.
   c. consigamos un abogado honesto si queremos conseguir la ciudadanía.
   d. vivamos en muchos lugares diferentes.

12-21 Opiniones. En grupos de tres o cuatro estudiantes, comenten estos temas.

1. ¿Hay alguna respuesta de la entrevista con la cual no están de acuerdo? ¿Con cuál y por qué?

2. Para ustedes, ¿existe una diferencia entre las palabras **latino** e **hispano**? ¿Cuál prefieren?

3. ¿Qué obligaciones debe tener una persona que quiere convertirse en ciudadano(a)?

Vocabulario

This vocabulary does not include articles, possessive adjectives, pronouns, numbers, or exact cognates. The gender of nouns is listed except for masculine nouns ending in **-o** and feminine nouns ending in **-a, -dad, -tad, -tud,** or **-ión**. Adverbs ending in **-mente** are not listed if the adjectives from which they are derived are included.

Abbreviations

adj adjective
adv adverb
Am American
auxil auxiliary
conj conjunction
f feminine

fig figurative
m masculine
Mex Mexican
n noun
part participle
pl plural

pret preterite
prep preposition
pron pronoun
refl reflexive
subj subjunctive
s singular

A

abajo below
abandonar to abandon
abarcar to include, comprise, span
abarrotado(a) crowded, packed
abaratar to make cheaper, lower (costs)
abertura opening
abierto(a) open; opened
abogado(a) attorney, advocate
abogar to advocate
abolir to abolish
abrir to open
abrumador(a) overwhelming, wearying
absoluto(a) absolute
absorber to absorb
abstracción abstraction
abstracto(a) abstract
abuelo(a) grandfather, grandmother; **los abuelos** grandparents
abundancia abundance, plenty
abundante abundant, plentiful
abundar to abound, be plentiful
aburrido(a) bored; boring
abusar to abuse
abuso abuse
acá here
acabar to end up; **acabar de** to have just
académico(a) academic
acariciar to caress
acarrear to cause
acceder to accede, give in; to have access to; to reach
accesibilidad accessibility
acceso access
acción action; act; stock
aceite oil
acelerar to speed up, accelerate
acendrado(a) pure

acento accent
aceptar to accept, admit
acerca de about, regarding
acercamiento bringing near
acercarse to approach
acierto good idea
aclarar to clarify
acoger to receive, welcome
acomodado(a) well-to-do
acompañar to accompany; to go along
aconsejable advisable
acontecer to happen, occur
acontecimiento event, occurrence
acorazado battleship
acordar (ue) to agree
acortar to shorten, cut short
acostar (ue) to put to bed
acostumbrado(a) accustomed; customary
acostumbrarse (a) to be used to; to customarily (+ verb); to become accustomed to
actitud attitude
acto act; action
actriz *f* actress
actuación performance
actual current, present, contemporary
actualidad current time, the present
actuar to act, act as; to perform
acudir to participate (in an election)
acueducto aqueduct
acuerdo accord; **de acuerdo a** according to; **de acuerdo con** in agreement with; **estar de acuerdo** to be in agreement; **ponerse de acuerdo** to reach an agreement
acumulación accumulation
acumular to accumulate
acusar to accuse, blame
adaptarse to become adapted, adapt

adecuado(a) adequate
adelantado(a) advanced
adelante ahead; **más adelante** later on
además moreover, besides, in addition; **además de** in addition to
adepto(a) initiate, adept, member
adherente *m* or *f* supporter, adherent
adherir (ie) to be a member of
adhesión support, belief in
adivinación prediction
administrar to administer, run
admirable *adj* wonderful, awesome
admitir to admit; to allow; to accept
adoptar to adopt, take up
adorar to worship
adorno decoration, adornment
adquirir (ie) to acquire
adquisición acquisition
aduana customhouse; customs
adueñarse to take over, acquire
adulto(a) *n* and *adj* adult
advertencia warning
advertir (ie) to warn; **advertirse (ie)** to be noted
aéreo(a) *adj* air
aeropuerto airport
afectar to affect
afición inclination; fondness; taste
afiliarse to join
afín *m* or *f* related (e.g., an idea)
afinidad affinity, resemblance
afirmación assertion; affirmation; statement
afirmar to affirm, assert
africano(a) African
afuera *adv* outside
afueras *f pl* outskirts
agencia agency, bureau
agotar to exhaust, dry up, run out
agradable agreeable, pleasant
agramatical ungrammatical
agrario(a) agrarian, agricultural
agravarse to become worse
agredido(a) assaulted
agresivo(a) aggressive
agrícola *adj m* or *f* agricultural
aguardiente *m* brandy, liquor
agujero hole, opening
águila eagle
ahí: de ahí que thus
ahogado(a) drowned person
ahorrar to save (as money)
ahorro *n* saving
ahuyentar to chase away
aire *m* air; **al aire libre** outside, in the open air
aire acondicionado air conditioning
aislado(a) isolated
aislamiento isolation
aislar to isolate, keep separate

ajedrez *m* chess
ajeno(a) alien, separate
ajuste *m* adjustment
alarmado(a) alarmed
alba dawn
alborozado(a) agitated
alcachofa artichoke
alcalde *m* mayor
alcadía mayor's office
alcanfor *m* camphor
alcance: a su alcance *m* within one's reach
alcanzar to reach; to achieve; to gain; to catch up with
alcázar *m* castle; fortress
alcoba bedroom, alcove
aldea village
alegar to allege, claim, put forward
alejarse to move away, leave
alemán(ana) *n* and *adj* German
alentador(ra) encouraging
alentar (ie) to encourage, inspire
alfabetismo literacy
alfabeto alphabet
alfombra carpet
alfombrar to carpet
algo something; *adv* somewhat
algodón *m* cotton
alguien *pron* someone
alguno(a) someone; **algunos(a)s** some
aliado(a) *adj* allied; *n* ally
alianza alliance
aliarse to side with, ally with
aliento vigor, activity, breathing
alimentación food, diet
alimentar to feed
alimenticio(a) *adj* food
alimento food, nourishment
aliviar to alleviate, lessen; soothe
allegado *m* having arrived
allí there, over there
alma soul, spirit
almacén *m* department store; warehouse
almohada pillow, cushion
almuerzo lunch
alpinismo mountain climbing, hiking
alquiler *n m* rent
alquimia alchemy
alrededor (de) around
alternativa *n* alternative
altiplano high plain
alto(a) high, tall
altura altitude, height
alucinado(a) hallucinatory
aludir to claim
alumno(a) pupil, student
alza rise (in price)
amante *m* or *f* lover, mistress
amar to love

amarillo(a) yellow
ambientalmente environmentally
ambiente *m* environment; atmosphere;
   medio ambiente the environment
ambigüedad ambiguity
ámbito *n* scope; sphere
ambos(as) both
ambulante *adj m* or *f* walking, strolling
amenaza threat
amenazar to threaten
ametrallar to machine-gun
amistad friendship
amo(a) master, mistress
amontonamiento crowding
amor *m* love; **amor propio** self-esteem
amoroso(a) amorous
amparo shelter
amplio(a) wide
ampliado(a) widened, broadened, enlarged
ampliar to widen, broaden, enlarge
Anáhuac *m* Aztec name for valley around Mexico City
analfabeto(a) illiterate
ancestro(a) ancestor
ancho(a) wide
anciano(a) old, elderly
andaluz(a) Andalusian
andino(a) Andean
anécdota anecdote, story
anexar to annex
anexión annexation
anglicismo Anglicism, word borrowed from English
anglo(a) person of English descent
anglosajón(-ona) Anglo-Saxon
ángulo angle
angustia anguish
anhelo desire, eagerness
animar to stimulate, encourage
anonimidad anonymity
anónimo(a) anonymous
ansiar to yearn
antagónico(a) antagonistic, contrary
ante before, in the presence of
antemano: de antemano beforehand
antepasado(a) ancestor, predecessor
anteponer to place first
anterior previous, preceding; former
antes (de) before, earlier;
antes que before, rather than
anteayer day before yesterday
anticipar to anticipate, expect
anticomunista *m* or *f* anticommunist
antiguo(a) old, ancient, antique; former, prior
antiperonista *m* or *f* opponent of the Peronista party
antojo craving
antropología anthropology
antropólogo(a) anthropologist
anualmente annually

anular nullify
anunciar to announce
anuncio announcement, advertisement
añadir to add
año year
aparato apparatus, machine
aparecer to appear
aparentemente apparently
aparición appearance; apparition, vision
apariencia appearance
apartado(a) distant; separated
apartamento apartment
aparte *adv* separate
apegado(a) close; devoted
apellido surname, family name, last name
apenas barely, hardly, just, only
apertura opening
apetito appetite
aplauso applause
aplicar to apply
apoderarse to take control
apodo *m* nickname
aportación contribution
aportar to contribute, add
apostar to bet
apoyar to support, uphold, aid
apoyo support, aid
apreciado(a) esteemed
aprecio appreciation
aprender to learn
apresar to take prisoner
aprestarse to get ready
apretado(a) close together, crowded
aprobación approval
aprobar (ue) to approve; to pass (a course, etc.)
apropiado(a) appropriate
aprovechar(se) (de) to take advantage of; make good use of
aproximadamente approximately
aproximar to draw near, make close
apuntar to point out
aquel, aquella that; **aquellos(as)** those
aquí here
árabe *m* or *f* Arabic or Arabian; *n* Arab
arabesco(a) arabesque
arábigo(a) *adj* Arabic, Arabian
arbitrario(a) arbitrary
árbitro referee
árbol *m* tree
arcaico(a) archaic
área region, area
arenal *m* sandy ground
arepa cornmeal roll
argentino(a) Argentinean, Argentine
argumentar to sustain, defend; to argue
argumento basis; argument, reasoning
árido(a) arid, dry, barren

arma weapon; *pl* arms
armado(a) armed
arqueólogo(a) archaeologist
arquitecto(a) architect
arquitectura architecture
arraigado(a) rooted, deep-seated
arrastrado(a) dragged
arrastrar to carry
arreglar to arrange
arrepentirse (ie) to repent, regret
arriba above, up
arriesgar to risk
arrogante arrogant
arrollador(a) sweeping
arroyo stream, brook
arruinado(a) ruined
arte *m or f* art; skill
artefacto device
artesanía handicraft
articulado(a) articulate
artista *m or f* artist
artístico(a) artistic
asamblea assembly
ascendencia origin, ancestry
ascendente ascending
ascender (ie) to rise to
ascenso promotion
asegurar to assure; **asegurarse** to make sure of;
    to satisfy oneself
asemejarse to be similar
asentamiento settlement
asentar (ie) to place, seat; *refl* to settle (down)
asesinar to murder
asesinato murder
asesino(a) murderer
asesoramiento advising; consulting, tutoring
aseverar to assert, affirm
así thus, in this manner, so, that way; **así que** therefore
asiático(a) Asian
asiento seat
asignatura (school) subject
asilo asylum; **asilo político** political asylum
asimilar to assimilate, incorporate
asimismo likewise
asistencia attendance
asistente *m or f* one who attends, attendee
asistir (a) to attend
asociado(a) associated
asociarse to associate, be related
asombrado(a) surprised
asombro awe, wonder
asonada demonstration
aspecto aspect, look
aspirar to aspire
astrología astrology
astronomía astronomy
astronómico(a) astronomical

asumir to assume, take upon oneself
asunto matter, subject, affair
asustar to scare, startle
atacar to attack
ataque *m* attack
atardecer *m* dusk
ataúd *m* coffin
Atenas Athens
atender (ie) to attend to
atendiendo in response to
atentado attack
atentar to attack
ateo(a) atheist
atmosférico(a) atmospheric
atracción attraction
atractivo(a) attractive; *n m* attraction
atraer to attract
atrajo *pret of* **atraer**
atrapado(a) trapped
atrasado(a) backward
atravesar (ie) to go through; to spread across
atreverse to dare
atribuible ascribed to
atribuir to attribute
atributo attribute, characteristic
atrocidad atrocity
audacia audacity, nerve
aumentar to increase, augment, grow
aumento increase, growth
aun even
aún still, yet
aula classroom
aunar esfuerzos to join forces
aunque although, even though
ausencia absence
auspiciar to sponsor
austeridad austerity
autocrático(a) autocratic
autodidacto(a) self-taught
autodenominado(a) self-called
autoimposición self-imposed
automotor *m* automobile
autonomía autonomy, independence
autonómico(a) of an autonomous region (in Spain)
autónomo(a) autonomous
autor(a) author
autoridad authority; *pl* officials
autoritario(a) authoritarian
autorización authorization, permission
autorizar to authorize, permit
autoservicio self-service market
avalado(a) enacted
avalúo valuation
avance *m* advance
avanzado(a) advanced
ave *f* bird
avenida avenue

aventura adventure
averiguar to find out
ayer *m* yesterday
ayllus *Quechua* Incan community
aymará *m* Aymara
ayuda help, aid
ayudante *m* or *f* assistant, helper; *adj m* or *f* helping
ayudar to help, aid, assist
ayuntamiento city council, city/town hall
azar *m* chance; **al azar** at random
azteca *m* or *f* Aztec (Indian)
Aztlán *m* legendary place of origin of the Aztecs—sometimes thought to be the southwestern U.S.
azúcar *m* or *f* sugar
azucarero(a) relating to sugar
azucena white lily
azufre *m* sulphur
azul blue, azure
azulado(a) bluish
azulejo glazed tile

B

bachiller *m* or *f* bachelor (holder of degree)
bachillerato bachelor's degree
bagaje cultural baggage
bahía bay
baile *m* dance
baja fall (in price)
bajar to descend, go down, lower
bajo(a) low, short; **bajo** *adv* beneath, under
bala bullet
balcón *m* balcony
balompié *m* soccer
balón *m* soccer ball
bananera pertaining to bananas
banano banana tree
bancario(a) relating to banking; financial
banco bank, financial institution; bench
banda band (music)
bandido bandit
banquero(a) banker
barato(a) inexpensive, cheap
barba beard
barbarie *f* barbarism; ignorance
barco *m* ship, boat
barrera barrier
barrial *adj* neighborhood
barril *m* barrel
barrilete kite (in Guatemala)
barrio neighborhood, section, or district of a city
basarse (en) to be based on
base *f* base, basis
básico(a) basic, fundamental
bastante *m* or *f* enough, sufficient; *adv* quite, rather
baste it's enough
basura trash, garbage
batalla battle

batidora electric mixer
batir to break (e.g., a record)
bautismo baptism
bautizado(a) baptized
beber to drink
bebida drink
belicoso(a) warlike, bellicose
belleza beauty
bello(a) beautiful, pretty
beneficiar to benefit
beneficio benefit
benévolo(a) benevolent, beneficial
betabel *m* beet
biblioteca library
bicicleta bicycle
bien well; **más bien** rather; **los bienes** wealth, goods
bienestar *m* well-being
bilingüe bilingual
billón *m* billion
biodiversidad biodiversity
blanco(a) white; *n m* target
blanquear to whiten
bloque *m* block
bobería idiocy, foolishness
boca mouth
bocanada mouthful
boda wedding
boliviano Bolivian unit of currency
bolsa stock market
bolsillo pocket
bomba bomb
bombardeo bombardment
bombazo bomb blast
bondad goodness, good quality
bono bond
boquiabierto(a) open-mouthed
borrador *m* first draft
borrar to erase
bosque *m* forest, woods
botánica botany
botánico(a) *adj* botanical
botín soccer cleat
bravo(a) wild, savage
brecas *n f pl dialect* brakes
brecha breach, gap
breve brief; **en breve plazo** shortly
brigada brigade
brillante brilliant, shining
brillar to shine
brillo shine, brilliance
brindar to provide
brote *m* outbreak, bud
buen, bueno(a) good; **bueno** *interjection* well
buey *Mex* slang word for friend
burguesía bourgeoisie, middle class
burlarse (de) to mock, laugh at
burocracia bureaucracy

burro donkey
busca search; **en busca de** in search of
buscar to look for, seek, try to
búsqueda search

C

caballo horse
cabeza head
cabo end; **llevar a cabo** to carry out, complete
cada *adj* each, every; **cada vez más** more and more
cadáver *m* corpse, dead body
cadena chain
caer to fall
café *m* café; coffee; *adj* brown
caída fall; downfall
calabozo dungeon, jail
calar to catch on
calavera skull
calcular to calculate, figure
calefacción heater
calendario almanac, calendar
caleta cache
calidad quality
cálido(a) hot, tropical; warm
califa *m* caliph, Moslem ruler
calificar to grade (exams, etc.); to classify, categorize
callado(a) quiet
callar(se) to be quiet, shut up
calle *f* street
caló Gypsy dialect
calor *m* heat, warmth
calzar to wear
cama bed
cámara cinematográfica movie camera
cambiar to change; to exchange
cambio change; **a cambio de** in exchange for; **en cambio** on the other hand; **libre cambio** free trade
caminante *m* or *f* walker, traveler
caminar to walk, to travel, to go
caminata walk, stroll
camino road, street, way
camión *m* truck; *Mex* bus
camiseta t-shirt
campaña campaign; countryside
campeador champion
campesino(a) *n* or *adj* peasant, rural
campestre *adj m* or *f* rural, country
campo country, field; campus
camuflado(a) camouflaged
canalizado(a) channeled
canción song
candente burning
candidato(a) candidate
canoa canoe
canonización bestowal of sainthood, canonization
canonizado(a) canonized, admitted to sainthood
cansarse to become tired

cantar to sing; *m n* song
cántico chant
cantidad quantity
canto chant
caña sugar cane
cáñamo hemp
cañón *m* canyon
capacidad capacity; ability
capear el temporal to ride out the storm
capita: per capita per person
capital *m* capital, money; *f* capital city
capitalino(a) from the capital
capitalista *m* or *f* capitalist
capitán *m* captain
capítulo chapter
captar to capture
cara face; side
caracola percussion instrument
carácter *m* character, nature
característico(a) *adj* characteristic; *n f* trait
caracterizar to characterize
carbono carbon
cárcel *f* jail
carecer to lack, be lacking
carga load, burden
cargador(a) porter
cargar to carry; to load; to charge
cargo job, assignment
Caribe *m* Caribbean
caribeño(a) *adj* Caribbean
caridad charity
cariño affection
carisma *m* charisma, personal magnetism
carismático(a) charismatic
carnaval *m* carnival, esp. the week before Lent, Mardi Gras
carne *f* meat, flesh
carnicería meat market
caro(a) expensive, dear
carrera career; race; course
carretera highway
carroza wagon
carta letter; decree
cartel *m* poster
cartero(a) mail carrier
casa house; home; firm
casado(a) married
casarse to marry, get married
casero(a) *adj* home
casi almost, nearly
caso case, occurrence
castellano(a) Castilian; *n m* Spanish language
castidad chastity
castigado(a) punished
castigo punishment
castillo castle
cataclismo disaster, cataclysm

catalán(ana) Catalonian; *n m* the language of Catalonia

catástrofe *f* catastrophe

catedral *f* cathedral

catedrático professor

categoría category; status, rank

católico(a) Catholic

caudal *m* abundance; volume of water

caudaloso(a) abundant, voluminous

causa cause, movement; **a causa de** because of

causar to cause

cautela caution

cautivo(a) captive

cayera *past subj of* **caer**

ceder to cede, turn over; to give in; to give

celebrar to celebrate; to praise

celestial heavenly, celestial

celo zeal

celtíbero(a) Celtiberian

cementerio cemetery, graveyard

cena dinner, supper

cenar to eat dinner

ceniza ash; *pl* ashes

censo census

censurar to censure; to criticize

centenar *m* hundred; *pl* hundreds

centenariamente for centuries

centenario centenary, 100th anniversary

céntrico(a) centrally located

centro center; downtown; middle; headquarters

Centroamérica Central America—the region from Guatemala to Panama

cepillo collection plate

cerámica ceramics

cerca (de) nearly, close to; **de cerca** closely, close

cercanía *n* proximity

cercano(a) nearby

cercar to fence in

cerebro brain

ceremonia ceremony

cero zero

cerrar (ie) to close, shut

certificado certificate

cesar to stop

cese *m* cease(fire)

chabola shack

Chaco area of jungle around border between Paraguay and Bolivia

chanza *dialect* chance

charla chat

charlar to chat

chatear to chat (as on a computer)

che *Argentina* pal, buddy

chelista *m or f* cellist

chicano(a) person of Mexican heritage in the U.S.

chico(a) *n* youngster, youth; *adj* small

chiflar *Mex* to whistle

chileno(a) Chilean

chiquito(a) small child; **rechiquito(a)** *adj* very little

chistoso(a) funny

choque *m* shock, collision, clash; **choque cultural** cultural shock

ciclo cycle

cielo sky, heaven

ciencia science

científico(a) scientific

ciento hundred; **por ciento** percent

cierto(a) certain, sure, a certain; **es cierto** it is true; **lo cierto** the truth

cifra number; cipher

cimetar to solidify

cine *m* movies, movie theater

cinismo cynicism

cinturón *m* belt

circo circus

circular to circulate

círculo circle

circunstancia circumstance

cirugía surgery

cita date, appointment; quote

citado(a) cited

citar to cite, quote

ciudad city

ciudadanía citizenship

ciudadano(a) citizen

cívico(a) civic, civil

civilizado(a) civilized

clandestinamente secretly

clarividencia clairvoyance

claro(a) clear; light (color); **claro que** of course

clase *f* class, type, kind

clásico(a) classic, classical

clasificar to classify, characterize

clausura closing

clavar to plunge (a knife, sword, etc.)

clave *f* key (to a map, puzzle, etc.)

clero clergy, clergyman

cliente *m or f* customer

clima *m* climate

coalición coalition

cocer (ue) to cook

coche *m* car, automobile

cocina kitchen

códice *m* codex; original manuscript

coexistencia coexistence

coexistir to coexist

cohabitar to cohabit, live together

coincidir to coincide, happen simultaneously

colectivo(a) shared; collective; *n m* fixed route taxi or bus; *Arg* bus

colega *m or f* colleague, cohort

colegio secondary school

cólera *m* cholera

coletazo slap with a tail

colgar to hang

colibrí *m* hummingbird
colina hill
colocar to place, locate
colombiano(a) Colombian
colombino(a) of or belonging to Columbus;
    precolombino(a) before the arrival of Columbus
Colón Columbus
colonia colony
colonizar to colonize, take, or settle colonies
colono colonist, settler
coloquial colloquial
colorado(a) *adj* red
coloso colossus, giant
columna column
comandante *m* or *f* commander
combate *m* combat
combatir to fight
combinar to combine, join
comentar to comment, discuss
comentarista *m* or *f* commentator
comenzar (ie) to begin, start
comer to eat
comercio commerce, business
comestible *m* foodstuff, edible substance
cometer to commit
comida food; meal
comisaría police station
como as, like, about; ¿cómo? how? what?
comodidad comfort
cómodo(a) comfortable
compañero(a) companion, comrade
compañía company
comparación comparison
comparar to compare
compartir to share; to divide
compatibilizar to come together
competencia competition
competir (i) to compete
competitivo(a) competitive
complacer to comply with
complejidad complexity
complejo(a) complex, complicated
completar to complete
completo(a) complete, whole
complicado(a) complicated
componer to compose, make up; to fix
comportamiento behavior
comportarse to behave oneself, act
compra purchase
comprar to buy, purchase
comprender to understand
comprendido(a) included
comprensión comprehension, understanding
comprobar (ue) to prove, verify
comprometer to compromise; to commit
comprometido(a) engaged; committed (politically)
compromiso commitment

compuesto(a) composed
común common, ordinary, customary
comunal communal
comunicado comuniqué (press release)
comunicarse (con) to communicate (with)
comunidad community; commonness
comunista *m* or *f* communist
comunitario(a) from a community or the European
    Community
concebir (i) to conceive
conceder to concede
concejal(a) council member
concentrar(se) to concentrate, gather together
concepto concept
concesión concession, grant
concha seashell, shell
conciencia conscience; consciousness
concierto concert; agreement
concluirse to conclude, come to an end
concordar (ue) to coincide
concurrente simultaneous
concurso contest, competition
condecorar to decorate (with a medal)
condenar to condemn
condominio condominium
condonar to forgive, cancel (a debt)
conducir to conduct, lead
conducta conduct, behavior
conductor(a) driver
condujo *pret of* conducir
conectar to connect, join
confección candy
conferencia meeting, lecture
confesar (ie) to confess, admit
confianza confidence, trust
confiar to confide
conflicto conflict, struggle
confundir to confuse, confound
congestionado(a) congested, crowded
congregación congregation, group
conjunto(a) *adj* joint; conjunto *n* group, system,
    aggregate
conjurar to ward off
conmemorativo(a) *adj* memorial
conmoción unrest
cono cone
conocer to know, be acquainted with
conocido(a) known, well-known
conocimiento knowledge, skill
conquista conquest, conquering
conquistador(a) conqueror; *adj* conquering
conquistar to conquer, subdue
consagrar to consecrate, hallow, dedicate
consciente conscious, aware
consecuencia consequence
conseguir (i) to attain, get, obtain, succeed in
consejero(a) adviser, counselor

consejo advice
consentir (ie) to consent, agree
conservador(a) *n adj* conservative
conservar to conserve, preserve
considerar to consider, think over
consignado(a) recorded
consignar to record; to set (write) down
consistir (en) to consist (of), be made up (of)
consolador(a) consoling
consolar (ue) to console
consolidar to consolidate
constante *n f* constant; *adj m or f* constant, continual
constar to consist of; **constarle a uno** to be apparent to
constatar to verify
constituir to constitute, make up
constituyente *adj* constitutional
construcción construction, building
constructor(a) builder
controversia controversy
construir to build, construct
consuelo consolation
consulta consultation, referendum
consultar to consult
consultor(a) consulting firm; consultant
consumidor(a) consumer
consumir to consume
consumo consumption
contabilizar to account for
contacto contact
contaminación pollution
contaminado(a) contaminated
contar (ue) to count; to relate; **contar con** to depend on, rely on; to have use of
contemplar to look to, consider
contemporáneo(a) contemporary, current
contener (ie) to contain
contenido *n* contents
contestar to answer, respond
contexto context
contiguo(a) adjoining
continente *m* continent
continuar to continue
continuo(a) continuous
contra against
contrabandista *m or f* smuggler
contrabando contraband, smuggled goods
contracara other side
contraer to contract; to acquire
contrapartida compensation, price
contrario(a) contrary, opposed
Contrarreforma Counter-Reformation
contrastar to contrast, distinguish
contraste *m* contrast, difference
contratar to make a contract
contribuir to contribute
contribuyente *m or f* contributor
controlar to control, dominate

convencer to convince
convenio agreement, compact
convenir (ie) to suit, fit; **conviene** it is advisable
convertir (ie) to convert, change
convivencia act of living together
convivir to live together
convocar to convoke
cooperación cooperation
cooperar to cooperate, join in
cooperativo(a) co-op (living arrangement)
coordinar to coordinate
copar to win
copla couplet, verse
corajudo(a) courageous, brave
corazón *m* heart; nerve center
coro choir
corolario corollary
corona crown; monarch
corregir (j) to correct
corresponder to correspond, fit
correspondiente *m or f* corresponding
corresponsalidad shared responsibility
corrida bullfight
corriente *f* current; *adj m or f* common, current
cortar to cut
corte *f* royal court
cortijo farm
cosa thing; matter, affair
cosecha crop, harvest
cosechar to harvest
cosmopolita *n m or f* cosmopolite; *adj* cosmopolitan
costa coast
costar (ue) to cost
coste *m* cost (in money)
costo cost
costumbre *f* custom, habit, tradition
cotidiano(a) everyday, daily
cráneo skull
creación creation
creador(a) creator; *adj* creative
crear to create
crecer to grow, increase
creciente *adj* growing
crecimiento growth
crédito credit
credo creed
creencia belief
creer to believe
creíble believable
cría raising, breeding, rearing
criar to raise (a crop); to bring up (a child)
crimen *m* crime
criollo(a) Creole, person born in the colonies of Spanish parents
crisol melting pot; *fig* mixture
cristiano(a) Christian
cristianización conversion to Christianity

cristianizar to convert to Christianity
criterio criterion, opinion
crítica criticism
criticar to criticize
crítico(a) critic
crónico(a) chronic
cronista *m* or *f* chronicler, historian
cruce *m* intersection
cruz *f* cross
cruzada crusade
cruzar to cross
cuadra city block
cuadrado(a) square
cuadrilla gang
cual which, as, like; **el (la) cual** the one who, who; **¿cuál?** which? which one? what?
cualquier(a) *adj* or *pron* any, whichever, any one
cuando when, whenever; **¿cuándo?** When
cuanto(a) as much as; *pl* as many as; **¿cuánto?** how much?, *pl* how many?; **en cuanto a** regarding
cuaresma Lent
cuarto room; **cuarto(a)** *adj* fourth
cubrir to cover
cuchillo knife
cuenta account; **darse cuenta de** to realize; **por su cuenta** on one's own; **tener en cuenta to** keep in mind
cuentista *m* or *f* writer of short stories
cuento story, short story
cuerpo body; group, corps
cuestión matter, subject, question
cuidado care, caution
cuidador(a) caretaker
cuidadoso(a) careful, cautious
cuidar to care for, take care of
culminar to complete
culpa blame, fault
culpable *adj* guilty
culpar to blame, place guilt
cultivar to grow, farm, develop
cultivo cultivation, farming
culto(a) cultured, sophisticated; *n m* cult
cultura culture; politeness
cumbre *f* summit, top, height
cumpleaños *m* birthday
cumplimiento fulfillment
cumplir to fulfill, perform, obey
cuna cradle
cuñao *dialect*
cuñado brother-in-law
cuota fee
cupo quota, maximum number
cura *m* priest
curado(a) cured
curiosidad curiosity
curioso(a) curious
cursar to follow a course
curso course; degree requirements

custodia custody
curtido(a) hardened, experienced
cutáneo(a) *adj* skin
cuyo(a) whose

D

danza dance (style or type)
dañar to harm, damage
daño harm
dar to give, render; **dar a luz** to give birth
dardo dart
dársena harbor, dock
datar to date, set in time; **datar de** to date from
dato datum, piece of information
datos *m pl* data; **base de datos** *f* database
debatir to debate, discuss
deber to owe; must, ought; *n m* debt, duty, obligation
debidamente duly
debido (a) due (to)
débil weak
debilidad weakness
década decade
decadencia decadence, decay
decaer to decay
decididamente decidedly
decidido(a) decisive
decidir to decide
decir (i) to say; *n m* saying; **es decir** that is to say; **querer decir** to mean
decisivo(a) decisive
declarar to declare
decorado decoration, adornment
decorativo(a) decorative
decretar to decree
decreciente *adj m* or *f* decreasing
deculturación deculturation
dedicar to dedicate; **dedicarse** to do for a living
deducir to deduce
defecto defect
defender to defend
defensa defense
deficiencia deficiency
definir to define, outline
denuncia formal complaint
denuciar to report
defunción death, demise
degustar to taste
dejar to leave; to permit, let; **dejar de** to stop (doing something); **dejar de lado** to ignore
deje *n* lilt
delante ahead, in front; **por delante** in front of
delegado(a) delegate
deletreo spelling
delinear to delineate, outline, set out
delinquir to commit a crime
delirante delirious
delirio *n* delirium

delito crime
demanda demand
demandar to demand
demás: lo demás the rest
demasiado *adv* too, too much; **demasiado(a)** *adj* too much
demócrata *m or f* democrat
democrático(a) democratic
demografía demographics, study of population
demográfico(a) demographic
demostrar (ue) to demonstrate, show
denominar to call, give a name to
densidad density
dentro (de) in, into, inside (of)
denunciar denounce
departamento apartment
dependencia dependence
depender (de) to depend (on)
deponer to depose; to lay down arms
deporte *m* sport
depositar to deposit
depósito deposit
derechista *m or f* rightist (politically)
derechos humanos human rights
deprimido(a) depressed
deprimiente sad, depressing
derecho legal right, privilege, law
derivar to derive (from), trace (from the origin)
derretir to melt
derribar to overthrow, tumble, tear down
derrocar to overthrow
derrota defeat
derrotar to defeat
desacostumbrar to break of a habit
desacreditado(a) discredited
desafiar to challenge
desafío challenge, duel; struggle
desagradable disagreeable
desalentar (ie) to discourage
desaparecer to disappear
desaparición disappearance
desaprobar (ue) to fail, condemn
desarrollar to develop, improve; **desarrollarse** to grow (as a person)
desarrollo development, evolution; **en vías de desarrollo** developing
desastre *m* disaster
desastroso(a) disastrous, wretched
desatendido(a) law-breaker, truant
desbarrancar to tumble down
descansar to rest
descanso rest
descartar to discard, leave aside
descender (ie) to descend, come from
descendiente *m or f* descendent; *adj* descending
descenso descent
descifrar to decipher
descolonizador(a) decolonizing

descomunal *adj* grotesque
desconfianza mistrust, suspicion
desconfiar to mistrust, lack confidence in
desconocido(a) unknown
descontaminación decontamination
decontar discount
descontento discontent, unhappiness
describir to describe
descripción description
descrito *past part of* **describer**
descubierto(a) discovered
descubridor(a) discoverer
descubrimiento discovery
descubrir to discover, find
descuidar to neglect, forget
descuido neglect, lack of care
desde since, from, after; **desde cero** from scratch; **desde hace** for (a length of time)
deseable desirable
desear to want, desire
desembocar to lead to
desempeño performance
desempleado(a) unemployed
desempleo unemployment
desenfrenado(a) unchecked, wild
desenterrado(a) unearthed, disinterred
desenvolver (ue) to develop
desenvolvimiento development
deseo desire, want, wish
desestabilizar to destabilize
desfavorecer to slight, disfavor
desfile *m* parade
desgracia misfortune; **por desgracia** unfortunately
desgraciadamente unfortunately
desierto desert
designado(a) designated, named
designar to designate, name
desigualdad inequality
desilusionarse to become disillusioned
desligar to loosen, untie
desligitimar to discount
deslumbrante dazzling, awesome
desnudo(a) naked, unadorned
desocupación unemployment
desocupar to vacate; to empty
desoír to ignore
desorden *m* disorder
desorganizar to break up, disperse
desorientado(a) disoriented
despectivo(a) pejorative
despegue *m* take-off
despertar (ie) to awaken; *refl* to wake up
desplazamiento displacement
desplazar to move, displace
desplegar to display
desplome plunge
desposeído(a) dispossessed; have-not

despótico(a) despotic
despreciar to scorn, look down on
después (de) after, afterward
desregulación deregulation
destacado(a) outstanding, prominent
destacar to emphasize; *refl* to stand out, be prominent
desterrar (ie) to get rid of; to exile
destinado(a) destined (for)
destinar to assign
destino destiny, future, fortune; destination
destitución discharge
destrucción destruction
destructivo(a) destructive
destruir to destroy
desvelar to awaken; to turn up
desventaja disadvantage
detalle *m* detail
detectar to detect
detención arrest
detener (ie) to detain, stop
determinado(a) specific, determined
determinar to determine
deuda debt
devaluación devaluation
devenir (ie) to become
devoción devotion
devolución return
devolver (ue) to return
día *m* day; **de día a día** day by day; **hoy día** nowadays
diablo devil
diario(a) daily; *n m* newspaper; **de diario** *adj* everyday
dialecto dialect
dibujar to draw, sketch
dibujo sketch, drawing
dicho saying; *past part of* **decir**; **lo dicho** what was said
dictador(a) dictator
dictadura dictatorship
dictar to teach, lecture; to hand down (a sentence)
diferencia difference
diferir (ie) to differ
difícil *m or f* difficult, unlikely
dificultad difficulty
dificultar to make difficult
difundir to disseminate
difunto(a) dead person, deceased one
digno(a) decent
dignidad dignity
digno(a) worthy
dijo *pret of* **decir**
dilema *m* dilemma, difficult choice
dimitir to resign
dinamita dynamite
dinero money
dios(a) god, goddess
diplomacia diplomacy
diplomático(a) diplomatic; diplomat
diputado(a) representative, congressperson
dirección direction; address

directiva directive
directo(a) direct
dirigente *m or f* director, leader; *adj* ruling, leading
dirigir to direct, lead, manage
discoteca discotheque
discriminar to discriminate
discriminación discrimination
discriminatorio(a) discriminatory
discurso speech
diseñar design
disfrazar to disguise
disminución decrease
disminuir to diminish, decrease
disonante discordant
disparado(a) unleashed
disparate *m* folly
disponer to provide, set out
disponibilidad availability
disponible available
disposición disposition, inclination
dispuesto(a) disposed, ready; aimed at; prepared; **lo dispuesto** what was put forth
disputar to dispute, fight for
distar to be distant
distinción difference; distinction
distinguir to distinguish, differentiate
distinto(a) distinct; different
distribuir to distribute
diversidad diversity, variety
diversificar to diversify
diversión entertainment, amusement
diverso(a) diverse, various
divertir (ie) to amuse; *refl* to have fun
dividir to divide
divorcio divorce
divulgar to divulge; to popularize; to spread
doblado(a) dubbed
doble *m* double; *adj* twice as much
docena dozen
dócil tame, docile
doctrina doctrine
documental documentary (e.g., film)
documento document, paper
dólar *m* dollar (*esp. U.S.*)
doloroso(a) painful
doméstico(a) domestic; **animal doméstico** pet
dominación domination
dominador(a) dominating
dominancia dominance
dominante dominant, domineering
dominar to dominate
dominio dominion; control, rule
donde where, in which; **¿dónde?** where?
dormido(a) asleep, sleeping; **dormirse (ue)** to fall asleep
duda doubt
dudoso(a) doubtful
dueño(a) owner, possessor
dulce *adj* sweet

dupla *n* double, dualism
duplicar to duplicate, double
duración duration
durante during
durar to last, go on, endure
duro(a) hard, difficult

E

echar: echar el auto encima to run over with a car
eclesiástico(a) of or relating to church
ecología ecology
economía economy
económico(a) economic, economical
ecosistema *m* ecosystem
edad age
edición edition
edificio building, edifice
edilicio(a) municipal
editorial *f* publishing house
educar to educate, raise
educativo(a) educational; cash
efectivo(a) effective
efecto effect, result; **efecto invernadero** greenhouse effect
efectuar to effect, cause to happen
eficacia efficiency
eficaz *m* or *f* efficient
egipcio(a) Egyptian
Egipto Egypt
egocentrista *n m* or *f* egocentric
eje *m* axis; axle
ejecutado(a) executed
ejemplar *m* specimen, copy (of a book, record, etc.)
ejemplificar to exemplify, serve as an example
ejemplo example; **por ejemplo** for example
ejercer to exercise, practice
ejército army
elaboración working out, elaboration
elaborar to decorate; to work out; to create
elección election; choice
electoral *adj* electoral, election
elegante elegant, luxurious
elegir (i) to elect, choose
elemento element, aspect
elevar to elevate, raise, increase
eliminar to eliminate
elogiar to praise
embarazada pregnant
embarazo pregnancy
embargo: sin embargo nevertheless, however
emboscada ambush
emergente emerging
emigrante emigrant
emigrar to emigrate, migrate
emisora broadcasting station
emocionado(a) touched
emparejar to tie
empeño aim, effort

emperador emperor
emperatriz *f* empress
empezar (ie) to begin
empleado(a) employee
emplear to hire, employ
empleo job
empobrecido(a) impoverished
empobrecimiento impoverishment
emprender to undertake, engage in
empresa enterprise, business
empresario(a) businessperson
enajenación alienation
enamorado(a) person in love, lover
encabezar to head, lead
encajar to fit together
encalado(a) whitewashed
encarcelado(a) jailed, imprisoned
encarcelamiento imprisonment
encasillar to pigeonhole
encauzado(a) on the track
encender (ie) to light (candle, fire, etc.)
encerrar (ie) to enclose, close up, confine
encima (de) above, on top of; **por encima** over
encomendero(a) holder of an **encomienda**
encomienda Spanish colonial land grant
encontrar(se) (ue) to find, discover; *refl* to find oneself in a state or condition
encuentro encounter, meeting
encuesta survey, poll
enculturación enculturation
endémico(a) endemic
enemigo(a) enemy, opponent
enemistad enmity, hostility, hatred
energéticas *adj* energy (not energetic)
energía energy
énfasis *m* emphasis, stress
enfermarse to become sick
enfermedad sickness, illness
enfermo(a) ill
enfocar to focus, concentrate
enfrentamiento confrontation
enfrentar to confront, face
engrandecer to glorify; to make larger or greater
enmascarado(a) masked person
enmendar (ie) to amend
enorgullecer to make proud; *refl* to be proud
enorme enormous
enriquecer to enrich; *refl* to become rich
enriquecimiento enrichment
ensanchar to widen, enlarge
ensayista *m* or *f* essayist, writer
ensayo essay; rehearsal
enseñanza teaching
enseñar to teach; to show, point out
entender (ie) to understand
entendimiento understanding
entero(a) entire, whole, complete
enterrar (ie) to bury

entidad establishment, place
entierro burial, funeral
entonación intonation
entonces then; **hasta entonces** up to that time
entorno environment
entrada entrance; admission; access
entrañar to be involved
entrañas innards, entrails
entrar to enter
entre between, among; within
entrega surrender; **entrega mensual** monthly installment
entregar to deliver, hand over
entrelazar to intertwine
entrenado(a) trained
entrenamiento training
entretanto meanwhile
entretener to entertain
entrevistarse (con) to have an interview (with)
entristecer to become sad
entusiasmarse to become enthusiastic
entusiasmo enthusiasm
entusiasta *adj* enthusiastic
envase *m* packaging
envejecerse to become old; to age
envenenado(a) poisoned
envenenar to poison
envenenamiento poisoning
enviar to send
épico(a) epic, heroic
epidemia *n* epidemic
época epoch, period, age, era
equidad equity
equilibrado(a) balanced
equilibrio balance
equipaje *m* luggage
equipo equipment
equivalente equivalent, the same (as)
equivaler to be equivalent
equivocación mistake
era *n* age, epoch
erótico(a) erotic, sexual
escala scale
escalar to climb, scale
escándalo scandal
escapar(se) to escape; to avoid
escarlata scarlet
escasez *f* scarcity, shortage
escaso(a) scarce
escena scene; view
escenario scene
esclavo(a) slave
escoger to choose, select
escolar *adj m or f* school; *n m or f* student
escolaridad school attendance
escolarizar to send to school
escolta *m or f* bodyguard

escoltar to accompany
escombro ruins, rubble
esconder(se) to hide oneself
escondite hideout
escribano(a) scribe
escribir to write
escrito(a) *past part of* **escribir**
escritor(a) writer
escritura writing
esculpir to sculpt
escultura sculpture
ese, esa that; **esos, esas** those; **eso** that
esencia essence
esencialmente essentially
esfera sphere; area
esforzarse (ue) to make an effort
esfuerzo effort; try
eslabón *m* link (of a chain)
esmerarse to take pains with
esotérico(a) esoteric, rare
espacio space
espantar to scare, frighten
espanto scare, fright
espantoso(a) scary, frightening
español(a) *adj* Spanish; *n* Spaniard
especial special
especialista *m or f* specialist
especialización specialization; major (in school)
especializado(a) specialized
especializarse (en) to specialize, major (in)
especie *f* species, kind, sort
espectacular spectacular, notable
espectáculo spectacle, show
esperanza hope; **esperanza de vida** life expectancy
esperar to hope; to wait; to expect
espesor thickness
espíritu *m* spirit
espiritual spiritual, of the spirit
espiritualidad spirituality, fervor
espléndido(a) splendid
esquela note, notice
esqueleto skeleton
esquema *m* scheme
esquina corner
estabilidad stability
estabilizar to stabilize
estable stable
establecer to establish
establecimiento establishment
estaca stake, piling
estacionado(a) parked
estacionamiento parking lot
estadidad statehood
estadia stay
estadística statistics
estado state, condition; political subdivision; *past part of* **estar; los Estados Unidos** the United States

estadounidense of or relating to the United States

estallar to explode

estanciero(a) rancher, owner of an **estancia** (large ranch)

estaño tin

este *m* east

este, esta this; **estos, estas** these; **esto** this

estela stele, inscribed stone slab

estera straw mat

estereotipado(a) stereotyped

estética esthetics; **estético(a)** *adj* esthetic

estilo style, way; **al estilo** in the manner of

estimar to estimate

estimular to stimulate

estímulo stimulus

estirar to stick out; **estirar la pata** to die

estirpe *f* ancestry

estratagema stratagem

estratégicamente strategically

estrecho(a) narrow; close; *n m* strait

estrella star

estreno debut, premier

estribar (en) to rest (on)

estrictamente strictly

estructura structure

estudiante *m or f* student

estudiantil *adj* student

estudiantina student musical group

estudiar to study

estudio study, investigation

estufa stove

etapa stage; station

eterno(a) eternal, unending

etiqueta label

etnia ethnic group

étnico(a) ethnic

europeo(a) European

evadir to evade, avoid

evaluación evaluation

evangelio gospel

evasión flight

evasivo(a) evasive

evento event

evitar to avoid; to shun

exacto(a) exact, precise

exagerar to exaggerate

examen *m* examination, test

examinar to examine, test

excavar to excavate

excepción exception

excesivo(a) excessive

exceso *n* excess

excursión tour

exhortar to exhort, call to action

excitar to rouse, stir up

exclamatorio(a) exclamatory

exclusivo(a) exclusive

exigencia demand, exigency

exigir to demand, require, need

exilado(a) exiled

exiliarse to go into exile

exilio exile

existente existing

existir to exist, be

éxito success; **tener éxito** to be successful

exitoso(a) successful

éxodo exodus, emigration

exorcismo exorcism

exótico(a) exotic, foreign, strange

expandible expandable

expansivo(a): onda expansiva shock wave

expedición expedition

expensas expenses; **a expensas de** at the expense of

experiencia experience; experiment

experimentar to experience; to try, experiment

experto(a) expert

explanada esplanade, open space

explicación explanation

explicar to explain

explicitar to make clear

explícito(a) explicit

explorar to explore

explosivo(a) *adj* explosive; *n m* explosive

explotación exploitation

explotar to exploit; to work, develop

exponente representative

exportación export, exportation

exportador(a) exporting

exportar to export

expresar to express

expropiación expropriation

expropiar to expropriate, confiscate

expulsar to expel, throw out

extender (ie) to extend; *refl* to stretch out; to extend to

extenso(a) extensive, extended

exterior *n m, adj m or f* exterior, outside; foreign; **relaciones exteriores** foreign relations, affairs

externo(a) external

extranjero(a) foreigner, stranger, alien; **el extranjero** abroad

extrañarse to be surprised

extraño(a) strange

extraordinario(a) extraordinary

extremado(a) extreme

extremaunción extreme unction, last rites

extremo *n* end; **extremo(a)** *adj* extreme

F

fábrica factory

fabricación manufacture

fabricado(a) manufactured

fabricar to manufacture, make

fabuloso(a) fabled, legendary

facción faction

fachada façade, front of a building

fácil *m* or *f* easy, likely
facilitar to facilitate, make easy
factible *m* or *f* possible, feasible
factor *m* factor, element
facultad faculty, school or college of a university
facultar to empower
faja strip
falla fault
fallar to fail
fallecer to die
fallecimiento death
falso(a) false
falta lack
faltar to be lacking, be needed
fama fame, reputation
familiar *adj m* or *f* familiar; family; *n m* or *f* family member
famoso(a) famous, well-known
fantasma *m* ghost
farmacia pharmacy, drugstore
farolillo small light
fascinar to fascinate, enchant
fascista *m* or *f* fascist
fastidio annoyance
fatalismo fatalism, determinism
favor *m* favor; **por favor** please
favorecer to favor, promote
favorito(a) favorite, preferred
fecha date
fecundidad fertility
fecundo(a) fertile
femenino(a) feminine
feminidad femininity
feminista *m* or *f* feminist
fenómeno phenomenon
feria fair, carnival
férreo iron
ferretería hardware store
ferrocarril *m* railroad
fértil fertile
fertilidad fertility, fecundity
festejar to celebrate
festejo festivity
festivo(a) festive
feudalismo feudalism, medieval economic system
fidelidad fidelity
fiel *adj* faithful, loyal; *n m* or *f* faithful; **los fieles** the congregation, the faithful
fiesta party, celebration, holiday, festival, feast
fiera beast
figura figure; image
figurar to figure in, show up
figurativo(a) figurative, symbolical
fijar to fix; to establish; **fijarse (en)** to notice; to pay attention to
fila row (of seats, etc.)
filología philology, historical study of language
filólogo(a) philologist
filosofía philosophy

filosófico(a) philosophical
filósofo(a) philosopher
fin *m* end; **a fin de** in order to, with the motive of; **a fines de** at the end of; **al fin** finally, in the end
final: a finales de near the end of
finalidad goal, purpose
financiación financing
financiamiento financing
financiar to finance, fund
financiero(a) *adj* financial; *n* financier, supporter
fingir to feign, pretend
finlandés(-esa) Finnish
firma signature; signing
firmar to sign
físico(a) physical
flaco(a) skinny
flagelador(a) *adj* punishing
flamenco type of music with Gypsy influence
flojo(a) weak, lazy
flor *f* flower
florecer to flourish; to flower
florecimiento flowering, flourishing
florido(a) flowery; choice, select
flotar to float
flote: a flote afloat
fluir to flow
flujo *n* flow
fluvial *adj m* or *f* of a river, river
fogata bonfire
fogón *m* fire
follaje *m* foliage
fomentar to foment; to develop, further
fondo *n* bottom, base; *pl* funds
fonético(a) phonetic
forma form, shape; way
formación formation, shaping; training
formalizado(a) formalized
formar to form, shape, make up
formativo(a) formative
formular to formulate
foro forum
fortalecer to fortify, strengthen; to become stronger
fortuna fortune, luck
forzar (ue) to force, break into
fotógrafo(a) photographer
fracasar to fail
fracaso failure
fragilidad fragility
francés(-esa) *adj* French; *n* French person
Francia France
frase *f* phrase, sentence
fraternidad fraternity, brotherhood
fraude *m* fraud
fraudulento(a) fraudulent, phony
frecuencia frequency; **con frecuencia** frequently
frecuentar to frequent
frenar to slow, brake
frente *m* front; **frente a** in the face of; **al frente de** in

charge of; **hacer frente a** to confront
fresco(a) cool, fresh
frío(a) cold
friolento(a) susceptible to the cold, chilly
frontera border, frontier
fronterizo(a) of or relating to frontier
fructífero(a) fruitful
frustración frustration
frustrar to frustrate
fruta fruit
frutería fruit store or stand
fuego fire; **a fuego lento** over a low fire
fuente *f* fountain; source; spring (of water)
fuera (de) outside of, besides
fuere: sea cual fuere whichever it may be
fuerte strong
fuerza force, strength; **por la fuerza** by force
función function; performance
funcionamiento functioning
funcionar to function, work, perform
funcionario(a) functionary, official
fundación foundation, founding
fundador(a) founder
fundamentalista *adj m or f* fundamentalist
fundar to found, establish
fundirse to fuse, blend
funerario(a) funerary, of or relating to funerals
furia fury
fútbol *m* soccer, football
futuro future; *adj* future, coming

G

galas clothes
galería gallery
gallego(a) *n or adj* Galician
gama range
gana desire; **con ganas** willingly
ganadero(a) of or relating to cattle raising; *n* cattleman
ganado cattle
ganancia profit
ganar to earn, win, gain
garantía guarantee
garantizar to guarantee, assure
gasolina gasoline
gastar to spend
gasto expense, expenditure
gaucho Argentine cowboy
generación generation, time period
generador(a) creator
generalizado(a) generalized
generar to generate, create
genérico(a) generic, general
género type, kind; gender
generoso(a) generous
genial brilliant
gente *f* people
geografía geography
geográfico(a) geographical

germánico(a) Germanic
germen *m* germ, seed
gesticular to gesture
gesto gesture
gigante *adj m or f* giant
gira tour
giro *n* turn
gitano(a) gypsy
gloria glory, fame
glorioso(a) glorious
gobernador(a) governor, one who governs
gobernar (ie) to govern
gobierno government
golpe *m* blow, coup
gordo(a) fat; thick
gorra cap, hat
gótico(a) Gothic
gozar (de) to enjoy
grabar to record (audio, video)
gracia grace; **gracias** thanks
gradas stand
grado grade, title, degree
graduado(a) graduate
gramática grammar
gran, grande great, large, vast
grandeza greatness, vastness
grano blemish, sore
gratis *adj* free
gratuito(a) free
grave serious
gravedad seriousness, gravity
gregario(a) gregarious, outgoing
gremio profession
griego(a) *n or adj* Greek
gripe *f* flu
gris gray
grito shout, yell
grueso(a) thick
grupo group
guaje *m* percussion instrument
guapo(a) handsome; pretty
guardar to guard, keep
guardia guard (body of soldiers)
guerra war
guerrero(a) warrior, fighter
guerrilla skirmish; party of
guerrillero(a) guerrilla
guía *f* guidebook
gustar to please, be pleasing to
gusto taste; pleasure; **a gusto** at ease
gustosamente with pleasure

H

haber *auxil verb* to have; **hay** there is, there are
hábil able, capable, skillful
habitación room
habitante *m or f* inhabitant
habitar to inhabit, dwell

hábito habit

habla *f* speech, language; **de habla española** Spanish-speaking

hablar to speak, talk

hacer to do, make; **hace cinco años** five years ago; **hace un mes que** for a month; **hacer falta** to need

hacia *prep* toward; around

hacienda ranch

hallar to find

hallazgo find, discovery

hambre *f* hunger

hambriento(a) hungry

hasta until, up until; even

hatarse to be fed up with

hay there is, there are

hazaña heroic deed

hecho deed, fact; *past part of* **hacer**; **de hecho** in fact

hectárea hectare (10,000 sq. meters)

hegemónicamente predominantly

heladera refrigerator

helicóptero helicopter

hemisferio hemisphere

heredar to inherit

heredero(a) heir, heiress, inheritor

hereditario(a) hereditary

herencia inheritance, legacy

herida wound

herido(a) *adj* wounded; *n* wounded person

hermanado(a) *adj* joined

hermano(a) brother, sister

hermoso(a) beautiful

hermosura beauty

héroe *m* hero

heroicamente heroically

herramienta tool

hervir (ie) to boil

heterodoxo(a) heterodox, heretical, unbelieving

heterogéneo(a) heterogeneous

hidalgo minor noble

hidráulico(a) hydraulic, moved or operated by water pressure

hierba grass; herb

hierro steel, iron

higiene *f* hygiene, sanitation

hijo(a) son; daughter; child; *pl* children

hilo strand, string

hilvanar to baste, tack

hincapié: hacer hincapié en to emphasize

hipócrita *m or f* hypocrite

hiriente hurtful

hispanista *n m or f* Hispanist

hispanohablante *adj m or f* Spanish-speaking; *n m or f* Spanish speaker

hispanoparlante *adj m or f* Spanish-speaking; *n m or f* Spanish speaker

historia history; story

historiador(a) historian

histórico(a) historical

hogar *m* home, hearth

hogareño(a) *adj* home, pertaining to home

holandés(-esa) *adj* Dutch; *n* Dutch person

hombre *m* man

homenaje *m* homage, honor

homicidio homicide

homogéneo(a) homogeneous

homosexualidad homosexuality

hondo(a) deep

honrar to honor

hora hour; time; **¿Qué hora es? ¿Qué horas son?** What time is it?

horario schedule

hostelería hotel industry

hostil hostile

hoy today

huelga labor strike

hueso bone

huir to flee

humanidad humanity

humanitario(a) humanitarian, humane

humano(a) human

humilde humble, simple

humillación humiliation

humillar to humiliate

hundirse to be submerged

I

ibérico(a) Iberian

ícono symbol

ida going, outward trip; **de ida y vuelta** round trip

identidad identity

identificar to identify

ideográfico(a) ideographic

ideología ideology

ideológico(a) ideological

idioma *m* language

ídolo idol (object of worship)

iglesia church

igual equal; **igual que** like

igualado(a) equaled, alike, even

igualar to match

igualdad equality

igualitario(a) egalitarian

ilegal *adj* illegal

ilícito(a) illegal

ilustrado(a) illustrated

ilustrar to illustrate

ilustre illustrious, famous

imagen *f* image; appearance

imaginar to imagine

imán *m* magnet; attraction

imitar to imitate

impago(a) nonpayment

impartir to present, to give

impedir (i) to impede, stop

impensable unthinkable

imperio empire

implantación implantation, implementation
implantar to establish
implicación implication, meaning
implicar to imply; to implicate
implícito(a) implicit
imponente impressive
imponer to impose
importación importation, importing
importador(a) importer
importante important
importar to import; to matter; **no importa** it doesn't matter
impotencia impotence
imprescindible indispensable
impresionante impressive
impresionar to impress, make an impression
imprevisto(a) unforeseen
impuesto(a) *adj* imposed; *n m* tax
impulsado(a) promoted
impulsar to push; to support
impulso impulse, urge
imputación charge
inaccesible inaccessible
inaceptable unacceptable
inapropiado(a) inappropriate
inarticulado(a) incomprehensible, inarticulate
inaudito(a) unheard of, strange
inaugurar to inaugurate, dedicate
incaico(a) Incan
incapacidad inability, lack of skill
incapaces incompetent
incapaz incapable, unable
incautado(a) seized, confiscated
incendio fire
incertidumbre *f* uncertainty
incidencia effect, impact
incienso incense
incierto(a) uncertain
incitación incitement
inclinación inclination, tendency
incluir to include
incluso(a) *adj* included; *adv* even, including
incomodar to make uncomfortable, bother, upset
incómodo(a) uncomfortable, uneasy
incomprensible incomprehensible
inconfundible unmistakable
inconveniente objection
incorporación incorporation, inclusion
incorporar to incorporate; *refl* to join
increíble incredible, unbelievable
incrementar to increase
inculto(a) vulgar
indebido(a) improper
indefectiblemente unfailingly
independentista *m or f* person who is in favor of or fights for independence; *adj* of or relating to independence
Indias Indies, original name given to the New World

indicar to indicate, point out
índice *m* index
indicio indication, sign, mark
indígena *m or f* indigenous, native; (*Am*) Indian
indio(a) Indian
indiscutible unquestionable
individuo *n* individual
indocumentado(a) undocumented
indudablemente undoubtedly
industria industry
industrialización industrialization
industrializado(a) industrialized
ineficaz inefficient
inestabilidad instability
inevitable inevitable, unavoidable
inexistente nonexistent
infancia infancy, childhood
inferior inferior; lower
infierno inferno; hell
infinito(a) infinite; *n m* infinite
influencia influence
influenciar to influence
influir to influence
informar to inform; to shape
informe *m* report
infrecuente infrequent, seldom
ingeniería engineering
ingeniero(a) engineer
Inglaterra England
inglés(-esa) *adj* English; *n* English person
ingresar to enter
ingreso entrance; admission; income
iniciar to begin, initiate
iniciativa initiative
injusto(a) unfair, unjust
inmediato(a) immediate; **de inmediato** immediately
inmenso(a) immense, large
inmigración immigration
inmigrante *m or f* immigrant
inmueble *m* building
innecesario(a) unnecessary
innegable undeniable
innovación innovation
inolvidable unforgettable
inoperante inoperative
inquietud concern, worry
inquisición inquisition, hearing
inscripción registration
insecto insect
inseguridad insecurity, uncertainty
insistir to insist
insoportable unbearable
inspeccionar to inspect
inspirar to inspire
instalación facility
instalar to install
institucional institutional
institucionalizado(a) institutionalized

instituto institute
instrucción instruction; schooling
insultar to insult
insulto insult
insurgente *adj m or f* insurgent
insustituible irreplaceable
integración integration
integrantes members
integrar to make up; to be part of
integridad safety; integrity
intelecto intellect
intelectualidad intellectuality
inteligencia intelligence
inteligente intelligent
intencionado(a) intentioned
intensificar to intensify
intensidad intensity
intensivo(a) intensive, intense
intenso(a) intense, concentrated
intentar to try
intento attempt
interacción interaction
interactivamente interactively
interamericano(a) inter-American
intercambio exchange, interchange
interceptar to intercept
interés *m* interest; stake
interesante interesting
interesar to interest, be interesting
interino(a) interim, temporary
internacional international
internar to enter, penetrate
interno(a) internal, inner
interpretar to interpret
intérprete *m or f* performer
interrumpir to interrupt
interrupción interruption
intervención intervention
intervenir (ie) to intervene, interfere
intimidar to intimidate
íntimo(a) intimate
intrigar to intrigue, arouse interest
introducir to introduce, insert
inundación flood
inútil useless
invadir to invade
invasión invasion, attack
invernal *adj* winter
invencible invincible, unbeatable
inventar to invent; to create
invento invention
inversión investment
inversionista *m or f* investor
invertir (ie) to invest
investigación investigation, research
investigar to investigate, research
invitar to invite

invocar to invoke
involucrar(se) to get involved
inyección injection
irónico(a) ironic, sarcastic
irrelevancia irrelevance
irrigación irrigation
irrumpir to burst into
isla island
islámico(a) Islamic, Moorish
istmo isthmus
izar to raise
izquierdo(a) left; *n f* the left (political or direction)

J

jactarse to brag, boast
jamás never
jardín *m* garden; yard
jarope *m* syrup
jefe *m* chief, boss, leader
jerarquía hierarchy
jeroglíficos *pl* hieroglyphics
jesuita *m or f* Jesuit
jornada working day
joven *m or f* young; youthful person
jubilado(a) retired person
judío(a) *adj* Jewish; *n* Jew
juego game; **Juegos Olímpicos** Olympic Games; **juegos pirotécnicos** fireworks
juez *m* judge
jugar (ue) to play (a game or sport)
jugoso(a) juicy
juguete *m* toy
junta governing committee
juntar to join; *refl* to join with, ally with
junto(a) together; **junto con** along with, together with
juramento oath
jurisdicción jurisdiction; territory
jurisprudencia jurisprudence, law
justicia justice
justificar to justify, explain
justo(a) just, fair
juvenil juvenile, of or relating to youth
juventud youth; young people
juzgado court of justice; **juzgado(a)** *adj* person judged
juzgar to judge, adjudicate

K

kilómetro kilometer

L

labio lip
laboral *adj* work, labor, work-related
laboratorio laboratory
labrar to carve (wood); to work (iron)
lado side; **por todos lados** on all sides, everywhere
ladrillo brick
ladrón(ona) thief

lago lake
laguna lagoon, small lake
laico secular
lamentar to lament, regret
lana wool
lanzado(a) advanced, put forth
lanzamiento launching
lanzar to throw; *refl* to launch
largo(a) long
lástima pity
lata tin can
latino(a) Latin (American)
latir to beat
laúd *m* lute
lavado de cerebro brainwashing
lavado de dinero money laundering
lavar to wash
lavarropas *m* washer
lazo tie, bond; lariat
lealtad loyalty
lechería milk store, dairy
lector(a) reader
lectura reading
leer to read
legalidad legality
legalizar to legalize
legendario(a) legendary; legislation
legislativo(a) legislative
legítimo(a) legitimate
legumbre *f* vegetable
lejano(a) distant, far
lejos *adj* far away, far; **lejos de** far from
lema *m* motto, slogan
lengua language; tongue
lenguaje language, means of communication
lento(a) slow
letra letter (of the alphabet); *pl* letters; literature
letrero sign, poster
levantar to raise; *refl* to get up, rise up
leve gentle, light
ley *f* law; *pl* law studies
leyenda legend
liberación liberation
liberalizar to liberalize
liberar to free, liberate
libertad freedom, liberty
librar to unleash, free
libre free
librería bookstore
libro book
licenciado(a) lawyer; used also as equivalent of master's degree in other fields
liceo lyceum, high school
líder *m* leader
liderazgo leadership
liga tie, connection
ligado(a) tied, attached

ligero(a) light (weight, food, clothing, etc.)
limitarse to be limited
límite *m* limit, boundary
limpiar to clean
limpio(a) clean
linaje *m* lineage, ancestry
linchamiento lynching
línea line
lingüístico(a) linguistic; *n f* linguistics
lino linen
lío *n* fuss, mess, fix
lirismo lyricism
lista list, roll
listo(a) ready
literal *m or f* literal, to the letter
literario(a) literary
literatura literature
liviano(a) light
llama llama
llamado(a) so-called
llamar to call; *refl* to be called, named
llamativo(a) interesting
llegada arrival
llegar to arrive; **llegar a ser** to come to be
llenar to fill
lleno(a) filled, full
llevar to carry; to wear; to lead; **llevar a cabo** to carry out
llorón(-ona) whiner; *f* legendary ghost, used to scare children as is the "bogey man"
lluvia rain
lobo wolf
localidad locality
localizado(a) located
locutor(a) announcer (radio, TV)
lodo mud
lograr to achieve, get, manage to
logro achievement, accomplishment
Londres *m* London
loza pottery, clay
lucha struggle, fight, conflict
luchar to struggle, fight
luego then; later, afterward; presently
lugar *m* place; **en lugar de** instead of; **lugar común** commonplace, cliché; **tener lugar** to take place
lujo luxury
luna moon
lustro lustrum, period of five years
luto mourning; **guardar** or **llevar luto** to be in mourning
luz *f* light; **dar a luz** to give birth

M

machacón(-ona) bothersome
machismo virility, manliness
madera wood
maderero(a) logger
madre *f* mother; **madre patria** mother land, mother country

madrileño(a) person or thing from Madrid
madrugada morning, dawn
maduro(a) mature
maestro(a) teacher, instructor
mágico(a) magic
magnífico(a) magnificent
maíz *m* corn, maize
mal *adv* badly, poorly; *n m* evil, harm
malcriado(a) ill-mannered
maldad evil
malo(a) bad, evil; sick
maltrato mistreatment
mandar to order, send, to be in charge
mandatario leader, chief, president
mandato command, mandate, term (of office)
mando rule, command
manejar to drive
manejarse to get around
manejo use, management
manera way, manner; **de manera que** so that, so as to
manifestación manifestation, demonstration
manifestar (ie) to show, manifest
manifiesto(a) manifest, evident
mano *f* hand; *fig* control; **a manos de** at the hand of; **en manos de** in the hands of, controlled by; **mano de obra** worker, labor, manpower
mantener (ie) to maintain, support; to keep
manual *m* manual, handbook; **manual** *adj m* or *f* by hand
manufacturado(a) manufactured
maoísta *m* or *f* Maoist (follower of Mao Zedong)
mapa *m* map
maquinaria machinery
mar *m* or *f* sea, ocean
maravilla wonder, marvel
maravillarse to marvel at
maravilloso(a) marvelous, awesome
marca brand name; cattle brand
marcado(a) distinct
marcar to mark, stamp; to note
marcha march
marco frame
margen *m* margin, edge
marginado(a) marginalized
marido husband
marina *n* navy
marinero(a) sailor
mariposa butterfly
marítimo(a) *adj* sea, maritime
Marruecos Morocco
masa mass
más allá *m* the beyond
máscara mask
masculinidad masculinity
masculino(a) masculine, male
masivamente en masse
masivo(a) massive

mata plant
matanza killing, slaughter
matar to kill
matemáticas *usually pl* mathematics
materia subject, matter, topic; **materia prima** raw material
maternidad maternity
materno(a) maternal
matiz(-ces) *f* hue, shade
matón(-ona) thug
matrícula registration (in school)
matricularse to register in school
matrimonio matrimony, marriage
matriz *f* matrix
mausoleo mausoleum, burial structure
maya *m* or *f* Maya (Indian)
mayor larger, greater; **el (la, los, las) mayor(es)** the largest, greatest; older, oldest
mayorazgo primogeniture, practice of leaving family goods to the oldest son
mayoría majority
mecánica mechanics
mecanismo mechanism, device
mecanizado(a) mechanized
mecha fuse, wick
media average
mediados: a mediados de about the middle of, midway
mediano(a) medium
mediante by means of, through
medicina medicine
medición measurement
médico(a) doctor of medicine
medida measure; means
medio(a) half, mid-; *n m* middle; means, way; **en medio de** in the midst of; **medio ambiente** environment; **por medio de** by means of
medioambiental environmental
mediodía *m* noon, midday
medir (i) to measure
mediterráneo(a) *adj* Mediterranean
medrar to increase
mejor better; **el (la, los, las) mejor(es)** the best; **mejor dicho** rather; **a lo mejor** probably
mejora improvement, betterment
mejorar to improve, better
melancólico(a) *adj* melancholic, sad
memoria memory
mencionar to mention, name
menester: es menester it is necessary
menor smaller, younger, less; **el (la los, las) menor(es)** the smallest, youngest
menos *adv* less, minus; **al menos** at least; **por lo menos** at the least; **más o menos** more or less; **menos que** or **de** less than
mensaje *m* message
mensual monthly
mentira lie
mentiroso(a) liar

mercadeo marketing
mercado market
mercancía merchandise
merced *f* grant, favor, gift
merecer to deserve
merendar to snack
mermar to diminish
mes *m* month
mesa table; mesa, land plateau
mestizaje mixing of different cultures
mestizo(a) mestizo (combination of Spanish and Indian blood)
meta goal
meteórico(a) meteoric
meterse to go into, get into
método method
metro meter (39.37 in.); subway
metrópoli *f* city, capital
metropolitano(a) metropolitan
mezcla mixture, mix
mezclado(a) mixed
mezclarse to mix into, take part; to meddle
miedo fear
miembro *m or f* member
mientras (que) while, as long as
migración migration
migrar to migrate
mil *m* a thousand
milenio millennium
miliciano(a) militia member
militante *m or f* militant
militar *m or f* military
milla mile
millón *m* million
mimar to pamper
mina mine
minero(a) *adj* referring to mining; *n* miner
miniatura *n* miniature
minimercado minimart
minimizar to minimize
mínimo(a) minimum
ministro minister (of government)
minoría minority
mirada view
mirar to look (at)
misa mass
miseria misery
misionero(a) missionary
mito myth
modismo idiom
mojado(a) wet; wetback
molestar to bother
molesto(a) annoying, bothersome
momento moment
monarca *m or f* monarch, king, queen
monarquía monarchy
monasterio monastery

moneda coin; money
monetario(a) monetary
monja nun
monopolio monopoly
monopolístico(a) monopolistic
monóxido monoxide
montado(a) mounted; **montado a caballo** on horseback
montaña mountain
monto amount
montón *m* a lot
monumento monument
moralidad morality
morar to live, dwell
mórbido(a) morbid
moreno(a) brown; **gente morena** blacks
morir (ue) to die
moro(a) *n* Moor; *adj* Moorish
mortal mortal, fatal
mortalidad mortality, death rate
mosca fly; **mosca muerta** one who pretends meekness; hypocrite
mostrar (ue) to show; to prove; *refl* to show oneself to be
motivación motivation
motivo motive, reason; impulse, motif
mover (ue) to move (something); *refl* to move
móvil mobile, movable
movilidad mobility
movimiento movement
muchacho(a) boy, girl
mucho(a) much, a lot; *pl* many
mudarse to move, change lodging
muerte *f* death, demise
muerto(a) *adj* dead; *n* dead person
muestra sign, sample
mujer *f* woman; wife
multa fine
multicolor *adj* multicolored
multiétnico(a) multiethnic
multinacional multinational
multitud *f* multitude
mundial of the world, worldwide
mundo world; **el Nuevo Mundo** the New World, the Western Hemisphere
municipio municipality
mural mural
muralista *m or f* muralist
muro wall
museo museum
música music
musulmán(-ana) Moslem, Mussulman
mutuo(a) mutual

N

nacer to be born
nacido(a) born
nacimiento birth
nacionalidad nationality

nacionalismo nationalism
nacionalista *m* or *f* nationalist
nacionalización nationalization
nacionalizar to nationalize
nada nothing, anything, nothingness
nadie no one, nobody
náhuatl *m* Nahuatl (language of the Aztecs)
narcotráfico drug trade
narrativa *n* narrative; **narrativo(a)** *adj* narrative
natalidad birth, birth rate
nativo(a) native
naturaleza nature
navaja razor; knife
Navidad Christmas
necesario(a) necessary
necesidad necessity
necesitar to need
necio(a) foolish
negar (ie) to deny; **negarse a** to refuse to
negativo(a) negative
negociación negotiation
negociar to negotiate
negocio business deal; *pl* business
nena colloquial form of **niña,** child
neolatino(a) neo-Latin, romance
neologismo neologism
neotrópico neotropics
neoyorquino(a) New Yorker
nepotismo nepotism
nervioso(a) nervous
neutralidad neutrality
nevado(a) snow-covered
nieve *f* snow
ningún, ninguno(a) no, none, not any
niño(a) child, little boy, litle girl
nivel *m* level
noble *m* nobleman
noche *f* night
nocturno(a) noctural, night
nómada *adj m* or *f* nomadic
nomádico(a) nomadic
nombramiento nomination, naming (to a position)
nombrar to name; to nominate
nombre *m* name; noun; reputation
nopal *m* prickly-pear cactus
nórdico(a) Nordic
norma standard; law
normal: escuela normal school for training teachers
normalidad normalcy
normalizar to normalize
normativo(a) regulations
noroeste *m* northwest
norte *m* north
norteamericano(a) North American (used for a person or thing from the United States)
nota grade (in a class)
notable notable, noteworthy

notar to note, take note of
noticia notice; *pl* news
notorio(a) noteworthy, evident
novela novel
novelista *m* or *f* novelist
noveno(a) ninth
nube *f* cloud
núcleo nucleus
nuera daughter-in-law
nuestro(a) our
nuevo(a) new
nulo zero
numéricamente numerically
número number
numeroso(a) numerous
nunca never, not ever

O

obedecer to obey
obispo bishop
obituario obituary
objetivo objective
objeto object
obligación obligation, duty
obligado(a) obliged
obligar to oblige; to obligate
obligatorio(a) obligatory, required
obra work; labor
obrar to work, toil
obrero(a) *n* worker; *adj* working
observador(a) observer
observar to observe, watch
observatorio observatory
obsesionado(a) obsessed
obsesionar to obsess; *refl* to become obsessed
obstaculizado(a) impeded
obstaculizar to create or present an obstacle
obstáculo obstacle, barrier
obstante: no obstante nevertheless, notwithstanding
obtener (ie) to obtain, get
obvio(a) obvious
ocasión occasion
ocaso twilight
occidental occidental, western
occidente *m* west; **Occidente** the West
océano ocean
ochenta eighty
ocio idleness
octavo(a) eighth
ocular *adj* eye
ocultar to hide
ocultista *adj* related to the occult
oculto(a) hidden
ocupar to occupy, hold, use
ocurrir to occur, happen
oeste *m* west
ofender to offend

ofensa offense, crime
ofensivo(a) offensive
oferta offer
oficial *adj* official
oficina office, workshop
oficio trade, task, business
ofrecer to offer
ofrenda offering, gift
ofrendar to offer up
oído(a) heard
oír to hear
ojo eye
ola wave
oler a (huele) to smell like
oligarquía oligarchy
olvidarse (de) to forget
ONU Organización de las Naciones Unidas, UN
onda wave
ondear to wave
operar to operate; to fund
oponerse to oppose, be opposed to
oportunidad opportunity
oposición opposition
opositor(a) opponent
opresión oppression
opuesto(a) opposed; opposite
oración sentence, prayer
orden *m* order
ordenar to order
ordeñar to milk
ordinario(a) ordinary
organismo organization
organizador(a) organizer
organizar to organize
órgano organ; medium
orgullo pride
orientación orientation, direction
oriental oriental, eastern
oriente *m* east; **Oriente** the East, the Orient
origen *m* origin
originalidad originality
originarse to originate
orilla bnak, shore
orillar to push toward
ornamentación ornamentation, decoration
oro gold
ortodoxo(a) orthodox
osado(a) impudent, shameless
oscilar to vary
oscurecer to get dark, darken, obscure
oscuro(a) dark, obscure
oscuridad darkness
ostentaciones airs
ostentar to show
otorgar to grant, give, donate
otro(a) another, other, the other
ozono ozone

P

paciencia patience
pacíficamente peacefully
pacificar to pacify
pacífico(a) peaceful, gentle
padecer to suffer from
padre *m* father, priest; *pl* parents
padrino(a) godfather, godmother; *pl* godparents
pagar to pay
página page
pago payment
país *m* country, nation, region
paja straw
pájaro bird; **pájaro tordo** starling
palabra word, term
palacio palace
paliza beating
palo stick; style of flamenco
pampa *Argentina* plain
pan *m* bread, loaf of bread
panadería bread store, bakery
panamericano(a) Panamerican
pandilla street gang
pantalla screen (movie, TV, etc.)
pantano swamp
pantanoso(a) swampy
panteón *m* pantheon
Papa *m* Pope
papel *m* paper; role
papelería stationery shop
par *m* pair
para for, in order to, towards, by; **para que** so that
paracaídas *m* parachute
parada stop (train, bus, etc.)
paraguayo(a) Paraguayan
paraíso paradise
páramo high plain
parar to stop; to stay
parcela parcel, piece
parcial partial, part
par *m* peer
parecer to seem, look
parecido(a) similar, alike; *n m* resemblance
pared *f* wall
pareja *n* couple
pariente, -ta relative, relation
parlamentario(a) parliamentary
parlamento parliament
paro: en paro laid off
parque *m* park
parquear to park (a car)
párrafo paragraph
parranda binge, party
parroquial parochial
parte *f* part, portion; place; **de parte de** on behalf of; **por parte de** on the part of; **por todas partes** everywhere

participante *m* or *f* participant
participar to participate
particular private, personal, particular
partida certificate (of birth, etc.)
partidario(a) partisan, supporter
partido political party; game, match; group
partir to leave; **a partir de** starting at, begin with
parto childbirth
párvulo(a) small child, preschool child
pasado(a) *adj* past; *n m* past
pasajero(a) passenger
pasante passing
pasar to pass, go, pass through, go over to, come to; to spend (time)
pasear(se) to stroll, take a walk, drive
paseo stroll, walk; drive, ride
pasión passion
pasivo(a) passive, inactive
paso step, mountain pass
pata foot (of an animal)
patente clear
paterno(a) paternal, fatherly
patio patio, yard, courtyard
patológico(a) pathological
patria native country, fatherland; **madre patria** motherland
patriarca patriarch
patriarcal patriarchal
patrimonio patrimony, inheritance
patriota *m* patriot
patrón(-ona) patron, patroness, boss
patrulla patrol
pavo real peacock
paz *f* peace
peana portable platform
peatón *m* pedestrian, walker
pecado sin
pecar (de) to commit the sin (of)
pedagógico(a) pedagogical
pedazo piece, shred
pedir (i) to ask for, request, solicit
pegar to hit; **pegar(se) un tiro** to shoot (oneself)
pelea fight, quarrel
película film
peligro danger
peligroso(a) dangerous
pelirrojo(a) redhead
pelotazo great kick
pelotero baseball player
pena pain, sorrow; **bajo pena** under threat; **en pena** in purgatory
pendiente *f* slope; *adj* watchful
pensión support payment
peninsular *adj m* or *f* (thing or person) of the peninsula
penoso(a) sorrowful
pensamiento thought
pensar (ie) to think; to intend

peor worse; **el (la, los, las) peor(es)** the worst
pequeño(a) small, little
percatarse to notice
percibir to perceive
perder (ie) to lose
pérdida loss
perdiz *m* partridge
perdonar to pardon
perdurar to last long; to remain
perfecto(a) perfect
perfilarse to outline
periódico newspaper
periodista *n m* or *f* journalist
período period (of time), age, era
perjudicar to prejudice, damage, impair
perjuicio damage
permanecer to remain, stay
permanencia permanence, stay
permanente permanent
permiso permission; permit
permitir to permit, allow
perpetrado(a) perpetrated
perpetuo(a) perpetual, eternal
perplejidad perplexity, confusion
perro(a) dog
persecutorio(a) persecuting
perseguir (i) to persecute; to pursue
perseverar to persist
persistencia persistence
persistir to persist
persona person
personaje *m* personage, literary character
personal *m* personnel
personalidad personality
personalmente personally
perspectiva perspective; prospect
pertenecer to belong, pertain
perteneciente belonging
peruano(a) Peruvian
pesadilla nightmare
pesado(a) annoying; heavy
pesar to weigh; **a pesar de** in spite of
pescadería fish market
pese: pese a despite
pesimista pessimistic; *n m* or *f* pessimist
pésimo(a) very bad, worst
peso weight; currency unit
peste *f* plague
petición petition, request; **a petición de** at the request of
petróleo oil (crude), petroleum
petrolífero(a) of or relating to oil
peyorativo(a) pejorative, derogatory
picada mixture of fried bread, meat, and lard
pico a bit
pie *m* foot; **a pie** on foot
piedra stone
pilar *m* pillar

pintar to paint
pintor(a) painter
pintoresco(a) picturesque
pintura painting
pirámide *f* pyramid
pisar to step on, set foot on
piso floor, story; **piso bajo** ground floor
pistola pistol
pistolero(a) armed bandit
pitar to whistle
placer *m* pleasure
plan *m* plan, scheme
plana page (of a newspaper)
plancha iron
planear to plan
planeta *m* planet
planificar to plan
planta plant; floor
plantación plantation
plantar to plant; to put down
plantear to propose
plata silver; *slang* money
plataforma platform
plato plate; dish; **plato típico** traditional dish
playa beach
plaza plaza, square; marketplace
plazo term, period; **a largo plazo** long term
pleno(a) full
plomo lead
pluma feather
población population
poblacional *adj* pertaining to population
poblado(a) populated
poblador(a) settler, colonizer
poblar (ue) to populate, settle
pobre poor; *n m or f* poor person; *pl* the poor
pobreza poverty
poco(a) little, scanty; *pl* a few, some; *n m* a little bit; *adv* a little, somewhat, slightly
poder (ue) to be able to, can, may; *n m* power, authority
poderoso(a) powerful, strong
poema *m* poem
poesía poetry, poem
poeta *m* poet; **poetisa** poetess
polémica polemic, debate
policía *f* police; *n m* policeman
policíaco(a) of or by the police
político(a) political, *n f* politics; policy; *n m* politician
polución pollution
polvo dust
pompa splendor
ponderación *n* thinking, consideration
poner to put, place; *refl* to become, turn; **poner de relieve** to emphasize; **poner (a alguien) en solfa** to make (someone) look ridiculous; **ponerse de acuerdo** to reach an agreement
pontífice *m* pontiff

popularidad popularity
popularizar to popularize, make popular
por by, through; for, for the sake of, because of; **por casualidad** by chance; **por ciento** percent; **por eso** for that reason; **por favor** please; **por lo general** generally; **por lo tanto** therefore; **¿por qué?** why?; **por su cuenta** on its (her/his) own; **por tanto** thus
porcentaje *m* percentage
porción portion, part
porque because, for, as
portador(a) bearer
portal *m* gate, doorway
portarse to behave, act
portavoz *m or f* spokesperson
porteño(a) *adj* of Buenos Aires
portero(a) goalie
portugués(-esa) Portuguese
pos *prefix* after
posado(a) posed, perched
poseer possess, have
posesionado(a) possessed
posibilidad possibility
postergación delay; omission
postergar to delay
posterior later, behind, after
postura posture, position
potencia power
potencial potential
potenciar to give power to
potente powerful
potestad power
potrero field
practicar to practice to, perform
práctico(a) practical; *n f* practice, act, habit
precedente *m* precedent
precio price
precioso(a) precious, dear
precipitadamente hurriedly
precisamente exactly
preciso(a) necessary
preconizar to advocate
predecir (i) to predict
predicción prediction
predominantemente predominantly
predominar to predominate
preferencia preference
preferente preferred
preferible preferable
preferir (ie) to prefer
premiar to reward
premio prize, premium
prender to light, set off
prensa (printing) press
preocupación preoccupation, worry
preocupar(se) to worry
preparar to prepare
prescrito(a) prescribed

presenciar to attend, be present at
presentar to present; to take (exams)
presente *m* present, present time
preservar to preserve, maintain
presidencia presidency
presidencial presidential
presidente(a) president; **presidente(a) electo(a)** president-elect
presidir to preside over
presión pressure
presionar to pressure
preso(a) *n* prisoner; *adj* captured
préstamo loan
prestar to lend; **prestar atención** to pay attention
prestigio prestige
prestigioso(a) prestigious
presumiblemente presumably
presunción presumption; conceit
presupuesto budget
pretender to aim to; to endeavor
pretendido(a) pretended; object of love
pretil *m* parapet
prevalecer to prevail, dominate
prever to foresee
prima: materia prima raw material
primario(a) primary, elementary
primer, primero(a) first; **lo primero** the first thing
primitivo(a) primitive, early, first
primo(a) cousin
primogénito(a) first-born
principiante *m* or *f* beginner
principio principle; beginning; **al principio** at first
prioridad priority
prisa haste; **darse prisa** to hurry
prisionero(a) prisoner
privado(a) private
privar to deprive
privatización privatization
privatizar to privatize, sell to private interests
privilegiado(a) privileged
privilegiar to favor
privilegio privilege
probar (ue) to prove; to test
problema *m* problem
problemática (set of) problems
profesar to profess
procedencia origin, source
procedente coming from
proceder to come from, originate
procedimiento procedure, process
procesión procession, pageant
proceso process
proclamación proclamation
proclamar to proclaim, pronounce
procreación procreation
procuraduría prosecutor's office
producción production

producir to produce
productividad productivity
producto product, result; **producto interno bruto (PIB)** gross domestic product (GDP)
profesor(a) professor, teacher
profesorado professoriate, group of professors, faculty
profundo(a) deep, profound, radical
progenitor(a) direct ancestor
programa *m* program; plan of action
progreso progress, advancement
prohibición prohibition, forbidding
prohibir to prohibit, forbid
prolífico(a) prolific
prolija dreary
promedio *n* average, mean; **promedia vital** life expectancy
promesa promise
prometedor(a) *adj* promising
prometer to promise
promover (ue) to promote
promulgar to promulgate, proclaim
pronombre pronoun
pronosticar to predict
pronóstico prediction
pronto *adv* soon, promptly
pronunciar to pronounce, speak
propensión propensity, learning
propicio(a) favorable, propitious
propiedad property
propietario(a) owner; proprietor; landowner
propio(a) one's own; appropriate; **amor propio** self-esteem
proponer to propose
proporción proportion
proporcionar to provide, make available
proposición proposal, proposition
propósito purpose, intention
propuesta proposal
prosperidad prosperity
prostitución prostitution
protagonismo significant presence
protagonizar to star in, play the lead in
protección protection
proteger to protect
protesta protest
protestante *m* or *f* Protestant
protestantismo Protestantism
protestar to protest
prototipo prototype, model
proveedor supplier
proveer to provide, furnish
proveniente from
provenir (ie) to arise (from), originate, come from
provincia province, political division
provisión provision; *pl* supplies
provisionalmente temporarily

provocar to provoke
proyectado(a) projected
proyecto project; plan
proximidad proximity, nearness
próximo(a) next; near
proyectar to plan, project
prueba proof; test
psicológico(a) psychological
psicólogo(a) psychologist
publicar to publish; to publicize
publicidad advertising
publicista *m or f* advertising person
publicitario(a) *adj* advertising
público(a) public; *n m* (the) public
pueblo small town; the people, nation, citizenry
puente *m* bridge
puerto port
puertorriqueño(a) Puerto Rican
pues *adv* then; *conj* since
puesto(a) put, placed; *n m* job, position; **puesto que** since
pugna clash
puma *m* puma, American panther
punta tip; **punta de lanza** spearhead
punto point, dot, period; **al punto de** on the point of; **punto de vista** point of view
puntualizar to put the finishing touch on, to complete
pureza purity
purgatorio purgatory
puro cigar
puro(a) pure

Q

que that, which, who, whom, than, when; **el (la, los, las) que** the one(s) who; **lo que** that which; **¿qué?** what?, which?; **¿para qué?** what for?; **¿por qué?** why?
quebrantado(a) broken; desecrated
quebrar (ie) to break
quechua *m* Quechua (language of the Incas)
quedar to be located; **quedar(se)** to remain, stay
quejarse to complain
quemar to burn
querer (ie) to want; to love; to try; **querer decir** to mean
querido(a) beloved, lover; dear
quien who, whom; **¿quién?** who?; **¿a quién?** whom?
quincenal *adj* biweekly
quinina quinine
quiosco kiosk, vending stand
quizás perhaps, maybe

R

racional rational, reasonable
racismo racism
racista *m or f* racist
radical radical, basic
radicar to live, settle; lie

raíz *f* root; basis; **a raíz de** soon after, as a result of, caused by
rancho mess hall; hut; (*southwest Am*) cattle ranch
rápido(a) rapid, fast
raro(a) rare, strange
rascacielos *m* skyscraper
rasero: medir con el mismo rasero to treat impartially
rasgo trait, characteristic
raso(a) flat, clear; **soldado(a) raso(a)** enlisted person, foot soldier, soldier of low rank
rastro trace, trail
ratificar to ratify
rato while, short time
rayo ray; lightning bolt
raza race; cultural group or people
razón *f* reason; **con razón** with reason, rightly; **sin razón** without reason, wrongly
reaccionar to react
real royal; real
realidad reality
realismo realism
realizado(a) realized, brought to fruition, fulfilled
realizar to complete; to carry out
reanimar to revive
reanudarse to resume
reata rope, lasso
rebasar *Mex* to pass
rebelarse to rebel, rise up
rebelde *m or f* rebel
recalentarse to heat up again
recapacitar to reconsider, mull over
recargo surcharge
recaudación receipts
recelo suspicion, misgiving
receptor *m* receiver
receta prescription; recipe
rechazar to reject, turn down
rechazo rejection, rebuff
recibir to receive, get
reciente *adj* recent
reclamación claim, demand
reclamar to claim, demand, complain
recobrado(a) recovered
recoger to gather, pick up, collect
recomendar (ie) to recommend
recompensa reward
recompensar to compensate, repay
reconciliar to reconcile
reconocer to recognize
reconocimiento recognition
reconquista reconquest
reconquistar to reconquer, retake
reconstrucción reconstruction
reconstruir to reconstruct, rebuild
récord *m* record
recordar (ue) to remember, remind
recordatorio reminder

recorrer to sweep through, travel through; to go all over

recorrido route

recreativo(a) recreational

recto(a) straight; **ángulo recto** right angle

recuento vote count

recuerdo memory, reminder, remembrance

recuperar to recover

recurrir to recur, happen again

recurso resource

red *f* web (Internet) network

redada raid

redistribución redistribution

reducir to reduce

reemplazar to replace, substitute

referencia reference

referendo policy election

referirse (a) (ie) to refer (to), have relation (to)

refinado(a) subtle, polished, refined

refinar to refine, purify

refleja *fig* it indicates

reflejar to reflect

reflejo reflection

reflexión reflection

reforma reform; Reformation; **reforma agraria** redistribution of land (in Spanish America); **reforma migratoria** immigration reform

reformar to reform, remodel

reformista *m* or *f* reformer, person or thing favoring reform

reforzar (ue) to reinforce, strengthen

refrán *m* refrain, proverb

refrescarse to cool off

refugiado(a) refugee

refugiarse to take refuge

regado(a) sprayed, irrigated

regalar to give a gift

regalo *n* gift

regañar to scold

regar (ie) to irrigate, spray

régimen *m* regime, political system

región region, area

regir (i) to rule, govern

registrar(se) to record; to be noted, seen

regla rule, principle

regresar to return

regreso return

rehén *m* hostage

rehusar to refuse, decline

reina queen

reinar to reign, rule, govern

reino kingdom; reign

reiterar to repeat

reivindicación claim

reivindicar to claim; to recover

relación relation, relationship

relacionar to relate; **relacionarse** to be related, connected

relatividad relativity

relativo(a) *adj* relative

releer to reread

relegado(a) relegated; banished

relevante relevant

relevo change, relief

religiosidad religiosity, religiousness

religioso(a) religious

remarcar to note

remesa remittance

remedio remedy

reminiscencia influence

remoto(a) remote

renacentista *adj m* or *f* of the Renaissance

renacimiento rebirth

rendirse (i) to surrender, give in to; **rendir culto a** honor

renovación renovation

renovador(ra) *n* renovator; *adj* renovating

renovar (ue) to renew

renta income, profit

rentable profitable

rentabilizar to profit from

renunciar to renounce

reorganizar to reorganize

reparación repair

reparar to notice

repartidor(a) delivery person

reparto distribution

repatriar to repatriate, return to one's country of origin

repente: de repente suddenly

repercusión repercussion

repetir (i) to repeat, do again

reponerse to replace itself

reprender reprimand

representante *m* or *f* representative

representar to represent; to put on (play, show, etc.)

represión repression

represivo(a) repressive

reproducir to reproduce, recreate

república republic

republicano(a) republican

repunte *m* rebound

requerimiento requirement

requerir (ie) to require, need

requisito requirement

resaltar to emphasize, make stand out

resbalarse to slip out, down

rescatar to rescue

rescate *m* ransom, ransom money

resentido(a) resentful, offended

reserva reserve

reservado(a) reserved, held back

resguardo protection

residencia dormitory, residence

residente *adj m* or *f* residing

residir to reside

resignarse to be resigned to, resign oneself to
resina resin
resistencia resistance
resistir to resist
resolver (ue) to resolve; to solve
respalado(a) backed
respaldo support, backup
respectivamente respectively
respecto respect; **al respecto** in that respect
respeto respect (for something)
respiratorio(a) respiratory
responder to respond, answer
responsabilidad responsibility
responsable *adj* responsible; *n m* or *f* responsible person
respuesta reply, answer, response
restaurante *m* restaurant
restaurar to restore
resto rest, remainder; *pl* remains
restricción restriction
restringir to restrain, restrict
resucitado revived
resultado result
resultante resulting
resultar to result, turn out
resumen *m* summary
resumir to summarize
resuscitar to revive
retén police checkpoint
retener (ie) to retain, hold
retomar to take up again
retornar to return, come back
retraimiento withdrawal
retrasar to delay
retraso *n* delay
retroceder to go back
retroceso *n* setback
reunión meeting, reunion, gathering
reunirse to meet, gather
revalorización revaluation
revelar to reveal, show
revista magazine, review
revolución revolution; revolt
revolucionario(a) revolutionary
rey *m* king
rezar to pray
rico(a) rich; delicious
riego irrigation
riesgo risk
río river
rioplatense *m* or *f* of or from Argentina or the Río de la Plata
riqueza riches
risa laughter
ritmo rhythm
rito rite
ritual *adj* ritual; *n m* ceremony
robar to rob, steal

robo robbery
rodado(a) vehicular
rodar to roll
rodear to surround; to round up
romaní *m* Romany (Gypsy language)
romanizar to romanize, make like Rome
romano(a) Roman, esp. of ancient Rome
romántico(a) romantic; idealistic
romper to break
ropa clothing, clothes
rosa rose
rótulo label
rudeza roughness
rueda wheel
ruido noise
ruidosamente noisily
ruina ruin
rumano(a) Romanian
ruso(a) Russian
ruta route, way

S

saber to know, know how (to); to find out; *m* knowledge
sabiduría knowledge, wisdom
sabio(a) wise; wise person
sablazo rip off
sabor *m* taste, flavor
sacar to take out, remove
sacerdocio priesthood
sacerdote *m* priest
sacrificar to sacrifice
sacrificio sacrifice
sacudir to shake
sagrado(a) sacred, holy
saguaro a type of cactus
sajón(-ona) Saxon
sala room, salon, hall, living room
salario salary
saldo balance
salida exit, way out
salir to leave, go out, come out; **salir al paso** to come up against
salud *f* health
saludable healthy
saludo salute
salvación salvation
salvadoreño(a) El Salvadoran
salvar to save
San (*abbreviation of* **Santo**), **Santo(a)** Saint; **santo** saint's day
sancocho stew, casserole
sangre *f* blood
sangrieto(a) bloody
sanidad health
santero(a) maker of images of saints
sarampión *m* measles
satisfacer to satisfy

satisfactorio(a) satisfactory
sanitario(a) health
sección section
secretariado secretariat
secretario(a) secretary
secreto *n* secret
secta sect
secuestrar to kidnap, abduct
secuestro kidnapping, abduction
secundario(a) secondary
sede *f* seat, headquarters, locale
sedentario(a) sedentary, settled
sedicioso(a) *adj* seditious, *n* rebel
sefardita *adj* Sephardic
segmento segment
segregación segregation
seguidor(a) *n* follower
seguir (i) to follow; to continue, keep on
según according to
segundo(a) second
segundón *m* second son
seguridad security; certainty; **con seguridad** with certainty, surely; certain
seguro(a) sure, safe; *n* insurance
selección selection, choice
sello stamp (e.g., postage)
selva jungle
selvático(a) of the jungle
semana week
semejante similar
semejanza similarity
semestre *m* six months
semilla seed
senado senate
sencillo(a) simple
senderista member of **Sendero Luminoso**
Sendero Luminoso Shining Path (Peruvian guerrillas)
sensibilizar to make aware
sensual sensual, relating to the senses
sensualidad sensuality
sentar(se) (ie) to sit down, be seated
sentencia (judicial) sentence
sentenciar to declare
sentido sense, meaning
sentimiento sentiment, feeling, sense
sentir(se) (ie) to feel, feel like
señal *f* sign
señalar to signal; to mark, stamp; to indicate
señor Mr., sir; feudal lord
señora Mrs., madam
señorío lordship, domain
señorita Miss, young lady
separación separation
separado(a) separate; **por separado** separately
separar to separate
separatismo separatism, secessionism
separatista *adj m* or *f* separatist, secessionist

séptimo(a) seventh
sepulcro sepulchre, tomb
sepultura grave, burial place
sequía drought
séquito retinue
ser to be; **a no ser** except; **ser humano** being, human being; **ser partícipes de** to participate in; **ser querido** loved one
serie *f* series
serio(a) serious; **tomar en serio** to take seriously
serpiente *f* serpent
servicio service
servir (i) to serve; **servir de** to serve as
severo(a) severe, harsh
sexo sex
sexto(a) sixth
sexualidad sexuality
sicología psychology
sicológico(a) psychological
sicólogo(a) psychologist
siempre always, ever
sierra mountain range
siesta nap, midday rest
siglo century, age
significado meaning
significar to mean, signify
siguiente following, next
silbato whistle
silencio silence
simbólico(a) symbolic
simbolismo symbolism
simbolizar to symbolize
símbolo symbol
simetría symmetry
simpatía support, fellowship
simpático(a) congenial, likeable
simple simple; mere; silly
sin without; **sin embargo** however, nevertheless; **sin lugar a dudas** without a doubt; **sin titubeos** without hesitation
sinceramente sincerely
sindical relating to a union
sindicato labor union
sinnúmero countless
sino but, but rather, but also, except
sinónimo synonym
sintetizar to synthesize, summarize
siquiera *adv* even
sistema *m* system
sistematizar systematize
sitio site, place; siege
situar to situate, locate
soberanía sovereignty
sobre *prep & adv* over, on, above; about; towards; **sobre todo** above all; *n m* envelope
sobrecoger to startle
soberano(a) sovereign

sobrenatural supernatural
sobresaliente excellent, outstanding
sobresalir to excel, stand out
sobresaltado(a) startled
sobreviviente *adj m or f* surviving
sobrevivir to survive
sobrino(a) nephew, niece
sobrio(a) sober, staid
sociedad society
socio(a) partner
sociológico(a) sociological
sociólogo(a) sociologist
sofocar to suffocate
sol *m* sun
solamente only
solar solar, of or relating to the sun
soldado(a) soldier
soledad solitude, loneliness
solemne solemn, holy
soler (ue) to be in the habit of, used to, accustomed to
solidaridad solidarity
solidario(a) to feel solidarity
solidez *f* solidity
sólido(a) solid
solitario(a) solitary, lonely
solo(a) alone; only, sole; **solo** *adv* only
solsticio solstice (when sun is farthest from equator)
soltar (ue) to release
solucionar to solve
sombra shadow, shade
someterse to submit oneself
son Cuban type of music
sondeo survey, poll
soneto sonnet
sonido sound
soñar (ue) to dream
Sor *f religious* Sister
sorprender to surprise
sorpresivamente in a surprising way
sosiego tranquility, quietness
soslayar to ignore
sospecha suspicion
sospechar to suspect
sostén *m* support
sostener (ie) to sustain
soviético(a) Soviet
sótano basement
subcultura subculture
súbdito(a) subject (as of a king)
subir to rise; to go up; to raise
subjetivo(a) subjective
subocupado(a) underemployed
subrayar to underline
subsecretario(a) undersecretary
subsuelo subsoil
subterráneo(a) subterranean, under ground
subtítulo subtitle

suburbano(a) suburban
subversivo(a) subversive
subyugación subjection
subyugado(a) subjugated
suceder to happen
sucio(a) dirty
sudamericano(a) South American
sueldo salary, wages
suelo soil, ground, earth
sueño dream
suerte *f* luck, fortune
suficiente sufficient, enough
sufrir to suffer; to undergo
sugerir (ie) to suggest
suicidarse to commit suicide
suicidio suicide
suma sum, total; **de suma importancia** very important; **en suma** in short, summary
sumar to add, total
suministrado(a) supplied
sumir to sink; to join
sumo(a) *adj* great
súper *m* (**supermercado**) supermarket
superador(a) *adj* surpassing; that over comes
superar to surpass; to pass; to overcome
superior *adj* superior, higher, upper
supermercado supermarket
superpoblación overpopulation
superstición superstition
supervivencia survival
superviviente *n m or f* survivor
suplente *m or f* substitute
suponer to suppose
supremacía supremacy
supresión suppression
suprimir to suppress
sur *m* south
sureño(a) southern
sureste *m* southeast
surgir to break out, come forth
suroeste *m* southwest
surtido selection, supply
suscrito(a) signed
suspender to suspend; to discontinue
suspensión suspension, interruption
sustantivo substantive; noun
sustentar(se) to sustain; to be sustained, held up
sustento sustenance
sustitución substitution
sustituir to substitute (for)
sutil subtle

T

tabaco tobacco
tabaquería tobacco shop
tabú *m* taboo
tacho de basura trash can

taco *Mex* type of sandwich made with a tortilla

táctica tactics, policy, way of operating

tajante sharp, cutting

tal such, so, as; **tal vez** perhaps; **un (el) tal** a certain

tallar to carve

taller workshop

talento talent

tamaño size

también also, in addition, too

tampoco either, neither

tan so, as

tanto(a) *adv* so much, as much; *pl* so many, as many

taquillero(a) popular, moneymaker, box office success

tardar to delay; be late, take a long time

tarde *f* afternoon; *adv* late, too late; **más tarde** later

tardío(a) late

tarea task, homework

tarjeta de crédito credit card

tasa rate

teatro theater

techo roof; ceiling

teclado keyboard

técnica technique

técnico(a) technical

tecnología technology

tecnológico(a) technological

teja tile (of clay)

tejedor(a) weaver

tejer to weave

tejido woven cloth, textile

tela piece of cloth

tele *f* television

televisor *m* TV set

teléfono telephone

tema *m* theme; matter

temblar (ie) to tremble

temblor *m* earthquake, tremor

tembloroso(a) trembling

temer to fear, be afraid of

temor *m* fear

templado(a) temperate (e.g., climate); tempered

templo temple

temprano(a) early; **temprano** *adv* early, early on

tenaza pincer

tender (ie) to tend to, have a tendency toward

tener (ie) to have, possess, hold; **tener que** to have to

teniente *m* or *f* lieutenant

tensión tension, strain

tenso(a) tense

tentativa attempt, try

tenue tenuous, delicate, subtle

teocracia theocracy

teología theology

teoría theory

teórico(a) theoretical

teorista *m* or *f* theorist

teorizar theorize

tercer, tercero(a) third; **tercera parte** one-third

tercio one-third

terminar to end, terminate, finish

término term

terminología terminology

termómetro thermometer

ternura tenderness

terrenal earthly

terreno parcel of land, terrain

terrestre of the earth; *m* or *f* "earthling"

territorio territory, region

terrorista *m* or *f* terrorist

tesoro treasure

texano(a) Texan

texto text

tiempo time; weather

tienda store, shop

tierra earth, land

tifus *m* typhus

tinte *m* aspect

tío(a) uncle, aunt

típico(a) typical, traditional

tipo type, kind, sort

tiránico(a) tyrannical

tirano tyrant

tirar to throw, toss

tiro shot

titulado(a) titled, entitled

titular *m* head, chief; headline

título title; degree

tiza chalk

tocado(a) wearing on the head

todavía still, yet

todo(a) all, each, everything; *pl* everyone; all of; **de todos modos** anyway; **del todo** completely; **todo el mundo** everyone, everybody; **todo un (el)** a (the) complete, a (the) whole; **todo vale** anything goes

tolerancia tolerance, tolerant, forgiving

tolerar to tolerate, allow

tolteca *m* or *f* Toltec Indian

tomar to take; to drink

tono tone

tontería foolishness, nonsense

toponímico place name, toponymic

torear to fight a bull

torero(a) bullfighter

tormenta storm

tormento torment, anguish

toro bull

torre *f* tower

tortura torture

totalidad totality

totalitario(a) totalitarian

traba obstacle, impediment

trabajador(a) worker

trabajar to work

trabajo work, job

tradición tradition
tradicional traditional
traducción translation
traducir to translate
traductor(a) translator
traer to bring, carry
tráfico traffic; **tráfico rodado** vehicular traffic
tragedia tragedy
trágico(a) tragic
traidor(a) traitor
traje *m* suit, costume
tramar to design, devise (a plot)
trámite *m* process
tramo section, stretch
trance *m* difficulty
transformar to transform, change
transformadoro(a) *adj* change
tránsito traffic
transitorio(a) transitory, temporary
transmitir to transmit, relay
transportar to transport
transporte *m* transport, transportation
transversal transverse, crosswise
tras after
trascendental of great importance
trascender to succeed
trasero rear, back
trasladar to transfer
trasladado transferred
traslado transfer, removal
tratado treaty, treatise, tract
trastorno upset, trouble
tratamiento treatment
tratar to treat, discuss; to try; **través: a través** across, through
trazar to trace, draw
trébol *m* clover
trecho distance
tremendo(a) tremendous, huge
tren *m* train
tribu *f* tribe
tribuna public platform
tribunal *m* jury; panel
triste sad
tristeza sadness
triunfante triumphant
triunfar to triumph, win
triunfo triumph
trompo spinning top (toy)
trono throne
tropas troops
trozo excerpt, selection (of a larger work)
truco trick
turbar to disturb
tumba tomb, grave
tumulto tumult, riot
tuna student musical group

Túpac Amaru Incan leader
Tupamaros *pl* Uruguayan guerrilla band
turístico(a) of or relating to tourism
turno of the moment
tutela guardianship

U

ubicado(a) located, placed
ubicarse to be located
ubicuo(a) ubiquitous
último(a) last, ultimate; **por último** finally
ultratumba *adv* from beyond the grave, the afterlife
único(a) only, unique
unidad unity; unit
unido(a) united; **Estados Unidos** United States
unión union; combination; **Unión Soviética** Soviet Union
unir to unite; *refl* to join
unitario(a) unitarian; *Am* one who favors a strong central government
universalidad universality
universidad university
universitario(a) of or relating to the university; *n m or f* university student
universo universe
urbanización urbanization
urbanizar to urbanize, group in cities
urbano(a) urban, living in cities
urbs *Latin* city
urgente urgent
usar to use; to wear
uso use; **hacer uso de** to make use of
utensilio utensil, tool
útil useful
utilidad utility, usefulness
utilitarismo utilitarianism
utilizar to utilize, use

V

vaca cow
vaciar to empty
vacilar to hesitate
vacuno: ganado vacuno beef cattle
vagar to wander
valer to be worth; **valer la pena** to be worthwhile; **valerse (de)** to make use of
validez *f* validity
válido(a) valid
valiente valiant, brave
valioso(a) valuable
valle *m* valley
valor *m* value; bravery, valor
valorar to value, place a value on, appraise
vanguardia vanguard, advance guard, leaders of a movement
vanidad vanity
vaquero(a) cowboy, cowgirl
vara rod, line

variante variant
variar to vary, mix
variedad variety
varios(a)s various, several, some, a few
varón *m* male (person)
vasco(a) Basque; **País vasco** Basque country
vascuence *m* Basque language
vaso glass, cup
vasto(a) vast, extensive
vecindad neighborhood
vecino(a) neighbor
vedado(a) prohibited
vehículo vehicle
veintena about twenty (people)
vejamen *m* humiliation
vejez *f* old age
vela candle
vellón *m* tuft
velorio wake, vigil
vencer to defeat, win
vendedor(a) seller, salesperson
vender to sell
vendible salable
veneración honor, veneration
venganza revenge
vengarse to take revenge
venidero(a) coming
venir (ie) to come
venta sale
ventaja advantage
ventana window
ventilador *m* fan
ver to see; **verse** to find oneself
verbo verb
verdad truth
verdadero(a) true, real
verde green
vergüenza embarrassment
verificar to verify, confirm
vérselas cope
verso line of verse, verse
verter (ie) to pour into, put into
vestido(a) dressed, clad
vestir to wear; **vestirse (i)** to get dressed
vez *f* time; turn; **a su vez** in its turn; **en vez de** instead of; **tal vez** perhaps
vía way; **vía acuática** waterway; **vía fluvial** waterway; **en vías de desarrollo** developing; **por vía** by means, in a manner; **vía respiratoria** respiratory tract
viajar to travel
viaje *m* trip
viajero(a) traveler
vicepresidente(a) vice-president
victoria victory
victorioso(a) victorious

vida life; **en vida** while living
viejo(a) old, elderly; (*colloquial*) old man (father), old lady (mother)
viento wind
viga wooden beam
vigilar to watch over, to keep an eye on
vigesimal *adj m or f* based on the number twenty
vigésimo(a) twentieth
vigilante *m* vigilante, citizen police
vigilia vigil
vigor: en vigor in effect
vigoroso(a) vigorous
vincular to tie, connect
vínculo tie, bond, connection
violar to violate
violencia violence
violento(a) violent
virreinato viceroyalty
virrey *m* viceroy
virtud virtue
viruela smallpox
visigodo(a) Visigoth
visita *n* visit, visitor
visitante *m or f* visitor
visitar to visit
vislumbrar to glimpse, make out
vista view; **punto de vista** point of view
vital vital; life; **promedio vital** life expectancy
vitalidad vitality
viudo(a) widower, widow
vivienda dwelling, housing
viviente living, alive
vivir to live, dwell
vivo(a) alive
vocero(a) spokesperson
volar (ue) to fly
voluntad will
voluntario(a) voluntary; volunteer
voluntarioso(a) willful, arbitrary
volver (ue) to return
votivo(a) votive; offered by a vow
voto vote
voz *f* voice
vuelta return; **ida y vuelta** round trip
vulgar common, low, vulgar

Y

yarda yard (measurement); *dialect* lawn
yendo *pres part of*
yerno son-in-law

Z

zanahoria carrot
zona zone, area of a city
zozobrar to capsize

Conversación y repaso

Intermediate Spanish, 11e

Índice

UNIDAD **12** **La presencia hispánica en los Estados Unidos** 273

En contexto

Estructura

Preface

To the Student

The **Intermediate Spanish** series is a proven program for learning Spanish at the intermediate level. With a multiple-book program, you have access to a wealth of materials unified in content but varied in the possibilities for practice, rich input and use. This program provides abundant grammar and conversation practice in all three volumes, and encourages you to approach a topic or issue from multiple viewpoints.

This edition of **Conversación y repaso** continues to feature resources to support the teaching and learning of the Spanish language, including the Premium Website with online support for your learning, such as flash-based grammar tutorials, downloadable audio for both the textbook and workbook, downloadable video and audio segments, additional grammar and cultural practice, and more. This edition still features the online Student Activities Manual for convenient, online homework practice.

Like the earlier editions, this Eleventh Edition of the Intermediate Spanish series contains material that relates to your other disciplines of study. Throughout, our goal has been to present materials that enable you to develop effective communicative skills in Spanish and motivate you to find out more about the target culture and to express some of your own ideas in Spanish.

Acknowledgments

We would like to thank the following colleagues for their valuable comments and suggestions:

Robert G. Black, *Carroll College*
Martin Camps, *University of North Florida*
Culley Carson-Grefe, *Austin Peay State University*
Gregory K. Cole, *Newberry College*
Ava Conley, *Harding University*
Michelle Connolly, *Community College of Rhode Island*
Robert Colvin, *BYU-Idaho*
William O. Deaver Jr., *Armstrong Atlantic State University*
Dr. Victor Manuel Duran, *University of South Carolina-Aiken*
John L. Finan, *William Rainey Harper College*
Alexandra Fitts, *University of Alaska Fairbanks*
Guadalupe Flores, *University of Texas at Browsville*
Carl L. Garrott, *Virginia State University*
Eduardo Gonzalez, *University of Nebraska at Kearney*
Piet Koene, *Northwestern College*
Monica Malamud, *Canada College*
Deanna H. Mihaly, *Eastern Michigan University*
Kay Past, *Coastal Bend College*
Catherine Quibell, *Santa Rosa Jr. College*
Dr. Emilio Ramon, *Siena College*
Ray S. Rentería, *Sam Houston State University*
Daniel Robins, *Cabrillo College*
Irene Stefanova, *Santa Clara University*
Angela R. Tauro, *Fairfield University*
Michael Wong-Russell, *Framingham State College*

Furthermore, we express our deepest appreciation to the great team at Heinle for their support and collaboration in every phase of this project. Throughout the development and the production of this program, the team at Heinle has provided invaluable guidance and expertise, and in particular to Esther Marshall, Lara Semones, and Karin Fajardo. Thanks also go to all the other people at Heinle involved with this project and to the freelancers: Joanna Alizio, Patrick Bandt, Jessica Elias, Linda Jurras; Llanca Letelier, text permissions; Katy Gabel, project manager from Pre-Press PMG; Luz Galante, native reader; Lupe Ortiz, proof-reader.

We'd like to thank the following contributors to our ancillary program:

Daniel C. Ellis
Jennifer Barajas, *The Ohio State University*
Jill Syverson-Stork, *Wellesley College*
Max Ehrsam
Susan M. Mraz, *University of Massachusetts, Boston*
Verónica de Darer, *Wellesley College*

Student Supplements

DVD (ISBN-10: 1-133-95676-9 | ISBN-13: 978-1-133-95676-1)

This video program on DVD accompanies the Intermediate Spanish series and presents specially selected cultural topics relating directly to material covered in *Civilización y cultura*. Featuring a mix of short film (NEW to this edition), authentic news clips, and other cultural footage, the video program spans the Spanish-speaking world and provides you with a wealth of cultural perspectives.

SAM (ISBN-10: 1-133-95679-3 | ISBN-13: 978-1-133-95679-2)

The Workbook/Lab Manual has four major divisions: (1) listening comprehension exercises that expose the student to the vocabulary and grammatical structures of each unit in a variety of new situations; (2) oral activities for review and reinforcement of the grammatical concepts presented in each unit; (3) controlled and open-ended written exercises using the same vocabulary and structures; and (4) writing practice.

SAM Audio CDs (ISBN-10: 1-133-95678-5 | ISBN-13: 978-1-133-95678-5)

The SAM Audio program provides you with listening comprehension, oral practice on the important points of grammar, and the development of speaking skills. The SAM Audio also can be downloaded in MP3 format from the Premium Website.

Premium Website Instant Access Code (ISBN-10: 1-285-07838-1 | ISBN-13: 978-1-285-07838-0)

Includes multimedia resources such as text and Student Activities Manual audio segments in MP3 format, the iTunes® playlist, video segments, and flash-based grammar tutorials.

eSAM Instant Access Code (ISBN-10: 1-285-07913-2 | ISBN-13: 978-1-285-07913-4)

Designed for today's computer-savvy students, eSAM is an advanced and easy-to-use e-learning platform for delivering activities to you via the web. eSAM also is an integrated course management system that automatically grades many types of exercises and then sends the results straight to a versatile cross-platform electronic gradebook that allows you to track your results. eSAM even has a floating accent bar for world languages! You can access eSAM if your book comes packaged with a printed access card.

This edition continues to remember
John G. "Pete" Copeland, an inspirational teacher,
good friend and colleague.

Ralph Kite and Lynn Sandstedt

Orígenes de la cultura hispánica: Europa

Durante la Edad Media, Toledo se convirtió en «la ciudad de las tres culturas» por la convivencia entre judíos, musulmanes y cristianos.

En contexto
Mi clase de cultura hispánica

Estructura
- Nouns and articles
- Subject pronouns
- The present indicative of regular verbs
- Stem-changing verbs
- Other stem-changing verbs
- Spelling-change verbs
- The present indicative of irregular verbs
- Adjectives
- The personal **a**

Repaso
🌐 www.cengagebrain.com

A conversar
Nonverbal communication

A escuchar
Listening for the main idea

Intercambios
Lenguas e influencias extranjeras

Investigación y presentación
Las gaitas y los gaiteros de España

1

Vocabulario activo

Verbos

aportar *to bring into, contribute*
callarse (cállate) *to be quiet*
conquistar *to conquer*
distraer *to distract*
dormirse (ue) *to fall asleep*
durar *to last*
encontrarse (ue) (con) *to meet,*
    run into by chance
olvidarse (de) *to forget*
opinar *to think, have an opinion*

Sustantivos

la base *basis*
el idioma *language*

la lengua *language*
la ortografía *spelling*
el sabor *flavor*
el siglo *century*

Adjetivos

antiguo(a) *old, ancient*
distinto(a) *different*
extranjero(a) *foreign*
predilecto(a) *favorite*

Otras expresiones

se me ocurre *it occurs to me*

1-1 Para practicar. Complete el párrafo siguiente con palabras escogidas de la sección **Vocabulario activo.** No es necesario usar todas las palabras.

En el **1.** _____ II antes de Cristo, los romanos **2.** _____ la Península Ibérica. Ellos **3.** _____ a la península un nuevo **4.** _____ que sirve como la **5.** _____ del español moderno. A veces nosotros **6.** _____ de lo que pasa cuando dos civilizaciones **7.** _____. La influencia de la civilización **8.** _____ de los romanos **9.** _____ hasta hoy por el español que llega a ser la **10.** _____ **11.** _____ de España y uno de los idiomas **12.** _____ más estudiados del mundo.

Track 2 ◀)) **1-2 Mi clase de cultura hispánica.** Antes de leer el diálogo, escúchelo con el libro cerrado. ¿Cuánto comprendió?

ELENA   Oye, Ramón, ¿tienes los ejercicios para hoy?

RAMÓN   No, no los tengo. Nunca[1] entiendo bien la explicación del profesor. ¿La entiendes tú?

ELENA   Sí, pero nunca termino los ejercicios. Me duermo mientras los hago.

RAMÓN   Tenemos que distraer al profesor. Cuando empieza a hablar de sus temas predilectos, se olvida de la lección.

ELENA   Se me ocurre una idea…

[1] Nunca *Never*

RAMÓN	¡Cállate! Ahí viene.
PROF.	Buenos días, jóvenes. Hoy vamos a estudiar los verbos reflexivos. Estos verbos… ¿una pregunta, Elena?
ELENA	Sí, señor. ¿Por qué no nos explica por qué el español y el francés son tan distintos?[1] Nos hablaba de[2] las influencias extranjeras sobre el idioma español, pero solo hasta los visigodos…
PROF.	Ah, sí. Pues bien, la base del español moderno es el latín que hablan los romanos que conquistan la Península Ibérica en el año 200 antes de Cristo. En el siglo v después de Cristo, invaden la península los visigodos del norte de Europa. Ellos aportan al idioma más de 300 palabras del alemán antiguo. Pero una influencia más importante es la de los moros, que vienen del norte de África[2]. Hay más de 6000 palabras en el español moderno que proceden del árabe, por ejemplo, casi todas las palabras que comienzan con «al» como «almacén»[3], «álgebra», «alcalde»[4], etcétera.
RAMÓN	¿En qué época llegan los moros y por cuánto tiempo ocupan la península?
PROF.	Llegan en el año 711 a la península…
ELENA	*(a Ramón)* ¡Nos escapamos una vez más!

Notas culturales

[1] **el español y el francés son tan distintos:** *Los dos idiomas tienen mucho en común, pero también muestran muchas diferencias. Lo mismo se puede decir de las otras lenguas neolatinas: el italiano, el portugués, el rumano, etcétera. A veces las diferencias son de ortografía, pero otras veces las palabras son de origen distinto y de evolución variada.*

[2] **los moros, que vienen del norte de África:** *La invasión de la Península Ibérica por los pueblos islámicos en el siglo VIII llega hasta los Pirineos. Este contacto entre moros (musulmanes) y cristianos, que dura hasta 1492, le da un sabor distinto a la cultura y también a la lengua española.*

 1-3 Actividad cultural. En el diálogo y en las **Notas culturales** se menciona que a veces una lengua puede influir otra lengua. En grupos de tres personas, hagan un análisis lingüístico sobre la influencia que la lengua española ha tenido sobre la lengua inglesa. Todos los grupos necesitan un papel dividido en tres columnas que representen las categorías de palabras españolas que ahora son una parte del vocabulario inglés: (1) geografía; (2) comida; (3) lugares. Después de escribir sus listas de palabras, compárenlas con los otros grupos.

[2] Nos hablaba de *You were talking about*   [3] almacén *warehouse, department store*   [4] alcalde *mayor*

1-4 Comprensión. Conteste las siguientes preguntas.

1. ¿Por qué no tiene Ramón los ejercicios?
2. ¿Por qué no los tiene Elena?
3. ¿Cuál es la idea de Ramón?
4. ¿Qué van a estudiar hoy?
5. ¿Qué quieren saber Elena y Ramón?
6. ¿Qué lengua es la base del español moderno?
7. ¿Cuáles son algunas de las influencias extranjeras sobre el español?
8. ¿Cómo comienzan muchas palabras de origen árabe?

1-5 Opiniones. Conteste las siguientes preguntas.

1. ¿Estudia Ud. la lección todos los días? ¿Por qué?
2. ¿Distrae Ud. a sus profesores? ¿Cuándo?
3. ¿Cree Ud. que es fácil aprender un idioma extranjero? ¿Por qué?
4. Si Ud. no entiende bien una pregunta en español, ¿qué hace?
5. ¿Por qué quiere Ud. estudiar español?
6. ¿Tiene la oportunidad de hablar español? ¿Dónde y con quién?

En la Alhambra se encuentra el Patio de los Leones. ¿Dónde está la Alhambra? ¿Por qué se llama este patio el Patio de los Leones? El edificio es un buen ejemplo de la arquitectura musulmana. Descríbala.

Dede Burlanni/Digital Vision/Getty Images

Nouns and articles

A. Singular forms

In Spanish, nouns are often accompanied by articles.

1. Nouns ending in **-o** are usually masculine and are introduced by a masculine article. Those ending in **-a** are usually feminine and are introduced by a feminine article.

Definite articles	**Indefinite articles**
the	**a, an**
el hijo *the son*	un chico *a boy*
la hija *the daughter*	una chica *a girl*

2. Some nouns that end in **-a** are masculine.

el día *day*	el idioma *language*	el problema *problem*
el mapa *map*	el clima *climate*	el programa *program*
el drama *drama*	el poeta *poet*	el cura *priest*

3. Some nouns that end in **-o** are feminine.

la mano *hand*	la foto *photo*	la moto *motorcycle*

4. Nouns ending in **-dad, -tad, -tud, -ión, -umbre**, and **-ie** are usually feminine.

la ciudad *city*	la conversación *conversation*
la voluntad *will*	la muchedumbre *crowd*
la actitud *attitude*	la especie *species*

5. Some other nouns can be either masculine or feminine, depending on their meaning.

el capital *money*	el corte *cut*	el cura *priest*
la capital *capital city*	la corte *court*	la cura *cure*

el guía *guide (male)*
la guía *guide (female), guidebook*

el policía *police officer (male)*
la policía *police force, police officer (female)*

6. Other nouns ending in **-s** or in other consonants can be either masculine or feminine.

el paraguas *umbrella*	el papel *paper*
la crisis *crisis*	la pared *wall*
el lunes *Monday*	el rey *king*
la tesis *thesis*	

7. Nouns ending in **-ista** may be either masculine or feminine.

el pianista	la pianista
el artista	la artista

8. Nouns referring to males are usually masculine and those referring to females are usually feminine, regardless of their endings.

el joven *the young man*	el estudiante *the (male) student*
la joven *the young lady*	la estudiante *the (female) student*

BUT

la persona *the person*	el individuo *the individual*

B. Plural forms

1. Nouns ending in a vowel add **-s**.

un libro *book*	unos libros *books*
una chica *girl*	unas chicas *girls*

2. Nouns ending in a consonant add **-es**.

una mujer *woman*	unas mujeres *women*

3. Nouns ending in **-z** change **z** to **c** and add **-es**.

el lápiz *pencil*	los lápices *pencils*

4. Nouns ending in **-n** or **-s** preceded by an accented vowel generally drop the accent mark in the plural.

la lección *lesson*	las lecciones *lessons*
el compás *compass*	los compases *compasses*

Note that nouns of more than one syllable ending in **-n** generally add an accent mark in the plural.

el examen *exam*	los exámenes *exams*
la orden *order*	las órdenes *orders*

Práctica

1-6 Una estudiante universitaria. Lea la información sobre Juana, una estudiante de la Universidad de Madrid. Luego complete cada oración con el artículo definido apropiado.

Juana, 1. ____ hija de 2. ____ señores (*Mr. and Mrs.*) González, asiste a 3. ____ Universidad de Madrid. Estudia 4. ____ música de 5. ____ Edad Media (*Middle Ages*) y 6. ____ Renacimiento (*Renaissance*) español. 7. ____ Facultad de Música es muy buena, y 8. ____ profesores tienen fama mundial por 9. ____ investigaciones que ellos han hecho sobre esta clase de música. 10. ____ programa escolar es muy exigente, pero 11. ____ clases son interesantes. 12. ____ problema que Juana tiene no es 13. ____ dificultad de 14. ____ lecciones, sino 15. ____ falta de tiempo para leer y estudiar. No quiere pasar todos 16. ____ días en 17. ____ biblioteca. Prefiere visitar 18. ____ museos de 19. ____ ciudad y asistir a 20. ____ dramas que se presentan en 21. ____ Teatro Nacional. También a ella le gusta ir a 22. ____ discotecas por 23. ____ noche para bailar y charlar con 24. ____ jóvenes que ella conoce.

1-7 La sala de clase. Identifique las varias cosas que se encuentran en una sala de clase. Complete las oraciones siguientes según el modelo.

> **Modelo** Hay ___ en la clase. *(table)*
> *Hay una mesa en la clase.*

1. students
2. walls
3. books
4. door
5. windows
6. professor
7. pencil
8. girls
9. map
10. boys

Ahora, identifique otras cosas que hay en su clase.

 1-8 Una comparación. Con un(a) compañero(a) de clase, hablen de las cosas que Uds. tienen en sus cuartos. Luego hagan una lista de las cosas que Uds. llevan a sus clases diariamente. ¿Cuántas cosas tienen en común?

> **Modelo** Estudiante 1: *Tengo un televisor en mi cuarto y una computadora.*
> Estudiante 2: *Tengo una computadora también, pero solo tengo un televisor en mi cuarto en casa.*
> Estudiante 1: *Siempre llevo mis libros a clase.*
> Estudiante 2: *También llevo mis libros y un bolígrafo.*

Subject pronouns

Heinle Grammar Tutorial:
Subject pronouns

A. Forms

Singular	Plural
yo	nosotros(as)
tú	vosotros(as)
él	ellos
ella	ellas
usted	ustedes

Usted and **ustedes** may be abbreviated to **Ud.** and **Uds.**

The pronoun **tú** is used when talking with close friends, children, and family members. In more formal relationships **usted** is used to show respect. It should be noted, however, that the familiar **tú** form is often used in place of the formal **usted** form in everyday conversation in many regions of the Hispanic world. In Latin America the plural, informal **vosotros** form has been replaced by **ustedes** and its corresponding verb forms, possessives, and object pronouns. The **vosotros** form is still used in most parts of Spain.

B. Uses

1. Subject pronouns are not used as frequently in Spanish as in English. They are used mainly for emphasis or for clarification, since the ending of the verb often indicates the subject.

   Vamos a la clase de español, ¿verdad? No, yo no quiero ir.
   We're going to Spanish class, aren't we? No, I don't want to go.

   ¿Tienes las actividades?   *Do you have the activities?*

   Vivimos en un pueblo pequeño.   *We live in a small town.*

2. **Usted** is used somewhat more frequently for both clarity and courtesy.

¿Puede Ud. explicar la base del español moderno?
Can you explain the basis of modern Spanish?

Ud. entiende la lección, pero no quiere ir a clase.
You understand the lesson, but you don't want to go to class.

3. The impersonal English subject pronoun *it* does not have an equivalent form in Spanish.

Es imposible olvidarse de eso.   *It is impossible to forget that.*
¿Qué es? Es una palabra extranjera.   *What is it? It's a foreign word.*

4. Subject pronouns are often used after the verb **ser** *(to be).*

¿Quién es el profesor de esta clase? Soy yo.
Who is the professor of this class? I am.

5. Subject pronouns are frequently used when the main verb is not expressed.

¿Quién distrae al profesor? Ella.   *Who distracts the teacher? She does.*
Ellos van a España, pero nosotros no.   *They are going to Spain, but we aren't.*

Práctica

1-9 Hablando de personas. ¿Cuál de los pronombres personales se usa cuando está hablando... ?

1. de Ud. mismo(a)
2. de una muchacha
3. a un(a) amigo(a)
4. de Ud. mismo(a) y un grupo de personas
5. de un grupo de muchachos
6. a un grupo de niños
7. de Roberto

 1-10 Cortesía. Escriba cinco nombres de personas que Ud. conoce bien (no solo amigos[as]) y dígale a un(a) compañero(a) de clase qué pronombres personales Ud. usa cuando habla con ellas: ¿tú o usted?

Heinle Grammar Tutorial:
The present indicative

The present indicative of regular verbs

A. Formation

The present indicative of regular verbs is formed by dropping the infinitive ending and adding the personal endings **-o, -as, -a, -amos, -áis, -an** to the stems of **-ar** verbs; **-o, -es, -e, -emos, -éis, -en** to the stems of **-er** verbs; and **-o, -es, -e, -imos, -ís, -en** to the stems of **-ir** verbs.

hablar *to speak*		**comer** *to eat*		**vivir** *to live*	
hablo	hablamos	como	comemos	vivo	vivimos
hablas	habláis	comes	coméis	vives	vivís
habla	hablan	come	comen	vive	viven

Common verbs that are regular in the present tense:

-ar verbs:	aceptar *to accept*	estudiar *to study*
	llegar *to arrive*	preguntar *to ask*
	invitar *to invite*	
-er verbs:	aprender *to learn*	beber *to drink*
	leer *to read*	vender *to sell*
-ir verbs:	abrir *to open*	descubrir *to discover*
	recibir *to receive*	asistir *to attend*
	escribir *to write*	

B. Uses

1. To describe an action or event that occurs regularly or repeatedly.

   Juan estudia en la biblioteca.
   Juan is studying in the library.

   Los Hernández siempre comen a las diez de la noche.
   The Hernández family always eats at 10 P.M.

2. In place of the future tense to give a statement or question more immediacy, or in place of the past tense in narrations to relate a historical event.

   Hablo con ella mañana.
   I'll speak with her tomorrow.

   Los romanos conquistan España en el siglo II a.C.
   The Romans conquered Spain in the second century B.C.

3. In place of the imperative to express a mild command or a wish.

   Primero desayunas y después escribes la lección.
   First have breakfast and afterwards write the lesson.

Práctica

1-11 Una narrativa breve. Lea la narrativa breve que sigue. Luego, cuéntela sobre las personas indicadas. ¿Qué es el tema de esta narrativa?

> *Estudio español en la universidad. Aprendo mucho de la cultura hispánica en la clase también. Recibo buenas notas en este curso.*
> (tú, nosotros, Jaime, María y Elena, Uds.)

1-12 La rutina diaria. Use oraciones completas para describir ocho actividades que Ud. hace diariamente. (Use solo verbos regulares.) Luego, compare su lista con la de su compañero(a) de clase. ¿Cuántas actividades son parecidas? Siga el modelo.

Modelo *Desayuno a las siete todos los días. (etcétera)*
Tomás desayuna a las siete también. (etcétera)

1-13 Una entrevista. Entreviste a un(a) compañero(a) de clase, utilizando las preguntas siguientes. Luego, comparen sus actividades diarias. ¿Cuáles son las semejanzas y las diferencias?

> **Modelo** Estudiante 1: *¿Dónde estudias tú?*
> Estudiante 2: *Yo estudio en casa.*
> Estudiante 1: *Yo estudio en la biblioteca.*

1. ¿A qué hora te levantas todos los días?
2. ¿Desayunas? ¿Por qué?
3. ¿Vives cerca o lejos de la universidad? ¿Dónde?
4. ¿A qué hora llegas a la universidad todos los días?
5. ¿Asistes a todas tus clases todos los días? ¿Por qué?
6. ¿Qué estudias en la clase que te gusta más?
7. ¿Comprendes mucho o poco en esta clase? ¿Por qué?
8. ¿Recibes buenas o malas notas en tus clases? ¿Por qué?

 1-14 Una carta. Ud. está escribiéndole una carta a un(a) amigo(a) para compartir algunas de sus experiencias en la universidad. Incluya las ideas siguientes en su carta.

1. Describe where you live.
2. Tell where you take your meals and why you eat there.
3. Describe your favorite classes and your favorite professor.
4. Give your impressions of the classes. Are they difficult? Interesting? Do you have to study a lot?
5. Explain what you do when you have free time.
6. Describe a new friend that you have made.
7. Tell your friend that you will write again after exam week.

Léale (*Read*) su carta a otro(a) estudiante. ¿Cuáles de sus experiencias de la universidad son diferentes? ¿semejantes (*similar*)?

Heinle Grammar Tutorial:
The present indicative: stem changing

Note: **pensar de** = *to think of (have an opinion)*; **pensar en** = *to think about*; **pensar + infinitive** = *to intend, to plan.*

Stem-changing verbs

Some verbs have a stem vowel change in the **yo, tú, él (ella, Ud.),** and **ellos (ellas, Uds.)** forms of the present indicative. This change occurs only when the stress falls on the stem vowel. Because of this, the **nosotros** and **vosotros** forms do not have a stem change.

1. In some **-ar**, **-er**, and **-ir** verbs the stem vowel **e** changes to **ie** when it is stressed.

pensar *to think*		**entender** *to understand*		**preferir** *to prefer*	
pienso	pensamos	entiendo	entendemos	prefiero	preferimos
piensas	pensáis	entiendes	entendéis	prefieres	preferís
piensa	piensan	entiende	entienden	prefiere	prefieren

Other common stem-changing **-ar**, **-er**, and **-ir** verbs:

cerrar	perder	convertir
comenzar	querer	mentir
despertar		sentir
empezar		

2. In some **-ar, -er,** and **-ir** verbs the stem vowel **o** changes to **ue** when it is stressed.

contar *to count*		**poder** *to be able*		**dormir** *to sleep*	
cuento	contamos	puedo	podemos	duermo	dormimos
cuentas	contáis	puedes	podéis	duermes	dormís
cuenta	cuentan	puede	pueden	duerme	duermen

Other common **-ar, -er,** and **-ir** verbs with the same stem changes:

almorzar	mostrar	volver	morir
costar	recordar		
encontrar			

3. In some **-ir** verbs the stem vowel **e** changes to **i** when it is stressed.

pedir *to ask for*	
pido	pedimos
pides	pedís
pide	piden

Other common **-ir** verbs with the same stem change:

medir *(to measure)*	servir
repetir	vestir

Other stem-changing verbs

Some stem-changing verbs vary somewhat from the above patterns. The verb **jugar** changes **u** to **ue**. The verb **oler** (**o** to **ue**) adds an initial **h** to the forms requiring a stem change.

jugar *to play*		**oler** *to smell*	
juego	jugamos	huelo	olemos
juegas	jugáis	hueles	oléis
juega	juegan	huele	huelen

Práctica

1-15 Una narrativa breve. Lea la narrativa breve que sigue. Luego, cuéntela sobre las personas indicadas. ¿Qué es el tema de la narrativa?

Pienso volver de España el sábado. Quiero ir directamente a casa. Duermo dos días antes de visitar a mis amigos. Luego puedo invitarlos a casa para una fiesta. Sirvo unos refrescos y les muestro a ellos las fotos del viaje.

(Claudia, Raúl y yo, tú, los estudiantes, Ud.)

Modelo   *Claudia piensa volver de España el sábado. (etcétera)*

1-16 Los sábados de Carlos. Describa lo que hace Carlos los sábados. Complete el párrafo con la forma del verbo en el tiempo presente. Use los verbos de la lista siguiente. Use uno de los verbos dos veces *(twice)*.

oler	pensar	jugar	servir	querer
almorzar	costar	preferir	empezar	volver

Carlos 1. _____ ir al gimnasio hoy. Él 2. _____ al baloncesto con sus amigos todos los sábados por la mañana. Ellos 3. _____ a jugar a las nueve. Después de dos horas Carlos 4. _____ ir a la cafetería en el centro estudiantil para comer. Sus amigos no 5. _____ ir con él porque trabajan por las tardes en una tienda en el centro. Carlos 6. _____ comer con ellos, pero 7. _____ solo a la universidad y 8. _____ en la cafetería a las doce. Allí ellos no 9. _____ buena comida, y a veces 10. _____ muy mal, pero a él no le importa porque no le 11. _____ mucho.

 1-17 El fin de semana. Se han terminado las clases de la semana. Use los verbos indicados para describir los planes de Ud., de sus amigos y de su familia para el fin de semana. Siga el modelo.

> **Modelo** mis amigos / querer
> *Mis amigos quieren jugar al tenis.*

1. yo / querer
2. mi novia / preferir
3. mi mejor amigo / pensar
4. mis hermanos / empezar
5. mis padres / poder
6. mi compañero de cuarto / jugar

Ahora describa otros planes que Ud. tiene para el fin de semana y compárelos con los de otro(a) estudiante de la clase. ¿Hay una cosa que ambos de Uds. van a hacer? Explique.

 1-18 Un viaje. Sus amigos hablan de un viaje que ellos quieren hacer. Conteste las preguntas sobre sus planes. Siga el modelo.

> **Modelo** Le contamos los planes del viaje al profesor. ¿Qué le cuentas tú?
> *Le cuento los planes del viaje al profesor.*

1. Queremos ir a Francia. ¿Adónde quieres ir tú?
2. Pensamos estudiar francés antes de ir. ¿Qué piensas estudiar tú?
3. Podemos llegar temprano al café esta noche para hablar del viaje. ¿Cuándo puedes llegar tú?
4. Preferimos viajar por tren en Francia. ¿Cómo prefieres viajar tú?
5. En Francia almorzamos en los mejores restaurantes. ¿Dónde almuerzas tú?
6. Les pedimos permiso para ir a nuestros padres. ¿A quién le pides permiso tú?

Compare sus respuestas con las de otro(a) compañero(a) de clase. ¿Tienen mucho en común?

Spelling-change verbs

Many verbs undergo a spelling change in the first person singular of the present indicative in order to maintain the pronunciation of the last consonant of the stem.

1. Verbs ending in a vowel plus **-cer** or **-cir** have a change from **c** to **zc** in the first person singular.

conducir:	conduzco	**ofrecer:**	ofrezco
conocer:	conozco	**producir:**	produzco
obedecer:	obedezco	**traducir:**	traduzco

2. Verbs ending in **-guir** have a change from **gu** to **g** in the first person singular.

conseguir (**e** to **i** *stem change*)

consigo	conseguimos
consigues	conseguís
consigue	consiguen

Other commonly used **-guir** verbs:

distinguir: distingo   seguir: sigo (**e** to **i** *stem change*)

Note that some spelling-change verbs also have a stem vowel change. The stem vowel change occurs, as usual, in the first, second, and third person singular and in the third person plural.

3. Verbs ending in **-ger** or **-gir** have a change from **g** to **j** in the first person singular.

corregir (**e** to **i** *stem change*)

corrijo	corregimos
corriges	corregís
corrige	corrigen

Other commonly used **-ger** and **-gir** verbs:

coger (*to catch, pick*): cojo   dirigir (*to direct*): dirijo

Práctica

1-19 A imitar. Cada vez que sus amigos dicen que ellos hacen algo, Ud. dice que hace la misma cosa también. Siga el modelo.

Modelo   Conducimos a Barcelona.
               Yo conduzco a Barcelona también.

1. Conocemos a María.
2. Corregimos las oraciones.
3. Conseguimos el pasaporte.
4. Cogemos las flores.
5. Traducimos las oraciones.
6. ¿Seguimos por esta calle?
7. Dirigimos el proyecto.
8. Distinguimos entre lo malo y lo bueno.
9. Obedecemos al profesor.
10. Producimos programas especiales.

1-20 Un proyecto cultural. Complete la conversación entre María y José. Use la forma correcta del presente del indicativo de un verbo apropiado. Practique el diálogo con un(a) compañero(a) de clase. Más tarde su profesor(a) va a escoger una pareja de estudiantes para que ellos puedan presentarle el diálogo a la clase.

JOSÉ   Hola, María. ¿Conoces a Juan?

MARÍA   Sí, lo **1.** _____.

JOSÉ   ¿Sabes que él dirige el proyecto cultural de nuestra clase?

MARÍA   Sí, y yo **2.** _____ el mismo proyecto en mi clase también.

JOSÉ   Como parte de tu proyecto, ¿es necesario traducir muchos artículos al inglés?

MARÍA   Pues, a veces **3.** _____ artículos de los periódicos y revistas del mundo hispánico que tratan del tema de la cultura hispana.

JOSÉ   ¿Dónde consigues estas publicaciones?

MARÍA   Por lo general, las **4.** _____ en una librería en el centro.

JOSÉ   ¿Me recoges unas revistas cuando estés en el centro?

MARÍA   ¡Cómo no! Te **5.** _____ varios diarios y revistas.

JOSÉ   Gracias, María. Hasta la vista.

MARÍA   Adiós, José. Hasta luego.

1-21 Una entrevista breve. Con un(a) compañero(a) de clase, háganse las preguntas siguientes.

1. ¿Conoces a alguien famoso? ¿A quién?
2. ¿A quién obedeces? Explica.
3. ¿Consigues mucho dinero todos los meses? ¿Cómo?
4. ¿Sigues un curso difícil o fácil en la universidad? ¿Qué curso?
5. ¿Corriges todos o algunos de los errores de tu tarea? ¿Por qué?

Heinle Grammar Tutorial:
The present indicative:
irregulars

The present indicative of irregular verbs

Some Spanish verbs are irregular in the present tense.

1. Commonly used verbs that have irregularities only in the first person singular of the present indicative:

caer:	caigo, caes, cae, caemos, caéis, caen
hacer:	hago, haces, hace, hacemos, hacéis, hacen
poner:	pongo, pones, pone, ponemos, ponéis, ponen
saber:	sé, sabes, sabe, sabemos, sabéis, saben
salir:	salgo, sales, sale, salimos, salís, salen
traer:	traigo, traes, trae, traemos, traéis, traen
valer:	valgo, vales, vale, valemos, valéis, valen
ver:	veo, ves, ve, vemos, veis, ven

2. Commonly used verbs that have irregularities in other forms in addition to the first person singular:

decir:	digo, dices, dice, decimos, decís, dicen
estar:	estoy, estás, está, estamos, estáis, están
haber:	he, has, ha, hemos, habéis, han
ir:	voy, vas, va, vamos, vais, van
oír:	oigo, oyes, oye, oímos, oís, oyen
ser:	soy, eres, es, somos, sois, son
tener:	tengo, tienes, tiene, tenemos, tenéis, tienen
venir:	vengo, vienes, viene, venimos, venís, vienen

Hay is the impersonal form of the verb **haber.** It means *there is* or *there are.*

Práctica

1-22 Una narrativa breve. Lea la siguiente narrativa breve. Luego, cuéntela sobre las personas indicadas.

Digo la verdad. Hago la tarea durante la clase y por eso no oigo bien al profesor. Estoy aquí para estudiar idiomas extranjeros, pero sé que tengo que estudiar más para tener éxito en las clases.

(ella, los estudiantes, tú, nosotros, Uds.)

1-23 Lo que hacemos o no. Use las frases siguientes para indicar si Ud. y sus amigos hacen las actividades siguientes o no. Siga el modelo.

Modelo   yo / hacer la tarea en la biblioteca
Hago la tarea en la biblioteca. -o- No hago la tarea en la biblioteca.

1. mi amigo / poner sus libros en la mesa del profesor
2. mi amigo y yo / saber muchas palabras del español antiguo
3. yo / salir para la universidad a las ocho
4. mis amigos / traer sus cuadernos a la clase
5. mi novio(a) / ir a la conferencia *(lecture)* esta noche
6. mis amigos / oír la explicación del professor

1-24 Una descripción personal. Haga cinco oraciones descriptivas de sí mismo(a), usando los verbos de esta lista: **decir, tener, ir, oír, estar, ver, salir, ser.** Luego, compare las oraciones con las de un(a) compañero(a) de clase. ¿Cuáles de las características personales que Uds. tienen son iguales? ¿diferentes?

1-25 Una entrevista. Con un(a) compañero(a) de clase, háganse las preguntas siguientes.

1. ¿Siempre dices la verdad? ¿Por qué?
2. ¿Vienes temprano a la clase todos los días? ¿Por qué?
3. ¿Vas a la cafetería después de la clase? ¿Por qué?
4. ¿Sales ahora para la biblioteca? ¿Por qué?
5. ¿En este momento estás en la clase de historia? ¿Dónde estás?
6. ¿Sabes todas las respuestas de las actividades? ¿Por qué?
7. ¿Traes papel y lápiz a la clase? ¿Por qué?
8. ¿Eres buen(a) estudiante? Explica.

Adjectives

A. Singular forms

1. Adjectives agree in gender and number with the nouns they modify. The singular endings are **-o** for masculine adjectives and **-a** for feminine ones.

   el muchacho american**o**   la muchacha american**a**

After **ser**, predicate
adjectives agree in number
and gender with the subject.
Él es francés. Ellas son
francesas.

2. Adjectives that end in **-dor** in the masculine are made feminine by adding **-a**. Adjectives of nationality that end in a consonant are also made feminine by adding **-a**.

   un hombre trabaja**dor**   una mujer trabajadora
   un coche francé**s**   una bicicleta francesa
   el profesor español   la profesora española

3. Some adjectives are the same in the masculine and feminine.

   un examen difícil   una lección difícil
   un libro interesante   una novela interesante
   el amigo ideal   la amiga ideal

B. Plural forms

1. Adjectives form their plurals the same way nouns do. An **-s** is added to adjectives that end in a vowel, and an **-es** is added to those that end in a consonant. If the adjective ends in **z**, the **z** changes to **c** and **-es** is added.

   la corbata roja   las corbatas roja**s**
   el guitarrista español   los guitarristas español**es**
   el niño feliz   los niños feli**ces**

2. If an adjective follows and modifies both a masculine and a feminine noun, the masculine plural form is used.

   Los señores y las señoras son simpáticos.
   El libro y la pluma son nuevos.

3. When an adjective precedes two nouns of different genders, it will agree with the closest noun.

   Hay muchas plumas y papeles aquí.
   Hay varios libros y fotos en la mesa.

C. Position of adjectives

There are two classes of adjectives in Spanish: limiting and descriptive.

1. Limiting adjectives include numerals, demonstratives, possessives, and interrogatives. They usually precede the noun.

   dos fiestas   la segunda lección
   algunos compañeros   mucho dinero
   ese boleto   nuestra clase

   a. Ordinal numbers may follow the noun when greater emphasis is desired.

      la lección segunda   el capítulo octavo

   b. Stressed possessive adjectives always follow the noun.

      un amigo mío *(stressed)*   unas tías nuestras *(stressed)*

2. Descriptive adjectives may either precede or follow the noun they modify.

   a. When they follow a noun, they distinguish that noun from another of the same class.

      la casa blanca   el hombre gordo
      la casa verde   el hombre flaco

   b. When they precede a noun, they denote an inherent quality of that noun, that is, a characteristic normally associated with the particular noun.

      los altos picos   un complicado sistema
      la blanca nieve

   c. Adjectives of nationality always follow the noun.

      Tiene un coche alemán.

3. Some adjectives change their meaning depending on whether they precede or follow the noun.

mi viejo amigo	mi amigo viejo
my old friend (of long standing)	*my friend who is old*
mi antiguo coche	mi coche antiguo
my previous car	*my old car*
el pobre hombre	el hombre pobre
the poor man (unfortunate)	*the poor man (impoverished)*
las grandes mujeres	las mujeres grandes
the great women	*the big women*
varios libros	libros varios
several books	*miscellaneous books*
el mismo cura	el cura mismo
the same priest	*the priest himself*
el único hombre	un hombre único
the only man	*a unique man*
medio hombre	el hombre medio
half a man	*the average man*

4. When two or more adjectives follow the noun, the conjunction **y** is generally used before the last adjective.

      gente sencilla y pobre   gente sencilla, pobre y oprimida
      simple, poor people   *simple, poor, and oppressed people*

D. Shortening of adjectives

Some adjectives are shortened when they precede certain nouns.

1. The following common adjectives drop their final **–o** before masculine singular nouns: **uno, bueno, malo, primero, tercero.**

      un hombre   el primer día
      buen tiempo   el tercer viaje
      mal ejemplo

2. Both **alguno** and **ninguno** drop their final **-o** before masculine singular nouns and add an accent on the final vowel.

Algún día llegaré a tiempo.   *Someday I'll arrive on time.*
No hay ningún remedio.   *There is no solution.*

3. **Santo** becomes **San** before masculine saints' names, except those beginning with **Do-** or **To-**.

San Francisco
BUT
Santo Domingo
Santo Tomás

4. **Grande** is shortened to **gran** before singular nouns of either gender.

un gran día   una gran mujer

5. **Ciento** becomes **cien** before all nouns and before **mil** *(thousand)* and **millones** *(million)*. It is not shortened before any other numeral.

cien hombres
cien mil coches
cien millones de pesos
BUT
ciento cincuenta jugadores

Práctica

1-26 El tema de la unidad. Cambie al plural las siguientes oraciones.

1. La actividad es difícil.
2. El estudiante es perezoso.
3. El verbo es reflexivo.
4. Es una lengua extranjera.
5. Es una palabra alemana.

1-27 El tema continúa. Continúe el repaso temático. Cambie las oraciones siguientes al singular.

1. Los profesores son viejos.
2. Las clases son interesantes.
3. Los jóvenes son malos estudiantes.
4. Los profesores siempre hablan de sus temas predilectos.
5. Los idiomas extranjeros son muy fáciles.

1-28 Su clase de español. Describa su clase de español y a sus compañeros de clase. Complete las oraciones siguientes con la forma correcta de un adjetivo apropiado. Luego compare sus descripciones con las de un(a) compañero(a) de clase. ¿Están de acuerdo?

1. Los estudiantes de esta clase (no) son ___.
   (inteligente / simpático / trabajador / viejo / bueno / malo / único / feliz / francés)
2. La clase (no) es ___.
   (grande / difícil / interesante / bueno / aburrido / fácil)

1-29 A describir. Escriba dos o tres oraciones que describan a la gente y las cosas siguientes usando la forma correcta de los adjetivos apropiados. Luego comparta sus descripciones con las de un(a) compañero(a) de clase. ¿Hay semejanzas? ¿diferencias?

1. un(a) viejo(a) amigo(a)
2. un(a) pariente(a) favorito(a)
3. el (la) novio(a) ideal
4. un libro que te gusta
5. la ciudad donde vives
6. la ciudad de Nueva York
7. una película que te gusta
8. tu programa predilecto de televisión
9. el presidente de los Estados Unidos
10. esta universidad

 1-30 A conocernos. Para conocer mejor a un(a) compañero(a) de clase, descríbale a él (ella) cinco de sus mejores características físicas y cinco características notables de su personalidad. Su compañero(a) de clase va a hacer la misma cosa. ¿Cómo son Uds. diferentes y cómo son semejantes? Siga el modelo.

> **Modelo**   Estudiante 1: *Yo soy alto y alegre.*
> Estudiante 2: *Yo soy bajo y alegre.*
> Estudiante 1: *Él no es alto sino bajo, pero él es alegre como yo.*

 1-31 A adivinar. Descríbale a un(a) compañero(a) de clase, otra persona, un lugar o una cosa famosa. Añada una oración descriptiva cada minuto hasta que su compañero(a) pueda adivinar la identidad de la persona, el lugar o la cosa. Su compañero(a) va a hacer la misma actividad. Siga el modelo.

> **Modelo**   *Es muy grande. Hay muchos edificios altos allí.*
> *Está en la costa Atlántica. Millones de personas viven allí.*
> *Tiene el apodo (nickname) de la «manzana grande». ¿Qué es?*

Ahora, su profesor(a) va a escoger a varios estudiantes para que den sus descripciones. ¿Puede Ud. adivinar lo que describen?

Heinle Grammar Tutorial:
Personal *a*

The personal *a*

A. Uses

The personal **a** is used:

1. when the direct object of the verb refers to a specific person or persons.

| Él lleva a Marta al baile. | *He is taking Marta to the dance.* |
| Invito a tus hijas a la fiesta. | *I'm inviting your daughters to the party.* |

2. when the direct object of the verb is a personified noun or a pet.

| Teme a la muerte. | *He fears death.* |
| Busco a mi perro. | *I'm looking for my dog.* |

3. with the indefinite pronouns **alguien, nadie, cada uno, alguno(a),** and **ninguno(a).**

¿Ves a alguien en la calle?	*Do you see someone (anyone) in the street?*
No veo a nadie.	*I don't see anyone.*
No conozco a ninguno.	*I don't know any (of them).*

4. with **¿quién(es)?** when the expected answer would require a personal **a.**

¿A quién ve Paco?	*Whom does Paco see?*
Ve a su mamá.	*He sees his mother.*

B. Exceptions

1. There is a tendency to omit the personal **a** before collective nouns.

Conozco la familia.	*I know the family.*

2. The personal **a** usually is not used after **tener.**

Tengo algunos amigos cubanos.	*I have some Cuban friends.*

Note that the personal **a** contracts with **el** to form **al.**

Práctica

1-32 La *a* personal. Complete las oraciones siguientes con la **a** personal cuando sea necesario.

1. Llama ____ su hija por teléfono.
2. Ellos tienen ____ muchos primos en España.
3. Tratan de encontrar ____ unos libros distintos.
4. Invito ____ los jóvenes al baile.
5. Espero ____ el autobús para ir a la universidad.
6. Paco mira ____ su profesor.
7. Encuentro ____ mis amigas en el café.
8. Ellas oyen ____ su música predilecta.
9. Susana visita ____ la casa de su abuela todos los días.
10. Veo ____ mis tíos en la tienda.

1-33 Más práctica con la *a* personal. Complete las oraciones siguientes con la **a** personal cuando sea necesario.

1. Busco una casa. (un libro / un amigo / un profesor / un lápiz / unas chicas / unos papeles)
2. Miramos las fotografías. (nuestros padres / la televisión / las mujeres / el presidente / la ventana)

 1-34 Pidiendo información. Hágale las siguientes preguntas a un(a) compañero(a) de clase.

1. whether he/she has many friends
2. whether he/she writes to her/his friends often
3. whether he/she knows someone who speaks Spanish well
4. whether he/she sees many movies
5. whether he/she visits her/his relatives on weekends

Repaso

For more practice of vocabulary and structures, go to the book companion website at **www.cengagebrain.com**

Antes de empezar la última parte de esta **unidad,** es importante repasar el vocabulario nuevo y la estructura y hacer las actividades que siguen.

Review nouns and articles.

1-35 La tesis de Sara. Complete el párrafo con las formas correctas del artículo indefinido.

Sara es **1.** ____ estudiante universitaria que está escribiendo **2.** ____ tesis sobre *San Manuel Bueno, mártir.* Esta novela fue escrita por Miguel de Unamuno, **3.** ____ gran escritor y filosófo español. Se trata de Manuel Bueno, **4.** ____ cura que finge **5.** ____ fe que no tiene y por lo tanto, su vida es **6.** ____ contradicción. Este conflicto existencial — **7.** ____ drama interior— es **8.** ____ tema preferido de Unamuno.

1-36 A construir oraciones. Haga oraciones con las palabras siguientes, en el orden indicado. Haga todos los cambios necesarios para hacer una oración correcta. Puede añadir los elementos (artículos, preposiciones, etcétera) que sean necesarios para completar el sentido de la oración. Luego, compare sus oraciones con las de otro(a) compañero(a) de clase. ¿Están de acuerdo?

Review the present tense of regular, stem-changing, and spelling-change verbs, and the personal **a.**

1. Ramón / no / querer / ir / clase / hoy
2. Elena / preferir / distraer / profesor
3. todos / deber / escuchar / explicación / profesor
4. profesor / hablar / influencias / extranjero / sobre / español
5. lengua / español / tener / alguno / palabras / alemán
6. árabes / aportar / mucho / palabras / lengua / español / moderno
7. yo / conocer / bien / influencia / latín / sobre / español
8. estudiantes / discutir / ejercicios / aunque / tener / sueño

1-37 Lo que hacemos en ciertas situaciones. Con un(a) compañero(a) de clase, cuéntense lo que hacen en los lugares siguientes.

Modelo　en su cuarto
　　　　　Ud.: *Yo duermo en mi cuarto.*
　　　　　Su compañero(a): *Yo estudio en mi cuarto.*

Review the present tense of regular, stem-changing, spelling-change, and irregular verbs.

1. en la cafetería
2. en la clase de español
3. en el parque
4. en la biblioteca
5. en el teatro
6. en el cine
7. en el centro
8. en la iglesia
9. en el museo
10. en el gimnasio
11. en el estadio
12. en la playa

Communication strategies

When you want to converse in Spanish, there are various strategies that can enhance your ability to communicate clearly. Used on a regular basis, these strategies can help you to understand the speaker's message and to respond meaningfully to what is said. They can also provide you with techniques to initiate, maintain, and end conversations. Some basic strategies for communication will be presented in this and subsequent units of the text. Whenever possible, try to use them along with what you already know about communicating in your own language and about human interaction in general.

Nonverbal communication

A great deal of meaning is conveyed to the listener through facial expressions, gestures, and body language. These nonverbal clues will often tell you whether the speaker is sad, happy, angry, content, tired, bored, etc. Certain gestures will tell you whether the speaker understands what you are saying; others will indicate whether the speaker is hungry, thirsty, on the point of leaving, saying good-bye, etc. Be aware of these signs, as they will help you better understand the meaning of the message that the speaker is trying to convey.

 1-38 Situación. Con un(a) compañero(a) de clase, preparen un diálogo utilizando unas de las ideas mencionadas sobre la comunicación no verbal. Había un examen en la clase de español hoy. Usted y su compañero(a) terminan el examen y salen de la clase. Su compañero(a) parece muy desanimado(a) pero Ud. está muy alegre. Ustedes se explican el uno al otro por qué se sienten así.

Descripción y expansión

Esta unidad empezó en una clase de español con un grupo de estudiantes que no quería estudiar los verbos reflexivos. En esta página hay un dibujo de otra clase más o menos típica de cualquier escuela o universidad. Estudie el dibujo y después haga las actividades.

1-39 ¿Qué hay en la clase? Identifique todos los objetos que se pueden ver en el dibujo de la página 23.

> **Modelo** *Hay un escritorio en la clase.*

1-40 ¿Qué pasa en la clase? Describa lo que pasa en la clase del dibujo en la página 23.

1-41 Más preguntas. Conteste las siguientes preguntas.

   a. ¿En qué clase estamos?
   b. ¿Qué península podemos ver?
   c. ¿Qué países están en esta península?
   d. ¿Dónde está Madrid?
   e. ¿Por qué es importante la ciudad de Madrid?
   f. ¿Es España un país grande o pequeño? ¿y Portugal?
   g. ¿Quiere Ud. visitar España? ¿Por qué?

1-42 Opiniones. En grupos de tres personas contesten la pregunta siguiente. Cada grupo de la clase debe hacer una lista de las ventajas y desventajas de saber un idioma extranjero. Luego hagan una lista de lo que es difícil y lo que es fácil al aprender otro idioma. Compartan sus listas con las de los otros grupos para ver si sus opiniones son iguales o diferentes a las de los otros estudiantes.

¿Cuál es su opinión respecto al estudio de los idiomas extranjeros?

Heinle, Cengage Learning 2013

Listening for the main idea

The main idea tells you what the narrative is about; it is the most important piece of information the narrator wants you to know. To listen for the main idea, pay close attention to the first statement because many times the main idea is stated at the beginning. Also listen for words that are repeated; these usually point to the main idea.

Track 3 ◀))) **¿Catalán o castellano?**

¿Sabe Ud. que se hablan cuatro lenguas en España? Se habla gallego en Galicia en el noroeste del país, vascuence en los Países Vascos en el norte y catalán en Cataluña en el noreste. Sin embargo, la lengua oficial de España es el castellano (español). A veces esta variedad de lenguas puede causar un conflicto lingüístico porque una persona que puede hablar más de dos lenguas no sabe cuál de las lenguas debe usar. Escuche la situación siguiente y complete las actividades.

Los padres de Mari-Carmen están en Barcelona: don Carlos, por asuntos de negocios, y doña Celinda lo acompaña. Todos los días pasan un rato con Mari-Carmen, su única hija, que estudia arquitectura en la Universidad de Barcelona. Doña Celinda y su hija se han encontrado en la Plaza de Cataluña, y están en la cafetería de El Corte Inglés.

La Plaza de Cataluña es un lugar muy popular en Barcelona. ¿Cómo es y qué hace la gente?

1-43 Información. Primero, ¿son **verdaderas** (V) o **falsas** (F) las siguientes oraciones?

    a. En Sevilla vive doña Celinda. ____

    b. En España solo se habla español. ____

    c. A doña Celinda le gusta que le hablen en catalán. ____

    d. La madre y la hija están en una cafetería. ____

    e. Mari-Carmen tiene tres hermanas. ____

Segundo, complete las siguientes oraciones.

    a. La Plaza de Cataluña está _____.

    b. En Barcelona se habla _____.

    c. Don Carlos está en Barcelona por _____.

1-44 Conversación. Con dos o tres estudiantes debatan los aspectos positivos, o negativos, del bilingüismo. Un estudiante puede mantener la posición de la mamá, otro la de Mari-Carmen y un tercero la de un hispanohablante en los Estados Unidos de hoy.

1-45 Situaciones. Con un(a) compañero(a) de clase, preparen un diálogo que corresponda a una de las situaciones siguientes. Utilicen gestos mientras estén hablando para indicarle a la otra persona que Ud. es una persona alegre y simpática, o que a Ud. le gusta mucho la otra persona.

> ***Nuevos amigos.*** *Un(a) estudiante se encuentra con otro(a) estudiante en el pasillo (hallway). No se conocen. Empiezan a hablar. Cada estudiante quiere saber de dónde es el (la) otro(a), por qué está en esta universidad, qué estudia y las razones por las que estudia español. Luego tienen que ir a clase, pero antes de salir deciden reunirse después de la clase para tomar un café.*

> ***La clase de español.*** *Dos estudiantes van a la clase de español. Mientras caminan hablan de la clase. A la chica no le gusta y explica sus razones. Al chico le gusta mucho la clase y le da a la chica una lista de razones de por qué opina así. Él no puede convencerla, pero ella dice que a pesar de todo, ella piensa que es importante aprender a comunicarse en español porque tanta gente en los Estados Unidos habla español hoy en día.*

Track 4 🔊 **1-46 Ejercicio de comprensión.** Ud. va a escuchar dos comentarios breves sobre los idiomas extranjeros. Después de cada comentario, va a escuchar dos oraciones. Indique si la oración es **verdadera** (V) o **falsa** (F), trazando un círculo alrededor de la letra que corresponda a la respuesta correcta.

Primer comentario	**Segundo comentario**
1. V F	**3.** V F
2. V F	**4.** V F

Ahora escriba una cosa que Ud. aprendió al oír el comentario que no sabía antes. Luego escriba un título para cada uno de los dos comentarios que refleje el contenido de ellos. Compare los títulos con los de otros estudiantes. En su opinión, ¿cuáles son los mejores títulos?

Hay tres pasos en esta actividad. **Primer paso:** Dividan la clase en grupos de tres personas. Lean la introducción a la discusión. **Segundo paso:** Cada miembro del grupo tiene que observar los temas y escoger la letra de la posibilidad que corresponda a su opinión. **Tercer paso:** Después, comparen sus respuestas. El (La) profesor(a) va a escribir las letras en la pizarra para ver cuáles de las opiniones dominan. Estén preparados para explicar su opinión.

1-47 Discusión: lenguas e influencias extranjeras. El Departamento de Lenguas Extranjeras está conduciendo una encuesta sobre lenguas e influencias extranjeras. Indique sus reacciones ante las siguientes ideas y explique por qué piensa así. Después, compare sus reacciones con las de sus compañeros de clase.

1. Cuando uno habla inglés, español u otro idioma, debe…
   a. usar cualquier palabra extranjera que quiera.
   b. rechazar completamente el uso de palabras extranjeras.
   c. usar solo palabras extranjeras que no tienen equivalente en su lengua.

2. El uso de palabras extranjeras…
   a. contamina el idioma.
   b. enriquece el idioma.
   c. no tiene ninguna importancia.

3. La influencia del inglés sobre otros idiomas es…
   a. buena porque el inglés debe ser el idioma dominante en el mundo.
   b. útil porque presta palabras nuevas que son necesarias.
   c. mala porque destruye la individualidad de los otros idiomas.

4. Una lengua debe…
   a. mantenerse fija e invariable.
   b. aceptar palabras nuevas, pero mantener su estructura fundamental.
   c. adaptarse y evolucionar con el tiempo, incluso en su gramática.

5. Los hablantes de cada idioma deben…
   a. reconocer un dialecto oficial y rechazar otros dialectos.
   b. aceptar todos los dialectos, pero usar solo uno en la lengua escrita.
   c. aceptar todos los dialectos.

6. En el mundo moderno…
   a. se necesita una lengua universal.
   b. todos deben aprender lenguas extranjeras.
   c. no es necesario tener una lengua universal ni aprender otras lenguas porque hay traductores e intérpretes.

1-48 Temas de conversación o de composición

1. ¿Sabe Ud. si hoy día el idioma inglés tiene alguna influencia sobre el español? ¿sobre otros idiomas? ¿Por qué?
2. ¿Sabe Ud. si el inglés contiene palabras que vienen del español? Dé algunos ejemplos. (Si necesita inspirarse, puede mirar un mapa de los Estados Unidos.)
3. ¿Qué otras lenguas aportan palabras o expresiones al inglés? Dé algunos ejemplos.

Una de las manifestaciones culturales de un pueblo es la música. Por lo general, la música refleja las diversas influencias étnicas que formaron la identidad de una nación o una comunidad. Hay tantos estilos de música como hay diversidad de tradiciones. Una tradición es la celta. Cuando Ud. piensa en la música celta, ¿qué imágenes le vienen a la mente? ¿Qué instrumentos y qué países asocia con la música celta?

Lectura

Las gaitas y los gaiteros de España

La gaita[1] es un instrumento de viento muy antiguo que consiste en uno o más tubos insertados en una bolsa llamada odre. Hay muchos tipos de gaitas pero todas comparten un sonido particular, continuo y melódico. Aunque el origen de la gaita no se ha podido establecer, este instrumento es sin duda alguna el instrumento emblemático de la cultura celta.

Susana Seivane (nacida en España en 1976) toca la gaita gallega desde muy pequeña. Esta reconocida gaitera combina la música tradicional con sonidos modernos.

La cultura celta se asocia con partes de las Islas Británicas, la Bretaña en Francia y las regiones norestes de España como Galicia y Asturias. Estudiosos[2] debaten «el celtismo» de algunas regiones, y muchos creen que el término «música celta» es una etiqueta[3] comercial. Sin embargo, la mayoría de gallegos y asturianos se identifican con la cultura celta; el celtismo forma parte esencial de su identidad cultural. Y la música celta se exhibe en importantes festivales, entre ellos, el Festival del Mundo Celta de Ortigueira en Galicia, España.

El celtismo en el noreste de España resurgió[4] la gaita, un instrumento que hace unas décadas se consideraba instrumento folclórico e inferior, tocado por los viejos en festivales o en bares. Hoy en día, la imagen de la gaita está cambiando y cada vez más hay más jóvenes gaiteros[5]. La banda asturiana «La Reina del Truébano», por ejemplo, está compuesta de veinte jóvenes gaiteros, ganadores del primer premio[6] en el festival Saint Patrick de Dublín, Irlanda, en 2011. «Yo aspiro a que... cada casa asturiana tenga una gaita» dice Luis Feito, director de la banda.

De Asturias también proviene[7] el célebre gaitero José Ángel Hevia Velasco, conocido simplemente por Hevia. Hevia (nacido en 1967) no solo ha vendido tres millones de discos y ha actuado en 40 países, sino que también ha inventado —junto con Alberto Arias y Miguel Dopico— la gaita midi, un instrumento electrónico que no necesita soplarse[8]. Como muchos gaiteros contemporáneos, Hevia fusiona sonidos tradicionales con ritmos de la música popular moderna.

[1] bagpipe; [2] Scholars; [3] label; [4] reemerged; [5] bagpipers; [6] prize; [7] comes; [8] to be blown

No se puede hablar de los gaiteros españoles sin mencionar a Carlos Nuñez, considerado como uno de los mejores gaiteros del mundo. Nuñez nació en Vigo, Galicia, en 1971 y comenzó a tocar la gaita a los ocho años. De joven, colaboró con el conjunto irlandés The Chieftains hasta que se dio a conocer como el séptimo Chieftain. Nuñez, con base en la música celta, fusiona géneros de música, enlazando[9] así culturas. Explica el artista: «[La gaita] tiene un carácter tan suma-

Una banda de gaitas toca en Oveido, Asturias.

mente cosmopolita que ha unido a pueblos que están lejos geográficamente pero que se sienten muy cerca en lo sentimental y en lo cultural».

[9] connecting

1-49 Preguntas. Conteste las siguientes preguntas.

1. ¿Qué es una gaita? ¿De qué cultura es emblemática?
2. ¿Cuáles son algunas regiones de España en donde se toca la gaita?
3. ¿Cómo ha cambiado la imagen de la gaita? ¿Cuál ha sido el resultado?
4. ¿Por qué es famoso Hevia? ¿Por qué es famoso Carlos Nuñez?

1-50 Discusión. Comente estas preguntas con dos o tres compañeros.

1. Antes de leer el ensayo, ¿con qué estilo de música asociaba Ud. España?
2. Después de leer el ensayo, ¿qué aprendió Ud.?
3. ¿Qué piensa de la música celta? ¿Conoce a algún conjunto que toque celta fusión (música celta mezclada con rock, metálica, hip hop, etcétera)?
4. ¿Está de acuerdo con Carlos Nuñez, que la gaita tiene un carácter cosmopolita que une a diversos pueblos? Explique.

1-51 Proyecto. Cree un *mashup* de música celta de España. Si quiere, siga estas instrucciones.

1. Un *mashup*, o remezcla, es el producto de dos o más piezas. Estas pueden ser una combinación de música (audio), videos, letras (*lyrics*) de canciones o fotos.
2. Busque en Internet los artistas mencionados en el ensayo: Susana Sevaine, La Reina del Truébano, Hevia, Carlos Nuñez.
3. Seleccione las piezas para el *mashup*. Puede usar programas gratuitos como Masher o el programa de editar video de su computadora.
4. Copie partes de varias canciones y combínelas para crear algo nuevo.

Orígenes de la cultura hispánica: América

UNIDAD 2

En el Valle de México está Teotihuacán. Fue el centro urbano más grande del continente americano entre 100 a.C. y 650 d.C.

En contexto

El día siguiente en mi clase de cultura hispánica

Estructura

- The imperfect tense
- The preterite tense of regular verbs
- The preterite tense of irregular verbs
- Uses of the imperfect and the preterite
- Direct object pronouns
- The reflexive verbs and pronouns

Repaso

 www.cengagebrain.com

A conversar

Language functions
Verbal communication

A escuchar

Taking notes

Intercambios

Astrología, magia y ciencia

Investigación y presentación

El barrio chino de Lima

29

Vocabulario activo

Verbos

comentar *to discuss*
encantar *to delight, enchant*
   le encanta *he/she loves (something)*
reemplazar *to replace*

Sustantivos

el asunto *matter*
el cacao *chocolate*
el comestible *food, foodstuff*
el huracán *hurricane*
el maíz *corn, maize*
la papa *potato*
el préstamo *loan*
el remedio *solution*

Adjetivos

culto(a) *cultured, refined*
escolástico(a) *scholastic*
indígena *indigenous; Indian*
poderoso(a) *powerful*
próximo(a) *next*
tecnológico(a) *technological*

Otras expresiones

claro (que) *of course*
eso de *the matter of*
lo que *what*
no les quedó más remedio *they had no
    other solution*
quedarle a uno *to have left*
¡Qué lástima! *What a shame!*

2-1 Para practicar. Complete el párrafo siguiente con palabras escogidas de la sección **Vocabulario activo**. No es necesario usar todas las palabras.

A la mujer le **1.** _____ cocinar. Tiene que ir al mercado para comprar algunos **2.** _____ antes de preparar la cena. No tiene dinero y por eso le pide un **3.** _____ a su vecina. A ella no le **4.** _____. En el mercado compra el **5.** _____ para hacer una torta especial. También compra algunas **6.** _____ para asar y el **7.** _____ para hacer tortillas. Quiere hacer una salsa especial para las tortillas, pero el mercado no tiene **8.** _____ necesita para hacerla. Vuelve a casa y llama a su amiga para invitarla a cenar. Su amiga le dice que el meteorólogo acaba de anunciar que habrá un **9.** _____ **10.** _____ esa noche por la costa. Ella no quiere salir de su casa. Ellas deciden tener la cena la **11.** _____ noche. **12.** ¡ _____!

Track 5 🔊 **2-2 El día siguiente en mi clase de cultura hispánica.** Antes de leer el diálogo, escúchelo con el libro cerrado. ¿Cuánto comprendió?

RAMÓN   Todavía no he podido estudiar[1] los verbos reflexivos. ¿Y tú?

ELENA   No. Tenemos que distraer al profesor de nuevo. Tú le puedes hacer la pregunta esta vez.

RAMÓN   Bien. Creo que se la voy a hacer sobre el mismo asunto. La última vez habló toda una hora acerca de las influencias extranjeras sobre el español. Le encantó ese tema. Mira, ya está aquí.

---

[1] no he podido estudiar *have not been able to study*

PROF.	Buenos días. Hoy vamos a analizar los verbos reflexivos. Ah, sí, Ramón, ¿tienes una pregunta?
RAMÓN	En la clase anterior estábamos comentando eso de las influencias extranjeras. Su discusión fue muy interesante, pero solamente llegó hasta los moros. ¿No hubo otras influencias?
PROF.	Claro que hubo otras.
RAMÓN	¿Cuáles fueron? Hubo influencia de los indígenas americanos, ¿no?
PROF.	Sí, los españoles tomaron muchas palabras, o lo que llamamos préstamos, de las lenguas indígenas, especialmente del náhuatl y del quechua.[1]
RAMÓN	¿Por qué?
PROF.	Pues, los españoles encontraron en América muchos animales y plantas desconocidos. Naturalmente, el español no tenía nombres para estas cosas. No les quedó más remedio que incorporar al idioma las palabras que empleaban los indígenas.
ELENA	¿Cuáles son algunos de los préstamos?
PROF.	Bueno, entre los comestibles la batata[2], la papa, el maíz, el chocolate, el tomate y el cacao. Como puedes ver, algunas de estas palabras después pasaron del español al inglés.
RAMÓN	¿Solo nombres de comestibles?
PROF.	No, otros también como huracán, hule[3], hamaca[4] y nombres de animales como el puma, el caimán[5], el cóndor y el tiburón[6]. La mayoría de estos préstamos se refieren a cosas de la naturaleza. Bueno, y ahora volvamos a los verbos…
ELENA	Pero, ¿y después de la influencia indígena?
PROF.	Después hubo influencia del francés[2] en el siglo XVIII, cuando Francia era[7] un país muy poderoso en Europa. También el inglés ha influido mucho[3] en el siglo XX, especialmente en el vocabulario tecnológico. Pero debemos volver a la lección.
RAMÓN	Ya no queda tiempo, profesor.
PROF.	Ah, ¡qué lástima! Ahora ya no pueden hacer preguntas sobre los verbos reflexivos. Aparecen en el examen que vamos a tener al principio de la próxima clase.
ELENA	*(a Ramón)* ¡Ay, Dios mío! ¿Qué hacemos ahora, Ramón?

---

[2] la batata *sweet potato*   [3] hule *rubber*   [4] hamaca *hammock*   [5] el caimán *alligator*
[6] el tiburón *shark*   [7] era *was*

Notas culturales

[1] ***del náhuatl y del quechua:*** *El náhuatl es el idioma de los aztecas; el quechua es el de los incas. Estas lenguas todavía se hablan en los países donde hay grandes concentraciones de población indígena: México, Guatemala, el Perú, Bolivia y el Ecuador.*

[2] ***influencia del francés:*** *En el siglo XVIII, Francia llegó a dominar la cultura europea. El francés influyó en el español de la época, especialmente en el lenguaje culto, escolástico y gubernamental. Esta influencia se limitó a la introducción de galicismos (palabras y frases francesas) que reemplazaron palabras y frases que venían usándose en español. Más tarde hubo una reacción en contra de esta tendencia.*

[3] ***También el inglés ha influido mucho:*** *En los siglos XIX y XX, el poder económico y político de Inglaterra primero, y de los Estados Unidos después, facilitó la introducción de anglicismos en casi todas las lenguas del mundo.*

2-3 Actividad cultural. En el diálogo y en las **Notas culturales** se habla de las lenguas extranjeras y la influencia que estas lenguas tienen sobre algunas de las otras. Para ver si Ud. ha entendido esta información, conteste estas preguntas. Después, compare sus respuestas con las de otro(a) estudiante.

1. ¿De qué lenguas indígenas tomaron palabras los españoles?
2. ¿Qué son los préstamos?
3. ¿Por qué necesitaban tomar palabras de esas lenguas?
4. ¿Cuáles son algunos de los préstamos?
5. ¿Qué otras lenguas han influido en el español moderno?

2-4 Comprensión. Conteste las siguientes preguntas.

1. ¿Por qué tienen que hacer otra pregunta los alumnos?
2. ¿Quién la va a hacer esta vez?
3. ¿Sobre qué tema es la pregunta?
4. ¿Le gusta al profesor tema de las influencias extranjeras?
5. ¿Hasta dónde llegó el profesor en la clase anterior?
6. ¿De qué influencias habla el profesor hoy?
7. ¿Por qué no terminaron la clase?
8. ¿Sobre qué va a ser el examen de la próxima clase?

2-5 Opiniones. Conteste las siguientes preguntas.

1. En su opinión, ¿cuál de estas dos civilizaciones indígenas es más interesante: la de los aztecas o la de los incas? ¿Por qué?
2. ¿Quiere saber más acerca de las civilizaciones e idiomas indígenas de las Américas? ¿Por qué?
3. ¿Cuál de los comestibles indígenas le gusta más a Ud.?
4. ¿Le encanta a Ud. estudiar las influencias extranjeras sobre el español? ¿Por qué?
5. ¿Cree que el estudio de un idioma extranjero le ayuda a entender mejor su propio idioma? ¿Por qué?
6. ¿Por qué cree que es esencial estudiar los verbos de un idioma?

The imperfect tense

Heinle Grammar Tutorial:
The imperfect tense

A. Regular verbs

The imperfect tense is formed by dropping the infinitive endings and adding the following endings to the stem: **-aba, -abas, -aba, -ábamos, -abais,** and **-aban** for **-ar** verbs; **ía, -ías, -ía, -íamos, -íais,** and **-ían** for **-er** and **-ir** verbs.

llamar *to call*		**comer** *to eat*		**vivir** *to live*	
llamaba	llamábamos	comía	comíamos	vivía	vivíamos
llamabas	llamabais	comías	comíais	vivías	vivíais
llamaba	llamaban	comía	comían	vivía	vivían

B. Irregular verbs

Only three verbs are irregular in the imperfect.

ir:	iba, ibas, iba, íbamos, ibais, iban
ser:	era, eras, era, éramos, erais, eran
ver:	veía, veías, veía, veíamos, veíais, veían

The imperfect tense has the following English equivalents:

Tú llamabas { *You called*
You used to call
You were calling

Práctica

2-6 Una narrativa breve. Lea esta narrativa breve, y después cuéntela sobre las personas indicadas. Luego, describa lo que hacían estas personas durante un día típico.

En la clase yo comentaba siempre las influencias indígenas sobre el vocabulario del español. También aprendía a analizar los verbos reflexivos con frecuencia. Todas las noches iba a la biblioteca para hacer la tarea de la clase. Yo era un buen estudiante. Muchas veces veía a los amigos allá y hablaba con ellos.

(ellas, tú, nosotros, Juana, los estudiantes, Uds.)

2-7 El Nuevo Mundo. Complete esta breve historia con la forma correcta del imperfecto de los verbos entre paréntesis. Luego, describa el tema de esta narrativa con ejemplos.

Las civilizaciones indígenas (ser) **1.** _____ muy interesantes, especialmente las de los indígenas que (vivir) **2.** _____ en el altiplano del Perú durante el tiempo del encuentro con los españoles en el Nuevo Mundo. Los conquistadores (ver) **3.** _____ cosas nuevas todos los días, incluso varias plantas que (ser) **4.** _____ desconocidas en España. Los indígenas (comer) **5.** _____ con frecuencia papas, batatas, maíz y cacao como parte de su dieta diaria. **6.** (Haber) _____ muchos tipos de nuevos comestibles.

2-8 Una entrevista. Con un(a) compañero(a) de clase pregúntense las cosas siguientes, para saber más de lo que Uds. hacían durante su niñez. Comparen las respuestas para ver qué actividades tenían en común.

1. ¿Dónde vivías en tu niñez?
2. ¿Dónde vivías cuando asistías a la escuela secundaria?
3. ¿Estudiabas español cuando estabas en la escuela secundaria, antes de venir a la universidad?
4. ¿Eras un(a) buen(a) o mal(a) estudiante?
5. ¿Cuál era tu pasatiempo favorito?
6. ¿Qué hacías en los fines de semana?
7. ¿Ibas a la biblioteca o te quedabas en casa para estudiar?
8. Cuando eras muy joven, ¿qué querías ser al graduarte de la universidad?

2-9 Su niñez. Dígale a un(a) compañero(a) de clase tres cosas que Ud. hacía todos los veranos en su niñez. Luego, escuche mientras su compañero(a) hace lo mismo. Termine haciendo un resumen de sus experiencias para ver cuáles de estas eran parecidas (*similar*) y cuáles eran diferentes.

Modelo   Ud.: *Yo iba a la playa todos los veranos cuando era pequeño(a).*
Su compañero(a) de clase: *Yo iba a la playa también.*
–o–
Su compañero(a) de clase: *Yo no iba a la playa. Yo iba a las montañas.*

Ahora, su profesor(a) va a conducir una encuesta para saber la actividad del verano en la cual la mayoría de los estudiantes participaba.

Heinle Grammar Tutorial:
The preterite tense

The preterite tense of regular verbs

The preterite tense of regular verbs is formed by dropping the infinitive endings and adding the following endings to the stem: **-é, -aste, -ó, -amos, -asteis,** and **-aron** for **-ar** verbs; **-í, -iste, -ió, -imos, -isteis,** and **-ieron** for **-er** and **-ir** verbs.

escuchar *to listen to*		**comer** *to eat*		**salir** *to leave*	
escuché	escuchamos	comí	comimos	salí	salimos
escuchaste	escuchasteis	comiste	comisteis	saliste	salisteis
escuchó	escucharon	comió	comieron	salió	salieron

Práctica

2-10 Una narrativa breve. Lea esta breve narrativa, y después cuéntela acerca de las personas indicadas.

Escuché su conferencia acerca de las influencias extranjeras sobre el español con mucho interés. Después salí con unos amigos para comer en un café y discutir el asunto. Comí una variedad de cosas de origen indígena, como papas fritas con salsa de tomate y una taza (cup) de chocolate. Pasé una noche muy agradable (pleasant) con buenos amigos, comida deliciosa y conversación animada (lively).

(Elena y yo, tú, mi hermano, Tomás y Luisa, Ud.)

2-11 Las actividades de ayer. Diga lo que hicieron las personas siguientes ayer.

Modelo   mi padre / comprar un coche nuevo
Mi padre compró un coche nuevo ayer.

1. el joven / escribir una carta
2. tú / perder tus libros
3. los estudiantes / asistir a la clase de historia
4. las muchachas / hablar con el profesor
5. mi hermana / trabajar en la biblioteca
6. mi amigo y yo / salir de casa
7. yo / escuchar música en la radio

 2-12 Anoche. Con un(a) compañero(a) de clase háganse las preguntas siguientes para saber lo que él (ella) hizo anoche. Si Uds. no hicieron ninguna de las cosas indicadas, díganse lo que hicieron en realidad.

Modelo   Ud.: *¿Almorzaste en casa o en la cafetería anoche?*
Su compañero(a) de clase: *No almorcé ni en casa ni en la cafetería.*
Almorcé en un café cerca de la universidad.

1. ¿Asististe a una conferencia anoche o fuiste al cine?
2. ¿Saliste después con unos amigos para comer algo o decidiste ir a la biblioteca para estudiar?
3. ¿Volviste tarde o temprano a casa?
4. Al llegar a casa, ¿miraste un programa de televisión o te acostaste?
5. Antes de acostarte anoche, ¿preparaste la lección o le escribiste una carta a tu novio(a)?

Ahora, hagan un resumen *(summary)* de sus respuestas y compártanlo con la clase. ¿Cuántos de sus compañeros de clase hicieron cosas semejantes? ¿diferentes?

2-13 Antes de la clase. Usando algunos de los verbos siguientes, dígale a su compañero(a) de clase cinco cosas que Ud. hizo antes de venir a clase hoy. Él (Ella) va a decirle lo que él (ella) hizo también.

escuchar	hablar	nadar
trabajar	cantar	escribir
comprar	descansar	visitar
comer	llamar	comentar

Heinle Grammar Tutorial:
The preterite tense

The preterite tense of irregular verbs

1. Ir and **ser** have the same forms in the preterite tense.

ir *to go* **/ ser** *to be*

fui	fuimos
fuiste	fuisteis
fue	fueron

Paula **fue** a clase anoche.
*Paula **went** to class last night.*

Fue una clase interesante.
It was an interesting class.

2. **Dar** and **ver** are also irregular in the preterite.

dar:	di, diste, dio
	dimos, disteis, dieron
ver:	vi, viste, vio
	vimos, visteis, vieron

3. Irregular verbs with the **u** change in the stem:

andar:	anduve, anduviste, anduvo
	anduvimos, anduvisteis, anduvieron
estar:	estuve, estuviste, estuvo
	estuvimos, estuvisteis, estuvieron
haber:	hube, hubiste, hubo
	hubimos, hubisteis, hubieron
poder:	pude, pudiste, pudo
	pudimos, pudisteis, pudieron
poner:	puse, pusiste, puso
	pusimos, pusisteis, pusieron
saber:	supe, supiste, supo
	supimos, supisteis, supieron
tener:	tuve, tuviste, tuvo
	tuvimos, tuvisteis, tuvieron

4. Irregular verbs with the **i** change in the stem:

hacer:	hice, hiciste, hizo
	hicimos, hicisteis, hicieron
querer:	quise, quisiste, quiso
	quisimos, quisisteis, quisieron
venir:	vine, viniste, vino
	vinimos, vinisteis, vinieron

5. Irregular verbs with the **j** change in the stem:

decir:	dije, dijiste, dijo
	dijimos, dijisteis, dijeron
producir:	produje, produjiste, produjo
	produjimos, produjisteis, produjeron
traer:	traje, trajiste, trajo
	trajimos, trajisteis, trajeron

Other verbs ending in **-ducir** conjugated like **producir**: **conducir, traducir**

Note that the verbs in items 3 and 4 above have the same irregular preterite endings. The verbs in item 5 also have the same irregular endings in all forms of the preterite with the exception of third person plural, which is **-eron,** not **-ieron.**

A. Spelling-change verbs

1. Verbs ending in **-car**, **-gar**, and **-zar** make the following changes in the first person singular of the preterite:

-car:	**c to qu**
-gar:	**g to gu**
-zar:	**z to c**
buscar:	busqué, buscaste, buscó, buscamos, buscasteis, buscaron
llegar:	llegué, llegaste, llegó, llegamos, llegasteis, llegaron
empezar:	empecé, empezaste, empezó, empezamos, empezasteis, empezaron

2. Certain **-er** and **-ir** verbs change **i** to **y** in the third person singular and plural. Note the accents.

caer:	caí, caíste, cayó
	caímos, caísteis, cayeron
creer:	creí, creíste, creyó
	creímos, creísteis, creyeron
leer:	leí, leíste, leyó
	leímos, leísteis, leyeron
oír:	oí, oíste, oyó
	oímos, oísteis, oyeron

B. Stem-changing verbs

1. Stem-changing **-ir** verbs that change **e** to **ie** or **o** to **ue** in the present tense change **e** to **i** and **o** to **u** in the third person singular and plural forms of the preterite.

preferir		dormir	
preferí	preferimos	dormí	dormimos
preferiste	preferisteis	dormiste	dormisteis
prefirió	prefirieron	durmió	durmieron

2. Stem-changing **-ir** verbs that change **e** to **i** in the present tense also change **e** to **i** in the third person singular and plural of the preterite.

repetir		pedir	
repetí	repetimos	pedí	pedimos
repetiste	repetisteis	pediste	pedisteis
repitió	repitieron	pidió	pidieron

3. The majority of **-ar** and **-er** stem-changing verbs in the present tense are regular in the preterite.

Práctica

2-14 Una narrativa breve. Lea la narrativa que sigue, y después cuéntela acerca de las personas indicadas. Luego, explique dónde pasó la acción y cuándo durante el día.

Llegamos a Buenos Aires anoche. Buscamos un hotel en el centro. Después de comer, fuimos a un club nocturno (nightclub) *donde oímos discos de ritmos latinoamericanos. Tuvimos que volver al hotel a la medianoche. Al entrar al hotel, le dijimos al empleado que nos despertara* (to wake us up) *temprano por la mañana.*

(yo, los profesores, tú, Francisco)

2-15 Transformación. Cambie los verbos en las oraciones siguientes a la primera persona singular del pretérito.

1. Tocamos la trompeta.
2. Pagamos la cuenta en la tienda.
3. Comenzamos a trabajar a las siete.
4. Jugamos al tenis el sábado.
5. Le dedicamos este poema a la profesora.
6. Reemplazamos los libros viejos de español.

2-16 El viaje de Carmen. Complete este cuento sobre un viaje que Carmen hizo a México, usando la forma correcta del pretérito de los verbos entre paréntesis.

Carmen (hacer) **1.** _____ un viaje a México la semana pasada. Al llegar a la aduana no (poder) **2.** _____ abrir las maletas porque su madre no le (poner) **3.** _____ las llaves en su mochila. Ella (tener) **4.** _____ que romper los candados *(locks)* y luego los funcionarios de la aduana le (permitir) **5.** _____ entrar al país. Su amigo Raúl (ir) **6.** _____ al aeropuerto para llevarla a la casa de su familia. Por un instante ella (sentirse) **7.** _____ muy nerviosa pero al conocer a los padres de Raúl ella (darse) **8.** _____ cuenta *(realized)* de que no habría ningún problema. El próximo día Raúl le (pedir) **9.** _____ el coche a su padre y los dos jóvenes (salir) **10.** _____ para hacer una gira por las ruinas indígenas.

 2-17 Una historia personal. Ahora escriba una narración semejante a la narración de la actividad **2-16**, relatando la aventura más inolvidable que Ud. o un(a) amigo(a) tuvo en el pasado. Use algunos de los verbos de la lista siguiente. Comparta esta experiencia con la clase.

llegar	empezar	tener
buscar	pagar	entrar
ir	almorzar	hacer
pedir	traer	jugar

Uses of the imperfect and the preterite

A. Summary of uses

The two simple past tenses in Spanish, the imperfect and the preterite, have specific uses and express different things about the past. They cannot be interchanged.

The imperfect is used:

1. to tell that an action was in progress or to describe a condition that existed at a certain time in the past.

Estudiaba en España en aquella época.
He was studying in Spain at that time.

En el cine yo me reía mientras los demás lloraban.
In the movie theater I was laughing while the rest were crying.

Había muchos estudiantes en la clase de química.
There were a lot of students in the chemistry class.

Hacía mucho frío en la sala de conferencias.
It was very cold in the lecture hall.

2. to relate repeated or habitual actions in the past.

Mis amigas estudiaban todas las noches en la biblioteca.
My friends used to study every night in the library.

Los chicos viajaban por la península todos los veranos.
The boys used to travel through the peninsula every summer.

3. to describe a physical, mental, or emotional state in the past.

Los jóvenes estaban muy enfermos.
The young people were very ill.

No comprendíamos la lección sobre el lenguaje culto y escolástico de la época.
We didn't understand the lesson about the refined and scholastic language of the era.

Yo creía que Juan era rico y poderoso.   La chica quería quedarse en casa.
I thought that Juan was rich and powerful.   *The girl wanted to stay at home.*

4. to tell time in the past.

Eran las siete de la noche.
It was seven o'clock in the evening.

The preterite is used:

1. to report a completed action or an event in the past, no matter how long it lasted or how many times it took place. The preterite views the act as a single, completed past event.

Fuimos a clase ayer.   Traté de llamar a Elsa repetidas veces.
We went to class yesterday.   *I tried to call Elsa many times.*

Llovió mucho el año pasado.   Ella salió de casa, fue al centro y compró el regalo.
It rained a lot last year.   *She left the house, went downtown, and bought the gift.*

2. to report the beginning or the end of an action in the past.

Empezó a hablar con los estudiantes.   Terminaron la tarea muy tarde.
He started to talk with the students. *They finished the assignment very late.*

3. to indicate a change in mental, physical, or emotional state at a definite time in the past.

Después de la explicación lo comprendimos todo.
After the explanation we understood everything.

B. The preterite and the imperfect used together

1. The preterite and imperfect tenses can best be understood by examining their use together in the same sentence.

El profesor hablaba cuando Elena entró.
The professor was talking when Elena entered.

Él explicaba las influencias extranjeras cuando terminó la clase.
He was explaining the foreign influences when the class ended.

Me dormí mientras hacía los ejercicios.
I fell asleep while I was doing the exercises.

In the above sentences, note that the imperfect describes the way things were or what was going on while the preterite relates a completed act that interrupted the scene or action.

2. Note the use of the preterite and the imperfect in the following paragraphs.

Los españoles llegaron a América en 1492, donde se encontraron con los indígenas de este nuevo mundo. Los indígenas eran de una raza desconocida. Todo era distinto incluso el color de su piel, la ropa, sus costumbres y sus lenguas. Los españoles creían que estaban en la India y por eso llamaron a los habitantes de estas tierras «indios».

Cuando los españoles empezaron a explorar estos nuevos territorios supieron que ya había tres civilizaciones muy avanzadas: la maya, la azteca y la incaica. Estos indígenas tenían sus propios sistemas de gobierno, sus propias lenguas y en cada civilización la religión hacía un papel muy importante en la vida diaria de la gente. Había muchos templos y los indios participaban en numerosas ceremonias dedicadas a sus dioses. Había gran cantidad de diferencias entre la cultura de los españoles y la de los indígenas. Por eso los españoles no pudieron entender bien a los indígenas ni ellos a los españoles.

The Spaniards arrived (completed act) in America in 1492 where they found (completed act) the native inhabitants of this new world. The natives were (description) from an unknown race. Everything was (description) different including the color of their skin, their clothing, their customs, and their languages. The Spaniards believed (thought process) that they were (location over a period of time) in India and therefore called (completed act) the inhabitants of these lands "Indians."

When the Spaniards started (beginning of an act) to explore these new territories they found out (meaning of saber in the preterite) that there were (description) already three very advanced civilizations: the Mayan, the Aztec, and the Incan. These Indians had (description) their own systems of government, their own languages and in each civilization, religion played (description) a very important role in the daily life of the people. There were (description) many temples and the Indians participated (continuous or habitual act) in many ceremonies dedicated to their gods. There were (description) many differences between the culture of the Spaniards and that of the Indians. For that reason the Spaniards could not (meaning of poder in the preterite) understand the Indians well nor the Indians the Spaniards.

C. Verbs with special meanings in the preterite

In the imperfect tense, some verbs describe a physical, mental, or emotional state, while in the preterite they report a changed state or an event.

conocer: Conocí a Elena anoche.   ¿Conocías a Elena en aquella época?
I met (became acquainted with) Elena last night.   *Did you know Elena at that time?*

saber: Supo que ella era rica.   Sabía que ella era rica.
He found out that she was rich.   *He knew that she was rich.*

querer: Quiso llamarla.   Quería llamarla.
He tried to call her.   *He wanted to call her.*

No quiso hacerlo.   No quería hacerlo.
He refused to do it.   *He didn't want to do it.*

poder: Pudo hacerlo.   Podía hacerlo.
She succeeded in doing it (managed to do it).   *She was able to do it (capable of doing it).*

No pudo hacerlo.   No podía hacerlo.
She failed to do it.   *She wasn't able to do it.*

Práctica

2-18 A decidir. Complete las oraciones siguientes con el pretérito o el imperfecto de los verbos entre paréntesis, según sea necesario.

1. Mi amigo _____ (estudiar) cuando yo _____ (entrar).
2. Los invitados _____ (comer) cuando mis padres _____ (llegar).
3. Ella _____ (salir) cuando el reloj _____ (dar) las seis.
4. Nosotros _____ (dormir) cuando el policía _____ (llamar) a la puerta.
5. Yo _____ (hablar) con el profesor cuando los estudiantes _____ (entrar) en la clase.
6. Siempre me _____ (llamar) cuando él _____ (estar) en la ciudad.
7. La chica _____ (ser) muy bonita. Ella _____ (tener) pelo rubio y ojos verdes.
8. Los árabes _____ (invadir) España en el año 711 y _____ (salir) en 1492.
9. Ramón _____ (ir) a la biblioteca y _____ (estudiar) por dos horas.
10. Cuando nosotros _____ (estar) de vacaciones en la península, _____ (hacer) calor todos los días.

2-19 Una tarde con Ramón. Escriba el párrafo otra vez cambiando todos los verbos al pretérito o al imperfecto, según sea necesario.

Son las tres de la tarde. Ramón está en casa. Hace buen tiempo y por eso decide llamar a Elena para preguntarle si quiere dar un paseo con él. Llama dos veces por teléfono pero nadie contesta. *Entonces sale de casa. Anda por la plaza cuando ve a Elena frente a la catedral. Ella está con su amiga Concha. Ramón corre para alcanzarlas. Cuando ellas lo ven, lo saludan con gritos y risas. Ramón las saluda y empieza a hablar con Elena. No hablan por mucho tiempo porque las chicas tienen que estar en casa de Concha a las cinco, y ella vive muy lejos. Ramón conoce a Concha también, pero ella nunca lo invita porque cree que él es muy antipático. Por eso los jóvenes se despiden y Ramón le dice a Elena que va a llamarla más tarde.*

2-20 Una carta a un(a) amigo(a). Escríbala en español.

Dear ___:

I am writing to you to tell you what I did last weekend. I used to go out with José every Saturday, but I saw Ramón yesterday in the bookstore and we decided to go to a movie. It was an interesting film about the early indigenous cultures of Mexico. Later we went to a nightclub that was near the Zócalo. We met some friends there and danced until 2:00 in the morning. It was 3:00 when I arrived home. I was very tired so I went to bed. I slept until 4:00 in the afternoon. I got up, studied, ate supper, and watched television. It was a busy weekend, but I enjoyed myself a lot.

Until later,
Your friend

2-21 Su fin de semana pasado. Ahora escríbale una carta a un(a) amigo(a) diciéndole lo que Ud. hizo el fin de semana pasado. Luego, compare su carta con la de un(a) compañero(a) de clase. Para terminar, comparta sus experiencias con la clase. ¿Cuántos estudiantes hicieron las mismas cosas y cuántos estudiantes hicieron cosas diferentes? Su profesor(a) va a escribir una lista de estas actividades en la pizarra para comparar las diferencias y semejanzas.

Heinle Grammar Tutorial:
Direct object pronouns

Direct object pronouns

A. Forms and usage

In Spain, **le** is generally used instead of **lo** to refer to people (masculine). **Lo** is the preferred form in Latin America. In Latin America, the *os* has been replaced by **los** and **las**.

me	*me*	nos	*us*
te	*you*	os	*you*
lo	*him, you, it*	los	*them, you*
la	*her, you, it*	las	*them, you*

Direct object pronouns take the place of nouns used as direct objects. They agree in gender and number with the nouns they replace.

Compro **la revista**.   **La** compro.
No necesitan **los zapatos**.   No **los** necesitan.

B. Position

1. They normally precede the conjugated form of a verb.

   Me ven en la escuela.   **Lo** tengo aquí.
   They see me at school.   *I have it here.*

Note: The position of object pronouns with the present participle, the progressive tenses, and commands will be reviewed in subsequent units.

2. They usually follow and are attached to an infinitive.

Salió sin hacer**lo**.　　　Traje los libros para vender**los**.
He left without doing it.　*I brought the books to sell them.*

However, when an infinitive immediately follows a conjugated verb form, the pronoun may either be attached to the infinitive or placed before the entire verb phrase.

Enrique quiere comprar**las**.
OR
Enrique **las** quiere comprar.
Enrique wants to buy them.

Práctica

2-22 Manipulación. Haga la actividad siguiente cambiando las palabras entre paréntesis a pronombres directos. Luego, póngalos en la oración original.

> **Modelo**　Yo te llamé. (Raúl)
> 　　　　　*Yo lo llamé.*

1. Juan me ve. (nosotros / tú / ellos / ella / él / ellas)
2. Nosotros lo leemos. (la carta / el artículo / los periódicos / las novelas)
3. Quiero verla. (las montañas / la playa / ellos / tú / el pueblo / Tomás / las revistas)
4. Salió sin escribirlo. (las cartas / el cuento / la composición / los artículos)

2-23 Transformación. Cambie las palabras escritas en letra cursiva a pronombres directos. Luego, escriba la oración otra vez poniendo los pronombres en la posición correcta.

1. Los alumnos estudian *los verbos reflexivos*.
2. Las mujeres salieron sin pagar *la cuenta*.
3. Cristóbal Colón descubrió *el Nuevo Mundo*.
4. Elena quiere discutir *la historia de la lengua española*. (two ways)
5. Estaba muy cansado después de terminar *el trabajo*.
6. Los musulmanes conocían bien *las tierras de España*.
7. Ellos leen *libros históricos*.
8. Después de encontrar *una silla desocupada*, se sentó.
9. El profesor explicó *las influencias extranjeras*.
10. Los españoles derrotaron *a los musulmanes* en 1492.

 2-24 Una persona inquisitiva. Su compañero(a) de clase es una persona muy inquisitiva y siempre le hace muchas preguntas. Contéstelas usando pronombres directos.

> **Modelo**　Su compañero(a) de clase: *¿Leíste el periódico hoy?*
> 　　　　　Ud.: *Sí, lo leí.*
> 　　　　　　　　-o-
> 　　　　　Ud.: *No, no lo leí.*

1. ¿Escribiste la carta ayer?
2. ¿Estudiaste la lección para hoy?

3. ¿Comiste todos los dulces?
4. ¿Compraste todos los libros para tus clases?
5. ¿Hiciste tu tarea para mañana?
6. ¿Aprendiste los verbos irregulares?
7. ¿Entendiste la conferencia del (de la) profesor(a)?
8. ¿Llamaste a tu novio(a) anoche?

Heinle Grammar Tutorial:
Reflexive verbs

The reflexive verbs and pronouns

1. A reflexive verb may be identified by the reflexive pronoun **se,** which is attached to the infinitive to indicate that the verb is reflexive. When a reflexive verb is conjugated, the appropriate reflexive pronoun must accompany each form of the verb.

levantarse *to get (oneself) up*

me levanto	nos levantamos
te levantas	os levantáis
se levanta	se levantan

The reflexive construction is used when the action of the verb reflects back and acts upon the subject of the sentence.

Me levanto a las ocho.
I get (myself) up at 8:00.

Se llama Elena.
Her name is Elena. She calls (herself) Elena.

2. The reflexive pronouns may either precede a conjugated form of a verb or follow and be attached to the infinitive.

¿No **te** vas a bañar ahora?
¿Vas a bañar**te** más tarde?

Note that the Spanish reflexive is often translated as *to become* or *to get* plus an adjective. The verb **ponerse** plus various adjectives also means *to become* or *to get*.

acostumbrarse	*to get used to*	enojarse	*to become angry*
casarse	*to get married*	ponerse pálido(a)	*to become pale*
enfermarse	*to get sick*	ponerse triste	*to become sad*

A. Verbs used reflexively and non-reflexively

1. Many Spanish verbs may be used reflexively or non-reflexively; the use of the reflexive pronoun changes the meaning of the verb.

For example:

Lavo mi coche todos las sábados.
I wash my car every Saturday.

Me lavo antes de comer.
I wash (myself) before eating.

2. Note the following verbs:

acercar *to bring near*	acercarse (a) *to approach*
acordar *to agree (to)*	acordarse (de) *to remember*
acostar *to put to bed*	acostarse *to go to bed*
bañar *to bathe (someone)*	bañarse *to bathe (oneself)*
burlar *to trick, to deceive*	burlarse (de) *to make fun of*
decidir *to decide*	decidirse (a) *to make up one's mind*
despedir *to discharge, to fire*	despedirse (de) *to say good-bye*
despertar *to awaken (someone)*	despertarse *to wake up*
divertir *to amuse*	divertirse *to have a good time*
dormir *to sleep*	dormirse *to fall asleep*
enojar *to anger (someone)*	enojarse *to get angry*
fijar *to fix, to fasten*	fijarse (en) *to notice*
hacer *to do, to make*	hacerse *to become*
levantar *to raise, to lift*	levantarse *to get up*
llamar *to call*	llamarse *to be called, to be named*
negar *to deny*	negarse (a) *to refuse*
parecer *to seem, to appear*	parecerse (a) *to resemble*
poner *to put, to place*	ponerse *to put on (clothing)*
	ponerse a *to begin*
preocupar *to preoccupy*	preocuparse (de, por, con) *to worry about*
probar *to try, to taste*	probarse *to try on*
quitar *to take away, to remove*	quitarse *to take off*
sentar *to seat someone*	sentarse *to sit down*
vestir *to dress (someone)*	vestirse *to get dressed*
volver *to return*	volverse *to turn around*

3. The following verbs are normally reflexive:

atreverse (a) *to dare*	jactarse (de) *to boast*
arrepentirse (de) *to repent*	quejarse (de) *to complain*
darse cuenta (de) *to realize*	suicidarse *to commit suicide*

B. Reflexive pronouns for emphasis

Colloquially, a reflexive pronoun may be used to intensify an action or to emphasize the personal involvement of the subject. Note the following conversational examples.

Se murió el abuelo el año pasado.
My grandfather died last year.

Lo siento, me lo comí todo.
I'm sorry, I ate it all up.

¿Los viajes? Me los pago yo.
The trips? I'm paying for them.

Práctica

2-25 Una narrativa breve. Lea esta narrativa breve, y después cuéntela sobre las personas indicadas.

Ayer me levanté temprano. Me bañé, me vestí y me desayuné. Más tarde, me puse la chaqueta y me fui para la universidad. Después de mis clases, decidí ir a estudiar en la biblioteca antes de volver a casa. Me divertí mucho leyendo el cuento para la clase de español. Al llegar a casa, me cambié de ropa, me acosté y me dormí pronto.

(mis amigos y yo, Carmen, Uds., tú, ellas)

2-26 Un cambio de sentido. Cambie las oraciones a la forma reflexiva. Fíjese en el cambio de sentido entre la forma reflexiva y la forma original.

> **Modelo**   Ella lava los platos.
> *Ella se lava.*

1. José levanta a su hermano temprano.
2. Yo baño a mi perro todos los días.
3. La madre acuesta a sus niños a las ocho.
4. La señora viste a su nieta.
5. El criado sienta a los invitados cerca de la ventana.
6. Las mujeres quitan los zapatos de la mesa.

2-27 Actividades de ayer. Diga lo que hicieron las personas siguientes ayer.

1. el profesor / levantarse tarde
2. yo / lavarse antes de salir de mi casa
3. mis padres / acostarse temprano
4. tú / dormirse durante la conferencia
5. mis amigos y yo / divertirse mucho durante la fiesta

2-28 Su vida en la escuela secundaria. Con un(a) compañero(a) de clase háganse estas preguntas para saber lo que hacían en sus años en la escuela secundaria. ¿Hay semejanzas y diferencias? ¿Cuáles son?

1. ¿Te sentabas en el mismo lugar en tus clases todos los días?
2. ¿Te preocupabas mucho de tus estudios?
3. ¿Te acostabas todas las noches a las nueve?
4. ¿Te burlabas de tus maestros muchas veces?
5. ¿Te quejabas de tus clases con frecuencia?

2-29 Su horario diario. Ud. y su compañero(a) de clase van a comparar su horario diario. Dígale cinco cosas que Ud. hizo ayer y a qué hora las hizo. Su compañero(a) de clase va a hacer la misma cosa. Compare las diferencias y semejanzas de sus actividades. Use los verbos siguientes y otros, cuando sea necesario.

despertarse	vestirse	volverse
levantarse	irse	quitarse
bañarse	llegar	acostarse

Repaso

For more practice of vocabulary and structures, go to the book companion website at **www.cengagebrain.com**

Antes de empezar la última parte de esta **unidad,** es importante repasar el vocabulario nuevo y la estructura y hacer las actividades que siguen.

Review the imperfect tense and direct object pronouns.

2-30 Los mayas de hoy y ayer. Compare los mayas de hoy y de ayer completando la segunda oración. Tiene que cambiar el verbo al tiempo imperfecto y cambiar el objeto directo a un pronombre. Siga el modelo.

Modelo Los mayas de hoy comen tomates. Los antiguos mayas también...
los comían.

1. Los mayas de hoy habitan los países de México, Guatemala, Honduras y El Salvador. Los antiguos mayas también...
2. Los mayas de hoy siembran maíz. Los antiguos mayas también...
3. Los mayas de hoy hablan muchos dialectos. Los antiguos mayas también...
4. Los mayas de hoy tejen su propia ropa. Los antiguos mayas también...
5. Los mayas de hoy construyen casas de adobe. Los antiguos mayas también...

Review the regular and irregular verb forms of the preterite tense and the reflexive verbs and pronouns.

2-31 Las actividades de ayer de su compañero(a) de clase. Pregúntele a un(a) compañero(a) de clase si él (ella) hizo las cosas siguientes ayer.

Modelo despertarse temprano
——¿*Te despertaste temprano ayer?*
——*Sí, me desperté temprano ayer.*
-o-
——*No, no me desperté temprano ayer.*

1. levantarse a las ocho
2. bañarse antes de vestirse
3. peinarse con mucho cuidado
4. vestirse rápidamente
5. ponerse perfume
6. divertirse con sus amigos

Review the uses of the preterite and the imperfect tenses.

2-32 Las actividades de su familia y sus amigos. Diga lo que hacían su familia y sus amigos generalmente todos los días, y lo que hicieron en cambio *(instead)* ayer. Siga el modelo.

Modelo mi madre / preparar la comida en casa
Mi madre siempre preparaba la comida en casa, pero ayer mi hermano la preparó.

mi hermana / estudiar todo el tiempo
Mi hermana estudiaba todo el tiempo, pero ayer fue a la playa.

1. mis hermanos / acostarse a las ocho
2. yo / ir a la playa todos los martes
3. mis padres / venir a visitarme todos los fines de semana
4. mis amigos y yo / estudiar todas las noches en la biblioteca
5. tú / distraer al profesor durante la clase
6. Carlos / dormirse en la clase de español

Language functions

Being able to carry out specific language functions is essential to effective communication. Some of the basic language functions that you must practice are asking and answering questions, describing, narrating, expressing likes and dislikes, expressing and supporting opinions, stating preferences, giving and following directions, hypothesizing, persuading, and discussing abstract concepts. In each unit of the text you will be given the opportunity to use these functions.

Verbal communication

In verbal communication be aware of the tone of voice used by the speaker. This can indicate the mood of the speaker, which will alert you to what kind of message is being conveyed. The intonation of a phrase or sentence can also tell you whether the speaker is asking a question, exclaiming, or making a statement.

2-33 Situación. Ud. acaba de recibir un regalo de sus padres en forma de un viaje a Sudamérica. Ud. llama a uno(a) de sus amigos(as) para decirle de su buena fortuna. Ud. le exclama del regalo que recibió de sus padres. Su amigo(a) le hace muchas preguntas en cuanto al viaje.

Descripción y expansión

2-34 ¿Qué sabe Ud.? Durante los siglos xv and xvi los españoles exploraron muchas partes del Nuevo Mundo. En Sudamérica encontraron culturas indígenas que eran muy avanzadas. También vieron muchos animales y plantas exóticas. ¿Cuánto sabe Ud. de esta tierra encantada? Refiriéndose al mapa en la página i, conteste las siguientes preguntas.

  a. ¿Cuántos países hay en Sudamérica? ¿En qué países no se habla español?
  b. ¿Cómo se llama la capital de la Argentina? ¿de Chile? ¿del Perú? ¿del Ecuador? ¿de Colombia? ¿de Bolivia? ¿del Uruguay? ¿del Paraguay? ¿de Venezuela? ¿del Brasil?
  c. ¿Cuál es el río más grande de Sudamérica?
  d. ¿Cómo se llama la cordillera de montañas que está en el oeste de Sudamérica?
  e. ¿Cuál es el país más grande de Sudamérica?
  f. ¿Qué océano está al este del Brasil? ¿Qué océano está al oeste de Chile? ¿Cuáles son los países de Sudamérica que no dan al mar?
  g. Si Ud. quisiera *(would like)* pasar el verano en la Argentina, ¿debería ir en julio o en enero? ¿Por qué?

2-35 Opiniones. Haga las siguientes actividades.

  a. Comparta sus impresiones de Sudamérica con la clase.
  b. ¿Cuál de los países de Sudamérica le interesa más? ¿Por qué?
  c. ¿Ha viajado Ud. a algún país de Sudamérica? ¿A cuál(es)?
  d. ¿Qué pensó de él (ellos)?

Taking notes

Taking notes will help you remember what you hear in the dialogue or narrative. You can use a simple graphic organizer such as a 5W chart to help you listen for specific details and write them in an organized fashion. Here's how to do it:

1. Before the audio starts, make a quick chart with two columns and 5 rows. In the first column, write Who? Where? When? What? Why?
2. While listening, write very short answers to each W question. Limit yourself to single words or very brief phrases.
3. Use your chart to help you answer the listening comprehension questions.

Track 6 ◀))) **Una visita**

Al final del verano Raúl, un mexicano, invitó a David, estudiante de la Universidad de Chicago, y a Teresa, natural de Madrid, a su casa en Taxco para pasar unos días antes de volver a sus respectivos países. En Guatemala los tres formaron parte de un grupo de trabajo en una excavación arqueológica maya, y se hicieron amigos. Raúl ha ido al aeropuerto para recogerlos.

2-36 Información. Complete las oraciones con una de las tres posibilidades que se le ofrecen.

1. Los tres amigos trabajaron en el...
   a. invierno.
   b. mes de enero.
   c. verano.

2. La chica es de...
   a. Taxco.
   b. Madrid.
   c. Guatemala.

3. El viaje...
   a. duró mucho tiempo.
   b. empezó a la hora en punto.
   c. tuvo lugar durante un huracán.

4. Raúl los invitó...
   a. el próximo verano.
   b. a su casa.
   c. a dormir con los mayas.

 2-37 Conversación. Mantenga una conversación con un(a) compañero(a) basándose en los temas abordados. Pueden empezarla haciéndose las siguientes preguntas.

1. ¿En qué país era la excavación?
2. ¿Qué recuerdas de los mayas?
3. Si te interesa la arqueología, ¿qué pueblo de la antigüedad te fascina?
4. ¿Por qué te gusta tanto?

2-38 Situaciones. Con un(a) compañero(a) de clase, preparen un diálogo que corresponda a una de las siguientes situaciones. Es posible que sea necesario presentar el diálogo frente a la clase.

En la biblioteca. *Ud. trabaja en la biblioteca de la universidad. Un(a) estudiante entra y empieza a buscar un libro. Ud. le pide la información siguiente: el título del libro, el autor, la compañía que lo publicó y en cuál de sus clases va a usarlo.*

Otro día en la clase de español. *Ramón se encuentra con (runs into) Elena otra vez en la clase de español. Él le pregunta a ella lo que hizo anoche. Ella le describe en detalle todo lo que hizo. Luego ella le pregunta lo que hizo él. Ramón contesta que él fue al cine. Elena le hace muchas preguntas sobre la película que él vio. Ramón contesta en detalle todas sus preguntas.*

Track 7 🔊 **2-39 Ejercicio de comprensión.** Ud. va a escuchar una leyenda maya sobre la creación del hombre. Lea las siguientes oraciones. Mientras escucha la leyenda indique si la oración es **verdadera** (V) o **falsa** (F), trazando un círculo alrededor de la letra que corresponde a la respuesta correcta.

1. Los dioses decidieron crear a los animales.
   V   F
2. Decidieron hacer un hombre de barro pero no era un éxito porque una lluvia destruyó la figura del hombre.
   V   F
3. Más tarde, decidieron hacer una figura de un hombre hecha de madera.
   V   F
4. Al fin, los dioses crearon a un hombre de maíz.
   V   F

Ahora escriba un párrafo describiendo lo bueno y lo malo de la leyenda maya. ¿Qué impresiones le da esta leyenda de la cultura maya?

Central America/Alamy

Los textiles mayas son famosos mundialmente.

Hay tres pasos en esta actividad. **Primer paso:** Se divide la clase en grupos de tres personas. Lean la introducción a la discusión. **Segundo paso:** Cada miembro del grupo tiene que ver los siete temas que aparecen y escoger la letra (a, b, c) que corresponda a su opinión. **Tercer paso:** Después, los miembros del grupo deben comparar sus respuestas. El (La) profesor(a) va a escribir las letras en la pizarra para ver cuáles de las opiniones dominan. Estén preparados para explicar su opinión.

2-40 Discusión: astrología, magia y ciencia. Los indígenas de las civilizaciones precolombinas de las Américas estudiaron el cielo y los astros *(heavenly bodies)*. Creían que algunos de sus dioses vivían en el cielo y tenían poderes especiales que podían usar para controlar la vida diaria del pueblo. Si los dioses estaban contentos, había cosechas abundantes. Si los dioses estaban descontentos, había una gran escasez de comida y muchos terremotos y erupciones volcánicas. Y usted, ¿cree que las estrellas pueden influir en su vida diaria? Explique. Indique sus opiniones respecto a las siguientes posibilidades y explique por qué.

1. Los astros…
   a. controlan la vida humana.
   b. influyen en la vida de todos.
   c. no influyen nada en nuestra vida.

2. En cuanto a los horóscopos…
   a. los leo todos los días porque quiero saber lo que va a pasar.
   b. no los leo nunca.
   c. los leo de vez en cuando, pero no creo en ellos.

3. Los rasgos típicos de los que nacen bajo mi signo del zodíaco…
   a. son cualidades con las que me identifico.
   b. pueden atribuírsele a cualquier persona.
   c. son cualidades que no describen ni mi personalidad ni mi carácter.

4. La magia…
   a. solo existe como explicación de lo que todavía no se entiende científicamente.
   b. sí existe en todas partes del mundo.
   c. es una parte esencial de toda religión.

5. Los fenómenos psíquicos…
   a. indican que hay fuerzas inexplicables.
   b. se basan en el hecho de que existen ondas *(waves)* cerebrales que son capaces de moverse por el aire.
   c. no existen y son producto de la imaginación.

6. La ciencia…
   a. puede resolver todos los problemas de la humanidad.
   b. es menos importante que la filosofía o la religión.
   c. es la base de nuestra cultura.

7. El verdadero científico…
   a. solo cree en lo tangible y lo material.
   b. también puede ser una persona religiosa.
   c. es la persona más indicada para gobernar el mundo moderno.

2-41 El horóscopo. Busque su signo y explíquele a su compañero(a) de clase si se identifica o no con las características que se asocian con él. Su compañero(a) debe hacer la misma cosa.

ARIES: 21 marzo–20 abril
Rasgos: impulsivo, egoísta, enérgico

TAURO: 21 abril–20 mayo
Rasgos: obstinado, estoico, paciente

GÉMINIS: 21 mayo–21 junio
Rasgos: inteligente, impaciente, inconstante

CÁNCER: 22 junio–22 julio
Rasgos: caprichoso, malhumorado, emocional

LEO: 23 julio–22 agosto
Rasgos: poderoso, dominante, orgulloso

VIRGO: 23 agosto–21 septiembre
Rasgos: tímido, solitario, trabajador

LIBRA: 22 septiembre–22 octubre
Rasgos: justiciero, artístico, indeciso

ESCORPIÓN: 23 octubre–21 noviembre
Rasgos: vengativo, honesto, leal

SAGITARIO: 22 noviembre–22 diciembre
Rasgos: sincero, descortés, gracioso

CAPRICORNIO: 23 diciembre–21 enero
Rasgos: ambicioso, serio, callado

ACUARIO: 22 enero–21 febrero
Rasgos: independiente, idealista, inestable

PISCIS: 21 febrero–20 marzo
Rasgos: imaginativo, optimista, compasivo

2-42 Temas de conversación o de composición

1. En su opinión, ¿por qué hay tantas personas que creen en la astrología? ¿Es una cosa buena o mala? Explique.
2. Escoja a un miembro de su familia o a un(a) amigo(a) especial y lea el horóscopo que está bajo la fecha de su cumpleaños. ¿Son cualidades que describen o no describen su personalidad y su carácter? Explique.

Los barrios chinos son comunidades compactas de inmigrantes chinos y descendientes de chinos que desean permanecer ligados *(connected)* a su cultura. Generalmente se encuentran en pleno centro de las ciudades importantes del mundo. ¿Cree Ud. que haya muchos barrios chinos en Latinoamérica? ¿En qué ciudad se encontrará uno de los más grandes y antiguos de América?

Lectura

El barrio chino de Lima

Un gran arco con caracteres chinos da la bienvenida a los locales y turistas. Del otro lado, la calle está decorada con leones y dragones. Hay un gran número de restaurantes llamados «chifas». También hay puestos[1] que venden el Man Shing Po, un periódico publicado en chino y en español desde 1911. ¿Qué lugar es este? Es el Barrio Chino o Calle Capón, ubicado en el corazón de Lima, Perú.

Hay más de 2 millones de peruanos descendientes de chinos.

¿Cómo nació el barrio chino?

En 1854 el presidente del Perú emitió un decreto otorgando[2] la libertad a los esclavos[3] africanos. Con la abolición de la esclavitud[4], se produjo una escasez[5] de mano de obra[6] barata en la agricultura. Así se estableció la inmigración de trabajadores chinos, mediante contratos de trabajo o servidumbre. Durante la segunda mitad del siglo XIX, alrededor de 100 mil chinos ingresaron al Perú. La mayoría de ellos se asentaron[7] en las ciudades, principalmente en Lima. Establecieron negocios, atrayendo[8] a más compatriotas. Pronto se formó una colonia cantonesa alrededor de la calle Capón y a partir de 1950, se la conocía como el barrio chino de Lima.

¿Qué se puede hacer en el barrio chino?

El barrio chino de Lima se hizo famoso por sus restaurantes, llamados «chifas» en el Perú. Se piensa que la palabra «chifa» viene de la expresión mandarín *chi fan*, la cual se usa cada vez que se va a comer. Por asociación libre, los peruanos usaron ese nombre para referirse a la comida y restaurantes chinos. Esta comida es cantonesa acriollada, es decir, es fusión Perú-China y muy popular.

Además de restaurantes o chifas, el barrio chino tiene muchos vendedores de frutas y verduras. Una de las frutas más vendidas es el *lai chi*, una fruta originaria de China que es roja por fuera y blanca por dentro. También se encuentran tamales chinos hechos de arroz, maní, cerdo y huevo de pato.

La comida no es lo único que atrae a los peruanos a este barrio. También hay interés por los festivales que se celebran aquí, como el Año Nuevo Chino. La

[1] stands; [2] granting; [3] slaves; [4] slavery; [5] shortage; [6] workforce; [7] settled; [8] attracting

celebración empieza con oraciones en el templo chino, seguida por el tradicional desfile[9] del dragón, y finaliza con fuegos artificiales[10] y danzas.

¿Cómo se compara con otros barrios chinos?
El barrio chino de Lima es uno de los barrios chinos más grandes y antiguos de Latinoamérica. Otro barrio chino muy antiguo es el de La Habana, Cuba. Se encuentra entre las calles Amistad y Dragones y data del siglo XIX. Hubo una época[11] en que este barrio era el mayor de América Latina; sin embargo, miles de chinos salieron de la isla después de la Revolución y hoy es solo una muestra de lo que fue. Otros barrios chinos de renombre son el de Buenos Aires, el de la Ciudad de México, el de Santo Domingo y el de Quito.

---

[9] parade; [10] fireworks; [11] There was a time

2-43 Comprensión. Decida si las siguientes oraciones son **verdaderas** o **falsas** según la lectura. Corrija las falsas.

1. El barrio chino de Lima, Perú, está en la calle Capón.
2. Los primeros chinos llegaron al Perú cuando existía la esclavitud.
3. El periódico chino más antiguo del Perú es el Man Shing Po.
4. La palabra «chifa» se refiere a la comida china cubana.
5. El barrio chino de La Habana, Cuba, sigue siendo tan grande hoy como lo era antes.
6. Hay un barrio chino importante en Buenos Aires, Argentina.

2-44 Discusión. Responda a las preguntas, trabajando con dos o tres compañeros(as).

1. ¿Hay un barrio chino donde Ud. vive? ¿En qué ciudades de los Estados Unidos hay barrios chinos de fama mundial?
2. ¿Qué tienen en común todos los barrios chinos? ¿Qué tipo de establecimiento es único del barrio chino peruano?
3. ¿Le interesaría visitar Calle Capón, el barrio chino en Lima? ¿Qué haría allí?

2-45 Proyecto. Su profesor(a) va a dividir la clase en cinco grupos. Cada uno de los grupos va a recibir un grupo étnico del Perú y va a tener que investigar sobre el tema y presentarlo enfrente de la clase.

Los cinco grupos étnicos son: (1) los asháninkas, (2) los aymaras, (3) los quechuas, (4) los afroperuanos y (5) los peruano-japoneses.

La presentación será en formato de un panel. Un miembro de su grupo hará el papel de moderador. El moderador introducirá el tema y le hará una pregunta a cada uno de los miembros. Cada miembro, o «experto», deberá hablar por un minuto.

Uds. tendrán varios días para investigar su tema y preparar el panel. Empiecen por formular las preguntas y decidir quién será el moderador y quién responderá a cada pregunta. Luego cada miembro investiga por su propia cuenta sobre su pregunta, o en el caso del moderador, sobre la introducción. Practiquen juntos antes de la presentación enfrente de la clase. ¡Suerte!

La religión en el mundo hispánico

Fabienne Fossez / Alamy

Durante la Semana Santa hay muchas procesiones religiosas. Esta tiene lugar en Antigua, Guatemala. ¿Cómo están vestidas las personas? ¿Qué cubre la calle?

En contexto
El Día de los Difuntos

Estructura
- The **ir a** + infinitive construction
- The future tense and the conditional
- The future and conditional to express probability
- Indirect object pronouns
- Double object pronouns
- **Gustar** and similar verbs
- The verbs **ser** and **estar**

Repaso
🌐 www.cengagebrain.com

A conversar
Guessing from context

A escuchar
Identifying the speakers

Investigación y presentación
Juan Diego y la Virgen de Guadalupe

Vocabulario activo

Verbos

bautizar *to baptize*
dejar de *to stop doing something*
demostrar (ue) *to show*
desilusionar *to disappoint, disillusion*
influir (en) *to influence*
renovar (ue) *to renew, renovate*
rezar *to pray*
servir (i) de *to serve as*

Sustantivos

el bautizo *baptism*
la boda *wedding*
el campo *country*
el clero *clergy*
el consuelo *consolation*

el cura *priest*
el diablo *devil*
la fe *faith*
los fieles *the faithful, the devout*
la misa *Mass*
el valor *value*

Adjetivo

único(a) *only*

Otras expresiones

con permiso *excuse me*
de todos modos *anyway*
es cierto *it's true*
igual que *the same as, just like*

3-1 Para practicar. Complete el párrafo siguiente con las palabras escogidas de la sección **Vocabulario activo**. No es necesario usar todas las palabras.

La **1.** _____ de los novios tendrá lugar en la misma iglesia donde el
2. _____ **3.** _____ a la novia después de su nacimiento. Esta iglesia
4. _____ mucho en la vida diaria de las familias de la pareja *(couple)*. Todos
los domingos las familias asistían a la **5.** _____ para **6.** _____ su
7. _____. Ellos le **8.** _____ a Dios y meditaban. La iglesia era un gran
9. _____ para estas familias que vivían una vida sencilla y tranquila en el
10. _____ cerca de las montañas.

Track 8 ◀))) **3-2 El Día de los Difuntos.** Antes de leer el diálogo, escúchelo con el libro cerrado. ¿Cuánto comprendió?

(Después de la comida)

CARLOS   Con permiso.

MAMÁ   ¿Adónde vas, hijo?

CARLOS   Voy a dormir la siesta. Me estoy muriendo de sueño.

MAMÁ   Pero, ¿no te gustaría ir a misa conmigo?

CARLOS   No, mamá, no quiero ir.

MAMÁ   ¿Qué te pasa, Carlos? Ya casi nunca vas a misa. Cuando eras niño y vivíamos en el campo[1] te gustaba ir todos los domingos y los días de obligación[1]. Son esos amigos tuyos de la universidad que te están influyendo, ¿verdad?

[1] los días de obligación *holy days of obligation*

CARLOS	Bueno, mamá, es cierto que muchos de mis amigos no van. Pero no me hace falta ir a misa. Es posible creer en Dios sin ir a misa todo el tiempo.
MAMÁ	Ah, hijo. Hablas igual que hablaba tu padre[2]. Que en paz descanse[2]. Tampoco quería ir a misa. Pero las palabras del cura renovarán tu fe. Vamos.
CARLOS	El cura es solo un hombre, como yo. En los pueblos, sí, los curas son los únicos hombres educados y por eso tienen mucha influencia. Pero aquí en la ciudad es diferente.
MAMÁ	Carlos, me desilusionas mucho. Sabes que son hombres dedicados a Dios.
CARLOS	Tal vez, pero yo puedo creer en Dios sin tener que ir a misa. La iglesia es para las bodas y los bautizos[3]. Bueno, claro, y también para cuando se estira la pata[3]. Como un seguro de viaje[4] para las últimas vacaciones.
MAMÁ	Carlos, ¡cállate! ¡Eres exactamente como tu padre! Ofenderás a Dios con esas blasfemias[5]. No sé qué pasaría con tu padre. Nunca iba a misa y un día murió de repente[6]. *(Comienza a llorar.)*
CARLOS	¡Mamá, está bien! No llores. Papá estará muy bien en el cielo. Tú rezas bastante para toda la familia.
MAMÁ	Pues, para mí la religión siempre será muy importante. Es un gran consuelo en tiempos difíciles.
CARLOS	Sí, ya lo sé. Es cuestión de valores diferentes. Deja de llorar. Voy contigo a misa. No podría dormir de todos modos. ¡Qué dolor de cabeza tengo!

Notas culturales

[1] *Cuando… vivíamos en el campo:* *En los pueblos pequeños la iglesia sirve de centro social además de centro religioso.*

[2] *Hablas igual que hablaba tu padre:* *En el mundo hispánico los hombres frecuentemente son católicos, pero no son practicantes.*

[3] *La iglesia es para las bodas y los bautizos:* *Aún los hombres que casi nunca van a misa, esperan casarse y bautizar a sus hijos en la iglesia. También quieren la presencia del clero en la hora de la muerte.*

3-3 Actividad cultural. Las **Notas culturales** refieren a la importancia de la iglesia en el mundo hispánico. En grupos de tres personas hablen de las diferencias y semejanzas que existen en los Estados Unidos en cuanto a la importancia de la religión en nuestra sociedad y nuestra vida personal. Expliquen por qué en su opinión. Cada grupo tiene que escribir una síntesis de su discusión para presentación oral a la clase. ¿Cuáles son los distintos puntos de vista entre los grupos?

[2] Que en paz descanse *May he rest in peace* [3] se estira la pata *when you die* [4] seguro de viaje *travel insurance* [5] blasfemias *blasphemies* [6] murió de repente *he died suddenly*

3-4 Comprensión. Conteste las preguntas siguientes.

1. ¿Qué quiere hacer Carlos después del almuerzo?
2. ¿Adónde va a ir su mamá?
3. ¿Va Carlos a misa todos los días de obligación?
4. ¿Quiénes influyen en Carlos, según la mamá?
5. ¿Dice Carlos que es necesario ir a misa?
6. ¿Por qué tienen los curas mucha influencia en los pueblos pequeños?
7. Según la mamá, ¿por qué son buenos los curas?
8. Según Carlos, ¿para qué sirve la iglesia?
9. Según la madre, Carlos es como su padre. ¿Cómo era su padre?
10. ¿Para qué le sirve la religión a la madre de Carlos?
11. ¿Por qué decide Carlos ir a misa con su mamá?

3-5 Opiniones. Conteste las preguntas siguientes.

1. ¿Va a la iglesia todos los domingos? ¿Por qué?
2. ¿Cree que una persona puede ser religiosa sin asistir a una iglesia? ¿Por qué?
3. ¿Cree que una persona debe discutir sus creencias religiosas con otras personas, o es algo demasiado personal?
4. ¿Cree que la religión tiene un papel muy importante en la vida diaria de cada persona? ¿Por qué?
5. ¿Es posible que una persona sea buena sin asistir a una iglesia? Explique.
6. ¿Qué piensa de una persona que dice que no cree en Dios?
7. ¿Piensa que los jóvenes de hoy son menos religiosos que sus padres? ¿Por qué?
8. En su opinión, ¿sería el mundo mejor o peor sin la religión? Explique.

La religión tiene un papel importante en la vida diaria del pueblo hispano. Esta mujer está encendiendo velas y rezando en la capilla. ¿Es este ritual parecido a uno de los Estados Unidos? Explique.

The *ir a* + infinitive construction

The present indicative of the verb **ir** followed by **a** and the infinitive is often used in Spanish to express an action that will take place in the immediate future.

¿Qué vas a hacer?
What are you going to do?

Voy a vender la pintura.
I am going to sell the painting.

Va a invitar a tu hija.
She is going to invite your daughter.

Vamos a tener mucho éxito.
We are going to be very successful.

Va a ser un gran consuelo para la gente.
It is going to be a great consolation for the people.

Práctica

3-6 Una narrativa breve. Lea esta narrativa breve. Después, cuéntela sobre las personas indicadas.

Vamos a asistir a la misa mañana. Vamos a celebrar el bautizo de nuestra sobrina. Vamos a invitar a toda la familia. Después de la misa, vamos a tener una comida especial en casa.

(yo, ella, Felipe y Juana, tú, Ud.)

3-7 Comentarios religiosos. Cambie las oraciones siguientes, usando la estructura **ir a** + el infinitivo.

1. El clero influye mucho en la gente.
2. Los fieles renuevan su fe en la iglesia.
3. Yo sirvo de cocinero (*cook*) durante la fiesta.
4. Carlos y su madre no se meten en los problemas de la ciudad.
5. ¿Comes tú antes de ir a misa?

3-8 ¿Adónde va Ud. y por qué? Cuando alguien va a un lugar generalmente es por una razón específica. Diga adónde van las personas de la columna **A** y por qué van allí.

Modelo   *Yo voy a la biblioteca. Voy a leer un libro.*

A	B	C
Su madre	a la fiesta	divertirse
Yo	a la iglesia	renovar la fe
Tú	al centro	tomar el sol
Carlos y Teresa	a la biblioteca	nadar en el mar
Mis amigos y yo	a las montañas	comprar unos comestibles
	a un concierto	preparar la tarea
	a la misa de gallo (*midnight mass*)	escuchar la música
	a la playa	hablar español
	a la clase	visitar al cura
	a la universidad	bailar
	a una discoteca	estudiar lenguas extranjeras
		mirar los picos altos
		rezar

3-9 ¿Qué vas a hacer? Ahora hágale cinco preguntas a un(a) compañero(a) de clase para saber lo que él/ella va a hacer durante el resto del día. ¿Van a hacer las mismas cosas?

> **Modelo** Ud.: *¿Qué vas a hacer después de salir?*
> Su compañero(a) de clase: *Voy a la librería para comprar los libros para la clase de español.*

Heinle Grammar Tutorial:
The future tense

The future tense and the conditional

A. The future of regular verbs

1. In Spanish, the future tense of regular verbs is formed by adding the following endings to the complete infinitive: **-é, -ás, -á, -emos, -éis, -án**. Note that the same endings are used for all three conjugations.

hablar		comer		vivir	
hablaré	hablar**emos**	comeré	comer**emos**	viviré	vivir**emos**
hablarás	hablar**éis**	comerás	comer**éis**	vivirás	vivir**éis**
hablará	hablar**án**	comerá	comer**án**	vivirá	vivir**án**

2. The future tense in Spanish corresponds to the English auxiliaries *will* and *shall*, and it is generally used as in English.

   ¿A qué hora volverán?
   At what time will they return?

   Iremos a misa a las ocho.
   We shall go to Mass at eight.

   > When the English word *will* is used to make a request, the verb **querer** + an infinitive is used in Spanish rather than the future tense: **¿Quiere Ud. abrir la ventana?** *(Will you open the window?)*

3. The future may also be used as a softened substitute for the direct command.

   Ud. volverá mañana a la misma hora.
   You will return tomorrow at the same time.

4. The following are often substituted for the future:

   a. **Ir a** (in the present) plus the infinitive, referring to the near future.

   Van a dejar de fumar.
   They are going to stop smoking.

   Voy a hacer compras mañana.
   I am going to shop tomorrow.

   b. The present tense.

   El partido de tenis empieza a las dos.
   The tennis game will begin at two.

B. The conditional of regular verbs

Heinle Grammar Tutorial:
The conditional tense

1. The conditional endings are also added to the complete infinitive: **-ía, -ías, -ía, -íamos, -íais, -ían.** The endings are the same for all three conjugations.

hablar		comer		vivir	
hablaría	hablaríamos	comería	comeríamos	viviría	viviríamos
hablarías	hablaríais	comerías	comeríais	vivirías	viviríais
hablaría	hablarían	comería	comerían	viviría	vivirían

2. The conditional corresponds to the English auxiliary *would* and is generally used as in English.

Me dijo que lo renovarían.
He told me that they would renovate it.

Me gustaría estudiar contigo.
I would like to study with you.

The conditional is not used in Spanish to express *would* meaning "used to" or *would not* meaning "refused to." These concepts are expressed by the imperfect and the preterite, respectively. **Íbamos a la playa todos los días.** *(We would [used to] go to the beach every day.)* **No quiso hacerlo.** *(He would not [refused to] do it.)*

3. Specifically, the conditional is used:

   a. to express a future action from the standpoint of the past.

      Carlos le dijo que no dormiría la siesta.
      Carlos told her that he would not take his nap.

   b. to express polite or softened statements, requests, and criticisms.

      Tendría mucho gusto en llevar a tu hermana.
      I would be very happy to take your sister.

      ¿Podría Ud. ayudarme?
      Could you (Would you be able to) help me?

      ¿No sería mejor ayudarlo?
      Wouldn't it be better to help him out?

   c. to state the result of a conditional *if*-clause.

      Si viviéramos en el campo, irías a la iglesia todos los domingos.
      If we lived in the country, you would go to church every Sunday.

In such situations the *if*-clause is in the imperfect subjunctive. *If*-clauses will be discussed in more detail in **Unidad 10.**

C. Irregular future and conditional verbs

Some commonly used verbs are irregular in the future tense and conditional. However, the irregularity is only in the stem; the endings are regular.

Verb	Future	Conditional	Verb	Future	Conditional
caber	cabré	cabría	querer	querré	querría
decir	diré	diría	saber	sabré	sabría
haber	habré	habría	salir	saldré	saldría
hacer	haré	haría	tener	tendré	tendría
poder	podré	podría	valer	valdré	valdría
poner	pondré	pondría	venir	vendré	vendría

Práctica

3-10 ¿Qué hará la gente? Indique lo que cada persona hará en las situaciones siguientes.

> **Modelo** Al llegar a la biblioteca (yo / estudiar) la lección.
> *Al llegar a la biblioteca yo estudiaré la lección.*

1. Al levantarse (Carlos / vestirse) rápidamente.
2. Al entrar en la iglesia (nosotros / sentarse) inmediatamente.
3. Al llegar a casa (tú / poner) los libros en la sala.
4. Al recibir el dinero (ellos / ayudar) a los pobres.
5. Al terminar la clase (María / salir) para la casa.

Repita la actividad **3-10** diciendo lo que Ud. hará.

3-11 ¿Cuándo va a hacerlo? Pregúntele a un(a) compañero(a) de clase cuándo va a hacer las cosas siguientes.

> **Modelo** escuchar las palabras del cura
> *¿Vas a escuchar las palabras del cura ahora?*
> *No, escucharé las palabras del cura mañana.*

1. devolver el libro
2. almorzar con los amigos
3. asistir a la iglesia
4. salir a pasear
5. tener una cita
6. tomar el tren
7. hacer la tarea
8. rezar en la iglesia

3-12 Transformación. Cambie las oraciones para concordar con los verbos entre paréntesis.

> **Modelo** Sé que vendrá en coche. (sabía)
> *Sabía que vendría en coche.*

1. Me dicen que Ramón la llevará a la iglesia. (dijeron)
2. Creo que el cura contestará nuestras preguntas. (creía)
3. Estoy seguro de que la misa terminará a tiempo. (estaba)
4. Creo que nos dirá la verdad. (creía)
5. Les dice que discutirán sobre religión más tarde. (dijo)

3-13 ¿Qué harían ellos? Diga lo que harían estas personas en las situaciones siguientes.

> **Modelo** Al recibir el cheque (yo / hacer) un viaje.
> *Al recibir el cheque yo haría un viaje.*

1. Al visitar México (Laura / asistir) a una fiesta religiosa.
2. Al hacer un viaje (sus padres / enviarnos) unos recuerdos.
3. Al volver tarde (nosotros / acostarse) sin comer.
4. Al mirar la televisión (tú / divertirse) mucho.
5. Al mudarse a la ciudad (los campesinos / poder) encontrar empleo.

Repita la actividad **3-13** diciendo lo que Ud. haría.

3-14 Una entrevista. Hágale estas preguntas a un(a) compañero(a) de clase para saber lo que hará en las situaciones siguientes. Comparta esta información con otro(a) compañero(a) de clase.

Modelo Estudiante 1: *¿Qué harás después de esta clase?*
Estudiante 2: *Iré a la cafetería.*
Estudiante 1: *Carlos dijo que iría a la cafetería.*

1. ¿Qué harás al ir a la biblioteca?
2. ¿Qué harás al llegar a casa esta tarde?
3. ¿Qué harás al asistir a la fiesta?
4. ¿Qué harás antes de estudiar esta noche?
5. ¿Qué harás al graduarte de la universidad?

3-15 Un millón de dólares. Haga una lista de cinco cosas que haría si tuviera un millón de dólares. Luego, compare su lista con la de un(a) compañero(a) de clase. Después su profesor(a) va a escribir sus ideas en la pizarra. ¿Cuáles son las cinco cosas que todos los estudiantes quieren hacer?

The future and conditional to express probability

A. The future of probability

The future tense is used to express probability at the present time. This construction is used when the speaker is conjecturing about a situation or occurrence in the present.

¿Qué hora será?
I wonder what time it is. (What time do you suppose it is?)

Serán las once.
It is probably eleven o'clock. (It must be eleven o'clock.)

¿Dónde estará Rosa?
I wonder where Rosa is. (Where do you suppose Rosa is?)

B. The conditional of probability

The conditional is used to express probability in the past.

¿Qué hora sería?
I wonder what time it was. (What time do you suppose it was?)

Serían las once.
It was probably eleven o'clock. (It must have been eleven o'clock.)

Estaría en la iglesia.
She was probably in the church. (I suppose that she was in the church.)

Notice that probability in the present or the past may also be expressed by using the word **probablemente** with either the present or the imperfect tense.

Probablemente están en la biblioteca.　Estarán en la biblioteca.
Probablemente sabía la respuesta.　Sabría la respuesta.

Práctica

3-16 Buscando a unos amigos. Ud. está buscando a unos amigos que se mudaron a otra ciudad. Ud. está en el barrio donde ellos viven pero no sabe exactamente dónde está su casa. Está conjeturando sobre la dirección de la casa. Exprese su incertidumbre cambiando las oraciones al futuro de probabilidad.

> **Modelo** Probablemente ellos no viven en este barrio.
> *Ellos no vivirán en este barrio.*

1. Probablemente su casa se encuentre en esta calle.
2. Probablemente ellos tienen una casa muy grande.
3. Probablemente ellos no están en casa.
4. Probablemente ellos no nos esperan.
5. Probablemente la casa amarilla es su casa.

 3-17 Incertidumbre. Alguien está haciéndole a Ud. varias preguntas. Ud. no sabe las respuestas, pero contesta con incertidumbre. Exprese sus dudas contestando las preguntas con el futuro de probabilidad.

> **Modelo** ¿Qué hora es? (las doce)
> *Serán las doce.*

1. ¿A qué hora viene el cura? (a las nueve)
2. ¿Adónde va Carlos ahora? (a misa)
3. ¿A qué hora empieza el programa? (a las ocho)
4. ¿Cómo está su amiga? (muy cansada)
5. ¿Dónde trabaja su novio? (en un almacén)
6. ¿Qué tiene Ud. que hacer hoy? (ayudar a mi hermano)

Ahora hágale cinco preguntas a otro(a) estudiante y él (ella) tendrá que contestar con incertidumbre.

3-18 No estoy seguro(a). Conteste las preguntas siguientes usando el condicional con un pronombre directo.

> **Modelo** ¿Quién contestó las preguntas? (Ramón)
> *Ramón las contestaría.*

1. ¿Quiénes hicieron las preguntas? (las alumnas)
2. ¿Quién escribió este cuento? (Cervantes)
3. ¿Quiénes mandaron estos ensayos? (mis amigos)
4. ¿Quién compró los libros? (mi primo)
5. ¿Quién puso la composición aquí? (el profesor)

 3-19 El clero. Con un(a) compañero(a) de clase exprese el diálogo en español, conjeturando la situación presentada. Después de practicarlo, su profesor(a) va a escoger a dos o tres parejas, invitándolas a presentarle el diálogo a la clase.

SEÑORA 1   I wonder who he is.
SEÑORA 2   He is probably a priest.
SEÑORA 1   Where do you suppose he's from?
SEÑORA 2   He's probably from Spain.

SEÑORA 1   I wonder when he arrived.
SEÑORA 2   He probably came last night with the other members (*miembros*) of the clergy.

Ahora, preparen un diálogo semejante con otras profesiones.

Heinle Grammar Tutorial:
Indirect object pronouns

In Latin America, the **os** form has been replaced by **les,** which corresponds to **ustedes.**

Indirect object pronouns

A. Forms

1. The indirect object pronouns are identical in form to the direct object pronouns except for the third person singular and plural forms **le** and **les.**

me (to) *me*	**nos** (to) *us*
te (to) *you*	**os** (to) *you*
le (to) *him, her, you, it*	**les** (to) *them, you*

2. Since **le** and **les** have several possible meanings, a prepositional phrase (**a él, a ella,** etc.) is sometimes added to clarify the meaning of the object pronoun.

Le dio el dinero a él.
He gave the money to him.

Les mandé un cheque a ellos.
I sent a check to them.

B. Usage

1. To indicate to whom or for whom something is done.

Les dio el único cuaderno.
He gave the only notebook to them.

Mi marido me preparó la comida.
My husband prepared the meal for me.

2. To express possession in cases where Spanish does not use the possessive adjectives (**mi, tu, su,** etc.). This usually is the case with parts of the body and articles of personal clothing.

Me corta el pelo.
She is cutting my hair.

Nos limpia los zapatos.
He is cleaning our shoes.

3. With impersonal expressions.

Le es muy difícil hacerlo.
It is very difficult for him to do it.

Me es necesario hablar con él.
It is necessary for me to talk with him.

4. With verbs such as **gustar, encantar, faltar,** and **parecer.** This use will be discussed later in this unit.

5. The indirect object pronoun is usually included in the sentence even when the indirect object noun is also expressed.

Le entregué el dinero a Juan.
I handed the money to Juan.

Les leí el cuento a los niños.
I read the story to the children.

Mario le da el regalo a Delia.
Mario is giving the present to Delia.

C. Position

Indirect object pronouns follow the same rules for position as direct object pronouns. They generally precede a conjugated form of the verb or are attached to infinitives and present participles.

> Note that when a pronoun is attached to the present participle, a written accent is required on the original stressed syllable.

Van a leerte el cuento.
They are going to read you the story.

Te van a leer el cuento.
They are going to read the story to you.

Están escribiéndole una carta.
They are writing a letter to him.

Le están escribiendo una carta.
They are writing him a letter.

Double object pronouns

1. When both a direct and an indirect object pronoun appear in the same sentence, the indirect object pronoun always precedes the direct.

Me lo contó.
He told it to me.

2. Double object pronouns follow the same rules for placement as single object pronouns.

Va a contármelo. Me lo va a contar.
He's going to tell it to me.

Está contándomelo. Me lo está contando.
He's telling it to me.

3. When both pronouns are in the third person, the indirect object pronoun **le** or **les** changes to **se.**

Le doy el libro.
I give him the book.

Les mandé los cheques.
I sent them the checks.

Se lo doy.
I give it to him.

Se los mandé.
I sent them to them.

4. Since **se** may have several possible meanings, a prepositional phrase (**a ella, a Ud., a Uds., a ellos,** etc.) is added for clarification.

Se lo dio a Ud.
He gave it to you.

5. Reflexive pronouns precede object pronouns.

Se lo puso.
He put it on.

6. The prepositional phrases **a mí, a ti, a nosotros,** and so forth may also be used with the corresponding indirect and direct object pronouns for emphasis.

A mí me dice la verdad.
She tells me the truth.

Práctica

3-20 Una narrativa breve. Lea esta narrativa breve. Después, cuéntela sobre las personas indicadas.

Me habló por teléfono anoche. Estaba contándome sus experiencias en México, cuando alguien interrumpió la conversación. Por eso me dijo que iba a mandarme una carta con unas fotos describiendo todo.

(a nosotros, a ti, a ella, a ellos, a Uds.)

3-21 Los pronombres directos e indirectos usados juntos. Diga cada oración otra vez, cambiando las palabras escritas en letra cursiva a pronombres directos o indirectos.

Modelo   Le voy a mandar *las fotos a mamá.*
              Voy a mandárselas.

1. Le voy a traer *la maleta* a *Juana.*
2. Les dijo *la verdad* a *sus padres.*
3. Su padre le prestó *dinero* a *Luz María.*
4. Tengo que comprar *los boletos* para *Juan y Felipe.*
5. Nos mandan *las cartas.*
6. Les está explicando *el motivo* a *mi amigo.*
7. Carlos les envió las invitaciones *a los extranjeros.*
8. La compañía le vendió *la maquinaria* al cliente.
9. Elena le quiere dar *su cámara* a *los turistas.*
10. Van a mostrarme *sus apuntes.*

 3-22 Un(a) amigo(a) ensimismado(a). Ud. tiene un(a) amigo(a) que es bastante egoísta. Siempre está pidiéndole algo a Ud. Con un(a) compañero(a) de clase (quien va a hacerle las preguntas siguientes), conteste las preguntas con una oración negativa o afirmativa. Siga el modelo. ¡Cuidado con los pronombres directos e indirectos!

Modelo   ¿Vas a escribirme muchas cartas este verano?
              Sí, voy a escribirte muchas cartas este verano.
              Sí, voy a escribírtelas este verano.

1. ¿Vas a darme tus apuntes hoy?
2. ¿Vas a prepararme comida mexicana esta noche?
3. ¿Me dirás las respuestas mañana?
4. ¿Me compraste los libros ayer?
5. ¿Estás haciéndome las actividades para hoy?
6. ¿Tus padres te prestan dinero para comprarme un regalo?

3-23 La boda. Sus amigos van a casarse. ¿Qué hará Ud. para celebrar la boda? Use pronombres en sus respuestas.

> **Modelo**   ¿Les comprarás unos regalos?
> *Sí, se los compraré.*

1. ¿Les organizarás su luna de miel?
2. ¿Les construirás una casa nueva?
3. ¿Les prepararás un pastel de bodas?
4. ¿Les darás un cheque de mil dólares?
5. ¿Les harás un brindis?
6. ¿Les enviarás muchas flores?

Diga cinco otras cosas que Ud. hará. Después, compare sus ideas con las de los otros estudiantes.

Heinle Grammar Tutorial:
Gustar and similar verbs

Gustar and similar verbs

A. *Gustar*

1. The Spanish verb **gustar** means *to please* or *to be pleasing.* The equivalent in English is *to like.* In the Spanish construction with **gustar,** the English subject (I, you, Juan, etc.) becomes the indirect object of the sentence, or the one *to whom* something is pleasing. The English direct object, or the thing that is liked, becomes the subject. The verb **gustar** agrees with the Spanish subject; consequently, it almost always is in the third person singular or plural.

   Nos gusta bailar.
   We like to dance. (Dancing pleases us.)

   Me gustó la música.
   I liked the music. (The music was pleasing to me.)

   ¿Te gustan las conferencias del profesor Ramos?
   Do you like Professor Ramos's lectures?

   Les gustaban sus cuentos.
   They used to like his stories.

2. When the indirect object is included in the sentence, it must be preceded by the preposition **a.** (The indirect object pronoun is still used.)

   A mis hermanos les gustan los discos.
   My brothers like the records.

   A Pablo le gusta el queso.
   Pablo likes cheese.

B. Other verbs like *gustar*

Other common verbs that function like **gustar** are **faltar** (to be lacking, to need), **hacer falta** (to be necessary), **quedar** (to remain, to have left), **parecer** (to appear, to seem), **encantar** (to delight, to charm), **pasar** (to happen, to occur), and **importar** (to be important, to matter).

Me faltan tres billetes.
I am lacking (need) three tickets.

Nos hace falta estudiar más.
It is necessary for us to study more.

Les quedan tres pesos.
They have three pesos left.

No me importa el dinero.
Money doesn't matter to me.

Me encantan las rosas.
I love roses.

¿Qué te parece? ¿Vamos a la iglesia o no?
What do you think? Shall we go to church or not?

¿Qué te pasa?
What's happening to you? What's wrong?

Práctica

3-24 Opiniones y observaciones. Haga la actividad siguiente, según el modelo.

Modelo   Me gustan los regalos. (a él / el poema)
            Le gusta el poema.

1. Me gusta la canción. (a ti / las películas; a Ud. / la misa; a nosotros / los deportes; a Raúl / la comida; a las chicas / las fiestas; a Rosa / la raqueta; a ellos / viajar)
2. Le faltaba a Ud. el dinero. (a ti / los zapatos; a ella / una cámara; a nosotros / un coche; a Rosa y a Pedro / los billetes; a mí / un lápiz)
3. ¿Qué les parecieron a Uds. las clases? (a ti / el concierto; a Elena / el clima; a tus hermanos / los partidos; a ella / las lecturas; a Ud. / la discoteca; a ellos / los bailes mexicanos)

3-25 ¿Cuál es la pregunta? Haga preguntas que produzcan la información siguiente.

1. Sí, me gustaron las ruinas indígenas.
2. Sí, nos gustan esos jardines.
3. No, a él no le gusta el movimiento feminista.
4. No, a mí no me gusta la política.
5. Sí, nos gusta dormir la siesta.

Ahora, diga lo que les gusta a cinco de sus amigos.

3-26 ¿Qué les gusta? Con un(a) compañero(a) de clase háganse preguntas para saber lo que les gusta o no les gusta. Después de contestar, expliquen por qué.

> **Modelo** estudiar mucho
> —*¿Te gusta estudiar mucho?*
> —*Sí, me gusta estudiar mucho porque quiero aprender.*
> -o-
> —*No, no me gusta estudiar mucho porque prefiero escuchar música.*

1. las ciudades grandes
2. mirar televisión
3. vivir en el campo
4. la comida española

5. hablar y escribir en español
6. los bailes latinos
7. asistir a la iglesia
8. esta Universidad

 3-27 La vida universitaria. Haga una lista de cinco cosas que le gustan de la vida universitaria y cinco cosas que no le gustan. Compare su lista con la de un(a) compañero(a) de clase para saber las diferencias y semejanzas que existen entre Uds. Luego, compare su lista con las de los otros estudiantes de la clase. ¿Cuáles son las cinco cosas que a la mayor parte de los estudiantes no les gustan? ¿Qué cosas les gustan?

Heinle Grammar Tutorial:
Ser versus *estar*

The verbs *ser* and *estar*

The verbs **ser** and **estar** are translated as the English verb *to be*. However, their usage in Spanish is quite different. They can never be interchanged without altering the meaning of a sentence or in certain contexts producing an incorrect sentence.

A. *Estar* is used:

1. to express location.

   La ciudad de Granada **está** en España.
   The city of Granada is in Spain.

   Ellos **están** en la clase de español.
   They are in the Spanish class.

2. to indicate the condition or state of a subject when that condition is variable or when it is a change from the norm. Note that in some of the examples below **estar** can be translated by a verb other than *to be* (*to look, to taste, to seem, to feel,* etc.).

   La ventana **está** sucia.
   The window is dirty.

   Yo **estoy** muy desilusionado.
   I am (feel) very disillusioned.

   La cena **está** lista.
   The dinner is ready.

   Juan **está** muy contento hoy.
   Juan is (seems) very happy today.

   ¡Qué delgada **está** Teresa!
   How thin Teresa is (looks)!

   La sopa **está** riquísima.
   The soup is (tastes) delicious.

3. with past participles used as adjectives to describe a state or condition that is the result of an action.

   El profesor cerró la puerta. La puerta **está** cerrada.
   The professor closed the door. The door is closed.

   El autor escribió el libro. El libro **está** escrito.
   The author wrote the book. The book is written.

See **Unidad 4**

4. with the present participle to form the progressive tenses.

> Los estudiantes **están** analizando los verbos reflexivos.
> *The students are analyzing the reflexive verbs.*

B. *Ser* is used:

1. to describe an essential or inherent characteristic or quality of the subject.

> Su hija **es** bonita.
> *Your daughter is pretty.*
>
> El hombre **es** pobre.
> *The man is poor.*
>
> Mis tíos **son** ricos.
> *My uncles are rich.*

> La isla **es** pequeña.
> *The island is small.*
>
> Su abuelo **es** viejo. (in years)
> *His grandfather is old.*
>
> Su hermana **es** joven. (in years)
> *Her sister is young.*

2. with a predicate noun that identifies the subject.

> El señor Pidal **es** profesor.
> *Mr. Pidal is a professor.*
>
> Juan **es** el cónsul español.
> *Juan is the Spanish consul.*

> María **es** ingeniera.
> *María is an engineer.*
>
> Ramón **es** su amigo.
> *Ramón is her friend.*

3. with the preposition **de** to show origin, possession, or the material from which something is made.

> Roberto **es** de España.
> *Roberto is from Spain.*
>
> El libro **es** de Teresa.
> *The book is Teresa's.*

> El reloj **es** de oro.
> *The watch is (made of) gold.*
>
> La casa **es** de madera.
> *The house is made of wood.*

4. to express time and dates.

> **Son** las ocho.
> *It's eight o'clock.*

> **Es** el cinco de mayo.
> *It's the fifth of May.*

5. when *to be* means "to take place."

> La conferencia **es** aquí a las seis.
> *The lecture is (taking place) here at 6:00.*
>
> El concierto **fue** en el Teatro Colón.
> *The concert was (took place) in the Teatro Colón.*

6. to form impersonal expressions (**es fácil, es difícil, es posible,** etc.).

> **Es** necesario entender los tiempos verbales.
> *It is necessary to understand the verb tenses.*

7. with the past participle to form the passive voice. (This will be discussed further in **Unidad 11**.)

> El fuego **fue** apagado por el viento.
> *The fire was put out by the wind.*
>
> La lección **fue** explicada por el profesor.
> *The lesson was explained by the professor.*

C. *Ser* and *estar* used with adjectives

It is important to note that both **ser** and **estar** may be used with adjectives. However, the meaning or implication of the sentence changes depending on which verb is used.

ser	estar
Elena **es** bonita.	Ella **está** bonita hoy.
Elena is pretty (a pretty girl).	*She looks pretty today.*
Tomás **es** pálido.	Tomás **está** pálido.
Tomás is pale-complexioned.	*Tomás looks pale.*
Él **es** bueno (malo).	**Está** bueno (malo).
He's a good (bad) person.	*He's well (ill).*
Es feliz (alegre).	**Está** feliz (contenta).
She's a happy (cheerful) person.	*She's in a happy (contented) mood.*
El profesor **es** aburrido.	**Está** aburrido.
The professor is boring.	*He's bored.*
Carlos **es** borracho.	Carlos **está** borracho.
Carlos is a drunkard.	*Carlos is drunk.*
José **es** enfermo.	José **está** enfermo.
José is a sickly person.	*José is sick (now).*
Las sandalias **son** cómodas.	Estas sandalias **están** muy cómodas.
Sandals are (generally) comfortable.	*These sandals feel very comfortable.*
Carolina **es** lista.	Carolina **está** lista para salir.
Carolina is clever (alert).	*Carolina is ready to leave.*

Práctica

3-28 *Ser* y *estar*. Complete las oraciones siguientes con la forma correcta de **ser** o **estar.**

1. La casa de Patricia _____ muy lejos de aquí.
2. Su casa _____ de ladrillo.
3. Marina _____ la esposa de Juan.
4. Mi amigo _____ muy cansado hoy.
5. _____ el primero de octubre.
6. Esta sopa _____ muy caliente.
7. Él _____ buena persona, pero _____ enojado ahora.
8. Mi primo _____ enfermo hoy.
9. _____ más ricos que los reyes de España.
10. Ya _____ apagado el fuego.
11. Elena es bonita, y hoy _____ más bonita que nunca.
12. ¿De quién _____ este libro?
13. La conferencia _____ a las ocho.
14. Yo _____ muy contento porque los zapatos _____ muy cómodos.
15. El libro _____ muy aburrido y por eso yo _____ aburrido.

3-29 Un día en la vida de Enrique. Complete el cuento de Enrique con la forma correcta de **ser** o **estar**.

1. _____ las siete cuando Enrique se despertó. 2. _____ el día de los exámenes finales y él 3. _____ muy nervioso. Su primer examen 4. _____ a las nueve y quería llegar temprano para poder estudiar. Después de vestirse, empezó a buscar los libros. No 5. _____ ni en la sala ni en el estudio. Al fin, su madre le dijo que 6. _____ detrás de la puerta de su cuarto.

Ahora él 7. _____ listo y salió para la escuela. Cuando llegó, ya 8. _____ sus amigos en la biblioteca. 9. _____ muy aburridos de esperar tanto, pero no dijeron nada. Todos 10. _____ seguros de que iban a salir mal en el examen. 11. _____ las nueve menos cinco. Ya 12. _____ muy tarde y ellos tenían que apurarse para llegar a clase a tiempo.

Después del examen, todos 13. _____ cansados pero contentos porque el examen había sido (*had been*) muy fácil.

Familia / Alamy

El bautizo es una ocasión importante para los católicos. A menudo se celebra con una gran fiesta después de la ceremonia religiosa. Comente sobre una ocasión importante en la vida de su familia.

3-30 El bautizo. Describa la foto anterior usando una forma de **ser** o **estar** y las palabras de la lista.

Modelo iglesia
La iglesia es muy grande.
las personas
Las personas están en la iglesia.

1. el bautizo
2. la pareja (el padre) (la madre)
3. la bebé
4. el cura
5. el hombre
6. la mujer
7. el altar

Ahora, añada otras dos oraciones descriptivas. Comparta su descripción con la clase. ¿Están todos de acuerdo?

For more practice of vocabulary and structures, go to the book companion website at **www.cengagebrain.com**

Antes de empezar la última parte de esta **unidad,** es importante repasar el vocabulario nuevo y la estructura y hacer las actividades que siguen.

3-31 Al graduarse. Diga lo que harán las personas siguientes después de graduarse.

Review the future tense.

> **Modelo** Ana (casarse con un hombre rico)
> *Ana se casará con un hombre rico.*

1. nosotros (hacer un viaje alrededor del mundo)
2. tú (trabajar para un banco internacional)
3. mis amigos (comprar un coche nuevo)
4. Alicia (entrar a un convento)
5. Roberto (salir para España a estudiar)
6. yo (divertirse mucho)
7. Enrique y Carmen (buscar un buen empleo)
8. Juan y yo (conseguir una beca para hacer un posgrado)

Review the conditional.

 3-32 ¿Qué haría Ud.? Diga lo que haría en las situaciones siguientes. Luego, su compañero(a) de clase va a hacer la misma cosa. Comparen sus respuestas.

> **Modelo** ¿Qué harías al terminar la lección?
> *Al terminar la lección me acostaría.*

1. Al recibir un cheque de mil dólares ___.
2. Al entrar a la clase de español ___.
3. Al ir a un buen restaurante ___.
4. Al ver a mi actor favorito ___.
5. Al ir de vacaciones ___.
6. Al despertarme temprano ___.

Review the conditional and **gustar** and similar verbs

3-33 A escoger. Si pudiera escoger, ¿cuál de las cosas siguientes haría y por qué? Compare sus respuestas con un(a) compañero(a) de clase.

> **Modelo** asistir a una misa o a un concierto
> *Asistiría a un concierto porque me gusta mucho la música.*

1. estudiar en México o en Colombia
2. vivir en la playa o en las montañas
3. ver una película española o una película francesa
4. salir temprano o tarde de la clase de español
5. visitar un museo de arte o unas ruinas arqueológicas
6. comer en un restaurante italiano o peruano

Review **ir a** + infinitive construction and indirect object pronouns

3-34 En la Catedral de Sal. Entreviste a un(a) compañero(a) de clase para saber si va a hacer las siguientes cosas cuando visite la Catedral de Sal, en Colombia. Use pronombres indirectos.

Modelo   hacer preguntas al guía
¿Vas a hacerle preguntas al guía? / ¿Le vas a hacer preguntas al guía?
Sí, voy a hacerle muchas preguntas. / Sí, le voy a hacer muchas preguntas.

1. sacar fotos a los turistas
2. mandar un mensaje en Twitter a tus amigos
3. pedir información al guía
4. buscar un asiento a tu amigo
5. dar dinero al cura
6. describir la catedral a mí

La Catedral de Sal fue construida en el interior de una mina de sal en Zipaquirá, Colombia.

Review the future and double object pronouns

3-35 El Bar Mitzvah. Ud. está invitado(a) a un Bar Mitzvah. Conteste estas preguntas usando pronombres en sus respuestas.

1. ¿Le darás dinero al joven de trece años?
2. ¿Te cubrirás la cabeza al entrar a la sinagoga?
3. ¿Les mandarás una tarjeta de felicitaciones a los padres?
4. ¿Te traducirán tus amigos los pasajes del Torah?
5. ¿Nos reservarás una mesa en la fiesta?

Review the usage of **ser** and **estar**

3-36 Una entrevista. Escoja el verbo adecuado entre paréntesis y hágale las preguntas a un(a) compañero(a) de clase.

1. ¿(Eres / Estás) contento(a) ahora? ¿Por qué (no)?
2. Por lo general, ¿(eres / estás) una persona alegre?
3. ¿Quién de tus amigos (es / está) guapo(a) hoy?
4. ¿Quién en tu familia (es / está) muy listo?
5. ¿Crees que (es / está) importante ser religioso?

La religión en el mundo hispánico ▦ **75**

Guessing from context

Being a good listener can make you a better conversationalist. In the initial phases of language learning and acquisition, you will not know all of the vocabulary needed to understand every word that is spoken. Being aware of the linguistic and social contexts of the message will enable you to understand a conversation through word and phrase association and through the social situation in which the conversation is taking place. Then by making some logical assumptions and with sensible guessing, you should be able to determine the meaning of what you are hearing, which will enable you to make appropriate responses during the conversation.

Descripción y expansión

3-37 En la plaza. Muchas veces la plaza mayor de un pueblo hispano sirve de centro social para la gente que vive allí. Estudie este dibujo de una plaza típica y después haga las actividades siguientes.

© Cengage Learning

1. Describa la plaza de este pueblo hispánico.
2. Describa la iglesia.
3. ¿Qué pasa en el dibujo?
   a. ¿Cuántas personas hay en el dibujo?
   b. ¿Qué hace el cura?
   c. ¿Qué hacen los niños?
   d. ¿Dónde están los jóvenes?
   e. ¿Qué hacen los jóvenes?
   f. ¿Qué venden los vendedores?
   g. ¿Qué compra la señora?

 3-38 Opiniones. Con un(a) compañero(a) de clase, escriban los siguientes títulos en una hoja de papel: *Ciudad* y *Pueblo pequeño*. Debajo del título *Ciudad*, escriban diez ventajas y diez desventajas de vivir en una ciudad. Luego, escriban diez ventajas y diez desventajas de vivir en un pueblo debajo del título *Pueblo pequeño*. Después de terminar esta actividad, su profesor(a) va a escribir los mismos títulos en la pizarra. Luego, él (ella) va a conducir una encuesta de todas las parejas, escribiendo las ventajas y desventajas presentadas por cada pareja. ¿Cuántos estudiantes prefieren vivir en una ciudad? ¿Por qué? ¿En un pueblo pequeño? ¿Por qué? ¿Dónde prefiere vivir Ud.? Explique.

Identifying the speakers

When you listen to a dialogue, determine who is speaking and what their relationship is. Listen for clue words such as **amiga, papi, profe.** Determine if the words are used to address the other speaker or to refer to another character. Also pay attention to the level of formality and determine if it's familiar or formal.

Track 9 ◀))) **Recién casados**

Escuche la siguiente situación y complete las actividades.

Maribel y Elena, tomando la merienda, charlan muy alegres en una cafetería del centro de Buenos Aires. Maribel le cuenta a su hermana acerca de la luna de miel, de la cual acaba de regresar y de sus primeros días de recién casada en su nuevo hogar.

3-39 Información. Complete las siguientes oraciones, basándose en lo escuchado.

1. Maribel y Ramón fueron de _____.
2. Elena y Maribel son _____.
3. La mamá piensa que los novios no irían a _____.
4. La música entusiasma a _____.
5. Para Maribel el café está _____.

3-40 Conversación. Con uno(a) o dos compañeros(as) entablen una conversación, intercambiando opiniones y experiencias sobre: la necesidad o no de que los esposos sean/no sean religiosos, tengan/no tengan la misma religión. ¿Conocen algún matrimonio en esa situación?

3-41 Situaciones. Con un(a) compañero(a) de clase, preparen un diálogo que corresponda a una de las siguientes situaciones. Es posible que sea necesario presentar el diálogo frente a la clase.

Un(a) niño(a) no quiere asistir a la iglesia. Una familia está lista para salir para la iglesia. Un(a) niño(a) de la familia no quiere ir. La madre le explica por qué él (ella) debe asistir y el (la) niño(a) le da a ella las razones por las cuales no quiere ir.

La vida ideal. Dos amigos(as) conversan sobre lo que piensan de cómo sería la vida ideal. Están comparando sus ideas. Uno(a) explica en qué consistiría la vida ideal y el (la) otro(a) responde con su perspectiva de la vida perfecta.

Track 10 ◀))) **3-42 Ejercicio de comprensión.** Ud. va a escuchar dos comentarios breves sobre la religión en el mundo hispánico. Después de cada comentario, Ud. va a escuchar dos oraciones. Indique si la oración es **verdad** (V) o **falsa** (F), trazando un círculo alrededor de la letra que corresponde a la respuesta correcta.

Primer comentario	Segundo comentario
1. V F	3. V F
2. V F	4. V F

Escriba una cosa que Ud. aprendió de estos comentarios que no sabía antes.

Hay tres pasos en esta actividad. **Primer paso:** Se divide la clase en grupos de tres personas. Lean los cinco modos de vivir y cada persona tiene que indicar su reacción ante cada uno de ellos. **Segundo paso:** Compare sus reacciones con las de sus compañeros de clase. **Tercer paso:** Cada miembro del grupo debe describir brevemente su propio modo de vivir y su filosofía personal.

3-43 Discusión: modos de vivir. A continuación se presentan cinco modos de vivir. Aquí está la lista de reacciones que Uds. deben usar.

a. Me gusta mucho.
b. Me gusta un poco.
c. No me importa.

d. No me gusta mucho.
e. No me gusta nada.

1. En este modo de vivir, el individuo participa activamente en la vida social de su pueblo, pero no busca cambiar la sociedad, sino comprender y preservar los valores establecidos. Evita todo lo excesivo y busca la moderación y el dominio sobre sí mismo. La vida, según esta filosofía, debe ser activa, pero también debe tener claridad, control y orden.

2. El individuo que participa en este modo de vivir se retira de la sociedad. Vive apartado donde puede pasar mucho tiempo solo y controlar su propia vida. Hay mucho énfasis en la meditación, la reflexión y en conocerse a sí mismo. Para este individuo el centro de la vida está dentro de sí mismo, y no debe depender de otras personas ni de otras cosas.

3. Según esta filosofía, la vida depende de los sentidos y se debe gozar de ella sensualmente. Uno debe aceptar a las personas y las cosas y deleitarse con ellas. La vida es alegría y no la escuela donde uno aprende la disciplina moral. Lo más importante es abandonarse al placer y dejar que los acontecimientos y las personas influyan en uno.

4. Ya que el mundo exterior es transitorio y frío, el individuo solo puede encontrar significado y verdadera gratificación en la vida pensativa y en la religión. Como han dicho los sabios, esta vida no es más que una preparación para la otra, la vida eterna. Todo lo físico debe ser subordinado a lo espiritual. El individuo debe juzgar sus acciones y sus deseos a la luz de la eternidad.

5. Solo al usar la energía del cuerpo podemos gozar completamente de la vida. Las manos necesitan fabricar y crear algo. Los músculos necesitan actuar: saltar, correr, esquiar, etcétera. La vida consiste en conquistar y triunfar sobre todos los obstáculos.

3-44 Temas de conversación o de composición

1. El casarse con alguien de otra religión ya no presenta problemas en nuestra sociedad. ¿Cierto o falso? Explique.

2. Todas las religiones son esencialmente iguales. Por eso, deberían unirse en una gran religión universal. ¿Cierto o falso? Explique.

3. Las mujeres y los hombres deberían participar igualmente en la dirección de los ritos religiosos. ¿Cierto o falso? Explique.

4. Ninguna religión debe recibir el apoyo del estado. ¿Cierto o falso? Explique.

5. Las creencias religiosas siempre se basan en ideas supersticiosas. ¿Cierto o falso? Explique.

Todos los años miles de devotos acuden a la Basílica de Guadalupe, en las afueras de la Ciudad de México, para rendirle homenaje a la Virgen de Guadalupe: la virgen patrona de México y símbolo de la religiosidad mexicana. ¿Conoce Ud. la historia de sus apariciones en México? ¿Ha visto reproducciones de la imagen de la Virgen de Guadalupe en velas, camisetas, envases de comida o vehículos? ¿Por qué cree que es un símbolo dominante entre los mexicanos?

Lectura

Juan Diego y la Virgen de Guadalupe

La Virgen de Guadalupe fue la primera de una serie de apariciones milagrosas[1] en México. Después de la conquista de México, el fraile español Juan de Zumárraga, primer arzobispo de México, ordenó la destrucción de todos los dioses y sepulcros[2] paganos. La diosa más popular entre los indígenas cerca de la capital era la diosa virgen azteca de la tierra y del maíz, Tonantzin, cuyo sepulcro estaba sobre cerro Tepeyac. Los indígenas lamentaron tanto la pérdida de esta diosa que la Virgen morena de Guadalupe fue enviada para reemplazarla.

Tonantzin, la diosa de la tierra y del maíz

Se dice que era muy temprano por la mañana, el 9 de diciembre de 1531, cuando un indígena pobre llamado Juan Diego iba camino a Tlateloco para recibir instrucciones cristianas en la iglesia franciscana. Al pasar cerca del cerro del Tepeyac, oyó una voz de una mujer que le preguntaba adónde iba él. Juan Diego le contestó que iba a la iglesia de Tlateloco.

Luego ella le dijo que fuera[3] a buscar al obispo[4] de México para decirle que María Madre de Dios le había hablado y que ella deseaba un templo en ese sitio. El indígena joven fue a hablar al obispo pero él no quiso creerle a Juan Diego. El indígena salió de la oficina del obispo muy triste y desesperado. Volvía a su casa cuando la Virgen se le apareció otra vez en el mismo lugar. La Virgen le mandó que fuera a ver al obispo otra vez. Esta vez el obispo le habló y le pidió a Juan Diego que le llevara una prueba o señal de la Virgen.

El 12 de diciembre, Juan Diego volvió al Tepeyac y vio otra vez a la Virgen. Le pidió a ella una prueba para el obispo. La Virgen le mandó a Juan Diego subir al cerro y cortar unas rosas para llevárselas al obispo. Juan Diego sabía que no había nada más que cactos en el cerro, pero obedeció. Cuando llegó a la cumbre del cerro se sintió muy sorprendido de ver algunas rosas bonitas que crecían entre las rocas.

El indígena las cortó y las puso en su tilma[5] y se las llevó al obispo.

[1] miraculous; [2] tombs; [3] to go; [4] bishop; [5] cloak

Aparición de la Virgen de Guadalupe

Al dejarlas caer sobre el suelo, vio pintada en la tilma la imagen de la Virgen, donde las rosas habían

estado. El obispo se dio cuenta de que era un milagro y ordenó la construcción de una capilla en honor a la Virgen en la cumbre del cerro de Tepeyac. Desde entonces se venera a la Virgen de Guadalupe en todas partes de México, y desde el año 1910, se ha reconocido a la Virgen como la patrona de los otros países hispanoamericanos.

Al pie de la colina hoy se puede ver una iglesia grande y hermosa que es la Basílica de la Virgen de Guadalupe. Aquí y en otras partes de Hispanoamérica, todos los años se celebra el día oficial de la Virgen de Guadalupe, el 12 de diciembre.

3-45 Preguntas. Conteste las siguientes preguntas.

1. ¿Cómo se llamaba la diosa popular de los aztecas? ¿Dónde estaba su sepulcro? ¿Qué le pasó después de la conquista?
2. ¿Quién era Juan Diego? ¿Qué le pasó a él al pasar por el cerro de Tepeyac?
3. ¿Por qué no le creía a Juan el obispo? ¿Qué necesitaba el obispo?
4. ¿Qué pasó el 12 de diciembre?
5. ¿Qué se puede ver hoy cerca del cerro de Tepeyac?

3-46 Discusión. Responda a las preguntas, trabajando con dos o tres compañeros(as).

1. ¿Hay diferencias y semejanzas entre la diosa Tonantzin y la Virgen de Guadalupe? ¿Cuáles son?
2. En su opinión, ¿por qué fue necesario reemplazar a la diosa Tonantzin?
3. En su religión o comunidad, ¿qué figura hace un papel importante como lo hace la Virgen de Guadalupe en la vida religiosa de los mexicanos? Explique.

3-47 Proyecto. Escoja uno de los temas siguientes para investigar y presentar un ensayo escrito:

1. la canonización de Juan Diego
2. el culto a la Santa Muerte
3. los menonitas de México
4. el dios Chac

Investigue sobre su tema en Internet o en la biblioteca. Use la información para escribir un ensayo de tres párrafos: el primer párrafo introducirá el tema, explicando qué o quién es; el segundo párrafo hablará sobre un aspecto interesante; el tercer párrafo concluirá, mencionando el significado o la importancia del sujeto hoy en día. Si es posible, incluya un dibujo o una foto para ilustrar su ensayo.

Aspectos de la familia en el mundo hispánico

David Sacks/Lifesize/Getty Images

Una familia hispánica está en la cocina. Describa a la familia. ¿Qué hacen?

En contexto
¿Vamos al cine?

Estructura
- The progressive tenses
- The perfect tenses
- The future and conditional perfect
- Possessive adjectives and pronouns
- Interrogative words
- **Hacer** and **haber** with weather expressions
- **Hacer** with expressions of time

Repaso
🌐 www.cengagebrain.com

A conversar
Initiating and ending a conversation

A escuchar
Using context to decipher unfamiliar words

Intercambios
Un dilema familiar

Investigación y presentación
El compadrazgo en Paraguay

Vocabulario activo

Verbos

aguantar *to put up with*
arreglar *to arrange*
probar (ue) *to taste, to sample*
significar *to mean*

Sustantivos

el bocado *bite, taste*
el cariño *affection*
la(s) gana(s) *desire, wish*
la pantalla *movie screen*
la película *movie, film*

Adjetivos

asado(a) *roasted*
ciego(a) *blind*
listo(a) *clever*
solitos *dimin. of* solos *alone*
surrealista *surrealistic*

Otras expresiones

acabar de *to have just*
atrás *in back*
hace dos semanas que *it has been two
    weeks since*
valer la pena *to be worthwhile*

4-1 Para practicar. Complete el párrafo siguiente con palabras escogidas de la sección **Vocabulario activo**. No es necesario usar todas las palabras.

Yo no podía **1.** _____ seguir estudiando más. Tenía **2.** _____ de ir al cine. **3.** _____ no veía una **4.** _____ buena. Mis amigos estaban ocupados y por eso fui **5.** _____. Entré al cine y me senté en la parte de **6.** _____ del teatro. Casi no podía ver la **7.** _____, pero no me importó porque no podía entender lo que **8.** _____ el argumento *(plot)* que era muy **9.** _____. Salí para casa a las diez, pensando que esa película no **10.** _____. Tenía hambre y por eso pasé por un café. Yo **11.** _____ un **12.** _____ de carne **13.** _____, pero decidí pedir una tortilla española. Fue la única cosa buena de aquella noche.

Track 11 ◀)) **4-2 ¿Vamos al cine?** Antes de leer el dialogo escúchelo con el libro cerrado. ¿Cuánto comprendió?

(Carlos y Concha piensan ir al cine, pero encuentran varios obstáculos.)

CARLOS   Oye, Concha, no hemos visto esa nueva película italiana[1]. ¿Quieres ir esta noche?

CONCHA   ¡Ah! Me encantaría. Pero, sabes, mi mamá querrá ir también.[2]

CARLOS   ¿No hay manera de ir solos? Tu mamá es una buena persona, pero yo solo deseaba verte a ti.

CONCHA   Carlitos[3], tú sabes cómo es ella. Siempre se enoja cuando no la invitamos. Tendrás que llevarla a ella también.

CARLOS   ¿Y si le decimos que la película es de esas surrealistas? La última vez la invitamos, pero no quiso ir.

CONCHA   ¡Ah, sí! Dice que siempre se duerme. Pero, ¿cómo vamos a convencerla?

CARLOS   Déjamelo a mí. Yo lo arreglaré.

(Van a la cocina donde encuentran a la mamá de Concha y al tío Paco, de ochenta y seis años.)

MAMÁ   ¡Hola, Carlos! ¿Cómo estás? Te quedas a comer con nosotros, ¿verdad?[4]

CARLOS   Gracias, acabo de comer en casa. Venimos a ver si Ud. querría acompañarnos al cine. Vamos a ver la película italiana que dan en el Cine Mayo. No la ha visto, ¿verdad?

MAMÁ   ¿Qué película es? Para decir la verdad me gustan más las norteamericanas con Brad Pitt o George Clooney. Prueba esta carne asada, Carlos[5].

CARLOS   Bueno, un bocado nada más. Esas películas comunes y corrientes[1] no valen la pena. Esta sí que debe ser buena; fue premiada[2] en Europa.

CONCHA   ¿Vienes o no, mamá?

MAMÁ   Bueno, pensándolo bien, es mejor que vayan Uds. solos. La última vez me dormí apenas comenzada la película.

TÍO   A mí sí que me gustan las películas de ese… ¿cómo se llama? … Fettucini, creo. Yo iré con Uds. Hace dos semanas que no voy a cine.

CARLOS   Bueno… no lo había pensado…

CONCHA   *(en voz baja a Carlos)* No te preocupes, tonto. Está tan ciego el tío Paco, que tiene que sentarse muy cerca de la pantalla. Le diremos que no aguantamos eso, y nos sentaremos atrás, solitos.

CARLOS   Ah, Conchita, ¡eres tan lista!

Notas culturales

[1] **película italiana:** *Las películas extranjeras son muy populares en Europa y en Hispanoamérica. En España, en la Argentina y en México hay una industria cinematográfica notable, pero no alcanza a satisfacer al público hispánico.*

[2] **mi mamá querrá ir también:** *Es común en el mundo hispánico que salgan juntas personas de diversas edades. Las personas no se dividen según las edades para divertirse como lo hacemos en los Estados Unidos.*

[3] **Carlitos:** *Es común usar diminutivos para indicar cariño o familiaridad.*

[4] **Te quedas a comer con nosotros, ¿verdad?:** *Es casi automática esta invitación a comer, pero es falsa. La respuesta, también automática, es negativa pero cortés.*

[5] **Prueba esta carne asada, Carlos:** *La segunda invitación, siempre hecha con más fuerza, es verdadera y debe ser aceptada, con ganas o no.*

[1] comunes y corrientes *common and ordinary*   [2] fue premiada *was awarded a prize*

ŤŤŤ 4-3 Actividad cultural. En grupos de tres personas, hablen sobre estos temas.

1. Cada miembro del grupo que ha visto una película extranjera tiene que dar el título de la película y después tiene que describirla. Las personas que han visto tal película tienen que explicar por qué les gustó o por qué no les gustó.

2. ¿Cuántos miembros de su grupo han ido al cine con su novio(a) acompañados por sus padres u otros miembros de su familia? ¿Qué les parece la idea de ir acompañados por sus padres cuando van al cine con su novio(a)?

3. Como Uds. pueden ver la forma diminutivo de Carlos es Carlitos. ¿Cuáles son las letras que se usan para hacer esta forma? Luego, hagan la forma diminutivo de Pablo y de Concha.

4. Si una persona de los Estados Unidos recibe una invitación a comer, ¿se acepta automáticamente o no? ¿Les parece que es más cortés o menos cortés hacer una invitación automática?

4-4 Comprensión. Conteste las preguntas siguientes.

1. ¿Qué piensan hacer Carlos y Concha?
2. ¿Por qué no podrán ir solos?
3. ¿Qué hace la mamá cuando no la invitan?
4. ¿Qué clase de película quieren ver?
5. ¿Qué hace la mamá cuando ve una película surrealista?
6. ¿Quiénes están en la cocina?
7. ¿Qué le pregunta la mamá a Carlos?
8. ¿Cuáles son las películas que le gustan a la mamá?
9. ¿Quién va a ir al cine con los jóvenes?
10. ¿Qué van a hacer los jóvenes para estar solos en el cine?

4-5 Opiniones. Conteste las preguntas siguientes.

1. ¿Le gustan a Ud. las películas extranjeras? ¿Por qué sí o por qué no?
2. ¿Qué películas ha visto recientemente?
3. ¿Le gustan las películas surrealistas? Explique.
4. ¿Con quién prefiere ir al cine? ¿Por qué?
5. ¿Cuáles son sus películas favoritas?
6. ¿Quién es su actor favorito? ¿su actriz favorita?
7. En su opinión, ¿vale la pena ver películas modernas? ¿Por qué?

The progressive tenses

A. The present participle

1. The present participle is formed by adding **-ando** to the stem of all **-ar** verbs and **-iendo** to the stem of most **-er** and **-ir** verbs.

aprender:	aprend**iendo**	*learning*
hablar:	habl**ando**	*speaking*
vivir:	viv**iendo**	*living*

2. Some common verbs have irregular present participles. In **-er** and **-ir** verbs, the **i** of **-iendo** is changed to **y** when the verb stem ends in a vowel.

caer:	ca**y**endo		**leer:**	le**y**endo
creer:	cre**y**endo		**oír:**	o**y**endo
ir:	**y**endo		**traer:**	tra**y**endo

3. Stem-changing **-ir** verbs and some **-er** verbs have the same stem changes in the present participle as in the preterite.

decir:	diciendo		**pedir:**	pidiendo
divertir:	divirtiendo		**poder:**	pudiendo
dormir:	durmiendo		**sentir:**	sintiendo
mentir:	mintiendo		**venir:**	viniendo

Heinle Grammar Tutorial:
Present progressive tenses

B. The present progressive

1. The present progressive is usually formed with the present tense of **estar** and the present participle of a verb.

estoy		
estás	bailando	*I am dancing, etc.*
está		
estamos	bebiendo	*I am drinking, etc.*
estáis		
están	escribiendo	*I am writing, etc.*

2. The present progressive is used to stress that an action is in progress or is taking place at a particular moment in time.

Están demostrando mucho interés en las religiones del mundo.
They are showing a lot of interest in the religions of the world.

Estoy leyendo mis apuntes.
I am reading my notes.

Están viviendo solitos en México.
They are living all alone in Mexico.

3. Certain verbs of motion are sometimes used as substitutes for **estar** in order to give the progressive a more subtle meaning.

ir:	Va aprendiendo a tocar la guitarra.
	He is (slowly, gradually) learning to play the guitar.
seguir, continuar:	Siguen hablando.
	They keep on (go on) talking.
venir:	Viene contando los mismos chistes desde hace muchos años.
	He has been telling the same jokes for many years.
andar:	Anda pidiendo limosna para los pobres.
	He is going around asking for alms for the poor.

C. The past progressive

1. The past progressive is usually formed with the imperfect of **estar** plus a present participle.

<table>
<tr><td>estaba
estabas
estaba</td><td rowspan="3">}</td><td>mirando</td><td>I was looking at, etc.</td></tr>
<tr><td></td><td>vendiendo</td><td>I was selling, etc.</td></tr>
<tr><td>estábamos
estabais
estaban</td><td>saliendo</td><td>I was leaving, etc.</td></tr>
</table>

A second past progressive tense is the preterite progressive, formed with the preterite of **estar** plus a present participle. It is used to stress that a completed action was in progress at a specific time in the past: **Estuve estudiando hasta las seis.** *(I was studying until six.)*

2. This tense is used to stress that an unfinished action was in progress at a specific time in the past.

Yo estaba mirando un programa de televisión, en vez de estudiar.
I was watching a television program instead of studying.

El cura estaba explicando las influencias extranjeras sobre la Iglesia cuando lo interrumpieron.
The priest was explaining the foreign influences on the Church when they interrupted him.

3. As in the present progressive, the verbs of motion **ir, seguir, continuar, venir,** and **andar** may also be used to form the past progressive.

Seguía escribiendo poemas.
She kept on writing poems.

Andaba diciendo mentiras.
He was going around telling lies.

D. Position of direct object pronouns with the participle

Direct object pronouns are attached to the present participle. But in the progressive tenses the object pronoun may either precede **estar** or be attached to the participle.

Note that when the pronoun is attached to the participle, a written accent is required on the original stressed syllable of the participle.

Leyéndolo, vio que yo tenía razón.
Reading it, he saw that I was right.

Estoy arreglándola.
OR
La estoy arreglando.
I am repairing it.

Práctica

4-6 El cine. Ud. ha ido al cine. Describa lo que está pasando. Termine esta narrativa breve, usando la forma correcta de **estar** y el participio presente.

Yo (observar) **1.** _____ a la gente que (llegar) **2.** _____ al cine. Hay mucha gente que (comprar) **3.** _____ entradas. Otras personas (entrar) **4.** _____ al cine. Un hombre (pedir) **5.** _____ palomitas (*popcorn*) y su amiga (beber) **6.** _____ un refresco. Yo (morirme) **7.** _____ de sed, pero me falta dinero para comprar refrescos. Muchas personas (sentarse) **8.** _____ cerca de la pantalla, otras no. Varias personas (leer) **9.** _____ su programa. Me parece que todos (divertirse) **10.** _____ mucho.

4-7 Lo que está pasando ahora. Usando algunos de los verbos siguientes, diga cinco cosas que están haciendo los estudiantes en la clase en este momento.

observar	leer	escuchar	hablar	abrir
mirar	escribir	poner	hacer preguntas	sacar

4-8 ¿Qué está haciendo la gente? Indique lo que varias personas están o no están haciendo ahora. Use el progresivo presente con **estar**.

> **Modelo**   su mamá (mirar la televisión / preparar la comida)
> *Su mamá no está mirando la televisión. Está preparando la comida.*

1. el tío Paco (mirar la película / dormir)
2. Concha (estudiar / hablar con Carlos)
3. el estudiante (escribir cartas / estudiar la lección)
4. nosotros (leer / buscar un libro)
5. yo (mentir / decir la verdad)
6. sus padres (comer / escuchar música)

Ahora, repita la actividad **4-7** usando **seguir.**

> **Modelo**   *El tío Paco no está mirando la película, sigue durmiendo. etcétera*

4-9 El regreso a casa. Describa lo que estaba pasando ayer cuando Concha entró a su casa.

> **Modelo**   su amigo / esperarla
> *Cuando llegó a casa ayer; su amigo estaba esperándola.*

1. el tío / dormir
2. Concha / leer el periódico
3. sus hermanos / jugar
4. su tío / mirar televisión
5. su madre / preparar la comida
6. Carlos y su madre / hablar del cine

Ahora, diga a la clase cinco cosas que estaban pasando en su casa cuando volvió a casa ayer.

4-10 Actividades de ayer. Con un grupo de compañeros de clase, hablen de las cosas que estaban haciendo ayer a las horas indicadas. Hagan una lista de las cosas que eran iguales, y otra lista de las cosas diferentes. Comparen sus actividades.

> **Modelo** a las diez de la noche
> *Estaba mirando las noticias a las diez de la noche.*

1. a las seis de la mañana
2. a las ocho y media de la mañana
3. a las doce y quince de la tarde
4. a las tres de la tarde
5. a las seis de la tarde
6. a las ocho y cuarenta y cinco de la noche

4-11 Anoche en la casa de Concha. Haga el papel de Concha y describa lo que estaba pasando anoche en su casa. Luego, compare su descripción con la de un(a) compañero(a) de clase.

1. I was reading the newspaper.
2. My mother went on preparing the meal.
3. Our uncle was (gradually) answering our questions.
4. Carlos was trying to find the entertainment guide *(Guía del Ocio)*.
5. He was telling us that they keep on repeating the same films all week.
6. My mother was describing her favorite film to us.
7. Carlos went around asking for money for the show.
8. We kept on talking about the movies until midnight.

The perfect tenses

A. The past participle

1. The past participle of regular verbs is formed by dropping the infinitive ending and adding **-ado** to **-ar** verbs and **-ido** to **-er** and **-ir** verbs.

comer:	comido	*eaten*
hablar:	hablado	*spoken*
vivir:	vivido	*lived*

2. Some common verbs have irregular past participles.

abrir:	abierto		**hacer:**	hecho
cubrir:	cubierto		**morir:**	muerto
decir:	dicho		**poner:**	puesto
descubrir:	descubierto		**resolver:**	resuelto
devolver:	devuelto		**romper:**	roto
envolver:	envuelto		**ver:**	visto
escribir:	escrito		**volver:**	vuelto

3. Some forms carry a written accent. This occurs when the stem ends in a vowel.

caer:	caído		**oír:**	oído
creer:	creído		**reír:**	reído
leer:	leído		**traer:**	traído

4. The past participle in Spanish is used with the auxiliary verb **haber** to form the perfect tenses. It can also be used as an adjective to modify nouns with **ser** or **estar,** or it can modify nouns directly. When used as an adjective, it must agree in gender and number with the noun.

La puerta está cerrada.
The door is closed.

El tío Paco está aburrido porque la película es aburrida.
Uncle Paco is bored because the movie is boring.

Tenemos que memorizar las palabas escritas en la pizarra.
We have to memorize the words written on the chalkboard.

The past participle may also be used with a form of **estar** to describe the resultant condition of a previous action.

Juan escribió los ejercicios. Ahora los ejercicios están escritos.
Juan wrote the exercises. Now the exercises are written.

Su madre cerró la ventana. Ahora la ventana está cerrada.
His mother closed the window. Now the window is closed.

Heinle Grammar Tutorial:
The present perfect tense

B. The present perfect tense

1. The present perfect is formed with the present tense of **haber** plus a past participle.

he			
has		hablado	*I have spoken, etc.*
ha			
hemos		comido	*I have eaten, etc.*
habéis			
han		vivido	*I have lived, etc.*

2. The present perfect is used to report an action or event that has recently taken place and whose effects are continuing up to the present.

Ellos han encontrado varios obstáculos
They have encountered several obstacles.

Esta semana he pensado mucho en ver esa película.
This week I have thought a lot about seeing that movie.

3. The parts of the present perfect construction are never separated and the past participles do not agree with the subject in gender or number. They always end in **-o.**

¿Lo ha probado María?   Han visto una película italiana.
Has María tasted it?   *They have seen an Italian movie.*

4. **Acabar de** plus an infinitive is used idiomatically in the present tense to express *to have just + past participle*. The present perfect tense is not used in this construction.

Ella acaba de preparar la comida.
She has just prepared the meal.

C. The pluperfect tense

1. The past perfect tense, also called the pluperfect, is formed with the imperfect tense of **haber** plus a past participle.

había habías había habíamos habíais habían	hablado	*I had spoken, etc.*
	comido	*I had eaten, etc.*
	vivido	*I had lived, etc.*

2. The past perfect is used to indicate an action that preceded another action in the past.

Cuando llamé, ya habían salido.
When I called, they had already left.

Dijo que ya había ido al cine.
He said that he had already gone to the movies.

3. Negative words and pronouns precede the auxiliary verb form of **haber.**

No ha probado un bocado.
He hasn't tasted a bite.

Mamá se durmió cuando apenas había comenzado la película.
Mom fell asleep when the movie had barely started.

4. **Acabar de** plus an infinitive is used idiomatically in the imperfect tense to express *had just + past participle*. The pluperfect tense is not used in this construction.

Ellos acababan de salir del teatro, cuando los vi.
They had just left the theater, when I saw them.

Práctica

4-12 No quiere hacerlo. Diga por qué la gente no quiere hacer las cosas indicadas. Use el presente perfecto.

Modelo   Concha no quiere ver esta película porque ___.
Concha no quiere ver esta película porque ya la ha visto.

1. Su madre no va a preparar la comida porque _____.
2. Carlos y ella no quieren probar el arroz porque _____.
3. Nosotros no vamos a hacer los platos mexicanos porque _____.
4. Tú no vas a escribir la carta porque _____.
5. Yo no pienso comprar las entradas porque _____.
6. Enrique no va a devolver el regalo porque _____.

4-13 Ya habíamos hecho eso. Diga lo que las personas siguientes ya habían hecho antes de hacer las cosas indicadas. Use el pasado perfecto.

Modelo   Antes de ir al cine ya (ellos / comprar las entradas).
Antes de ir al cine ya habían comprado las entradas.

1. Antes de asistir al teatro ya (yo / cenar).
2. Antes de entrar a la cocina ya (ellos / hablar con su madre).
3. Antes de salir de la casa ya (ella / hacer la comida).
4. Antes de hablar con tus padres ya (tú / resolver el problema).
5. Antes de ir a la biblioteca ya (nosotros / escribir la composición).
6. Antes de nuestra llegada ya (ellos / volver).

4-14 Antes de la clase. Con un(a) compañero(a) de clase comparta cinco cosas que Ud. ha hecho para prepararse para la clase. ¿Cuántas cosas que Uds. han hecho son iguales?

Modelo   *Para prepararme para la clase, hoy yo he estudiado todos los verbos.*

4-15 Antes de acostarse. Con un(a) compañero(a) de clase describan cinco cosas que Uds. habían hecho antes de acostarse anoche. ¿Hicieron algunas de las mismas cosas?

Modelo   *Yo había hablado por teléfono con un(a) amigo(a) antes de acostarme anoche.*

4-16 El resultado de sus acciones. Ayer muchos de los miembros de su familia hicieron varias cosas. Dígale a un(a) compañero(a) de clase lo que hicieron y use los verbos a continuación para indicar tales resultados. Siga el modelo y sea creativo. Ahora, su compañero(a) de clase va decirle lo que pasó en su casa. ¿Hay semejanzas y diferencias? ¿Cuáles son?

Modelo   preparar
Ahora la comida está preparada.

Use los verbos siguientes:

1. romper
2. hacer
3. arreglar
4. escribir
5. lavar

Heinle Grammar Tutorial:
The future perfect

The future and conditional perfect

A. Future perfect

1. The future perfect tense is formed with the future tense of the verb **haber** plus a past participle.

habré		
habrás	hablado	*I will have spoken, etc.*
habrá		
habremos	comido	*I will have eaten, etc.*
habréis		
habrán	salido	*I will have left, etc.*

2. It expresses a future action that *will have taken place* by some future time.

Habrán salido a eso de las diez.
They will have left by ten.

Habrá terminado la lección antes de comer.
He will have finished the lesson before eating.

Heinle Grammar Tutorial:
The conditional perfect

B. Conditional perfect

1. The conditional perfect is formed with the conditional tense of **haber** plus a past participle.

habría			
habrías		hablado	*I would have spoken, etc.*
habría			
habríamos		comido	*I would have eaten, etc*
habríais			
habrían		salido	*I would have left, etc*

2. This tense is used to express something that *would have* taken place.

Yo habría estudiado en vez de ir al cine.
I would have studied instead of going to the movies.

¿Qué habrías contestado tú?
What would you have answered?

C. Probability

The future and conditional perfects may be used to express probability.

¿Habrá terminado su trabajo a tiempo?
I wonder if he has finished his work on time.

¿Habría terminado su trabajo a tiempo?
I wonder if he had finished his work on time.

Habrán llegado a las ocho.
They must have arrived at eight.

Habrían llegado a las ocho.
They had probably arrived at eight.

Práctica

4-17 El teatro. Ud. va al teatro a encontrarse con sus amigos. Ud. conjetura sobre lo que ellos ya habrán hecho (probablemente) antes de su llegada.

Modelo ellos / llegar temprano
Ellos ya habrán llegado temprano.

1. ellos / cenar
2. Carlos / estacionar el coche
3. Concha / comprar las entradas
4. ellos / esperarnos una hora antes de entrar
5. Concha / entrar al teatro
6. ellos / sentarse en su butaca

4-18 Unas decisiones difíciles. ¿Qué habría hecho Ud. en las situaciones siguientes? Con un(a) compañero(a) de clase lean las situaciones siguientes. Luego háganse la pregunta y contéstela con lo que habría hecho.

Modelo   Mi amigo encontró una cartera *(wallet)* en la calle y se la devolvió al dueño.
—*¿Qué habrías hecho tú?*
—*Yo se la habría devuelto al dueño también.*

1. Ricardo se ganó un millón de dólares en la lotería y luego hizo un viaje alrededor del mundo.
2. Los estudiantes recibieron malas notas en el examen, pero luego decidieron estudiar más.
3. Era el cumpleaños de su novio(a), y le compró muchos regalos.
4. Alguien me invitó a cenar en un restaurante elegante, pero no acepté su invitación.
5. El cocinero nos ofreció un bocado de carne asada, pero no lo aceptamos porque no teníamos hambre.

 4-19 A conjeturar. Con un(a) compañero(a) de clase tengan esta conversación en español.

ROBERTO	Where do you suppose they have gone?
MARGARITA	They must have decided to go to the movie theater.
ROBERTO	I wonder if they had tried to call us before leaving the house.
MARGARITA	Maybe, but we had probably not arrived home yet.
ROBERTO	They must have thought that we had already seen the movie or they probably would have invited us to go with them.

Heinle Grammar Tutorial: Possessive adjectives and pronouns

Possessive adjectives and pronouns

A. Possessive adjectives—unstressed (short) forms

1. The unstressed (short) forms of the possessive adjectives:

mi, mis	*my*	**nuestro(a, os, as)**	*our*
tu, tus	*your*	**vuestro(a, os, as)**	*your*
su, sus	*his, her, its, your*	**su, sus**	*their, your*

2. Possessive adjectives agree with the thing possessed and not with the possessor. The unstressed forms always precede the noun.

Él es cortés con mi mamá.
He is polite with my mother.

Su hermano es muy listo.
His (her, your, their) brother is very clever.

Tus composiciones son muy interesantes.
Your compositions are very interesting.

3. All possessive adjectives agree in number with the nouns they modify, but **nuestro** and **vuestro** show gender as well as number.

Nuestros padres van mañana.
Our parents are going tomorrow.

Nuestra casa está lejos del centro.
Our house is far from downtown.

4. The possessive **su** has several possible meanings: *his, her, its, your,* or *their.* For clarity, **su** plus a noun is sometimes replaced by the definite article + noun + prepositional phrase.

¿Dónde vive su madre?

　OR

¿Dónde vive la madre de él? (de ella, de Ud., de ellos, etcétera)
Where does his (her, your, their, etc.) mother live?

El padre de él y el tío de ella son amigos.
His father and her uncle are friends.

5. Definite articles are generally used in place of possessives with parts of the body, articles of clothing, and personal effects. If the subject does the action to someone else, the indirect object pronoun indicates the possessor (**Les limpié los zapatos** = *I cleaned their shoes*). If the subject does the action to himself or herself, the reflexive pronoun is used (**Ella se lava las manos** = *She washes her hands*). However, if the part of the body or article of clothing is the subject of the sentence, or if any confusion exists regarding the possessor, then the possessive adjective is used.

Tus pies son enormes.
Your feet are enormous.

Pedro dice que mis brazos son muy fuertes.
Pedro says that my arms are very strong.

B. Possessive adjectives—stressed (long) forms

1. The stressed (long) forms of the possessive adjectives:

mío(a, os, as)	*(of) mine*
tuyo(a, os, as)	*(of) yours*
suyo(a, os, as)	*(of) his, hers, its, yours*
nuestro(a, os, as)	*(of) ours*
vuestro(a, os, as)	*(of) yours*
suyo(a, os, as)	*(of) theirs, yours*

2. The stressed forms agree in gender and number with the nouns they modify; they always follow the noun.

unas amigas mías　　　　　una tía nuestra
some friends of mine　　*an aunt of ours*

3. The stressed possessive adjectives may function as predicate adjectives or they may be used to mean *of mine, of theirs*, and so forth.

Unas amigas mías vinieron al club.
Some friends of mine came to the club.

Esa es la raqueta suya, ¿verdad?
That's your racquet, isn't it?

4. It is important to note in the previous examples that the stress is on the possessive adjective and not on the noun: **unas amigas mías, una raqueta suya.** In contrast, the short forms of the possessive adjective are not stressed: **mis amigas, su raqueta.**

5. Since **suyo** has several possible meanings, the construction **de + él, ella, Ud.,** etc., may be used instead for clarity.

Un amigo suyo viene a verme.
  OR
Un amigo de Ud. viene a verme.
A friend of yours is coming to see me.

C. Possessive pronouns

1. The possessive pronouns are formed by adding the definite article to the stressed forms of the possessive adjectives.

Possessive adjectives		Possessive pronouns	
el coche mío	*my car*	el mío	*mine*
la finca nuestra	*our farm*	la nuestra	*ours*

Carlos tiene la maleta suya y las mías.
Carlos has his suitcase and mine (plural).

2. For clarification, **el suyo (la suya,** etc.) may be replaced by the **de + él (ella, Ud.,** etc.) construction.

Esta casa es grande.   *This house is large.*
La suya es pequeña. ⎫
La de él es pequeña. ⎬ *His is small.*

3. After the verb **ser** the definite article is usually omitted.

¿Son tuyos estos boletos?
Are these tickets yours?

Notice that an article may be used to stress selection: **Es el mío.** *It's mine.*

Práctica

 4-20 Familias. Dos personas están comparando sus familias. Con un(a) compañero(a) de clase completen esta comparación con la forma correcta de los adjetivos posesivos.

1. *(My)* _____ tío vive con *(our)* _____ familia.
2. *(His)* _____ hermanas visitan a *(your [fam. sing.])* _____ primas, ¿verdad?
3. *(Their)* _____ casa está cerca de *(her)* _____ apartamento.
4. *(Her)* _____ parientes conocen a *(my)* _____ abuelos.

4-21 Más información sobre algunas familias. Cambie las oraciones según el modelo.

> **Modelo** Mi amigo vive cerca de la universidad.
> *Un amigo mío vive cerca de la universidad.*

1. Nuestro tío es casi ciego.
2. Tus primos viven en España.
3. Mis primas son simpáticas.
4. Su hermana estudia en México.
5. Mi abuela dice que es su idea.

4-22 La comparación continúa. Con un(a) compañero(a) de clase completen las oraciones siguientes con un pronombre o un adjetivo posesivo.

1. *(My)* _____ familia es grande. *(Yours [fam. sing.])* _____ es pequeña.
2. *(His)* _____ hermana es joven. *(Mine)* _____ es vieja.
3. *(Her)* _____ parientes viven en España. *(Ours)* _____ viven aquí
4. *(Your [formal])* _____ primos asisten a esta universidad. *(Hers)* _____ prefieren estudiar en Chile.

4-23 ¿De quién es? Hágale estas preguntas a un(a) compañero(a) de clase. Él (Ella) debe contestar usando pronombres posesivos en sus respuestas.

> **Modelo** ¿Es tuyo este libro?
> *Sí, es mío.*
> -o-
> *No, no es mío.*

1. ¿Son tuyas estas revistas?
2. ¿Es de ella este auto?
3. ¿Son tuyas estas recetas?
4. ¿Es tuyo ese traje de baño?
5. ¿Es de Juan esta casa?

Ahora, haga cinco preguntas más que requieran el uso de los pronombres posesivos en las respuestas.

4-24 Más comparaciones. Compare las cosas siguientes, usando pronombres o adjetivos posesivos en sus respuestas. Comparta sus comparaciones con su compañero(a) de clase. ¿Tienen mucho en común?

> **Modelo** your family and a friend's family
> *Mi familia es pequeña; la suya es grande.*

1. our class with their class
2. your favorite food and your friend's favorite food
3. your car with your friend's car
4. your grades with your friend's grades
5. our university and your friend's university

4-25 Información de sus familias. Con un(a) compañero(a) de clase, háganse cinco preguntas sobre sus familias. Contesten usando adjetivos o pronombres posesivos.

Modelo —*¿De dónde es su familia?*
—*La mía es de Utah.*

Heinle Grammar Tutorial:
Interrogative words

Notice that all interrogatives have written accents.

Interrogative words

A. Forms of the interrogatives

¿quién? ¿quiénes?	*who?*
¿de quién? ¿de quiénes?	*whose, of whom, about whom?*
¿a quién? ¿a quiénes?	*to whom?*
¿con quién? ¿con quiénes?	*with whom?*
¿qué?	*what?*
¿cuál? ¿cuáles?	*what, which, which one(s)?*
¿cuánto? ¿cuánta?	*how much?*
¿cuántos? ¿cuántas?	*how many?*
¿cómo?	*how? what?*
¿para qué?	*why (for what purpose)?*
¿por qué?	*why (for what reason)?*
¿dónde?	*where?*
¿adónde?	*to where?*
¿cuándo?	*when?*

¿Quién ha ganado el premio Nobel?
Who has won the Nobel prize?

¿Qué busca Ud.?
What are you looking for?

¿Cuál es su religión?
What is his religion?

¿Cuánto dinero necesitas?
How much money do you need?

¿Por qué va a casarse?
Why are you going to get married?

¿Adónde van ellos en el invierno?
Where are they going in the winter?

B. *¿Qué?* versus *¿cuál?*

1. **¿Qué?** *(What?)* asks for a definition or explanation. It is also used to ask for a choice when the things involved are general or abstract nouns.

   ¿Qué es una pantalla?
   What is a screen?

   ¿Qué prefieres, la poesía o la prosa?
   What do you prefer—poetry or prose?

   ¿Qué te pasó?
   What happened to you?

2. When an identification is being asked for in a question that contains a noun, either expressed or implied, **¿qué?** is always used. Note that **¿qué?** always comes before the noun in this construction.

   ¿Qué (cosa) le dio ella de comer a Carlos?
   What (thing) did she give Carlos to eat?

   ¿Qué libro quieres?
   What book do you want?

3. **¿Cuál?** *(Which? Which one?)*, on the other hand, is used when asking for a selection or choice among specific objects or when asking questions involving a number of possibilities as answers.

Hay muchos coches en la calle. ¿Cuál es el tuyo?
There are many cars on the street. Which one is yours?

Tengo muchas clases difíciles. ¿Sabes cuál es la más difícil?
I have many difficult classes. Do you know which one is the most difficult?

¿Cuál prefieres, el tuyo o el mío?
Which one do you prefer—yours or mine?

> Note that in parts of Latin America **¿cuál?** is frequently used as an adjective with a noun. In Spain it is not.
> **¿Cuál libro prefieres?**
> *(Which book do you prefer?)*

4. **¿Cuál?** is a pronoun and usually is not used as an adjective to modify a noun.

¿Cuál es la fecha de su carta?
What is the date of his letter?

BUT

¿Qué fecha prefieres?
Which date do you prefer?

5. Note that **¿cuál?** is always used before a phrase introduced by **de**.

¿Cuál de los dos quieres?
Which of the two do you want?

Práctica

4-26 Preguntas. Haga una serie de preguntas que produzcan la información siguiente.

Modelo   Carlos y Berta van al teatro.
               ¿Quiénes van al teatro?
               –o–
               ¿Adónde van Carlos y Berta?

1. Esa chica es mi amiga.
2. Vamos a salir para Toledo el sábado.
3. Su casa está cerca de la iglesia.
4. El coche es de mi papá.
5. Aurelio llama a Elena.
6. Es una cámara.
7. Quiero las maletas rojas.
8. Les tengo mucho cariño a ellos.
9. Van al Cine Mayo para ver la película francesa.
10. Estoy bien, gracias.

4-27 La salida. Su amigo(a) va a salir esta noche. Siendo una persona de mucha curiosidad, Ud. le hace muchas preguntas porque quiere saber muchas cosas. Su compañero(a) de clase va a contestar sus preguntas.

1. who are you going out with
2. where are you going
3. when are you going
4. how are you going to get there
5. why did you decide to go there
6. how long will you be there
7. what will you do there before coming home
8. at what time will you come home
9. who is going to pay for the evening
10. when can I call you to talk with you about the date

4-28 Periodista. Haga el papel de un(a) periodista que trabaja con un diario importante. Ud. está investigando un robo de un banco. Va a tener una entrevista con un funcionario del banco [su compañero(a) de clase] que puede darle la información básica que Ud. necesita. Haga las cinco preguntas básicas que son esenciales en el buen periodismo:

¿Qué?   **¿Dónde?**   **¿Cuándo?**   **¿Cómo?**   **¿Quién?**

Hacer and *haber* with weather expressions

A. Expressions with *hace (hacía)*

1. Most expressions that describe the weather are formed with the impersonal (third person singular) forms of **hacer.**

¿Qué tiempo hace?	Hace mal tiempo.
What's the weather like?	*The weather is bad.*
Hace fresco.	Hace buen tiempo.
It is cool.	*The weather is good.*
Hacía frío.	Hace viento.
It was cold.	*It is windy.*
Hace calor.	Hacía sol.
It is hot.	*It was sunny.*

2. The adjective **mucho** (*not* **muy**) is the equivalent of *very* in most of these expressions since **frío, calor,** and **sol** are nouns.

   Hace mucho frío (calor, sol).
   It is very cold (hot, sunny).

3. The verb **tener** is used with animate beings to describe a physical state.

   Yo tengo frío (calor).
   I am cold (hot).

B. Expressions with *hay* (*había*)

Hay, the impersonal form of **haber**, is used to describe weather conditions that are visible. **Había** is used for the past.

Hay polvo (nubes, niebla).
It is dusty (cloudy, foggy).

Hay chubascos.
There are squalls, sudden rainstorms.

Había sol (luna).
The sun (moon) was shining.

Hay tormentas de nieve.
There are snowstorms.

Práctica

4-29 El tiempo. Describa el tiempo de hoy, el de ayer y el de mañana según el pronóstico para la región en donde vive.

 4-30 Las estaciones. Con un(a) compañero(a) de clase, describan el tiempo de su estado durante la primavera, el verano, el otoño y el invierno. Luego, hagan una lista de las cosas que a ustedes les gusta hacer en cada una de las estaciones y digan por qué. Comparen la información. ¿Hace el mismo tiempo en sus estados durante las estaciones del año? ¿A Uds. les gusta hacer las mismas cosas?

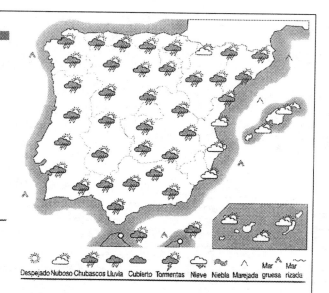

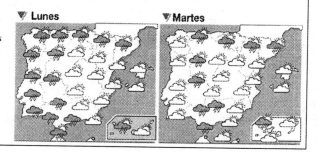

4-31 Pronóstico de tiempo *(Weather forecast)* **para España.** Después de repasar los mapas de España en la página 100, contesten Ud. y un(a) compañero(a) de clase las preguntas siguientes.

1. ¿Qué tiempo hace en España el domingo? ¿el lunes? ¿el martes?
2. ¿En cuál de los tres días va a hacer peor tiempo? ¿mejor tiempo?
3. ¿En qué día va a llover mucho?
4. ¿En qué día hará mucho viento? ¿En qué día hará mucho sol?
6. Lean Uds. el reportaje, «Pasará otro frente *(front)*». ¿Qué pasará sobre el océano? ¿Hará mal o buen tiempo? ¿Qué pasará sobre la Península Ibérica de oeste a este? ¿Hará mucho viento en la península?

Hacer with expressions of time

Heinle Grammar Tutorial:
Time expressions with **hacer**

1. The impersonal form of **hacer (hace)** is used with expressions of time to indicate the duration of an action that began in the past and continues into the present. The normal word order in these constructions is **hace** + expression of time + **que** + verb in the present tense.

   Hace dos años que vivo aquí.
   I have lived here for two years.

   ¿Cuánto tiempo hace que estás aquí?
   How long have you been here?

2. When an action had been going on for a period of time in the past and was still continuing when something interrupted the action, it is expressed by **hacía** + a time expression + **que** + verb in the imperfect tense.

   Hacía dos años que él vivía aquí cuando murió.
   He had been living here for two years when he died.

   Vivo aquí desde hace dos años.
   I have lived here for two years.

   An alternate construction for expressing the same idea is: verb phrase + **desde hace** or **hacía** + expression of time.

   Vivía aquí desde hacía dos años cuando murió.
   He had been living here for two years when he died.

   The present tense of any verb + **desde** + a specific day, month, or year is used to express *since* in sentences such as:

   Trabajo día y noche desde junio. (*I have been working day and night since June.*)
   Trabajo aquí desde el lunes. (*I have been working here since Monday.*)

3. **Hace** plus an expression of time may also be used to express the idea of *ago.* The normal word order in this construction is **hace** + expression of time + **que** + verb in the preterite tense.

   Hace más de dos mil años que los romanos lo construyeron.
   The Romans built it more than two thousand years ago.

   The word order in this construction may also be reversed.

   Los romanos lo construyeron hace más de dos mil años.

Práctica

4-32 La duración del tiempo. Cambie las oraciones siguientes según el modelo.

> **Modelo** (nosotros) viajar / dos meses
> *Hace dos meses que viajamos.*
> *Hacía dos meses que viajábamos.*

1. (yo) tocar el piano / cuatro años
2. (ellos) trabajar aquí / diez meses
3. (tú) hablar con Rosa / media hora
4. (Carlos) tener ganas de comer / más de una hora
5. (Uds.) estar sentados solitos / dos horas

4-33 Una descripción de su familia y de Ud. Complete cada una de las oraciones siguientes con información sobre su familia y sobre Ud. mismo(a). Luego, comparta esta información con la clase. Su profesor(a) va a escoger a varios estudiantes para que ellos le presenten una descripción de su familia a la clase. Use expresiones de tiempo con **hacer.**

1. (Hacer) _____ _____años que mis antepasados (llegar) _____ a este país.
2. (Hacer) _____ _____años que mi familia (vivir) _____ _____.
3. Yo (nacer) _____ en _____ (hacer) _____ _____años.
4. Yo (decidir) _____ asistir a esta Universidad (hacer) _____ _____.
5. Yo (llegar) _____ aquí (hacer) _____ _____.
6. Yo (estar) _____ (hacer) _____ _____.
7. Yo (estudiar) _____ español en esta clase (hacer) _____ _____.
8. Antes de entrar a esta clase, yo (estudiar) _____ español desde (hacer) _____ _____.

 4-34 Preguntas personales. Con un(a) compañero(a) de clase háganse preguntas para saber cuánto tiempo hace que ustedes hacen algo. Sigan el modelo.

> **Modelo** estudiar español
> Ud: *¿Cuánto tiempo hace que estudias español?*
> Su compañero(a) de clase: *Estudio español desde hace un año.*

1. asistir a esta universidad
2. vivir en este estado
3. conocer a tu mejor amigo(a)
4. visitar otro país

Para expresar «ago»

> **Modelo** mudarse
> Ud: *¿Cuánto tiempo hace que te mudaste aquí?*
> Su compañero(a) de clase: *Me mudé aquí hace tres años.*

5. graduarse de la escuela secundaria
6. leer una novela buena
7. hacer un viaje largo
8. comprar un coche nuevo

Repaso

For more practice of vocabulary and structures, go to the book companion website at **www.cengagebrain.com**

Antes de empezar la última parte de esta unidad, es importante repasar el vocabulario nuevo y la estructura y hacer las actividades que siguen.

Review the progressive tenses.

4-35 La boda. Cambie los verbos entre paréntesis al progresivo presente con **estar** para narrar lo que está pasando en este momento. Luego, cambie los verbos al progresivo pasado para narrar lo que estaba pasando cuando la novia llegó a la iglesia.

1. las campanas de la iglesia (tocar)
2. los invitados (sentarse) en las bancas
3. el coro (cantar) el Ave María
4. el novio (sentirse) nervioso
5. yo (sacar) fotos de la niña de las flores

Review the perfect tenses.

4-36 Su rutina diaria. Conteste estas preguntas sobre su rutina diaria.

1. ¿Qué ha hecho Ud. esta mañana como todas las mañanas?
2. ¿Ha hecho Ud. hoy algo diferente de costumbre? (¿Qué?)
3. ¿Qué ya había hecho Ud. cuando llegó a la clase de español?
4. ¿Qué habrá hecho Ud. para las diez de la noche?
5. ¿Qué habría hecho Ud. hoy si no hubiera clase?

Review possessive adjectives and pronouns.

4-37 Para pedir información. Para hacer estas preguntas cambie las palabras entre paréntesis al español.

1. *(My)* _____ libros están aquí. ¿Dónde están *(yours [formal])* _____?
2. *(His)* _____ casa está cerca. ¿Dónde está *(theirs)* _____?
3. *(Their)* _____ coche está enfrente del teatro. ¿Dónde está *(ours)* _____?
4. *(Our)* _____ mamá está en la sala. ¿Dónde está *(his)* _____?

Review interrogative words.

4-38 Una entrevista. Hágale estas preguntas a un(a) compañero(a) de clase. ¿Hay semejanzas entre Uds.? ¿Cuáles son?

1. ¿De dónde eres?
2. ¿Dónde vives aquí?
3. ¿Adónde vas generalmente durante el fin de semana?
4. ¿Quién es tu mejor amigo(a)?
5. ¿Por qué estudias español?
6. ¿Cuál de tus clases es tu favorita?
7. ¿Cuándo termina tu última clase del día?
8. ¿Cuántas veces por semana vas a estudiar a la biblioteca?

Review **hacer** and **haber** with weather expressions.

4-39 ¿Qué estación es? Trabaje con un(a) compañero(a) de clase y tomando turnos, una persona describe el tiempo y la otra persona dice qué estación es.

Modelo   Ud.: *Hace fresco y hace mucho viento.*
　　　　　　Su compañero(a) de clase: *¿Es el otoño?*
　　　　　　Ud.: *¡Sí!*

Review **hacer** with expressions of time.

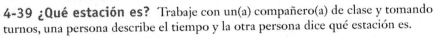

4-40 ¿Cuánto tiempo? Entreviste a un(a) compañero(a) de clase para saber cuánto tiempo hace que él/ella hace estas actividades.

1. conducir
2. leer en español
3. saber montar en bicicleta
4. ser estudiante universitario
5. vivir en este estado
6. tener una cuenta en el banco

Communication strategies

One of the primary goals of second language learning is oral communication. Therefore, it is essential that you learn the ways in which native speakers of Spanish organize conversations in order to communicate effectively. One of the first steps toward effective communication is to learn phrases for initiating and ending a conversation. The following are some useful expressions.

Initiating a conversation

Hola, ¿qué tal?	Hello, how are you?
Buenos días, ¿cómo estás?	Good morning, how are you?
Hola, me llamo. . .	Hello, my name is . . .
Hola, ¿cómo te llamas?	Hello, what is your name?
Hola, soy. . .	Hello, I am . . .
¿Qué hay de nuevo?	What's new? (What's going on?)
¿Adónde vas?	Where are you going?
¿Eres. . . ?	Are you . . . ?
¿De dónde eres?	Where are you from?
¿Qué estudias?	What are you studying?

Ending a conversation

Adiós. Tengo que irme a casa.	Good-bye. I have to go home
Hasta luego.	See you later.
Hasta mañana.	See you tomorrow.
A ver si nos vemos pronto.	Let's try to see each other soon.
Estamos en contacto.	We'll be in touch.
Nos hablamos más tarde.	We'll talk later.

 4-41 Situación. Con un(a) compañero(a) de clase preparen un diálogo utilizando algunas de las expresiones para empezar y terminar una conversación.

Descripción y expansión

4-42 Opiniones. En el mundo hispánico el concepto de la familia incluye no solamente a la madre, al padre y a sus hijos, sino también a los tíos, a los primos y a los abuelos. Se refiere a esta clase de familia como a una «familia extensa». En cambio, una familia de los Estados Unidos por lo general consiste en solo los padres y los hijos, y se llama una «familia nuclear».

    a. ¿Qué clase de familia hay en el dibujo, en su opinión? ¿Por qué opina esto?
    b. ¿Qué está pasando en el dibujo?
        ¿Dónde está la madre? ¿Qué está haciendo?
        ¿Dónde está el padre? ¿Qué está haciendo?
        ¿Dónde están los niños pequeños? ¿Qué están haciendo?
        ¿Dónde están los jóvenes? ¿Qué están haciendo?
        ¿Dónde está la abuela? ¿Qué está haciendo ella?

c. Compare las actividades de la familia en el dibujo con las de su familia.
¿Cuáles son las diferencias y semejanzas?

© Cengage Learning

4-43 Encuesta. Su profesor(a) va a conducir una encuesta de la clase. Va a escribir las opiniones de cada estudiante, relacionadas con las preguntas siguientes, en la pizarra.

a. ¿Es común que el abuelo o la abuela vivan con sus hijos en nuestra sociedad? En su opinión, ¿deben vivir juntas varias generaciones? ¿Por qué?

b. ¿Qué clase de familia prefiere Ud., una familia extensa o una familia nuclear? ¿Por qué?

Using context to decipher unfamiliar words

Inevitably, you will sometimes hear words and phrases that are unfamiliar to you because they're technical, idiomatic expressions, or vocabulary you haven't learned yet. In these cases, you can rely on what surrounds the unfamiliar word to understand its meaning. Pay careful attention to the words before and after the unfamiliar word or phrase. A definition or a synonym may be given, or a word or phrase of opposite meaning may be nearby. Figure out the main point of the whole utterance. Then find a substitute word or phrase that would make sense in that context.

Track 12 ◀))) **Buenos días**

Escuche la situación siguiente y complete las actividades.

Pedro, estudiante universitario de segundo curso de ingeniería industrial de la universidad de Caracas, siempre se acuesta tarde, y le es difícil levantarse por la mañana. Por eso, rara vez puede darle los buenos días a su papá, que se marcha a las siete menos diez para la oficina. La abuela, Juan y la mamá se quedan en casa.

4-44 Información. Entreviste a un(a) compañero(a), haciéndole cinco preguntas, para asegurarse de que ha comprendido bien el contenido del diálogo.

1. ¿Por qué llama la mamá a Pedro?
2. ¿Quién lleva a Pedro a la universidad?
3. ¿Qué piensa Juan sobre su hermano?
4. ¿El papá de Pedro está de viaje de negocios?
5. ¿A qué se refiere la mamá de Pedro cuando dice «se te pegan las sábanas»?
6. Miguel come tostadas con el café, ¿verdad?

4-45 Conversación. Cuéntele a un(a) compañero(a), en forma narrativa, qué se hace en su casa cuando su familia se levanta. ¿Tiene hermanos perezosos? ¿Prepara su mamá el desayuno? ¿Quién es el primero en salir de casa?... Luego pídale a su compañero(a) que compare a su familia con la suya.

4-46 Situaciones. Con un(a) compañero(a) de clase, prepare un diálogo que corresponda a una de las siguientes situaciones. Estén listos para presentarle el diálogo a la clase.

Una reunión familiar. *Ud. y otro miembro de su familia están planeando una reunión familiar. Tienen que decidir dónde y cuándo será la reunión, quién va a hacer las invitaciones, qué clase de comida van a preparar, quién va a sacar fotos y quién va a preparar las actividades en que los niños puedan participar para divertirse.*

El cine. *Ud. y un(a) amigo(a) hablan del cine. Ud. habla de una película que vio hace dos semanas. A Ud. le gustó mucho, y su amigo(a) quiere saber por qué. Ud. le explica las razones y después Ud. le pide a su amigo(a) que le describa una película buena que él/ella haya visto (has seen). Más tarde Uds. deciden ir al cine.*

Track 13 **4-47 Ejercicio de comprensión.** Ud. va a escuchar un comentario breve sobre una familia del mundo hispánico. Después del comentario, va a escuchar dos oraciones. Indique si la oración es **verdadera** (V) o **falsa** (F), trazando un círculo alrededor de la letra que corresponde a la respuesta correcta.

1. V   F

2. V   F

Ahora, escriba un título para el comentario que refleje el contenido. Compare su título con los otros de la clase. ¿Cuál de ellos es el mejor en su opinión? Luego, escriba una cosa que Ud. aprendió al escuchar el comentario, algo que no sabía.

Hay tres pasos en esta actividad. **Primer paso:** Se divide la clase en grupos de tres personas. Lean la introducción a la discusión. **Segundo paso:** Cada miembro del grupo tiene que tomar un papel para representar la escena. **Tercer paso:** Después actúen la situación frente a toda la clase.

 4-48 Discusión: un dilema familiar. A continuación se describe a una familia que se ve confrontada con un problema típico. Acaban de informarle al padre que lo van a ascender a director de su compañía. Su familia tendrá que mudarse a una ciudad que queda lejos del pueblo donde siempre ha vivido.

EL PADRE   tipo conservador, ambicioso, que quiere controlar a su familia. A él le gusta la idea de mudarse y de ascender a director. Así ganará más dinero para pagar los estudios de sus hijos. Además, podrá comprarse una casa más lujosa y pasar las vacaciones en Europa. Aunque pide la opinión de los demás, está convencido de que será una oportunidad maravillosa para todos.

LA MADRE   mujer bondadosa que siempre busca reconciliar las diferencias entre la familia. Ella tiende a apoyar a su marido en cuestiones de negocios. Por eso, dice que su marido tiene razón, que habrá más posibilidades para todos y que los problemas de la mudanza se resolverán.

LA ABUELA   viuda, vieja, muy vinculada al pueblo donde vive ahora, donde está enterrado su marido. Ella sabe que va echar de menos su pueblo, ya que todas sus amistades se encuentran allí, y ella es muy vieja para cambios de esa clase.

EL HIJO   muchacho de unos quince años que siempre ha creído que el pueblo de ellos es muy atrasado. Le gusta conocer a gente nueva y visitar lugares desconocidos. Le parece que ya ha explorado todo en su pueblo y está aburrido con su vida actual. También cree que si su padre gana más dinero es posible que le regale un auto el año que viene.

LA HIJA   muchacha de unos diecisiete años que está enamorada de un joven, vecino de ellos. Para ella, su Pepe es el hombre más sofisticado que hay, puesto que tiene veintidós años y sabe tanto del mundo. Además, su íntima amiga Julia piensa casarse en el verano y ella no quiere perderse la boda.

En grupos, preparen una escena breve, pero emocionante en la cual participan todos los miembros de la familia. Discutan las ventajas y desventajas de mudarse.

Después de preparar y practicar una escena breve, el (la) profesor(a) va a escoger a dos grupos para presentarle su escena a la clase.

4-49 Temas de conversación o de composición.

1. ¿Se ha mudado mucho su familia? ¿Cuántas veces? ¿Le gusta la idea de mudarse a menudo o prefiere quedarse en un lugar?
2. En cuestiones económicas, ¿debe funcionar la familia como una pequeña democracia o debe mandar el padre? ¿Por qué?
3. ¿Qué importancia deben tener las opiniones de los niños en una familia?

Aunque muchos creen que la familia es la base fundamental de la sociedad, hay poco consenso sobre la exacta definición de la familia. En el Paraguay —y demás países latinoamericanos— el concepto de la familia incluye a abuelos, padres, tíos, primos y también padrinos. ¿Qué papel cree usted que hacen los padrinos en la vida de los paraguayos? ¿Hacen algún papel en su vida?

Lectura

El compadrazgo en Paraguay

El compadrazgo es la relación que existe entre los padres de un niño o una niña y los padrinos[1]. Algunos antropólogos culturales lo han llamado «parentesco[2] ritual» puesto que[3] es una relación que no requiere lazos familiares, sino que se establece a partir del rito del bautismo católico. En el Paraguay, al igual que en otros países de América Latina, el compadrazgo hace un papel importante en la vida familiar y en las relaciones sociales. El grado[4] de importancia, sin embargo, varía entre poblaciones rurales y urbanas y entre clases sociales.

Hoy en día, en las ciudades y entre las clases altas, la institución de compadrazgo sirve principalmente para satisfacer los requisitos del bautismo católico. Los padrinos, por lo general, son seleccionados entre parientes y amigos de la misma clase social. Su única responsabilidad es ayudar a los padres con la educación cristiana. También se espera que los padrinos les den regalos a los ahijados[5] en sus cumpleaños, Navidad y graduación.

Entre la población rural, en cambio, los padrinos asumen[6] mayores responsabilidades. No solamente dan regalos para ocasiones especiales, sino que también ayudan con el costo de la escuela, la ropa y a veces, a conseguir trabajo. Por lo tanto, entre las clases bajas, los padrinos son generalmente personas de mejores condiciones económicas, ya sea un maestro, el patrón[7] o alguna autoridad política. A cambio[8] de la protección y ayuda del patrón, el compadre le es leal. Esta institución atenúa[9] un poco las disparidades económicas en los pueblos pequeños. También ha tenido implicaciones políticas, ya que los parentescos rituales permitieron a los terratenientes[10] del partido político Colorado conseguir el apoyo de los campesinos.

La familia paraguaya incluye a padrinos, compadres y ahijados.

Históricamente, el vínculo[11] social entre compadres es fuerte. Los compadres deben ayudarse y tratarse con respeto. En lugar de llamarse por sus nombres, se tratan de «compadre y comadre» o de «compá y comai». También se visitan a menudo, sobre todo en caso de enfermedad.

[1] godparents; [2] kinship; [3] since; [4] degree; [5] godchildren; [6] take on; [7] boss; [8] In exchange; [9] soften; [10] landholders; [11] tie

Una costumbre paraguaya entre padrinos y ahijados es *tupanoi*, que significa «la bendición» en guaraní. Antes de saludar, el ahijado coloca las manos a modo de oración y dice: «la bendición, padrino (o madrina)». El padrino, o la madrina, mueve la mano derecha en forma de cruz y responde «Dios te bendiga».

4-50 Preguntas. Conteste las siguientes preguntas sobre la lectura.

1. ¿Qué es el compadrazgo?
2. ¿Es el compadrazgo más importante entre las poblaciones rurales o las urbanas? Explique.
3. ¿Cuáles son algunas responsabilidades de los padrinos?
4. ¿Qué significa *tupanoi*? Explique esta costumbre.

4-51 Discusión. Comente estas preguntas con dos o tres compañeros(as).

1. Cuando habla de su familia, ¿a quiénes incluye? ¿Incluye a personas que no son parientes? ¿A quiénes? ¿Incluye mascotas?
2. ¿Tiene usted un padrino o una madrina? Si contestó que sí, ¿cómo los seleccionaron y qué papel hacen en su vida?
3. ¿Qué ventajas y desventajas tiene el compadrazgo?

4-52 Proyecto. Investigue uno de los siguientes temas, y escriba un ensayo de comparación y contraste.

Temas:
- la celebración del Día del Niño en dos países hispanos
- las guarderías *(daycares)* en un país hispano y en los Estados Unidos
- una reunión familiar típica de Paraguay y una reunión de su familia
- las madres que trabajan en un país hispano y las que trabajan en los Estados Unidos

Para escribir un ensayo de comparación y contraste:

1. Introduzca el tema.
2. Escoja entre una estructura de bloque o de mezcla.
   a. En una estructura de bloque, discuta todos los puntos del primer tema y luego todos los puntos sobre el segundo tema.
   b. En la de mezcla, explique primero todas las semejanzas y luego todas las diferencias (o al inverso). Con esta estructura, usted alterna continuamente entre los dos temas.
3. Incluya frases apropiadas para señalar, para comparar y contrastar.
   a. Para señalar semejanzas: **ambos, al igual que, como, comparte, del mismo modo, también, tan... como**
   b. Para señalar diferencias: **al contrario, a diferencia de, en cambio, en contraste, mientras que, sin embargo**
4. Concluya su ensayo, resumiendo los puntos más importantes.

El hombre y la mujer en la sociedad hispánica

Diego Cervo/Shutterstock.com

¿Cómo es esta pareja? ¿Qué hacen? En su opinión, ¿cuál es la relación entre hombres y mujeres en el mundo actual?

En contexto
En el cine

Estructura
- The subjunctive mood
- Some uses of the subjunctive
- Commands
- Relative pronouns

Repaso
🌐 www.cengagebrain.com

A conversar
Techniques for maintaining a conversation

A escuchar
Paying attention to verb endings

Intercambios
Los hombres y las mujeres

Investigación y presentación
Aleida, una mujer colombiana ilustrada

111

Vocabulario activo

Verbos

evitar *to avoid*
perder (ie) *to miss, to lose*

Sustantivos

el (la) amante *lover*
la butaca *theater seat*
la fila *row*
la función *show*
la telenovela *television serial*
(soap opera)

Adjetivos

fenomenal *great, terrific*

Otras expresiones

a tiempo *on time, in time*
darse prisa *to hurry*
echarse una siestecita *to take a little nap*
ojalá (que) *I hope that*
¿Qué demonios pasa? *What the devil is going on?*
tal vez *perhaps*

5-1 Para practicar. Complete Ud. el párrafo siguiente con las palabras más lógicas de la sección **Vocabulario activo.** No es necesario usar todas las palabras.

Después de **1.** _____ la mujer se levantó, se bañó y se vistió. Quería asistir a una **2.** _____ en un teatro cercano. Era tarde y por eso ella **3.** _____ para llegar **4.** _____ al teatro. Ella compró una entrada y entró al teatro. Decidió sentarse en una **5.** _____ en la última **6.** _____ del teatro. Quería **7.** _____ a su **8.** _____ si él había decidido asistir también. Ella no quería verlo jamás. La función era **9.** _____: mejor que la **10.** _____ que ella había visto en la televisión anoche.

Track 14 🔊 **5-2 En el cine.** Antes de leer el diálogo, escúchelo con el libro cerrado. ¿Cuánto comprendió?

(Carlos, Concha y tío Paco llegan al cine, compran los boletos y entran.)

TÍO PACO   ¿Qué hora es? Ojalá que lleguemos a tiempo para ver los dibujos animados del «Pájaro Loco»[1].

CARLOS   No se preocupe, tío. ¿Quieren que les traiga algo? Voy a comprar una gaseosa.

CONCHA   Un chocolate, por favor.

TÍO PACO   Gracias, para mí nada.

CARLOS   *(Después de volver.)* Bueno, pues, entremos.

TÍO PACO   Sentémonos muy cerca. No veo nada.

CONCHA   Tío, Carlos y yo no queremos estar tan cerca de la pantalla. Nos vamos a sentar atrás. Lo veremos a Ud. después.

TÍO PACO	Bueno, bueno, váyanse. *(Se sienta en la segunda fila.)*
CARLOS	¿Nos sentamos en aquellas butacas allí, las que están en el medio?
CONCHA	Donde sea[1], pero date prisa. Estamos perdiendo las primeras escenas.
CARLOS	Bueno, sígueme. Permiso, con permiso señora muy amable, con permiso, muchas gracias. ¡Uf! ¡Perdone! ¿Ves bien?
CONCHA	Sí, muy bien. Cállate.

(Voces de la pantalla.)

MUJER	¡Qué contenta me siento en tus brazos, mi amor!
HOMBRE	Sí, yo también, pero se está haciendo tarde. Tu marido se estará preguntando[2] dónde estás. Tenemos que separarnos una vez más.
MUJER	Apenas son las diez de la noche. Sabes que él nunca deja a tu esposa antes de las doce.
HOMBRE	Sí, pero tal vez llegue Jorge antes de la hora convenida[3]. Debemos evitar escenas desagradables. *(Voces del auditorio.)*
CARLOS	¿Qué demonios pasa? ¿Quién es Jorge?
CONCHA	No sé. Nos perdimos eso al principio. *(Pasan dos horas. Termina la función.)*
CONCHA	¡Qué película fenomenal!
CARLOS	Sí, me gustó. Pero, ¿dónde está tío Paco? Busquémoslo.
CONCHA	Ahí está. Tío, ¿le gustó la película?
TÍO PACO	Pues, la verdad, sobrina, tenían esos dos tantos esposos y amantes que me dio un sueño terrible y me eché una siestecita. ¿Cómo terminó?
CARLOS	Pues… este… bueno, tío, es demasiado complicado. Vámonos.
TÍO PACO	Francamente, me gustan más las telenovelas como «María Mercedes».[2] ¡Esa sí que vale la pena!

Notas culturales

[1] **los dibujos animados del «Pájaro Loco»:** *La gran mayoría de los dibujos animados, o «caricaturas», son de origen norteamericano. Entre los más populares están «Los Simpson», «Bob Esponja» y «Scooby Doo».*

[2] **«María Mercedes»:** *La telenovela es un tipo de programa muy popular en el mundo hispánico. A diferencia de (Unlike) las «soap operas» en los Estados Unidos, las telenovelas son episodios cortos que terminan en un año, o más. Generalmente estos programas se transmiten solo una vez por semana, pero duran una o dos horas.*

---

[1] Donde sea *Wherever*   [2] se estará preguntando *he'll be wondering*   [3] convenida *agreed upon*

5-3 Actividad cultural. En grupos de tres personas, respondan a estas preguntas. Después de hablar de sus preferencias, comparta la información con los otros grupos para ver cuántas personas son aficionados del cine o de las telenovelas *(soap operas)*.

1. ¿Le gustan más las películas o prefiere las telenovelas? ¿Por qué?
2. ¿Cómo se llama su película favorita? ¿Por qué es su favorita?
3. ¿Qué programa de televisión le gusta más? ¿Por qué?
4. ¿Le gustaría ser actor (actriz) de televisión? ¿del cine? ¿Por qué?
5. ¿Quiénes son sus actores (actrices) favoritos(as)? ¿Por qué?

5-4 Comprensión. Conteste las preguntas siguientes.

1. ¿Adónde van Carlos, Concha y el tío Paco?
2. ¿Qué compran antes de entrar?
3. ¿Qué es el «Pájaro Loco»?
4. ¿Qué compra Carlos?
5. ¿Dónde se sienta el tío Paco?
6. ¿Por qué no saben quién es Jorge?
7. Según Concha, ¿cómo fue la película?
8. ¿A Carlos le gustó la película?
9. ¿Qué hizo el tío Paco durante la película?
10. Al tío Paco, ¿qué le gusta más que las películas?

5-5 Opiniones. Conteste las preguntas siguientes.

1. ¿Va a menudo al cine? ¿Cuántas veces por mes?
2. ¿Dónde se sienta en el cine?
3. ¿Le gustan las películas italianas? ¿Por qué?
4. ¿Qué clase de refrescos toma en el cine?

Jean-Pierre Lescourret/Corbis

Este cine se encuentra en Madrid, España. ¿Tiene la comunidad suya cines antiguos como este?

The subjunctive mood

In general, the indicative mood is used to relate or describe something that is definite, certain, or factual. In contrast, the subjunctive mood is used after certain verbs or expressions that indicate desire, doubt, emotion, necessity, or uncertainty. In this unit the formation of the present subjunctive and the use of the subjunctive after the expressions **tal vez, acaso, quizás,** and **ojalá** will be presented.

Heinle Grammar Tutorial:
The present subjunctive

Forms of the present subjunctive

A. The present subjunctive of regular verbs

The present subjunctive of most verbs is formed by dropping the **-o** of the first person singular of the present indicative and adding the endings **-e, -es, -e, -emos, -éis, -en** to **-ar** verbs and **-a, -as, -a, -amos, -áis, -an** to **-er** and **-ir** verbs.

hablar		comer		vivir	
hable	hablemos	coma	comamos	viva	vivamos
hables	habléis	comas	comáis	vivas	viváis
hable	hablen	coma	coman	viva	vivan

B. Irregular verbs

1. Most verbs that are irregular in the present indicative are regular in the present subjunctive. Three examples are:

venir		traer		hacer	
venga	vengamos	traiga	traigamos	haga	hagamos
vengas	vengáis	traigas	traigáis	hagas	hagáis
venga	vengan	traiga	traigan	haga	hagan

2. The following six common verbs, which do not end in **-o** in the first person singular of the present indicative, are irregular in the present subjunctive.

dar		estar		haber	
dé	demos	esté	estemos	haya	hayamos
des	deis	estés	estéis	hayas	hayáis
dé	den	esté	estén	haya	hayan

ir		saber		ser	
vaya	vayamos	sepa	sepamos	sea	seamos
vayas	vayáis	sepas	sepáis	seas	seáis
vaya	vayan	sepa	sepan	sea	sean

C. Stem-changing verbs

1. The **-ar** and **-er** verbs that change **e** to **ie** or **o** to **ue** in the present indicative make the same stem changes in the present subjunctive. (Notice that again there are no stem changes in the first and second persons plural.)

entender		encontrar	
entienda	entendamos	encuentre	encontremos
entiendas	entendáis	encuentres	encontréis
entienda	entiendan	encuentre	encuentren

2. The **-ir** verbs that change **e** to **ie** or **o** to **ue** in the present indicative make the same stem changes in the present subjunctive; in addition, they change **e** to **i** or **o** to **u** in the first and second persons plural.

sentir		dormir	
sienta	sintamos	duerma	durmamos
sientas	sintáis	duermas	durmáis
sienta	sientan	duerma	duerman

3. The **-ir** verbs that change **e** to **i** in the present indicative make the same stem change in the present subjunctive; in addition they change **e** to **i** in the first and second persons plural.

servir		repetir	
sirva	sirvamos	repita	repitamos
sirvas	sirváis	repitas	repitáis
sirva	sirvan	repita	repitan

D. Spelling-change verbs

Verbs ending in **-car**, **-gar**, **-zar**, and **-guar** have spelling changes throughout the present subjunctive in order to preserve the pronunciation of the final consonant of the stem.

buscar: c to qu		llegar: g to gu	
busque	busquemos	llegue	lleguemos
busques	busquéis	llegues	lleguéis
busque	busquen	llegue	lleguen

abrazar: z to c		averiguar: gu to gü	
abrace	abracemos	averigüe	averigüemos
abraces	abracéis	averigües	averigüéis
abrace	abracen	averigüe	averigüen

Práctica

5-6 Formas del presente del subjuntivo. Exprese la primera persona singular y plural de estos verbos en el presente del subjuntivo.

1. comer
2. tener
3. conocer

4. hacer
5. traer
6. decir

5-7 Más práctica. Exprese la tercera persona singular y plural de estos verbos en el presente del subjuntivo.

1. ganar
2. ver
3. pagar
4. buscar
5. estar
6. irse

Ahora, exprese la primera persona singular y plural de estos verbos en el presente del subjuntivo.

1. servir
2. acostarse
3. volver
4. perder
5. jugar
6. empezar

 5-8 ¡Qué memoria! Escoja algunos verbos y pídale a otro estudiante que los conjugue en el presente del subjuntivo. ¿Cómo es su memoria?

Some uses of the subjunctive

A. The subjunctive after *tal vez, acaso,* and *quizás*

1. The subjunctive is used after the expressions **tal vez, acaso,** and **quizás** (all meaning *perhaps, maybe*) when the idea expressed or described is indefinite or doubtful.

   Tal vez llegue a tiempo, pero lo dudo.
   Perhaps he will arrive on time, but I doubt it.

   Quizás Juan conozca a Gloria, pero no es probable.
   Perhaps Juan knows Gloria, but it's not likely.

   Acaso Manuel sepa la respuesta, pero no lo creo.
   Maybe Manuel knows the answer, but I don't think so.

2. However, when the idea expressed is definite or very probable, the indicative is used.

   Tal vez salen temprano hoy como siempre.
   Perhaps they're leaving early today as always.

   Teresa está en el banco. Acaso está cobrando un cheque.
   Teresa is in the bank. Maybe she's cashing a check.

   Quizás podemos hacerlo; parece fácil.
   Maybe we can do it; it looks easy.

B. The subjunctive after *ojalá (que)*

The subjunctive is always used after **ojalá** (derived from the Arabic *May Allah grant that*). The **que** is optional after **ojalá.**

   Ojalá (que) se den prisa.
   I hope (that) they hurry.

   Ojalá (que) él no vaya con nosotros.
   I hope (that) he doesn't go with us.

   Ojalá (que) no lleguemos tarde.
   I hope (that) we don't arrive late.

Práctica

5-9 Pensamientos. Ud. está solo(a) en su cuarto pensando en sus amigos, en sus familiares y en lo que posiblemente ellos hagan. Exprese sus pensamientos. Siga el modelo.

> **Modelo** mi amigo / ir / al cine
> *Tal vez mi amigo vaya al cine.*

1. mi familia / dar / un paseo / ahora
2. mis abuelos / llegar / al teatro / a tiempo
3. mi hermano / buscar / trabajo
4. mi hermana / estar / a punto de llegar
5. mi primo / aprender a / conducir
6. mi madre / servir / la cena
7. mis amigos / tener / ganas de salir
8. mis tíos / comprar / las entradas
9. José / echarse / una siestecita
10. mi prima / hacerle / falta a su hermano

5-10 Actividades personales. Las personas siguientes quieren hacer ciertas cosas. Indique lo que ellas quizás puedan hacer. Siga el modelo.

> **Modelo** Pablo quiere ganar el partido.
> *Quizás gane el partido.*

1. María quiere levantarse temprano.
2. Ellos desean hablar alemán.
3. Mi hermano desea echarse una siestecita.
4. Su amante quiere ir con ellos al cine.
5. Su madre quiere ver una película fenomenal.
6. Enrique quiere pagar la cuenta.
7. José desea buscar una butaca en esa fila.
8. Los niños quieren salir.
9. Ese idiota quiere darle todo su dinero.
10. Aquellos jóvenes desean sentarse cerca de la pantalla.

5-11 Una cita. Ud. tiene una cita esta noche, y espera que todo salga bien. Exprese sus deseos, usando la expresión **ojalá.** Siga el modelo.

> **Modelo** Vamos al cine esta noche.
> *Ojalá que vayamos al cine esta noche.*

1. Mi hermano nos compra entradas.
2. Yo llego temprano a la casa de mi novio(a).
3. Mi novio(a) está listo(a) para salir.
4. Mi coche funciona bien.
5. Él/Ella quiere comer en un buen restaurante antes de ver la película.
6. Podemos encontrar una mesa desocupada.
7. La comida es muy buena.
8. La comida no cuesta mucho.
9. Encontramos butacas cerca de la pantalla al entrar al cine.
10. Él/Ella se divierte bastante esta noche.

5-12 Un nuevo día. Ud. y un(a) amigo(a) van a salir de su apartamento para ir a la universidad. Están haciéndose preguntas acerca del día. Siga el modelo.

Modelo ¿Tenemos examen hoy?
¡Ojalá que no tengamos examen hoy!

1. ¿Comemos en la cafetería después de la clase?
2. ¿Podemos estudiar en la biblioteca esta tarde?
3. ¿Vamos al cine después de cenar esta noche?
4. ¿Quién va a comprar las entradas?
5. ¿Volvemos temprano a casa?
6. ¿A qué hora nos acostamos?

5-13 En el cine. Miguel y María Luz están esperando a sus amigos enfrente del cine. Con un(a) compañero(a) de clase, exprese la conversación de ellos en español.

MIGUEL   I hope Laura and Emilio find a seat near the screen.

MARÍA LUZ   Perhaps they can, but I doubt it. There are a lot of people here.

MIGUEL   There are two seats here. Maybe they'll sit next to us.

MARÍA LUZ   I hope they hurry or they'll lose these seats.

MIGUEL   Perhaps they'll have to leave if they can't find good seats.

Ahora, usando las expresiones **ojalá, tal vez** y **acaso,** crean Uds. una conversación sobre lo que quieren que pase durante este año escolar.

5-14 Tal vez. ¿Qué harán estas personas famosas hoy? Sea creativo(a) y al terminar compare sus oraciones con las de su compañero(a).

Modelo el príncipe de Mónaco
Tal vez el príncipe de Mónaco se case otra vez.

1. el presidente de los Estados Unidos
2. la reina de Inglaterra
3. el beisbolista Albert Pujols
4. la activista Rigoberta Menchú
5. el actor Antonio Banderas
6. la actriz Salma Hayek
7. la escritora Isabel Allende
8. la cantante Shakira

For the use of the infinitive to express commands, see **Unidad 11.**

The **vosotros** commands are not generally used in Latin America. They have been replaced by the **Uds.** commands.

Commands

There are several different command forms in Spanish:

the formal direct commands (**Ud.** and **Uds.**)
the familiar direct commands (**tú** and **vosotros**)
the *let's* command (**nosotros**)
the indirect commands

All of these commands use present subjunctive verb forms except for the affirmative **tú** and **vosotros** commands.

A. Formal commands

1. The **Ud.** and **Uds.** commands, negative and affirmative, are the same as the third person forms of the present subjunctive.

   Mire (Ud.).   No mire (Ud.).   Salgan (Uds.).   No salgan (Uds.).
   Look.   *Don't look.*   *Go out.*   *Don't go out.*

   Note that the word **Ud.** is sometimes included for courtesy, but it is generally omitted.

2. Object pronouns (reflexive, indirect, and direct) follow and are attached to affirmative direct commands, but they precede negative direct commands. Notice that the affirmative command adds an accent to maintain the original stressed syllable.

   Váyase (Ud.).   Váyanse (Uds.).
   No se vaya (Ud.).   No se vayan (Uds.).
   Go away.   *Don't go away.*

B. Familiar commands—affirmative

1. The affirmative **tú** command for regular verbs is the same as the third person singular of the present indicative. The subject pronoun is generally not used. Note again that object pronouns are attached to affirmative commands.

   Habla, por favor.   Sígueme.
   Speak, please.   *Follow me.*

   Vuelve a casa temprano.   Cállate.
   Return home early.   *Be quiet.*

2. The following affirmative **tú** commands are irregular:

   decir: di   **poner:** pon   **tener:** ten
   hacer: haz   **salir:** sal   **venir:** ven
   ir: ve   **ser:**   sé

3. The affirmative **vosotros** command is formed by dropping the **-r** from the infinitive and adding **-d**.

   escuchar: Escuchad.   **decir:** Decidnos.
             Listen.   *Tell us.*

4. For the **vosotros** command of reflexive verbs, the final **-d** is dropped before adding the pronoun **os**. One exception to this is **idos** (from **irse**). If the verb is an **-ir** verb, an accent is required on the final **i**.

   Levantaos.   Divertíos.
   Get up.   *Have a good time.*

C. Familiar commands—negative

The negative familiar commands for both **tú** and **vosotros** are the same as the second person forms of the present subjunctive. Object pronouns precede negative commands.

No llegues (tú) tarde.   No lo esperéis.
Don't arrive late.   *Don't wait for him.*

D. The "let's" command

1. The **nosotros** or *let's* command is the same as the first person plural of the present subjunctive. Note the position of the object pronouns in the second example below.

Comamos.   No comamos.
Let's eat.   *Let's not eat.*

Cerrémosla.   No la cerremos.
Let's close it.   *Let's not close it.*

2. When either the reflexive pronoun **nos** or the pronoun **se** is attached to an affirmative *let's* command, the final **-s** of the verb is dropped. A written accent is added to maintain the original stress of the verb.

Sentémonos.   No nos sentemos.
Let's sit down.   *Let's not sit down.*

Pidámoselo.   No se lo pidamos.
Let's ask him (her) for it.   *Let's not ask him (her) for it.*

Both **vamos** and **vayamos** can be used for the affirmative command, but **vamos** is more common.

3. The verb **ir (irse)** is irregular in the affirmative **nosotros** command.

Vamos.   BUT   No vayamos.
Let's go.   *Let's not go.*

Vámonos.   BUT   No nos vayamos.
Let's leave.   *Let's not leave.*

4. An alternate way of expressing the affirmative *let's* command is to use **ir a** plus the infinitive. This form is not used for negative commands.

Vamos a hablar con ellos.   BUT   No hablemos con ellos.
Let's talk with them.   *Let's not talk with them.*

5. Note that **a ver** (without **vamos**) is generally used to express *let's see.*

A ver. Creo que todo está listo.
Let's see. I think everything is ready.

E. Indirect commands

Indirect commands are the same as the third person (singular or plural) of the present subjunctive. They are always introduced by **que.**

Que le vaya bien.
May all go well with you.

Los niños quieren salir. Pues, que salgan ellos.
The children want to go out. Well, let them go out.

Note that object pronouns always precede both negative and affirmative indirect commands, and the subject, if expressed, generally follows the verb.

Práctica

5-15 Mandatos formales. Cambie estas oraciones a mandatos formales. Siga el modelo.

> **Modelo** La señorita entra. *Señorita, entre, por favor.*
> El señor no dice nada. *Señor, no diga nada, por favor.*

1. El tío espera un momento.
2. La señora no habla tanto.
3. Los jóvenes van al cine.
4. El señor se sienta cerca de la pantalla.
5. La señora no come mucho.

5-16 Mandatos familiares. Cambie estas oraciones a mandatos familiares. Siga el modelo.

> **Modelo** Aurelio dice algo. *Aurelio, di algo.*
> Mi amigo no le da dinero. *Amigo, no le des dinero.*

1. Laura va conmigo a la fiesta.
2. Roberto no sale temprano.
3. María hace un pastel.
4. Felipe no es tonto.
5. Elena no entra a la sala.

5-17 Una visita a Madrid. Los padres de Laura están visitando Madrid, y ella está diciéndoles lo que ellos deben hacer durante su estadía. Siga el modelo.

> **Modelo** ir a un buen restaurante
> *Vayan a un buen restaurante.*

1. probar algunos platos típicos españoles
2. no comer ni beber demasiado
3. después de comer, volver al hotel para echarse una siesta
4. comprarme unos libros de arte
5. después, ir al teatro
6. conseguir entradas para la función
7. llegar al teatro temprano
8. regresar al hotel en taxi
9. acostarse en seguida
10. divertirse durante el viaje

5-18 Una persona mandona (bossy). Dígale a un(a) compañero(a) de clase lo que él (ella) debe de hacer. Su compañero(a) debe decir por qué él (ella) no puede hacerlo. Sigan el modelo.

Modelo   devolver estos libros a la biblioteca
Ud.: *Devuelve estos libros a la biblioteca.*
Su compañero(a) de clase: No, *porque no puedo perder el tiempo.*

1. no irse sin hablar con ellos
2. empezar ahora a estudiar
3. servir vino con la comida
4. no ser ridículo
5. no pagar demasiado por las entradas
6. regresar antes de las cinco
7. llegar al cine a tiempo
8. no tomar demasiada cerveza
9. no preocuparse
10. pedirles a ellos más dinero

Ahora, dele Ud. dos o tres mandatos más a su compañero(a) de clase.

5-19 Opiniones personales. Indique su opinión sobre las cosas que estas mujeres quieren hacer. Siga el modelo.

Modelo   Paula quiere conseguir un empleo.
¡Que lo consiga!

1. Susana quiere escribir una novela.
2. María desea compartir las tareas domésticas con su esposo.
3. Penélope quiere tener su propio negocio.
4. Marta y Mirna quieren conocer el mundo.
5. Mi tía desea hacer un documental.
6. Mis amigas desean sacar licenciaturas.
7. Elena quiere arreglar camiones.
8. Las jóvenes quieren jugar hockey.
9. Eva quiere gobernar el país.
10. Ellas quieren convertirse en líderes.

5-20 ¿De acuerdo o no? Con un(a) compañero(a) de clase, háganse estas preguntas para decidir lo que quieren hacer hoy. Sigan el modelo.

Modelo   ¿Vamos a sentarnos aquí?
Sí, sentémonos aquí. (No, no nos sentemos aquí.)

1. ¿Vamos a salir esta noche?
2. ¿Vamos a levantarnos temprano?
3. ¿Vamos a empezar a estudiar ahora?
4. ¿Vamos a pedir una taza de café?
5. ¿Vamos a comprar entradas?
6. ¿Vamos a ver una telenovela?
7. ¿Vamos a salir de la casa temprano?
8. ¿Vamos a hacerlo en seguida?
9. ¿Vamos a divertirnos un rato?
10. ¿Vamos a preguntarles si quieren ir?

5-21 Mandatos. Dígale a su compañero(a) de clase cinco cosas que él/ella debe hacer. Su compañero(a) de clase va a indicar si él/ella quiere hacerlas o si hay otras cosas que él/ella prefiere hacer. Use la imaginación con cierta limitación, por supuesto.

Modelo Ud.: *Come estos gusanos.*
Su compañero(a) de clase: *No quiero comerlos. Prefiero comer una tortilla.*

5-22 Consejos. Pregúntele a un(a) compañero(a) de clase si Ud. debe hacer las cosas siguientes. Su compañero(a) de clase le va a contestar con un mandato negativo o afirmativo. Cambie los objetos directos a pronombres. Siga el modelo.

Modelo *¿Hago el trabajo?*
Sí, hazlo. (No, no lo hagas.)

1. ¿Pongo mis libros en tu mesa?
2. ¿Te digo la verdad?
3. ¿Traigo mi coche a la universidad mañana?
4. ¿Te explico la lección?
5. ¿Empiezo a cantar una canción?
6. ¿Te abrazo?

Heinle Grammar Tutorial:
Relative clauses

In English, an infinitive can directly follow and modify a noun or pronoun; in Spanish, this construction can be expressed by **que** + infinitive. **Hay mucho que leer.** *There is a lot to read.*

Relative pronouns

A. Uses of *que*

1. The most commonly used relative pronoun is **que** *(that, which, who)*. It can refer to persons, places, or things, and is never omitted in Spanish.

   Manuel es el muchacho **que** trabaja en esa tienda.
   Manuel is the boy who works in that store.

   La película **que** vieron anoche es francesa.
   The movie (that) they saw last night is French.

   Cuernavaca es una ciudad **que** está cerca de la capital.
   Cuernavaca is a city (that is) near the capital.

2. After most prepositions of one syllable such as **a, con, de,** and **en,** the relative pronoun **que** is only used to refer to things.

   Las películas de **que** hablan son de España.
   The movies they are talking about are from Spain.

   El dinero con **que** compró el coche era de su madre.
   The money he bought the car with was his mother's.

B. Uses of *quien(es)*

1. **Quien(es)** *(who, whom)* refers only to people. It is most commonly used after prepositions of one syllable **(a, con, de)** or to introduce a clause that is set off by commas.

   La señora con **quien** están hablando es traductora.
   The woman they are talking to is a translator.

   Aquel hombre, **quien** vino a mi casa ayer, es el presidente.
   That man, who came to my house yesterday, is the president.

2. **Quien(es)** is also used to mean *he who*, *those who*, *the ones who*, and so forth.

Quien estudia, aprende.
He who studies, learns.

Quienes comen mucho, engordan.
Those who eat a lot, get fat.

3. **Que** is preferred to **quien** as a direct object. It does not require the personal **a**.

El hombre **que (a quien)** vi es su tío.
The man (whom) I saw is his uncle.

C. Uses of *el cual* and *el que*

El que (la que, los que, las que) and **el cual (la cual, los cuales, las cuales)** are used instead of **que** or **quien** in the following situations:

1. For clarification and emphasis when there is more than one person or thing mentioned in the antecedent.

La amiga de Carlos, **la cual (la que)** vive en Nueva York, va a México.
Carlos's friend, who lives in New York, is going to Mexico.

El tío de María, **el cual (el que)** es muy viejo, va al cine con ella.
María's uncle, who is very old, is going to the movies with her.

2. After the prepositions **por** and **sin** and after prepositions of two or more syllables.

Se me olvidó la llave, sin **la cual (la que)** no pude entrar.
I forgot the key, without which I couldn't get in.

Vieron a sus amigas, detrás de **las cuales (las que)** había dos butacas juntas.
They saw their friends, behind whom there were two seats together.

3. In addition, **el que (la que, los que, las que)** is used to translate *the one who*, *he who*, *those who*, *the ones who*. (**El cual** is not used in this construction.)

El que estudia, tiene éxito.
He who studies will be successful.

Esos actores y **los que** están en esta telenovela son muy populares.
Those actors and the ones who are in this soap opera are very popular.

D. Uses of *lo cual* and *lo que*

1. **Lo cual** and **lo que** are neuter forms; both are used to express *which* when the antecedent referred to is not a specific noun but rather a statement, a situation, or an idea.

Felipe dijo que no vendría, **lo cual** nos sorprendió.
Felipe said he wouldn't come, which surprised us.

Vi una sombra en la pared, **lo que** me asustó.
I saw a shadow on the wall, which frightened me.

2. In addition, **lo que** (but not **lo cual**) means *what* when the antecedent is not stated.

Lo que dijo Juan no les parecía posible.
What Juan said didn't seem possible to them.

No sé **lo que** quieres.
I don't know what you want.

E. Use of *cuyo(a, os, as)*

In a question, *whose* is expressed as *¿de quién(es)?*: *¿De quién es este boleto?*

Cuyo (*whose, of whom, of which*) is used before a noun and agrees with it in gender and number.

La chica **cuya** madre es profesora se llama Esmeralda.
The girl whose mother is a professor is named Esmeralda.

Ese árbol, **cuyas** hojas son pequeñas, es un roble.
That tree, the leaves of which are small, is an oak.

Práctica

5-23 Los pronombres relativos. Haga los cambios necesarios en estas oraciones, según las palabras entre paréntesis.

1. Es la *esposa* de quien hablo. (tío / mujeres / profesores)
2. Esa es la *película* cuyo nombre no recuerdo. (actores / actrices / cine)
3. Ese cantante, cuya *música* me encanta, es de la Argentina. (canciones / estilo / voz)

5-24 Observaciones generales. Complete estas oraciones con la forma correcta de un pronombre relativo.

1. La película _____ dan en el Cine Colorado es muy buena.
2. _____ hablan mucho, poco aprenden.
3. Allí está el restaurante detrás de _____ vive Carmen.
4. La mujer con _____ hablan es abogada.
5. El cine al _____ entran está muy oscuro.
6. Ese hombre, _____ está hablando ahora con Paco, es el tío de Mirabel.
7. Jacinta siempre hace _____ ella quiere.
8. El chico _____ novia quiere ir al partido de jai alai se llama Francisco.
9. La telenovela _____ a ella le gusta se llama «María Mercedes».
10. Esas son las amigas de _____ te hablé.
11. El hombre a _____ conocí anoche es el primo de Fernando.
12. Él estudió toda la noche, _____ me sorprendió.

 5-25 Omitiendo la repetición. En grupos de dos personas, junten las oraciones siguientes, omitiendo las repeticiones que no sean necesarias. Pongan una preposición delante del pronombre relativo cuando sea necesario. Sigan el modelo.

Modelo   Ese es el actor español. Ellos hablan mucho de él.
Ese es el actor español de quien ellos hablan mucho.

1. Esta es mi amiga chilena. Escribí una carta a mi amiga chilena.
2. Vamos a la casa de mis primos. El Teatro Colorado está cerca de la casa de mis primos.
3. Vimos una película sobre unos amantes. La película nos gustó mucho.
4. Su tío empezó a gritar. Esto lo asustó mucho.
5. Concha tiene una chaqueta. La chaqueta está en la sala.

 5-26 Una entrevista. Hágale cinco preguntas a su compañero(a) de clase, usando un pronombre relativo en cada una de las preguntas de la lista siguiente.

cuyo(a)	quien	que
el (la) que	lo que	

For more practice of vocabulary and structures, go to the book companion website at **www.cengagebrain.com.**

Review commands.

Antes de empezar la última parte de esta **unidad,** es importante repasar el vocabulario nuevo y la estructura y hacer las actividades que siguen.

5-27 Su niñez. Haga el papel de un(a) niño(a) que les pide permiso a sus padres para hacer varias cosas. Su compañero(a) de clase va a hacer el papel de uno de los padres. Haga la pregunta y su compañero(a) de clase le va a contestar con una respuesta negativa o afirmativa. Deberá usar pronombres en las respuestas. Siga el modelo.

Modelo —¿Puedo comprar este helado?
—*No, no lo compres.* - o - *Sí, cómpralo.*

1. ¿Puedo mirar la televisión?
2. ¿Puedo leer un cuento esta noche?
3. ¿Puedo probar los dulces?
4. ¿Puedo preparar la cena?
5. ¿Puedo hacer una fiesta?
6. ¿Puedo vender mis videojuegos?
7. ¿Puedo invitar a mi amigo a jugar conmigo?
8. ¿Puedo llamar a los abuelos?

Review commands.

5-28 Mandatos del (de la) profesor(a). Haga una lista de cinco mandatos que su profesor(a) da en la clase casi todos los días. Léale su lista a la clase. Sus compañeros de clase van a compartir sus listas también. ¿Cuáles son los mandatos que el (la) profesor(a) suele dar con más frecuencia?

Review relative pronouns.

5-29 A escoger. Escoja el pronombre relativo correcto de las formas entre paréntesis.

1. Ellos salieron de casa temprano, (quien, lo cual) le molestó a la madre.
2. La señorita de (quien, que) hablan es su hermana.
3. (Lo que, El que) ellos hacen no me importa.
4. La telenovela, (quienes, cuyo) argumento es bastante sencillo, es su programa favorito.
5. Ella vive en aquella casa detrás de (que, la cual) hay un parque pequeño.
6. Les gustó la película (que, la que) vieron anoche.

Review the subjunctive mood and some uses of the subjunctive.

5-30 Formando oraciones. Haga una oración completa usando las palabras en el orden en que están escritas. Haga otros cambios o adiciones si son necesarios.

1. tal vez / ellos / venir / también / pero / yo / dudar
2. ojalá / él / salir / pronto
3. quizás / estudiante / poder / terminar / lección / ahora
4. venir / Ud. / pronto / por favor
5. acaso / ella / saber / respuesta / pero / no / ser / probable

Review the subjunctive mood and some uses of the subjunctive.

5-31 Este fin de semana. Relátele a su compañero(a) de clase cinco cosas que tal vez Ud. vaya a hacer este fin de semana. Luego, su compañero(a) de clase va a hacer lo mismo. Siga el modelo.

Modelo Ud.: *Quizás mi amigo(a) y yo vayamos al cine.*
Su compañero(a) de clase: *Tal vez yo vaya a la biblioteca a estudiar.*

Once you have initiated a conversation, it is essential that you learn some techniques that will enable you to keep the conversation going. As you participate in conversations, do not let concern for grammatical accuracy or correct pronunciation keep you from speaking. Say what you want to say the best way you know how.

Techniques for maintaining a conversation:

1. **Cognates:** Use as many cognates as you can to express yourself. [**Me gusta la clase** de *historia*. **Quiero ser** *profesor(a)*.] Beware of false cognates, however, as they can cause misunderstanding and even embarrassment. For example, the Spanish word **éxito** may look like the English word *exit*, but it means *success*. Likewise, the Spanish word **colegio** resembles the English word *college*, but it means *high school*.

2. **Paraphrase:** If you do not know the exact word, express the idea in another way. For example, if you forget the word for *shoes* (**zapatos**), you can say, **las cosas que se llevan en los pies.**

3. **Synonyms:** If the listener has difficulty understanding what you are saying, clarify your meaning by using another word (synonym) that has the same or similar meaning to the first word that you used. If you want to buy a ballpoint pen (**bolígrafo**), but the person doesn't understand that word, then you could say, **Quiero comprar una pluma.**

4. **Repetition:** If you don't understand the person who is speaking, ask him/her to repeat what was said more slowly.

5. **Gestures:** When all else fails you may be able to express some of your ideas by using gestures. If you want to say **Ramón toca el violín,** but cannot remember the words for *play* and *violin*, then you can act out someone playing a violin.

Descripción y expansión

Cuando se hace un viaje o se busca un lugar específico, es importante saber pedir y entender direcciones. Se presenta aquí una lista de expresiones útiles para pedir direcciones, y otra lista de expresiones para darlas. Estudie las dos listas antes de empezar las actividades.

Para pedir direcciones:

Buenos días, señor (señora, señorita)…
¿Hay un hospital (una universidad, un banco, etcétera) cerca de aquí?
¿Dónde está el ayuntamiento (la Estación del Norte, etcétera)?
¿Podría decirme, por favor, cómo llegar a…?
Busco el Almacén Torres…
¿Por dónde se va para llegar allí?
¿Cuál es la dirección de… ?
¿Sabe Ud. dónde queda…?

Para dar direcciones:

Siga (por la calle…, adelante, derecho hasta llegar a…)
Camine (dos cuadras hasta llegar a…)
Doble (a la izquierda, a la derecha) en la calle (en la avenida)…
Cruce la calle y…

5-32 En el mapa. Ahora Ud. está (en el centro, enfrente de la catedral, al lado de la plaza, etcétera).

1. Refiriéndose al mapa abajo, su profesor(a) les dará a Uds. unas direcciones. Trate de seguirlas.

2. Con otro(a) estudiante haga la siguiente actividad. Ud. acaba de llegar por tren a una ciudad hispana y quiere saber cómo llegar a los siguientes lugares. Pida instrucciones usando una expresión diferente cada vez. El (La) otro(a) estudiante hace el papel de residente de la ciudad y le da la información necesaria. Use el mapa. Ud. está en la Estación del Norte.

   a. la catedral   **f.** el hospital
   b. el banco   **g.** el Teatro Colón
   c. la Universidad   **h.** el ayuntamiento
   d. la Plaza Mayor   **i.** una panadería
   e. la biblioteca

3. Después de recibir las instrucciones, explíquele al (a la) otro(a) estudiante la razón por la cual necesita encontrar ese lugar.

Modelo   *Tengo que ir al banco para cobrar* (cash) *un cheque.*

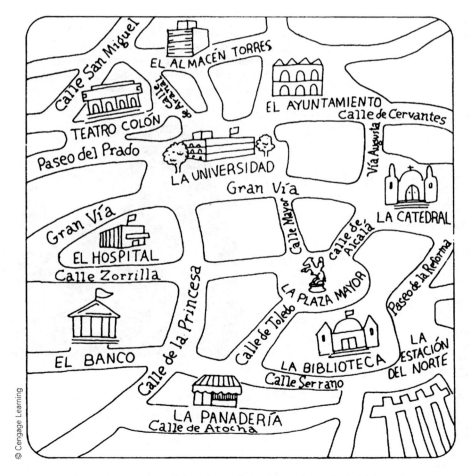

© Cengage Learning

Paying attention to verb endings

Paying attention to the verb ending will tell you the time frame of the action as well as the mood of the verb. The mood of the verb reveals how the speaker feels about the statement he or she makes. If the speaker uses the indicative mood, then you know the statement is real; it's a fact. If the speaker uses the subjunctive mood, then you know the statement may not be real: it could be a wish, a contrary-to-fact statement, or an opinion.

Track 15 🔊 **La joven profesional**

Escuche la siguiente situación y complete las actividades.

Maruca y su marido Ramiro hablan, en la sobremesa de un domingo, sobre su hija Gloria, la cual trabaja desde hace cuatro años con una firma especializada en las últimas tecnologías. La acaban de ascender a jefa de programadores.

5-33 Información. Según lo que ha escuchado, ¿son **verdaderas** o **falsas** las siguientes oraciones?

1. La mamá espera que Gloria viaje a Tokio.
2. Ramiro está muy orgulloso de su hija.
3. La mamá es una mujer muy moderna.
4. Según el papá, Gloria y el chico que estudia medicina quizás sean novios.
5. Gloria trabaja en una agencia de viajes.

Shutterstock.com

5-34 Conversación. Con dos compañeros, representen los papeles de una mamá liberada/conservadora, de un papá conservador/moderno y de una hija que no tiene prisa en casarse, y para quien lo importante, por ahora, es la carrera.

5-35 Situaciones. Con un(a) compañero(a) de clase, preparen un diálogo que corresponda a una de las siguientes situaciones. Estén listos para presentar un diálogo enfrente de la clase.

Una cita para ir al cine. Dos novios hablan sobre la posibilidad de ir al cine. El novio quiere ver la película **Syriana** con George Clooney (se puede usar el título de otra película si Uds. no conocen esta), pero la novia no quiere verla. La novia tiene que explicar las razones por las cuales no quiere ver esa película.

El movimiento feminista. Unos novios discuten los cambios provocados por el movimiento feminista. El novio menciona varios cambios que le parecen malos. La novia dice que él no tiene razón, y le presenta una lista de otros cambios que las mujeres quieren realizar para tener igualdad entre los sexos.

Track 16 **5-36 Ejercicio de comprensión.** Ud. va a escuchar un comentario breve sobre el hombre y la mujer en el mundo hispánico. Después del comentario, va a escuchar tres oraciones. Indique si la oración es **verdadera** (V) o **falsa** (F), trazando un círculo alrededor de la letra que corresponde a la respuesta correcta.

1. V   F
2. V   F
3. V   F

Ahora, escriba un título para cada comentario que refleje su contenido. Compare sus títulos con los de la clase. Luego, escriba una cosa que Ud. aprendió de estos comentarios que no sabía antes. ¿Cuáles son los títulos mejores?

Intercambios

5-37 Discusión: los hombres y las mujeres. Hay tres pasos en esta actividad. **Primer paso:** Se divide la clase en varios grupos y cada grupo va a recibir una de las siete preguntas. **Segundo paso:** Los miembros de su grupo tienen que indicar sus preferencias entre las posibilidades indicadas. **Tercer paso:** Después, cada grupo tiene que hacer una presentación sobre el tópico de su grupo. Luego, la clase va a tener la oportunidad de presentar sus propias opiniones en cuanto a los varios tópicos.

1. ¿Qué sería lo peor que su hijo(a) podría hacer?
   a. casarse con alguien de otra raza o religión
   b. casarse a los diecisiete años
   c. quedarse soltero(a)

2. Su esposa(o) tiene un(a) ex novio(a). ¿Qué prefiere que haga él/ella?
   a. que nunca vea a esa persona
   b. que vea a esa persona solo cuando Ud. esté presente
   c. que vea a esa persona cuando y donde quiera

3. ¿Qué clase de esposo(a) le gustaría?
   a. el (la) que siempre quiere mandar
   b. el (la) que se dedica totalmente a una cosa: o a la familia o al trabajo fuera de casa
   c. el (la) que se deja dominar

4. ¿Qué es lo que le importa a Ud. más en un hombre o en una mujer?
   a. su apariencia física
   b. su capacidad de llevarse bien con la gente
   c. su inteligencia

5. ¿Cuál es el mejor modo de asegurar los derechos de la mujer en nuestra sociedad?
   a. la ley
   b. la educación
   c. esperar a que se acepte a la mujer como igual al hombre

6. ¿Qué opina Ud. de la posición actual de la mujer en las profesiones?
   a. todavía no es igual al hombre
   b. ya es esencialmente igual al hombre
   c. nunca ha habido, ni hay, grandes diferencias entre los hombres y las mujeres al nivel profesional

7. ¿Cuál debe ser la actitud del gobierno hacia el uso de los medios artificiales para controlar la natalidad?
   a. debe fomentar su uso por medio de la educación
   b. no debe hacer nada
   c. debe requerir su uso

5-38 Temas de conversación o de composición

1. ¿Qué opina del movimiento feminista? ¿Cree que debe haber un movimiento de liberación para los hombres?
2. Si una mujer fuera candidata para la presidencia, ¿votaría por ella?
3. ¿Qué opina del matrimonio? ¿Qué importancia tiene en la sociedad actual? ¿Será importante en la sociedad futura?

Vladimir Flórez, mejor conocido como Vladdo, es un caricaturista (*cartoonist*) de Colombia. En 1997 creó un personaje llamado Aleida que se ha vuelto muy popular entre el público femenino. Hoy, las caricaturas de Aleida se publican en las revistas colombianas *Semana* y *Caras*, así también como en periódicos de Ecuador, Panamá y la República Dominicana. ¿Cómo cree Ud. que es Aleida? ¿Piensa que los temas que toca son universales o propios (*characteristic*) de Colombia?

Lectura

Aleida, una mujer colombiana ilustrada

Aleida es una mujer colombiana, que tiene entre treinta y cuarenta años de edad; es profesional, divorciada y siempre está buscando el amor. Le gusta despotricar[1] de los hombres, las parejas y el amor. No se considera feminista sino «igualista»; es decir, no quiere que se discriminen a las mujeres por ser mujeres pero tampoco que se las favorezcan[2].

En una entrevista con María Isabel Rueda de la revista *Semana*, Aleida expresa algunas de sus teorías sobre las relaciones entre el hombre y la mujer: «Muchas mujeres nos casamos con la idea de que los hombres cambien, y no cambian. Y ellos se casan con la idea de que las mujeres no cambiemos, y cambiamos. Ese es el principio de todos los desencuentros[3] que hay en las relaciones».

En la siguiente caricatura, Aleida corrige la entrada de un diccionario para incluir su perspectiva sobre las relaciones. Como ha dicho ella: «Uno o es feliz o está casado. »

La historia oficial, by Vladimir Flórez, La Historia Oficial por Vladdo, www.aleidaonline.com and e-mail: correo@aleida.com.

[1] rant and rave; [2] favor them; [3] misunderstandings

5-39 Preguntas. Conteste las siguientes preguntas.

1. ¿Es Aleida un personaje real o ficticio? ¿Quién lo creó?
2. ¿Cómo es Aleida? ¿Se considera a sí misma feminista?
3. ¿Qué piensa Aleida de las mujeres? ¿Y de los hombres?
4. En la caricatura, ¿cómo corrige Aleida la entrada del diccionario?
5. ¿Qué se puede inferir sobre lo que piensa Aleida del matrimonio?

 5-40 Discusión. Comente estas preguntas, trabajando con dos o tres compañeros.

1. ¿Qué le parece la caricatura de Aleida? ¿Cree que la actitud de Aleida hacia los hombres y el amor es cínica o realista?
2. ¿Qué le parece el hecho de que Aleida, un personaje femenino, haya sido creado por un caricaturista masculino?
3. ¿Por qué cree que Aleida es tan popular en Colombia? ¿Puede un público no-colombiano apreciar a Aleida? Explique.
4. ¿Es la caricatura (*comics*) un medio en el que se puede tocar temas serios? Explique.
5. ¿Le gustan las caricaturas? ¿Cuál es su preferida? ¿A qué caricatura de los Estados Unidos se parece Aleida?

5-41 Proyecto. Cree su propia caricatura siguiendo estas instrucciones.

1. Invente un personaje colombiano. Dele un nombre, una edad, una profesión y una personalidad. Escriba un párrafo introduciendo a su personaje; inclúyalo en su presentación final.
2. Escoja uno de los siguientes temas: (1) el machismo, (2) el movimiento feminista, (3) las mujeres en la política, (4) la violencia doméstica, (5) el matrimonio. Investigue su tema en relación con Colombia.
3. Piense qué diría su personaje sobre el tema que investigó. Decida si el personaje le va hablar directamente al público —como lo hace Aleida— o si habrá un diálogo con otro personaje.
4. Use un sitio web gratuito (*free*) para crear su caricatura, como por ejemplo, MakeBeliefsComix.com, www.pixton.com, www.toondoo.com o stripgenerator.com.
5. Comparta su caricatura —y su párrafo introductorio— con el resto de la clase.

Costumbres y creencias

En México y Guatemala, durante la época de Carnaval, es costumbre rellenar huevos con confetti, decorarlos y romperlos en las cabezas de otros. Estos huevos se llaman cascarones. ¿Ha visto Ud. cascarones en su comunidad?

En contexto
Momentos tristes

Estructura
- The imperfect subjunctive and the present perfect and past perfect subjunctive
- The subjunctive in noun clauses and sequence of tenses
- The subjunctive after impersonal expressions
- Affirmative and negative expressions

Repaso
🌐 www.cengagebrain.com

A conversar
Following a conversation

A escuchar
Recognizing oral cognates

Intercambios
La muerte

Investigación y presentación
Las Navidades hispanas

Vocabulario activo

Verbos

agradecer *to be grateful*
ahorrar *to save (money)*
firmar *to sign*
velar *to hold a wake over*

Sustantivos

la aflicción *grief*
el alma *soul, spirit*
el (la) difunto(a) *deceased person*
las exequias *funeral rites*
el gasto *expense*
el rasgo *characteristic*
el refrán *saying, proverb*
la velación *vigil, watch, wake*
el velorio *wake*
el (la) viudo(a) *widower, widow*
la voluntad *will*

Adjetivos

sabrosísimo(a) *really delicious*
tacaño(a) *stingy*

Otras expresiones

a gusto *at ease*
cumplir con *to fulfill one's obligation to*
de verdad *true, real*
en mi vida *(never) in my life*
(que) en paz descanse *(may he or she) rest in peace*
esquela de difunto *obituary notice*
lo corto(a) *how short*
medio tacaño *somewhat stingy or miserly*
tomar una copa *to have a drink*

> **Alma** is feminine, but it takes the definite article **el** when used in the singular.

6-1 Para practicar. Complete el párrafo siguiente con palabras escogidas de la sección **Vocabulario activo.** No es necesario usar todas las palabras.

A mi amigo le gusta **1.** _____ todo el dinero que gana.
2. _____ nunca he visto a un hombre tan **3.** _____. Nunca va a un bar o a un café con nadie para **4.** _____ porque es un
5. _____ que él evita. Su esposa se murió hace dos semanas, y ahora él es
6. _____. Él no puso una **7.** _____ en el periódico porque le costaría unos pocos pesos. Hubo un **8.** _____ en su casa, pero él no les sirvió nada a sus amigos porque no quería gastar dinero comprando refrescos. No les
9. _____ nada a ellos por **10.** _____ él. Me parece que él es un hombre sin **11.** _____. Con respecto a su pobrecita esposa, solo se puede decir que **12.** _____.

Track 17 🔊 **6-2 Momentos tristes.** Antes de leer el diálogo, escúchelo con el libro cerrado. ¿Cuánto comprendió?

CÉSAR   Señora, deseo que Ud. acepte la expresión de mi más profundo pésame[1]. Lamento sinceramente su pérdida.

ELENA   Muchas gracias, César; es un consuelo tremendo tener amigos como Ud. en estas horas de aflicción.

MANUEL   Señora, la acompaño en sus sentimientos. Don Mario fue un amigo de verdad. Lamento mucho que hayamos perdido un hombre tan ilustre. Pero ya sabe Ud.: «La muerte a nadie perdona»[1].

El Lic. D. MARIO CABRERA MONTALVO[2]

Descansó en la Paz del Señor

Su esposa Elena Ramos de Cabrera, sus hijos Marta, Begoña, Sonia, Abel, Rosalinda, Blanca, Rodolfo, Cristina y Timoteo Cabrera Ramos agradecerán a sus amigos la asistencia a las exequias que se verificarán el día 6 de junio a las trece horas en la Iglesia de Nuestra Señora de Guadalupe.

Velación[3]: En casa de la viuda, Avenida Bolívar, 135.

ELENA	Muchas gracias, Manuel. El pobre Mario, que en paz descanse[4], siempre lo consideró a Ud. como un joven muy prometedor[2].
CÉSAR	*(Alejándose de la señora viuda.)* Oye, Manuel, ¿quieres que tomemos una copa?
MANUEL	¡Bien que la necesito![3] ¿Dónde está el pobre de don Mario?
CÉSAR	Creo que lo tienen en la sala. Será la primera vez que se siente a gusto en esa sala —doña Elena nunca lo dejaba entrar… ¡En mi vida he visto tanta comida! Sírvete de estos taquitos[4]; están sabrosísimos.
MANUEL	Don Mario siempre ofrecía buena comida. Pero se estaría quejando del gasto, como siempre. ¿Te lleno el vaso?
CÉSAR	Sí, gracias. Mario era medio tacaño, ¿verdad?
MANUEL	¡Sí que lo era! Ahorraba los centavitos como si fueran de oro. Apenas el viernes pasado se resistía a prestarme diez pesos alegando[5] no tenerlos. ¡Y luego pidió que firmara un pagaré[6]!
CÉSAR	Viejo bribón[7]. Para lo que le ha valido[8]. Dejarlo todo para la viuda y para los hijos haraganes[9].
MANUEL	Ahí está Mario para decirte lo corta que es esta vida.
CÉSAR	De acuerdo. Oye, pasemos a ver al difunto.
MANUEL	¡Mira! ¿Es posible que Mario vista su traje nuevo? ¡Nunca lo usaba en vida!

[1] profundo pésame *condolence*   [2] prometedor *promising*   [3] ¡Bien que la necesito! *I really need it!*
[4] taquitos *snacks*   [5] alegando *claiming*   [6] un pagaré *promissory note*   [7] bribón *rascal*   [8] Para lo que le ha valido. *A lot of good it did him.*   [9] haraganes *lazy, good-for-nothing*

CÉSAR	Decía que esperaba una ocasión «trascendental». Bueno, ya hemos cumplido con la viuda. Vamos a despedirnos.
MANUEL	*(A la señora.)* Le repito, señora, mis profundos sentimientos. Voy a rezar por el eterno descanso del alma de don Mario.
ELENA	Muchas gracias, Manuel. Es Ud. un buen amigo.
MANUEL	Será un consuelo, señora, saber que deja a tantos amigos. Me hubiera gustado despedirme de él en vida, pero el Señor no quiso permitirlo.
ELENA	Se hizo la voluntad de Dios. Con saber eso me consuelo. Les agradezco mucho que Uds. hayan podido venir. Buenas noches.

Notas culturales

[1] **«La muerte a nadie perdona»:** *Es un refrán popular en español. Los refranes se usan más en la cultura hispánica que en la anglosajona, especialmente en las ocasiones solemnes.*

[2] **El Lic. D. Mario Cabrera Montalvo:** *Este es un ejemplo de las «esquelas de difunto» que aparecen en los periódicos hispánicos. La familia las paga, y su tamaño refleja la posición económica del difunto.* **Lic. D.** *es la abreviatura de* **Licenciado don.**

[3] **Velación:** *La costumbre de velar al difunto es casi universal en la sociedad hispánica. En algunos países el velorio tiene sus rasgos de fiesta: se sirven comidas y bebidas y no se considera una falta de respeto divertirse.*

[4] **(que) en paz descanse:** *Es muy común incluir esta frase u otra semejante cuando uno menciona el nombre de un difunto.*

Robert Yager/Stone/Getty Images

En las casas e iglesias se construyen altares dedicados a la memoria de la gente que ha muerto para celebrar el Día de los Muertos. Describa en detalle el altar de esta foto. ¿Qué se puede identificar? ¿Qué le parece esta tradición?

6-3 Actividad cultural. Después de leer las **Notas culturales,** la clase será dividida en grupos. Cada grupo va a participar en una actividad para comparar las costumbres y tradiciones relacionadas con la muerte en los Estados Unidos y en el mundo hispano.

1. Compare los refranes populares en español que están mencionados en el número uno de las **Notas culturales** con los de este país. ¿Cuántos existen en los Estados Unidos? ¿Son semejantes o diferentes?

2. Busque una esquela funeraria en el periódico de su ciudad y compárelas con la esquela que se incluye en esta **unidad.** ¿Cuáles son las diferencias y las semejanzas?

3. Se describe un velorio de la sociedad hispánica aquí. ¿Tenemos velorios en este país? ¿Ha asistido a un velorio alguna vez? Describa las diferencias y las semejanzas. ¿Cree Ud. que un velorio debe ser solemne? Explique.

4. En el mundo hispano se menciona la expresión «que en paz descanse» cuando uno menciona el nombre de un difunto. ¿Tenemos una expresión parecida en este país? ¿Cuál es?

6-4 Comprensión. Conteste las preguntas siguientes.

1. ¿Por qué van Manuel y César a casa de doña Elena?
2. ¿Qué quiere decir «la muerte a nadie perdona»?
3. ¿Dónde está el cadáver de don Mario?
4. ¿Qué toman César y Manuel?
5. ¿Gastaba mucho dinero don Mario?
6. ¿Cómo son los hijos de don Mario?
7. ¿Qué viste el difunto? ¿Por qué se sorprende Manuel?
8. ¿Qué hacen César y Manuel después de ver al difunto?
9. ¿César y Manuel en realidad eran buenos amigos de Mario? ¿Cómo sabe?

6-5 Opiniones. Conteste las preguntas siguientes.

1. ¿Cree que es una buena o mala costumbre tener al difunto en casa durante el velorio? ¿Por qué?

2. En su opinión, ¿debe asistir a las exequias solamente la familia del difunto? ¿Por qué?

3. ¿Piensa que la muerte es un aspecto de la vida mejor aceptado en el mundo hispánico? ¿Cómo es en los Estados Unidos?

4. ¿Cree que hay otra vida después de la muerte? Explique.

5. ¿Qué piensa de las exequias lujosas y costosas?

6. ¿Piensa que a veces las exequias en los Estados Unidos son más paganas que religiosas? ¿Por qué?

Heinle Grammar Tutorial:
The imperfect subjunctive

The imperfect subjunctive

1. The imperfect (past) subjunctive is formed by dropping the **-ron** of the third person plural preterite indicative and adding one of the following sets of endings: **-ra, -ras, -ra, -ramos, -rais, -ran** or **-se, -ses, -se, -semos, -seis, -sen.** The same endings are used for all three conjugations.

Preterite	Imperfect subjunctive	
hablaron	**hablara**	—**hablase**
comieron	**comiera**	—**comiese**
vivieron	**viviera**	—**viviese**

2. The two sets of endings are interchangeable in most cases; however, the **-ra** endings are more common in Latin America and will be used in this text.

hablar

hablara, hablase	habláramos, hablásemos
hablaras, hablases	hablarais, hablaseis
hablara, hablase	hablaran, hablasen

comer

comiera, comiese	comiéramos, comiésemos
comieras, comieses	comierais, comieseis
comiera, comiese	comieran, comiesen

vivir

viviera, viviese	viviéramos, viviésemos
vivieras, vivieses	vivierais, vivieseis
viviera, viviese	vivieran, viviesen

Note that all verbs—regular, irregular, stem-changing, and spelling-changing in the third person of the predicate indicative—follow the same pattern of conjugation in the imperfect subjunctive.

Infinitive	Third person plural preterite	Imperfect subjunctive
construir	construyeron	construyera(se)
creer	creyeron	creyera(se)
decir	dijeron	dijera(se)
dormir	durmieron	durmiera(se)
haber	hubieron	hubiera(se)
hacer	hicieron	hiciera(se)
leer	leyeron	leyera(se)
pedir	pidieron	pidiera(se)
poner	pusieron	pusiera(se)
poder	pudieron	pudiera(se)
ser	fueron	fuera(se)

Heinle Grammar Tutorial:
The present perfect and past perfect subjunctive

The present perfect and past perfect subjunctive

A. The present perfect subjunctive

The present perfect subjunctive is formed with the present subjunctive of the auxiliary verb **haber** and a past participle.

haya	
hayas	hablado
haya	
hayamos	comido
hayáis	
hayan	vivido

B. The past perfect subjunctive

The past perfect subjunctive is formed with the imperfect subjunctive of **haber** and a past participle.

hubiera(hubiese)	
hubieras(hubieses)	pagado
hubiera(hubiese)	
hubiéramos(hubiesemos)	bebido
hubierais(hubieseis)	
hubieran(hubiesen)	salido

Note that **Ojalá que** + present or present perfect subjunctive = *I hope.*
And **Ojalá** + imperfect or past perfect subjunctive = *I wish.*

Práctica

6-6 Una fiesta. La familia Gómez está planeando una fiesta de Nochevieja. La Sra. Gómez está exclamando nerviosamente que espera que todo salga bien *(turn out well)*. Después de leer sobre sus inquietudes, cuente la situación otra vez, usando los sujetos entre paréntesis.

1. ¡Ojalá tu padre me ayudara con los planes! (María, Uds., tú)
2. ¡Ojalá todos hayan recibido las invitaciones! (Pepe, tú, Luisa y yo)
3. ¡Ojalá todos pudieran venir! (Juan y él, tú, nosotros)
4. ¡Ojalá hubiéramos planeado la fiesta más temprano! (Julia, mis parientes, yo)
5. ¡Ojalá Rosa haya comprado las uvas para la celebración de las doce uvas de la felicidad! (Carlos y Alicia, Ester, tú)

6-7 Su cumpleaños. Ud. va a celebrar su cumpleaños. Hable de algunas de las cosas que quiere hacer. Luego, compare lo que está pensando con lo que piensan algunos de sus compañeros de clase.

1. Tal vez mi familia _____.
2. ¡Ojalá que mis amigos _____!
3. Quizás mi madre _____.
4. ¡Ojalá que las invitaciones _____!
5. Quizás la fiesta _____.

6-8 Su futuro. Un(a) amigo(a) está diciéndole cosas que le pasarán a Ud. en el futuro. Ud. va a responder a cada idea, diciendo que no tiene tanta confianza como él/ella en lo que está oyendo. Use las expresiones **ojalá, tal vez** y **quizás**.

Modelo Estudiante 1: *Recibirás buenas notas en todas tus clases este semestre.*
Ud.: *Tal vez yo reciba buenas notas en todas mis clases este semestre.*

1. Te graduarás con honores al fin del semestre.
2. Encontrarás un buen trabajo.
3. Te casarás con un(a) hombre/mujer rico(a) e inteligente.
4. Vivirás en una casa grande y moderna cerca de la playa.
5. Tendrás una familia grande de doce hijos.
6. Llegarás a ser una persona famosa y poderosa.

Ahora, dígale a su amigo(a) cuatro cosas que le pasarán a él (ella). Él (Ella) contesta de una manera que muestra su falta de confianza.

The subjunctive in noun clauses

A. Verbs requiring the subjunctive

1. The subjunctive is frequently used in dependent noun clauses in Spanish. A dependent noun clause is one that functions as the subject or object of a verb. Such clauses in Spanish are always introduced by **que**, but in English, *that* is often omitted or an infinitive is used in place of the noun clause.

   Es dudoso que él sea rico.
   It is doubtful that he is rich. (**"que él sea rico"** is a noun clause that functions as the subject of the verb **"es"**)

   Esperamos que ellos vengan.
   We hope (that) they will come. (**"que ellos vengan"** is a noun clause that functions as the object of the verb **"esperamos"**)

2. The subjunctive is generally used in a dependent noun clause when the verb in the main clause of the sentence expresses such things as advising, wishing, desiring, commanding, requesting, doubt, denial, disbelief, emotion, and the like, and when there is a change of subject in the dependent clause. If there is no change of subject, the infinitive follows these verbs.

   Su mamá quiere que él estudie más.
   His mother wants him to study more. (change of subject from "his mother" in the main clause to "he" in the dependent clause)

   Él quiere estudiar más.
   He wants to study more. (no change of subject)

3. Other examples of verbs requiring the subjunctive:

   ADVICE   Le aconsejo que asista al velorio.
             I advise him to attend the wake.

   COMMAND   Me mandó que viniera con él.
             He ordered me to come with him.

   DESIRE   Quieren que recemos por él.
             They want us to pray for him.

WISH	Deseaba que Ud. aceptara la expresión de mi más profundo pésame.
	I wanted you to accept the expression of my deepest sympathy.
HOPE	Esperaba que Ud. no vacilara en decírmelo.
	I hoped that you would not hesitate to tell me.
INSISTENCE	Insisten en que tomemos una copa.
	They insist we have a drink.
EMOTION	Lamento mucho que hayamos perdido un hombre tan ilustre.
	I very much regret that we have lost such an illustrious man.
	Me alegro de que Uds. hayan venido.
	I am glad that you have come.
PREFERENCE	La familia prefiere que sus amigos vengan a las cuatro.
	The family prefers that their friends come at four.
REQUEST	Ella le pidió que firmara el cheque.
	She asked him to sign the check.
DOUBT	Dudo que Paco haya ahorrado su dinero.
	I doubt that Paco has saved his money.
DENIAL	Manuel negó que don Mario fuera un hombre generoso.
	Manuel denied that Don Mario was a generous man.
DISBELIEF	No creía que ella se hubiera atrevido a venir.
	I didn't believe that she would have dared to come.

4. Verbs of communication (**decir, escribir,** etc.) require the subjunctive when the communication takes the form of an indirect command. When the verb of communication merely gives information, the indicative is used.

Te digo que ganes más dinero.
I'm telling you to earn more money. (command)

Te digo que Juan gana más dinero.
I'm telling you that Juan earns more money. (information)

Nos escribe que vengamos al velorio de don Mario.
He writes us to come to Don Mario's wake. (command)

Nos escribe que fue al velorio de don Mario.
He writes us that he went to Don Mario's wake. (information)

B. Infinitive instead of dependent noun clause

1. After certain verbs of ordering, forcing, permitting, and preventing, the infinitive is more common than a dependent noun clause. In this construction, an indirect object pronoun is used. Verbs that can take an infinitive include **mandar, ordenar, obligar a, prohibir, impedir, permitir, hacer, dejar, aconsejar.** (The infinitive is especially frequent after **dejar, hacer, mandar,** and **permitir.**)

Note the following examples.

Le aconsejo asistir al velorio de don Mario.
I advise him to attend Don Mario's wake.

Me mandó a aprender los refranes.
He ordered me to learn the proverbs.

Nos permiten entrar a la casa.
They permit us to enter the house.

2. If the subject of the dependent verb is a noun, then the subjunctive is often used.

Ella no permite que don Mario entre en la sala.
She doesn't permit Don Mario to enter the living room.

C. Subjunctive or indicative with certain verbs

1. The verbs **creer** and **pensar** are normally followed by the indicative in affirmative sentences.

Creo que él vendrá.
I believe that he will come.

Él piensa que lo tienen en la biblioteca.
He thinks that they have it in the library.

2. When **creer** and **pensar** are used in interrogative or negative sentences expressing doubt, they require the subjunctive. If doubt is not implied, then the indicative may be used.

No creo que él le haya dejado nada.
I don't believe that he has left her anything.

¿Piensas que tu primo (tal vez) venga?
Do you think that your cousin may come?

Sequence of tenses

As you saw in the preceding examples, the use of either the present or the imperfect subjunctive in the dependent clause is usually determined by the tense of the verb in the main clause.

1. If the verb in the main clause is in the present, present perfect, or future tense, or is a command, the present or present perfect subjunctive is regularly used in the dependent clause.

Main clause—indicative	Dependent clause—subjunctive
present present progressive present perfect	present subjunctive
future future perfect command	present perfect subjunctive

2. If one of the past tenses or the conditional is used in the main clause, either the imperfect or the past perfect subjunctive regularly follows in the dependent clause.

Main clause—indicative	Dependent clause—subjunctive
imperfect preterite past progressive	imperfect subjunctive
pluperfect conditional conditional perfect	past perfect subjunctive

Práctica

6-9 El día del santo de José.

Lea la **Nota cultural** sobre los días de los santos. Luego, cambie cada oración siguiendo el modelo.

Modelo   Quiere tener una fiesta. (que ellos)
          Quiere que ellos tengan una fiesta.

1. José quería celebrar su día especial. (que nosotros) celebraramos
2. Se alegraron de dar una fiesta. (que su novia)
3. Querían traerle muchos regalos. (que los invitados)
4. Ella esperaba asistir a la fiesta. (que yo)
5. Laura insistía en ir también. (que tú)
6. Ahora espero tener una fiesta para mi día del santo. (que mis amigos)
7. No quiero invitar a tanta gente a mi casa. (que Ud.)
8. Prefiero quedarme en casa. (que todos)

6-10 Un velorio.

El licenciado D. Mario Cabrera murió. Hubo un velorio en su casa. Ud. asistió al velorio. Describa lo que tuvo lugar el día del velorio, y lo que pasa ahora.

El día del velorio

1. La viuda esperaba que la gente (llegar) _____ a tiempo.
2. Sentían que don Mario no le (haber) _____ dejado mucho dinero a su esposa.
3. Al principio la gente temía que doña Elena no (querer) _____ velarlo.
4. Sus amigos negaban que él (ser) _____ medio tacaño.
5. César insistió en que Manuel le (expresar) _____ sus sentimientos de pésame a la viuda.
6. Alicia prefería que los niños no (mirar) _____ el cuerpo del difunto que estaba en la sala, como era la costumbre.

El día después del velorio (hoy)

1. Todos creen que doña Elena (ser) _____ una mujer muy valiente.
2. El cura insiste en que ella (ir) _____ a vivir con su familia.
3. Su familia y yo dudamos que ella (tener) _____ mucho dinero.
4. Manuel quiere (mandarle) _____ una copia de la esquela de difunto a su madre.
5. La viuda desea (hacer) _____ un viaje a Segovia con su prima.
6. La gente no cree que doña Elena (poder) _____ sobrevivir la pérdida de su esposo.

Nota cultural, 6-9: La mayor parte de las personas del mundo hispánico es católica y sigue las costumbres y las creencias de la Iglesia. Cada día del calendario de la Iglesia católica lleva el nombre de un santo y muchos niños reciben el nombre de un santo o una santa. Como consecuencia, en algunas familias, las personas celebran el día de su santo.

6-11 Consejos. La gente siempre está pidiéndole a Ud. consejos. Deles sus consejos a las personas siguientes. Sea original.

> **Modelo** Carlos quiere ver una película buena.
> *Le aconsejo a Carlos que vea una película española.*

1. Manuel quiere mandarle algo a la viuda.
2. Susana quiere probar la comida mexicana.
3. Roberto quiere mirar una buena telenovela.
4. Mis padres quieren visitar un país hispánico.
5. Uds. quieren leer una novela interesante.
6. Tú quieres hacer algo divertido esta noche.
7. Mis amigos quieren estudiar una lengua extranjera.
8. Rosario quiere salir temprano para llegar a las nueve.

Ahora, compare sus respuestas con las de un(a) compañero(a) de clase.

 6-12 Los pensamientos de los padres. Sus padres tienen ciertas ideas y sentimientos acerca de su familia y de la vida en general. Exprese estas ideas según el modelo. Luego, compare sus respuestas con las de un(a) compañero(a) de clase.

> **Modelo** nos alegramos de / nuestros hijos viven aquí
> *Nos alegramos de que nuestros hijos vivan aquí.*

A	B
nos alegramos de	no hay otra guerra mundial
esperamos	nuestros hijos asisten a una universidad
insistimos en	no podemos ayudar más a nuestros hijos
queremos	nuestros hijos no se casan antes de graduarse
sentimos	nuestra hija es médica
preferimos	nuestros hijos no fuman
	nuestra familia tenga buena salud

6-13 Los días festivos. Escogiendo de los verbos siguientes, indique lo que Ud. piensa que pasará en cada uno de los días festivos. Luego, compare sus respuestas con las de un(a) compañero(a) de clase.

> **Modelo** esperar / el día de los Reyes Magos
> *Espero que los Reyes Magos me traigan un coche nuevo.*

A	B
esperar	la Navidad
sentir	la Nochebuena
creer	el Año Nuevo
temer	la Nochevieja
dudar	el Día de San Valentín
preferir	el Día de Independencia
querer	
insistir en	

The subjunctive after impersonal expressions

1. The subjunctive is regularly used after the following impersonal expressions when the dependent verb has an expressed subject. When there is no expressed subject, the infinitive is used instead.

Note that **Es fácil (difícil) que lo haga** means *It is likely (unlikely) that he will do it. It is easy (difficult) for him to do it* is usually translated **Le es fácil (difícil) hacerlo.**

Es necesario que (ellos) estudien.   **BUT**   Es necesario estudiar.
It is necessary for them to study.   *It is necessary to study.*

es posible *it is possible*	es bueno *it is good*
es necesario *it is necessary*	es justo *it is just (right)*
es preciso *it is necessary*	es natural *it is natural*
es importante *it is important*	es triste *it is sad*
es fácil *it is likely*	conviene *it is advisable*
es difícil *it is unlikely*	importa *it matters, it is important*
es probable *it is probable*	es raro *it is odd*
es lamentable *it is lamentable*	es extraño *it is strange*
es imposible *it is impossible*	es dudoso *it is doubtful*
es (una) lástima *it is a pity*	es mejor *it is better*
más vale *it is better*	es de esperar *it is to be hoped, expected*
es preferible *it is preferable*	es ridículo *it is ridiculous*
es urgente *it is urgent*	es sorprendente *it is surprising*

2. The following impersonal expressions do not require the subjunctive unless they are used in a negative sentence.

es cierto *it is true*	es verdad *it is true*
es evidente *it is evident*	es seguro *it is certain*
es claro *it is clear*	

¿Es cierto que ellos son ricos?
Is it true that they are rich?

No es cierto que ellos sean ricos.
It is not true that they are rich.

Es evidente que él es muy fuerte.
It's evident that he is very strong.

Práctica

6-14 La muerte. Algunos amigos de Mario Cabrera Montalvo están hablando de su muerte. Lea lo que cada una de las personas dice, y luego vuelva a expresar los comentarios, siguiendo el modelo.

Modelo   Es necesario tener un velorio. (que la familia)
Es necesario que la familia tenga un velorio.

1. Es importante asistir a las exequias. (que nosotros)
2. Es preciso rezar por el alma del difunto. (que ellos)
3. Es una lástima tener tanta angustia. (que su esposa)
4. Es bueno firmar esta tarjeta de pésame. (que tú)
5. Es difícil ayudarle a la viuda. (que yo)

6-15 El amor. Una pareja joven de México está planeando casarse. Describa esta situación, completando las oraciones siguientes con la forma correcta del verbo entre paréntesis.

1. Es evidente que los jóvenes (estar) enamorados.
2. No es cierto que el novio (querer) casarse pronto.
3. Es importante que la novia (empezar) a hacer planes para la boda.
4. Es necesario que (haber) dos ceremonias, una civil y otra religiosa.
5. Es dudoso que los padres de la novia (pagar) todos los gastos de la boda.
6. Es urgente que el novio (encontrar) un buen trabajo pronto.
7. Es preciso que los novios (ahorrar) bastante dinero antes de casarse.
8. Es obvio que los novios (agradecer) mucho la ayuda de sus familias para arreglar la boda.

6-16 Opiniones. Pídale a un(a) compañero(a) de clase que exprese sus opiniones sobre varios temas, contestándole sus preguntas. Luego él/ella va a hacerle a Ud. las mismas preguntas.

Modelo   —¿Es importante que toda la gente ahorre dinero? ¿Por qué?
       —*Sí, es importante que ahorre dinero para una emergencia.*

1. ¿Era dudoso que Ud. pudiera asistir a la universidad? ¿Por qué?
2. ¿Es necesario que Ud. estudie todas las noches? ¿Por qué?
3. ¿Es cierto que Ud. va a tener mucho éxito en esta clase? ¿Por qué?
4. ¿Es probable que Ud. vaya a ser un médico después de graduarse? ¿Por qué?
5. ¿Es verdad que Ud. va a hacer muchos viajes a Europa en el futuro? ¿Por qué?
6. ¿Es importante que Ud. se case inmediatamente después de terminar sus estudios aquí en la universidad? ¿Por qué?

6-17 Planes para el futuro. Varias personas planean hacer las cosas siguientes. Para realizar sus planes indique si será necesario hacer o no las actividades entre paréntesis. Luego, compare sus respuestas con las de un(a) compañero(a) de clase.

Modelo   María quiere visitar Madrid. (ir a España)
       Es necesario que María vaya a España.

1. César quiere asistir a la velación de don Mario. (ir a la casa de doña Elena / darle su sentido pésame / probar la comida / ver al difunto)
2. Juan quiere trabajar para una compañía internacional. (aprender lenguas extranjeras / seguir un curso de negocios / viajar a muchos países / entender varias culturas)
3. Quiero hacer un viaje a la América del Sur. (ir a una agencia de viajes / conseguir un pasaporte / comprar cheques de viajero / hacer mis maletas / viajar por avión)

6-18 Hoy y ayer. Con un(a) compañero(a) de clase, díganse cinco cosas que Uds. tenían que hacer ayer antes de venir a clase, y cinco cosas que es importante hacer hoy.

Modelo   *Ayer era necesario que yo estudiara la lección antes de venir a clase.*
       Hoy es importante que yo compre unos libros para mis clases.

Affirmative and negative expressions

A. Forms

Negative expressions		Affirmative counterparts	
nada	*nothing, not anything*	algo	
nadie	*no one, nobody, not anybody*	alguien	
ninguno(a)	*no, no one, none, not any (anyone)*	alguno(a) siempre	*some(one), any, (pl.) some* *always*
nunca } jamás }	*never, not ever*	algún día alguna vez	*someday* *sometime, ever*
tampoco	*neither, not either*	también	*also*
ni... ni	*neither . . . nor*	o...o	*either . . . or*

B. Uses

1. Simple negation is achieved in Spanish by placing the word **no** directly before the verb or verb phrase.

   No voy a la biblioteca esta tarde.
   Pedro **no** ha empezado la tarea.

2. If one of the negative words listed above follows a verb, then **no** (or another negative word) must precede the verb; the result in Spanish is a double negative. However, if the negative word precedes the verb, the **no** is omitted.

No tengo nada.	**BUT**	Nada tengo.
I have nothing.		*(I don't have anything.)*
No voy nunca a la iglesia.	**BUT**	Nunca voy a la iglesia.
I never go to church.		*(I don't ever go to church.)*

   Nunca dice nada.
   He never says anything.

3. The personal **a** is required with **alguien, nadie, alguno,** and **ninguno** when these forms are used as objects of a verb.

   ¿Conoces a alguien en Nueva York? No, no conozco a nadie.
   Do you know anyone in New York? No, I don't know anyone.

   ¿Viste a alguno de tus amigos? No, no vi a ninguno.
   Did you see any of your friends? No, I didn't see any(one).

4. **Ninguno** and **alguno** drop their final **-o** before masculine singular nouns to become **ningún** and **algún,** respectively.

   Algún día voy a comprar una casa de campo.
   Someday I am going to buy a country house.

5. **Alguno(a)** may be used in the singular or the plural, but **ninguno(a)** is almost always used in the singular.

   ¿Conoces a algunos de los músicos de la orquesta?
   Do you know some of the musicians in the orchestra?

   No hay ningún libro en esa mesa.
   There are no books on that table.

6. Nunca and **jamás** both mean *never.* In a question, however, **jamás** means *ever* and anticipates a negative answer. To express *ever* when either an affirmative or a negative answer is possible, **alguna vez** is used.

Jamás voy al cine.
I never go to the movies.

¿Has estado alguna vez en Europa?
Have you ever been in Europe?

¿Has oído jamás tal mentira?
Have you ever heard such a lie?

7. Algo and **nada** may also be used as adverbs.

Esta computadora fue algo cara.
This computer was somewhat expensive.

Este coche no es nada barato.
This car is not at all cheap.

Práctica

6-19 Las palabras negativas. Cambie las oraciones a la forma negativa.

Modelo   Tengo algo en el bolsillo.
No tengo nada en el bolsillo.

1. Hay alguien aquí.
2. Algunos de los invitados tomaron una copa.
3. Siempre vamos al cine con nuestros padres.
4. Elena va al velorio también.
5. Vamos a la iglesia o a su casa.
6. Van a comprarle algo a la viuda.
7. Hay algunos vecinos en la sala.

6-20 Los días festivos. Ud. está hablando con un(a) amigo(a) de los días festivos. Completen las oraciones con expresiones afirmativas y negativas, según sea necesario.

1. —¿Conoces bien _____ de las costumbres religiosas del mundo hispano?
   —No, no conozco _____ de esas costumbres.
2. —¿Conoce a _____ que haya estado en México durante la Navidad?
   —No, no conozco a _____ que haya estado allí durante aquella temporada.
3. —¿_____ mandas tarjetas de Navidad escritas en español?
   —No, _____ mando tales tarjetas.
4. —¿Haces _____ muy especial durante la Nochevieja?
   —No, no hago _____ especial.

6-21 Vamos al centro. Su compañero(a) de clase piensa ir al centro. Pregúntele si él/ella planea hacer las cosas siguientes. Su compañero(a) de clase contesta todas sus preguntas de una manera negativa y le explica por qué. Siga el modelo.

Modelo   ir con alguien al cine
Ud.: *¿Vas con alguien al cine?*
Su compañero(a) de clase: *No, no voy con nadie porque prefiero ver la película solo(a).*

1. siempre comer en el centro
2. ir al cine o a la librería
3. tomar una copa con alguien
4. buscar algunas revistas en la librería
5. comprar algo en el supermercado
6. pasar por la biblioteca también para estudiar

For more practice of vocabulary and structures, go to the book companion website at **www.cengagebrain.com**

Antes de empezar la última parte de esta **unidad,** es importante repasar el vocabulario nuevo y la estructura y hacer las actividades que siguen.

Review the past perfect subjunctive

6-22 Lamentos. ¿Qué lamentaban los señores Bolaños que no hubiera hecho su hijo Rodrigo? Siga el modelo.

> **Modelo**   comprarse un coche deportivo
> *Lamentaban que se hubiera comprado un coche deportivo.*

1. trabajar en un bar
2. no estudiar suficiente
3. meterse en política
4. no querer casarse
5. prestarle mucho dinero
6. no hacer un posgrado
7. mudarse a México

Review the imperfect subjunctive and the subjunctive in noun clauses.

6-23 Transformación. Haga oraciones nuevas, usando las palabras entre paréntesis.

> **Modelo**   Esperaba salir temprano. (que ellos)
> *Esperaba que ellos salieran temprano.*

1. Él insistió en ir a la iglesia. (que ellos)
2. Ella prefería hacer el viaje en avión. (que nosotros)
3. Queríamos ir a misa esta semana. (que tú)
4. Deseaban probar los taquitos. (que Tomás)
5. Esperábamos llegar a una decisión pronto. (que el jefe)
6. Temía tener mala suerte. (que él)
7. Nos alegramos de poder asistir a la fiesta. (que tú)
8. Yo sentía mucho salir tan temprano. (que ellos)

Review the subjunctive in noun clauses and sequence of tenses.

 6-24 Una conversación. Hágale las preguntas siguientes a un(a) compañero(a) de clase. Luego, él (ella) debe explicar su respuesta.

> **Modelo**   Ud.: ¿Temes que el profesor nos dé un examen hoy?
> Su compañero(a): *Sí, temo que el profesor nos dé un examen hoy.*
> Ud.: ¿Por qué?
> Su compañero(a): *Porque no he estudiado mucho.*

1. ¿Crees que el profesor (la profesora) sea muy exigente?
2. ¿Prefieres que vayamos a la cafetería después de la clase?
3. ¿Esperas que vayamos a un concierto esta noche?
4. ¿Quieres que yo compre los boletos?
5. ¿Deseas que nuestros compañeros vayan con nosotros?
6. ¿Dudas que yo pueda entender la música contemporánea?

6-25 Sus opiniones. Exprese sus opiniones sobre las ideas siguientes, poniendo una expresión impersonal delante de cada una de las oraciones. Use cuantas expresiones impersonales como sea posible.

    Modelo   Nosotros somos muy inteligentes.
                    Es evidente que nosotros somos muy inteligentes.

1. Hay un examen hoy.
2. El profesor de esta clase es muy simpático.
3. Todos nosotros somos ricos.
4. Las vacaciones no empiezan hoy.
5. Todos los estudiantes reciben buenas notas.
6. Voy a graduarme mañana.

6-26 El futuro. Exprese sus deseos y preocupaciones en cuanto al futuro del mundo, completando las oraciones siguientes con sus propias ideas. ¡Sea original! Luego, compare sus ideas con las de un(a) compañero(a) de clase. ¿Están Uds. de acuerdo o hay grandes diferencias? ¿Cuáles son?

1. Espero que las potencias mundiales *(world powers)* _____.
2. Espero que los científicos _____.
3. Quiero que mi familia _____.
4. Deseo que mis amigos _____.
5. Es importante que las escuelas _____.
6. Dudo que el presidente _____.
7. Es probable que yo _____.
8. Es necesario que la gente _____.
9. Es evidente que una buena educación _____.
10. Es posible que los astronautas _____.

6-27 Una entrevista negativa. Hágale estas preguntas a un(a) compañero(a) de clase. Él/Ella tiene que contestar de una manera negativa.

1. ¿Tienes algo para mí?
2. ¿Hablas con alguien por teléfono todas las noches?
3. ¿Siempre te vistes con algún traje nuevo?
4. ¿Vas siempre a misa?
5. ¿Vas a ir algún día a Cuba?
6. ¿Quieres ir a la biblioteca o al velorio?
7. ¿Vas al velorio de don Mario también?

To keep a conversation moving, it is necessary to react to what is being said. You may indicate that you are following the conversation by using exclamations, asking for clarification of certain points, agreeing or disagreeing with certain points, or by reacting with certain expressions that show that you are simply paying attention.

Following a conversation

Paying attention:

Ah, sí.	*Oh, yes.*
¿Ah?	*Ah?*
¿De veras?	*Really?*
Entiendo bien, pero…	*I understand well, but . . .*
No sabía eso.	*I didn't know that.*
Y luego, ¿qué pasó?	*And then, what happened?*
Y, ¿qué más?	*And, what else?*
Tiene(s) razón, pero…	*You're right, but . . .*

Asking for clarification:

Repita(e), por favor.	*Repeat that, please.*
¿Quiere(s) decir que… ?	*Do you mean that . . . ?*
No sé si entiendo bien.	*I don't know if I understand well.*
¿Qué dijo Ud. (dijiste)?	*What did you say?*
¿Está(s) diciendo que… ?	*Are you saying that . . . ?*
¿Qué quiere(s) decir?	*What do you mean?*

Exclamations:

¡No me diga(s)!	*You don't say!*
¡Qué cosa!	*The idea!*
¡Qué interesante!	*How interesting!*
¡Qué ridículo!	*How ridiculous!*

Expressing agreement and disagreement:

Sí, tiene(s) razón.	*Yes, you're right.*
Estoy de acuerdo.	*I agree.*
Sí, es verdad.	*Yes, it's true.*
No, no tiene(s) razón.	*No, you're wrong.*
No estoy de acuerdo.	*I disagree.*
No, no es verdad.	*No, it's not true.*

Descripción y expansión

Hay algunas personas que tienen creencias y supersticiones que influyen en su manera de vivir. Con un(a) compañero(a) de clase, hagan las siguientes actividades que tratan sobre este tema. ¿Es Ud. una persona supersticiosa? Indique el número del dibujo que corresponde a cada una de las creencias siguientes.

_____ romper un espejo
_____ mirar la luna llena sobre el hombro izquierdo
_____ un gato negro
_____ derramar sal
_____ una herradura (*horseshoe*)
_____ una pata de conejo
_____ caminar debajo de una escalera
_____ el número trece
_____ encontrar un trébol de cuatro hojas
_____ el número siete
_____ trece personas sentadas alrededor de una mesa

6-28 ¿Qué cree Ud.? Conteste las preguntas siguientes.

a. ¿Cuáles de estas creencias traen mala suerte?
b. ¿Cuáles de estas creencias traen buena suerte?
c. ¿Cree en algunas de estas supersticiones? ¿Cuáles? ¿Por qué?
d. ¿Conoce algunas personas que crean en algunas de estas supersticiones? ¿Quiénes son? ¿En cuáles de estas supersticiones creen?
e. ¿Conoce otras supersticiones que no estén en la lista? Explique una.

6-29 En su opinión. Indiquen su actitud hacia cada una de las supersticiones indicadas por los dibujos, completando las frases siguientes.

Modelo   Es dudoso *que un gato negro traiga mala suerte.*

Es mejor…   Más vale una persona…   No quiero…
Es importante…   No creo…   Es probable…

6-30 Opiniones. En grupos de dos o tres personas contesten las siguientes preguntas.

a. ¿Por qué creen las personas en supersticiones? ¿Cuál es el origen de muchas supersticiones?
b. ¿Hay mucha superstición en la religión? Expliquen.

6-31 Encuesta. Ahora, su profesor(a) va a conducir una encuesta para saber cuáles de los estudiantes son supersticiosos. Luego va a escribir en la pizarra algunas de las supersticiones que los estudiantes tienen y cuáles son las más comunes.

Recognizing oral cognates

You've had plenty of practice identifying written cognates—words that look similiar in English and Spanish. Oral cognates are a bit more difficult to identify due to the difference in pronunciation. To recognize oral cogates, you need to be aware of Spanish pronunciation rules. For example:

1. There are only 5 vowel sounds: /a/, /e/, /i/, /o/, /u/. Ex. **color** → *color*
2. The h is always silent. Ex. **alcohol** → *alcohol*
3. There is no th, z, or sh sounds in Spanish. Ex. **terapia** → *therapy*
4. Words never begin with s. Ex. **estilo** → *style*

You should also be aware of common Spanish-English suffix patterns:

-dad → -ity Ex. **nacionalidad** → *nationality*
-ncia → -nce Ex. **paciencia** → *patience*
-mente → -ly Ex. **correctamente** → *correctly*
-esa/-eza → -ness Ex. **franquesa** → *frankness*
-oso → -ous Ex. **estudioso** → *studious*
-ifica → -ify Ex. **modifica** → *modify*

Track 18 ◀))) **Costumbres**

Escuche la siguiente situación y complete la actividad.

Un grupo de estudiantes de las Canarias sale de clase después de volver de las vacaciones de carnaval, llamadas también vacaciones de primavera. Todos están agotados por haber pasado varias noches de fiestas, en las que se divirtieron muchísimo.

6-32 Información. Conteste las siguientes preguntas.

1. ¿Qué fiestas acaban de tener?
2. En Cuaresma, ¿en qué días había que hacer ayuno y abstinencia?
3. ¿Por qué están agotados todos?
4. ¿Ayuna la familia de Paquita?
5. ¿Qué profesor les es antipático a los estudiantes?

6-33 Conversación. Con un grupo de compañeros de la clase, charlen sobre las fiestas y costumbres del estado de donde provienen. ¿Son fiestas ancestrales o relativamente modernas? ¿De origen histórico o religioso?

6-34 Situaciones. Con un(a) compañero(a) de clase, preparen un diálogo que corresponda a una de las siguientes situaciones. Estén listos para presentarlo enfrente de la clase.

El Día de los Reyes Magos (1). *Ud. está pasando el año escolar estudiando en Madrid. Vive con una familia madrileña. Es el 6 de enero; Ud. y los miembros de la familia van a asistir a una fiesta en la casa de unos tíos. Ud. no entiende la importancia de este día y le pide a la madre que le explique lo que significa el Día de los Reyes Magos.*

Las posadas (2). *Es la Navidad y su familia quiere que Ud. participe en las posadas. Ud. no quiere participar. Su padre trata de convencerlo(la) de que es importante que haga una parte de la procesión. Ud. trata de explicarle las razones por las cuales no quiere hacerlo.*

Jose Carillo / PhotoEdit

A. Ramey / PhotoEdit

Nota cultural (1): En varios países del mundo hispánico se celebra el Día de los Reyes Magos el 6 de enero. En esta fecha se conmemora el día en que los Reyes Magos llegaron a Belén llevando regalos para el niño Jesús. Hoy, muchas familias hispanas intercambian regalos con sus parientes y amigos en este día en vez de hacerlo durante la Navidad que es principalmente un día religioso. Por lo general, hay una fiesta. Se sirve una torta y escondida en la torta hay un muñeco. La persona que encuentra este muñeco en el pedazo de torta que recibe tiene que dar una fiesta para todos los que están presentes algunas semanas después.

Nota cultural (2): La celebración de «las posadas» empieza el 16 de diciembre y termina en la Nochebuena. Se llaman posadas porque conmemoran el viaje de María y José a Belén y su búsqueda de un sitio donde pasar la noche. Casi todas las personas de un barrio participan en esta celebración.

Track 19 **6-35 Ejercicio de comprensión.** Ud. va a escuchar un comentario sobre el concepto de la muerte en el mundo hispánico. Después del comentario va a escuchar varias oraciones. Indique si la oración es **verdadera** (V) o **falsa** (F), trazando un círculo alrededor de la letra que corresponde a la respuesta correcta.

1. V F   3. V F
2. V F   4. V F

Ahora, escriba un título para este comentario que refleje el contenido. Luego, compare su título con los otros de la clase. ¿Cuál es el mejor? Indique lo que ha aprendido al escuchar el comentario que no sabía antes.

Hay tres pasos en esta actividad. **Primer paso:** Lea los ejemplos de algunos epitafios en la siguiente actividad. Luego, escriba su propio epitafio y conteste las dos preguntas que terminan esta actividad. **Segundo paso:** Escriba su propio obituario en español después de leer el ejemplo de un obituario abajo. **Tercer paso:** Comparta lo que ha escrito con la clase.

6-36 Discusión: La muerte

1. **El epitafio.** Aunque en nuestra cultura muchas personas prefieren no pensar en la muerte, su contemplación puede darnos una nueva actitud hacia la vida. Nuestros antepasados lo entendieron así, e hicieron grabar en su lápida un epitafio que resumiera su vida. Lea aquí algunos ejemplos:

   Aquí yace Harry Miller entre sus esposas Elinore y Sarah.
   Pidió que lo inclinaran un poco hacia Sarah.
   Eric Langley: Él sí se lo llevó todo consigo.
   William Barnes: Padre generoso y leal.
   Nancy Smith: A veces amaba, a veces lloraba.

   a. ¿Qué quiere que le graben en su lápida?
   b. ¿Podría escribir un epitafio que resumiera toda su vida en pocas palabras?

2. **El obituario.** Los obituarios también pueden ayudarnos a ver más claramente nuestra vida. Completando las frases siguientes, escriba su obituario. Después, léaselo a la clase.

   Falleció ayer _____ a la edad de _____.
   La causa de su muerte fue _____.
   Le sobrevive(n) _____.
   Estudiaba para ser _____.
   Sus amigos se acordarán de él (ella) por _____.
   Su muerte inesperada no le permitió _____.
   Su familia indica que en vez de mandar flores se puede _____.

3. Ahora, léale su obituario a la clase. Los otros estudiantes van a compartir el suyo también.

6-37 Temas de conversación o de composición

1. ¿Cuál es su actitud hacia la muerte? ¿Tiene miedo de morirse? ¿Le gusta asistir a los velorios? ¿Deben ser costosos los entierros?
2. En muchas culturas, inclusive la hispánica, la muerte es un hecho que se acepta de una manera bastante realista. En la nuestra tratamos de esconder o de no confrontar el hecho de la muerte. ¿Cómo evitamos la realidad de la muerte?
3. Los psicólogos dicen que el que sabe que va a morirse dentro de poco tiempo pasa por un proceso que empieza con la ira y la negación y termina con la aceptación de la muerte. ¿Cómo reaccionaría ante tal noticia? ¿Qué cosas quisiera hacer antes de morirse?
4. Actualmente es posible mantener viva a una persona mediante procedimientos artificiales, inclusive con el uso de máquinas. Si una persona ha sufrido un daño cerebral y queda reducida permanentemente a un nivel vegetativo, ¿se le debe mantener viva artificialmente? ¿Cuándo deja de vivir una persona?

La Navidad es una de las fiestas cristianas más importantes y más popularizadas. Se celebra en muchos países alrededor del mundo; sin embargo, las costumbres de cómo se celebra varían entre culturas. ¿Cómo piensa Ud. que se celebra en Puerto Rico? ¿Cuándo abrirán los regalos en Chile? ¿Cree que las decoraciones navideñas en España son las mismas que en los Estados Unidos?

Lectura

Las Navidades hispanas

En la siguiente encuesta[1], dos chilenos, dos españoles y una puertorriqueña que viven en los Estados Unidos hablan sobre la Navidad. Describen las costumbres y tradiciones de sus países y familias.

¿Cómo celebran la Navidad?

MACARENA, Chile
En Chile se acostumbra celebrar más el veinticuatro por la noche: una comida muy grande con toda la familia. En Chile en la época de Navidad es verano, entonces es muy distinto. Las comidas son afuera, en el patio, con muchas cosas frías —ensaladas, mariscos [5]. En mi familia, abrimos los regalos el día veinticuatro. También vamos a misa; es como una misa especial que dura más tiempo.

GONZALO, Chile
Bueno, la noche del 24 de diciembre, nos juntamos[2] en la casa de mi abuela —todos los primos, todos los tíos— y hacemos una comida bien rica, por lo general, pavo[3] o pollo. Y en la noche misma abrimos los regalos de la familia. Al día siguiente, por la mañana, uno se despierta y están los regalos del Viejito Pascuero[4] en la cama, y son como dos celebraciones distintas.

[1] survey; [2] get together; [3] turkey; [4] Santa Claus; [5] seafood

MADDIE, Puerto Rico
En Puerto Rico, la noche del veinticuatro es la noche que tenemos la gran fiesta con todos los amigos, con todos los familiares. Comemos hasta las dos, tres de la mañana y esa es la fiesta superviva[6], bien intensa mientras que la Navidad, durante el día cuando tal vez hemos comido y bebido un poco demasiado, es un día más tranquilo.

Marko Tomicic

ANA, España
En mi caso no celebro la Navidad. Nosotros en casa, en diciembre, celebramos Janucá que también se conoce como la Fiesta de las Luces. Es una celebración judía que dura ocho días. Todos los primos nos reunimos en casa del abuelo y la abuela y encedemos el candelabro de ocho brazos. Cantamos canciones en ladino como «Ocho kandelikas» y comemos buñuelos fritos en aceite y cubiertos en miel: ¡riquísimos!

¿Qué tipo de adornos se usan para Navidad en su país?

MADDIE, Puerto Rico
Es un poco diferente obviamente. Allá no tenemos nieve. Allá se usa mucho la flor de Pascua[7], roja o blanca, casi siempre roja. Acá hay nieve y muñecos de nieve[8] y todo lo que se asocia con la Navidad, lo cual no existe en Puerto Rico; sin embargo, tal vez se sorprenden en saber que allá sí usamos árboles de Navidad.

© Cengage Learning

DIEGO, España
Es muy frecuente que en España, en las calles, haya luces decorando con motivos navideños. También suelen poner en las plazas de los ayuntamientos[9] grandes árboles de Navidad con luces, bolas, etcétera. En muchas calles incluso se cantan lo que llamamos nosotros villancicos[10], que son canciones tradicionales de Navidad. En los Estados Unidos es muy habitual decorar la casa por fuera con luces. En España esto no es muy frecuente. Seguramente en los pueblos se hará, pero en las grandes ciudades no es habitual y es más, creo que es un acto ilegal.

---

[6] very lively; [7] poinsettias; [8] snowmen; [9] city halls; [10] carols

6-38 Preguntas. Conteste las siguientes preguntas.

1. ¿Cuándo se acostumbra hacer una gran cena e intercambiar regalos de Navidad en Chile y en Puerto Rico? ¿Celebran todos los hispanohablantes la Navidad?
2. En Chile, ¿cómo se llama el personaje que trae regalos a los niños el 25 de diciembre?
3. ¿Por qué la familia de Macarena come comidas frías para Navidad? ¿Qué más hacen?
4. ¿Qué adornos se usan para Navidad en Puerto Rico?
5. ¿Qué semejanzas y diferencias existen entre los adornos navideños de España y los de los Estados Unidos?

6-39 Discusión. Comente estas preguntas con dos o tres compañeros.

1. ¿Celebra su familia la Navidad? ¿Qué costumbres y tradiciones tienen?
2. ¿Con cuál de las familias de los entrevistados —Gonzalo, Macarena, Maddie, Diego— le gustaría a usted celebrar la Navidad? ¿Por qué?
3. ¿Cuál es la diferencia más grande entre la Navidad en los Estados Unidos y en los países hispanos?

6-40 Proyecto. Haga una encuesta *(survey)* como la de la lectura. Siga estos pasos.

1. Escoja una de las celebraciones siguientes: el Día de los Reyes, el Año Nuevo, el Día de la Independencia, el Día de las Madres, Semana Santa.
2. Prepare una lista de tres preguntas relacionadas con la celebración que ha escogido, como por ejemplo, cuándo y cómo se celebra, qué comidas se preparan, qué adornos se usan, etcétera.
3. Busque a dos o tres personas originarias de diversos países hispanos para entrevistarlas. Pueden ser estudiantes, profesores, empleados de la universidad o personas en su comunidad.
4. Haga la entrevista, ya sea en persona, por teléfono o por Internet.
5. Escriba los resultados de su encuesta en un artículo. Incluya una pequeña introducción y una conclusión en la que comparta lo que Ud. aprendió. Esté listo(a) para presentar su artículo en la clase.

Aspectos económicos de Hispanoamérica

En muchos pueblos pequeños de Hispanoamérica, el mercado es el centro de actividad comercial.

En contexto
A mudarnos a la capital

Estructura
- The subjunctive in adjective clauses
- Subjunctive versus indicative after indefinite expressions
- Prepositions
- Uses of **por** and **para**
- Prepositional pronouns

Repaso
🌐 www.cengagebrain.com

A conversar
How to involve others in conversations

A escuchar
Determining the purpose of the conversation

Intercambios
Los problemas contemporáneos

Investigación y presentación
El etnoturismo en Panamá

Vocabulario activo

Verbos

calentar (ie) *to heat*
mudarse *to move (residence)*
soñar (ue) (con) *to dream (about)*

Sustantivos

el barrio *neighborhood, district*
el camión *bus (slang)*
el (la) campesino(a) *peasant*
la cantina *bar*
la choza *hut, shack*
el frijol *bean*
el taller *shop, workshop*
el techo *roof*
el televisor *television set*

la ventaja *advantage*
el vestido *dress*

Adjetivos

ajeno(a) *belonging to another*
embarazada *pregnant*
seco(a) *dry*

Otras expresiones

dondequiera *anywhere*
ganarse el pan *to earn a living*
haber de *to be supposed to*
que sueñes con los angelitos *sweet dreams*

La palabra **camión** quiere decir *bus* en México, pero quiere decir *truck* en los otros países de Latinoamérica y en España.

7-1 Para practicar. Complete el párrafo siguiente con palabras escogidas de la sección **Vocabulario activo**. No es necesario usar todas las palabras.

Para la gente pobre es muy difícil **1.** _____. Yo soy pobre y a veces **2.** _____ con ganarme la lotería. Si tuviera mucho dinero, **3.** _____ de mi **4.** _____ a un **5.** _____ más acaudalado *(affluent)*. En vez de tomar el **6.** _____ a mi trabajo, yo tendría mi propio coche lujoso. No trabajaría en un **7.** _____, sino que compraría una compañía donde se harían computadoras. Yo compraría un **8.** _____ para cada cuarto de mi casa, y muchos **9.** _____ elegantes para mí. La **10.** _____ de tener mucho dinero es que se puede comprar casi todo. La desventaja es que se puede perder el alma *(soul)*.

Track 20 🔊 **7-2 A mudarnos a la capital.** Antes de leer el diálogo, escúchelo con el libro cerrado. ¿Cuánto comprendió?

(Una choza campesina. Pedro llega cansado después de un día de trabajo en su parcela de tierra.)

PEDRO   Hola, Teresa, ¿qué hay de comer? Vengo muerto de hambre.

TERESA   ¡Ay! Has llegado temprano; déjame calentar los frijoles. Primero voy a acostar a Panchito. Duérmete, mi niño. Que sueñes con los angelitos. Así es.

PEDRO   Se me partió[1] el machete hoy. ¡Qué diablos! No hay un día que no traiga mala suerte. No sé cómo he de ganarme el pan trabajando en esta tierra seca.

TERESA   Pedro, tengo una noticia. Fui a ver a la mamá Teófila[1] y me dice que estoy embarazada.

PEDRO   ¡Qué bueno! ¡Qué feliz me haces! Pero… otra boca, ¿qué hacemos?

[1] partió *broke, split*

TERESA	Dios dirá, Pedro. Quizás pueda coser ajeno[2]. La señora Cruz busca a alguien que le haga unos vestidos para el verano.
PEDRO	Te prohíbo que trabajes, mujer. Estaba pensando una cosa, ¿sabes? ¿Por qué no nos mudamos a la capital?[2] Allí puedo buscar un trabajo que pague bien.
TERESA	Pero, Pedro, ¿qué hacemos con la casa? ¿Y si no encuentras nada? Me siento más segura aquí; al menos tenemos techo —pobre tal vez, pero seguro.
PEDRO	¿No quieres que tus hijos tengan más oportunidades que nosotros? Aquí no hay nada que valga la pena... Y será mejor para ti también. No tendrás que depender más de la mamá Teófila. Debes tener un médico que sepa lo que hace, un hospital que tenga facilidades modernas. Además, podríamos divertirnos un poco. Dicen que hay cines en la ciudad en que puedes ver películas todas las noches en vez de una película por semana como en el cine de aquí.
TERESA	¿Y es cierto que hay lugares donde se puede bailar todas las noches? ¿Y que hay parques bellos y camiones que te llevan dondequiera?
PEDRO	Sí, Teresa, todo eso y mucho más. Podremos comprarnos un televisor. No tendremos que ir a verlo a la cantina como aquí.
TERESA	Pero, ¿dónde viviremos?
PEDRO	Hay un barrio llamado San Blas. Allí viven los Otero y los Palma que se fueron a la capital el año pasado. Hay escuelas buenas para Panchito y para el niño que esperamos. Quiero que asistan a buenas escuelas que les den mejores posibilidades.
TERESA	Yo también, yo también, Pedro. Y tú, ¿qué harás? No quiero que sufras por falta de trabajo.
PEDRO	Con todos los automóviles que hay en la ciudad, siempre habrá necesidad de alguien que sepa de mecánica. Habrá un taller que necesite otro trabajador.
TERESA	Pero, Pedro, ¿qué hacemos si . . . ?
PEDRO	No te preocupes, mi amor, todo saldrá bien. Quiero que mi familia tenga de todo, ¿entiendes? De todo lo bueno de la vida.

Notas culturales

[1] *la mamá Teófila: En las regiones rurales de Hispanoamérica, todavía es común utilizar los servicios de una partera (midwife). Esto se debe a la tradición y, por otra parte, al hecho de que no hay médicos en todos los pueblos.*

[2] *¿Por qué no nos mudamos a la capital?: Las ideas que expresa Pedro sobre las ventajas de la vida urbana son bastante generalizadas en las zonas rurales y han causado una migración constante hacia las grandes ciudades. Desgraciadamente, uno de los resultados más frecuentes ha sido la creación de barrios de miseria alrededor de las mismas ciudades. Otro es la desilusión y amargura (bitterness) de la gente en esta situación.*

[2] pueda coser ajeno *to take in sewing*

7-3 Actividad cultural. En grupos de tres personas, hablen sobre la vida en la ciudad y en el campo. Escriba una síntesis de las preferencias de su grupo y compártelas con los otros grupos de la clase.

1. ¿Cuáles son las ventajas de vivir en la ciudad? ¿las desventajas?
2. ¿Cuáles son las ventajas de vivir en el campo? ¿las desventajas?
3. ¿Dónde prefiere Ud. vivir, en la ciudad o en el campo? ¿Por qué?

7-4 Comprensión. Conteste las preguntas siguientes.

1. ¿Por qué llega Pedro a casa temprano?
2. ¿Qué es lo que tienen para comer?
3. ¿Cuál es la noticia que Teresa le da a Pedro?
4. ¿Qué piensa hacer ella?
5. ¿Cuál es la idea de Pedro?
6. ¿Por qué se siente Teresa más segura en el campo?
7. Según Pedro, ¿qué diversiones hay en las ciudades? ¿y según Teresa?
8. ¿Qué trabajo va a buscar Pedro?
9. En cuanto a su familia, ¿qué quiere Pedro?
10. En las circunstancias de Pedro y Teresa, ¿se iría Ud. a la ciudad?

7-5 Opiniones. Conteste las preguntas siguientes.

1. En su opinión, ¿qué causa la pobreza en la sociedad?
2. ¿Piensa que es posible eliminar la pobreza? Explique.
3. ¿Cree que es la responsabilidad del gobierno ayudar a los pobres? ¿Por qué?
4. Según Ud., ¿es posible que un pobre sea feliz? Explique.
5. ¿Prefiere ser una persona pobre y feliz, o rica y descontenta? ¿Por qué?

Adondequiera que vaya en Latinoamérica, hay algunas comunidades pobres en donde las familias llevan la ropa a ríos o lagos para lavarla. ¿Conoce Ud. a alguien que lave ropa en el río?

The subjunctive in adjective clauses

1. An adjective clause modifies a noun or pronoun (referred to as the antecedent) in the main clause of the sentence. Adjective clauses are always introduced by **que**.

> Vive en una casa **grande.** (simple adjective modifying **casa**)
>
> Vive en una casa **de ladrillo.** (adjective phrase modifying **casa**)
>
> Quiere vivir en una casa **que tenga muchos cuartos.** (adjective clause modifying **casa**)

2. If the adjective clause modifies an indefinite or negative antecedent, the subjunctive is used in the adjective clause. If the antecedent being described is something or someone certain or definite, the indicative is used.

> Aquí no hay nada que valga la pena. (negative antecedent)
> *There is nothing here that is worthwhile.*
>
> Debes tener un médico que sepa lo que hace. (indefinite antecedent)
> *You ought to have a doctor who knows what he is doing.*
>
> Buscaba un hospital que tuviera instalaciones modernas. (indefinite antecedent)
> *He was looking for a hospital that had modern facilities.*
>
> Haré lo que diga el jefe. (indefinite antecedent)
> *I'll do what(ever) the boss says.*
>
> No hay nadie que sepa la respuesta. (negative antecedent)
> *There is no one who knows the answer.*
>
> BUT
>
> Aquí hay algo que vale la pena. (definite antecedent)
> *There is something here that is worthwhile.*
>
> Tiene un médico que sabe lo que hace. (definite antecedent)
> *He has a doctor who knows what he is doing.*
>
> Ha encontrado un trabajo que tiene muchas ventajas. (definite antecedent)
> *He has found a job that has many advantages.*

3. The personal **a** is not used when the object of the verb in the main clause does not refer to a specific person or persons; however, it is used before **nadie, alguien,** and forms of **ninguno** and **alguno** when they refer to a person who is the direct object of the verb.

> Busca un médico que sepa lo que hace.
> *He is looking for a doctor who knows what he is doing.*
>
> No he visto a nadie que pueda hacerlo.
> *I have not seen anyone who can do it.*
>
> ¿Conoce Ud. a algún hombre que quiera comprar la finca?
> *Do you know a (any) man who wants to buy the farm?*

Práctica

7-6 Observaciones generales. Complete estas oraciones usando el subjuntivo o el indicativo de los verbos entre paréntesis, según convenga *(as needed)*.

1. Busco un trabajo que me (gustar) _____.
2. Necesita un hombre que (poder) _____ servir de guardia.
3. Su esposo quiere mudarse a una ciudad que él no (conocer) _____.
4. Tengo un puesto que (pagar) _____ más que ese.
5. Han encontrado un artículo que les (dar) _____ más información.
6. No había ninguna persona que (creer) _____ eso.
7. Conoce a un mecánico que (arreglar) _____ bicicletas.
8. Necesitan un apartamento que no (costar) _____ mucho.
9. Siempre tienen ayudantes que (hablar) _____ inglés.
10. Preferían un abogado que (saber) _____ lo que hacía.
11. Aquí hay alguien que (poder) _____ explicártelo.
12. ¿Conoces a alguien que (hacer) _____ vestidos?

7-7 Se mudó a la ciudad. Ud. acaba de mudarse a una nueva ciudad, y busca una casa y una buena escuela para sus hijos. Describa la clase de casa y de escuela que busca, haciendo oraciones con las expresiones indicadas.

> **Modelo** Busco una casa que: tener tres habitaciones.
> *Busco una casa que tenga tres habitaciones.*

1. Busco una casa que: estar cerca de un parque / ser bastante grande / tener tres dormitorios y cuatro baños / no costar más de cien mil pesos

    Ahora mencione otras características que Ud. busca.

2. Queremos mandar a nuestros hijos a una escuela que: ser pública / tener buenos maestros / ofrecer una variedad de cursos / preparar bien a sus graduados / estar cerca de nuestra casa

    Ahora, mencione dos o tres cosas más que Ud. espera que la escuela ofrezca.

Para terminar, compare con otro(a) estudiante la clase de casa y de escuela que busca. ¿Cuáles son las semejanzas y diferencias?

7-8 Opiniones personales. Exprese sus opiniones personales completando estas oraciones con sus propias ideas.

1. Deseo conocer a gente que _____.
2. Sueño con casarme con una persona que _____.
3. Quiero seguir una carrera que _____.
4. Quiero encontrar un trabajo que _____.
5. Me gustaría mudarme a una ciudad que _____.
6. Prefiero vivir en una casa que _____.
7. Necesito comprar un coche que _____.
8. Quiero vivir en un país que _____.

Ahora, compare sus opiniones con las de otro(a) estudiante. ¿Cuáles de las opiniones se parecen a las de Ud.?

7-9 El anuncio. Ud. es dueño(a) de un taller, y necesita emplear a un mecánico. Con otro(a) estudiante completen este anuncio para el periódico de su pueblo.

El Taller Martínez requiere un mecánico que:

—sepa de mecánica
—conozca bien los coches japoneses
—_____
—_____

Subjunctive vs. indicative after indefinite expressions

A. The subjunctive after indefinite expressions

The subjunctive is used after the following expressions when they refer to an indefinite or uncertain time, condition, person, place, or thing.

1. Relative pronouns, adjectives, or adverbs attached to **-quiera:**

adondequiera	*(to) wherever*	**quienquiera**	*whoever*
dondequiera	*wherever*	**cualquier(a)**	*whatever, whichever*
cuandoquiera	*whenever*	**comoquiera**	*however*

Examples:

Adondequiera que tú vayas, encontrarás campesinos oprimidos.
Wherever you (may) go, you will find oppressed peasants.

Dondequiera que esté, lo encontraré.
Wherever it is, I'll find it.

Cuandoquiera que lleguen, comeremos.
We will eat whenever they arrive.

Quienquiera que encuentre la pintura, recibirá mucho dinero.
Whoever finds the painting will receive a lot of money.

A pesar de cualquier disculpa que ofrezca, tendrá que pagar la multa.
(In spite of) Whatever excuse he may offer, he will have to pay the fine.

Comoquiera que lo hagan, no podrán solucionar el problema.
However they may do it, they will not be able to solve the problem.

Cualquier cosa que diga, será la verdad.
Whatever he says will be the truth.

> Note: **Quien** plus the subjunctive is more common in conversation: **Quien encuentre la pintura, recibirá mucho dinero.**

> Note that the plurals of **quienquiera** and **cualquiera** are **quienesquiera** and **cualesquiera**, respectively. **Cualquiera** drops the final **a** before any singular noun.

2. **Por** + adjective or adverb **+ que** (*however, no matter how*):

Por difícil que sea, lo haré.
No matter how difficult it may be, I will do it.

Por mucho que digas, no la convencerás.
No matter how much you say, you will not convince her.

B. The indicative after indefinite expressions

When the expressions presented in Section A refer to a definite time, place, condition, person, or thing, or to a present or past action that is considered to be habitual, then the indicative is used.

Adondequiera que fuimos, encontramos campesinos oprimidos.
Wherever we went, we found oppressed peasants.

Cuandoquiera que nos veían, nos saludaban.
Whenever they saw us, they would greet us.

Por más que juego al tenis, siempre pierdo.
No matter how much I play tennis, I always lose.

Práctica

7-10 Opiniones personales. Complete estas oraciones con el subjuntivo o el indicativo de los verbos entre paréntesis, según convenga.

1. Adondequiera que ellos (mudarse) _____, no encontrarán empleo.
2. Dondequiera que él (estar) _____, siempre puede divertirse.
3. Cuandoquiera que nosotros lo (ver) _____, le daremos dinero.
4. Por pobres que (ser) _____, ellos nunca se van a quejar de nada.
5. Quienquiera que (buscar) _____ una vida mejor, tendrá que conseguir una buena educación.
6. Cualquier cosa que yo (decir) _____, ellos la creen.

7-11 Situaciones indefinidas. Con otro(a) estudiante, completen estas oraciones con una expresión indefinida.

adondequiera	dondequiera	cuandoquiera	quienquiera
cualquiera	comoquiera	por más	

1. Empezaremos a estudiar _____ que ellos salgan.
2. _____ que ella está cansada, ella siempre quiere mirar la televisión.
3. Lo encontraremos _____ que esté.
4. _____ que ellos recibían una carta de sus amigos, me permitían leerla.
5. _____ que dijo eso no entendía la lección.
6. _____ razón que tú des, la creeremos.
7. _____ libro que escojas, lo encontraremos interesante.
8. Ellos dicen que irán _____ que él vaya.

7-12 Su futuro. Escriba cuatro oraciones sobre su futuro, usando las expresiones indefinidas que siguen. Compare sus ideas con las de su compañero(a) de clase. ¿Son parecidas o diferentes? ¿Son sus ideas y las de su compañero(a) optimistas o pesimistas? ¿Por qué?

adondequiera	cuandoquiera	quienquiera	cualquiera

Prepositions

Heinle Grammar Tutorial:
Simple prepositions; Uses of
a, con, de, and **en**

A. Simple prepositions

a *to, at*
ante *in front of, before; with respect to*
bajo *under*
con *with*
contra *against*
de *of, from*
desde *from, since*
durante *during*
en *in; on, upon*
entre *between, among*

excepto *except*
hacia *toward*
hasta *until, up to, as far as*
mediante *by means of*
para *for; in order to*
por *for; through; along; by*
según *according to*
sin *without*
sobre *on, over; about*
tras *after*

El testigo tenía que aparecer ante el juez.
The witness had to appear before the judge.

Escribió novelas bajo un seudónimo.
He wrote novels under an assumed name.

Miró hacia el río.
He looked toward the river.

Esperaremos hasta las nueve.
We will wait until nine.

Va a dar una conferencia sobre política latinoamericana.
He is going to give a lecture on (about) Latin American politics.

Día tras día él me decía la misma cosa.
Day after day he would tell me the same thing.

B. Uses of *a*

In addition to its special use before direct object nouns referring to people (see **Unidad 1**), the preposition **a** is used:

1. to indicate the point (of time or place) toward which something is directed or at which it arrives.

   Volvieron a la choza.
   They returned to the hut.

   Fue de Nueva York a México.
   He went from New York to Mexico.

   Estará en casa a las siete.
   She will be at home at seven.

2. after verbs of motion **(ir, venir)** when they are followed by an infinitive or by a noun indicating destination.

   Voy a la playa.
   I'm going to the beach.

   Vino a verme.
   He came to see me.

3. after verbs of beginning, learning, and teaching, when these are followed by an infinitive.

Comenzó a trabajar.
She began to work.

Empecé a buscarlos.
I began to look for them.

Aprendieron a hablar francés.
They learned to speak French.

Me enseñó a conducir.
He taught me to drive.

4. after verbs of depriving or taking away.

Le robaron el dinero al banco.
They stole the money from the bank.

Les quité los dulces a los niños.
I took the sweets from the children.

5. after the verb **jugar** when the name of a game or sport is mentioned.

Note: It is becoming more common not to use the **a** in speech.

Juegan al tenis.
They play tennis.

Jugó a las damas chinas.
He played Chinese checkers.

6. in combination with the definite article **el (al)** before an infinitive to express the English *on* or *upon* + present participle.

Al salir del aula, empezaron a correr.
Upon leaving the classroom, they began to run.

7. in the construction **a** + definite article + period of time + **de** + infinitive, meaning *after*.

A las dos semanas de estudiarlos, sabían todos los usos del subjuntivo.
After two weeks of studying them, they knew all the uses of the subjunctive.

8. to indicate manner or means (how something is made or done).

Las hacen a mano.
They make them by hand.

Llegaron a pie.
They arrived on foot.

cocinar a fuego lento
to cook over a slow fire

9. to express price or rate.

¿A cuánto está la tela azul? A un dólar el metro.
How much is the blue material? A dollar a meter.

a todo vapor
at full steam

10. as an equivalent of English *on* or *in.*

a bordo del buque	a tiempo
on board the boat	*in (on) time*
a su llegada	a vista de tierra
on her arrival	*in sight of land*
al contario	llegar a México
on the contrary	*to arrive in Mexico*

11. to express *by* or *to* in certain fixed expressions.

poco a poco	dos a dos
little by little	*two to two*
mano a mano	cara a cara
hand to hand	*face to face*

C. Uses of *con*

1. Con is used before certain nouns to form adverbial expressions of manner.

Guía con cuidado.
He drives carefully.

Comíamos con frecuencia en ese café.
We ate at that café frequently.

2. Con expresses accompaniment.

Pedro quiere ir a la ciudad con Teresa.
Pedro wants to go to the city with Teresa.

3. It is also used to express *notwithstanding.*

Con todos sus defectos, es un tipo simpático.
Notwithstanding all his faults, he's a nice fellow.

D. Uses of *de*

De is usually translated as *of* or *from.* In addition it is used as follows:

1. to show possession (English *'s*).

La finca es de Aurelio.
The farm is Aurelio's.

2. to show the material from which something is made.

El traje es de casimir.
The suit is (made of) cashmere.

3. to express cause or reason (equivalent to English *of, with, on account of*).

Murió de cáncer.
He died of cancer.

Está loca de alegría.
She's wild with joy.

Estoy muriéndome de hambre.
I'm dying of hunger.

4. to express *in the morning*, etc., when a specific time is given.

Empezó a las seis de la mañana (de la noche).
He began at six in the morning (at night).

5. to indicate profession or occupation.

Trabajaba de obrero.
He was working as a laborer.

6. to express the function or use of an object.

Es una máquina de escribir (de coser).
It is a typewriter (sewing machine).

7. to specify condition or appearance before a noun (the English *with* or *in*).

Las montañas están cubiertas de nieve.   Estaba de luto.
The mountains are covered with snow.   *She was in mourning.*

8. to indicate a distinctive characteristic.

la chica de los ojos grandes   el hombre de la barba
the girl with the big eyes   *the man with the beard*

9. to translate *in* after a superlative.

Es el barrio más pintoresco de la ciudad.
It's the most picturesque neighborhood in the city.

E. Uses of *en*

1. **En** is used to indicate mode of transportation.

Fuimos en avión (tren).
We went by plane (train).

2. **En** is used to denote location (the equivalent of the English *at* or *in*).

Estoy en casa (en clase, en Madrid).
I am at home (in class, in Madrid).

Pasaron las vacaciones en la playa (en México).
They spent their vacation at the beach (in Mexico).

F. Compound prepositions

Some common compound prepositions are:

a causa de *because of*	dentro de *inside of*
a pesar de *in spite of*	después de *after (time, order)*
acerca de *about, concerning*	detrás de *behind, after (place)*
además de *besides, in addition to*	en frente de *in front of*
al lado de *beside, alongside of*	en vez de *instead of*
alrededor de *around*	encima de *on top of*
antes de *before (time, place)*	frente a *opposite, in front of*
cerca de *near*	fuera de *outside of, away from*
debajo de *under*	junto a *next to*
delante de *in front of, before*	lejos de *far from (place)*
respecto a *with respect to*	

Práctica

7-13 Preposiciones sencillas. Complete estas oraciones con la preposición correcta.

1. Los hijos hablaron *(until)* _____ las once.
2. Los campesinos caminaban *(toward)* _____ la casa.
3. Hay muchas diferencias *(between)* _____ tú y yo.
4. Los padres están *(in)* _____ la cocina.
5. *(During)* _____ la conversación, él me lo explicó.
6. Sus primos son *(from)* _____ San Antonio.
7. Quieren luchar *(against)* _____ la pobreza.
8. Manuel va a venir *(with)* _____ los boletos.
9. El pueblo vivía *(under)* _____ una dictadura.
10. El jefe está *(before)* _____ sus partidarios.
11. Tenemos que estar *(at)* _____ su casa *(at)* _____ las ocho.
12. *(According to)* _____ el periódico, muchos campesinos se mudan a la ciudad.
13. No puedo vivir *(without)* _____ mi mujer.
14. Había muchos papeles *(on)* _____ la mesa.
15. Tratamos de encontrarlo semana *(after)* _____ semana.
16. Viven en este barrio *(since)* _____ febrero.

7-14 Preposiciones compuestas. Complete estas oraciones con una preposición compuesta.

1. *(On top of)* _____ la mesa había un televisor.
2. Los obreros se sentaron *(under)* _____ un árbol.
3. *(Opposite)* _____ la casa había una iglesia.
4. Hay muchos árboles *(around)* _____ mi casa.
5. *(Outside of)* _____ la ciudad viven los ricos.
6. *(Before)* _____ salir, ellos querían escuchar los nuevos discos.
7. *(Near)* _____ la choza había un pozo seco.
8. Queríamos estar *(inside of)* _____ la casa.
9. Tenía que quedarse *(behind)* _____ la puerta.
10. Querrían una casa de campo *(next to)* _____ la playa o *(alongside of)* _____ un río.
11. *(Because of)* _____ su pobreza no pueden comprar un vestido nuevo.
12. *(In spite of)* _____ sus dificultades, tenían esperanza.

7-15 Opiniones personales. En grupos de tres personas, complete estas oraciones con sus propias ideas. Luego, compárelas con las de otro(a) compañero(a) de clase. ¿Tienen mucho en común?

1. Voy a divertirme en vez de _____.
2. Yo siempre _____ antes de comer.
3. Voy al cine después de _____.
4. Además de _____ quiero mirar la televisión.
5. Voy a hacer un viaje a España a pesar de _____.
6. Prefiero vivir fuera de _____.
7. Quiero comprar una casa que esté lejos de _____.
8. No voy de compras en este barrio rico a causa de _____.

7-16 Su cuarto. Describa su cuarto, dando la ubicación de las cosas de la lista. Después, su compañero(a) de clase va a describir el suyo. ¿Cuáles son las diferencias y semejanzas?

Modelo cama
Mi cama está cerca de la ventana.

1. el televisor
2. la radio
3. la computadora
4. los libros
5. la mesa
6. la ropa
7. la silla
8. los retratos
9. la lámpara
10. la ventana

Heinle Grammar Tutorial:
Por versus para

Certain verbs such as **pedir, esperar,** and **buscar** include the meaning *for* in the verb itself and therefore never require **por** or **para.**

Uses of *por* and *para*

A. Uses of *por*

1. To translate *through, by, along,* or *around* after verbs of motion

   Pedro entró por la puerta de su choza.
   Pedro entered through the door of his hut.

   Andaba por la senda junto al río.
   He was walking along the path by the river.

   Le gusta a ella pasearse por la ciudad.
   She likes to walk around the city.

2. To express the motive or reason for a situation or an action (*because, for the sake of, on account of*)

   No quiero que sufras por falta de trabajo.
   I don't want you to suffer because of lack of work.

   Lo hace por amor a sus hijos.
   He does it because of (out of) love for his children.

3. To indicate lapse or duration of time (*for*)

   Trabajó la tierra seca por tres años.
   He worked the dry land for three years.

   Irán a la ciudad por seis meses.
   They will go to the city for six months.

4. To indicate *in exchange for*

   Compró el machete por 20 pesos.
   He bought the machete for twenty pesos.

5. To mean *for* in the sense of *in search of* after **ir, venir, llamar, mandar,** etc.

   Fue por la partera.
   He went for the midwife.

   Fueron a la librería por un libro.
   They went to the bookstore for a book.

   Vinieron por una vida mejor.
   They came for (looking for) a better life.

6. To indicate *frequency, number, rate,* or *velocity*

Va al pueblo tres veces por semana.
He goes to town three times a week.

¿Cuánto ganas por hora?
How much do you earn per hour?

El límite de velocidad es ochenta kilómetros por hora.
The speed limit is eighty kilometers an hour.

7. To express the manner or means by which something is done *(by)*

Lo mandaron por correo.
They sent it by mail.

8. To express *on behalf of, in favor of, in place of*

Ayer trabajé por mi hermano.
Yesterday I worked for (in place of) my brother.

El abogado habló por su cliente.
The lawyer spoke for (on behalf of) his client.

Votará por el Sr. Sánchez.
He will vote for (in favor of) Mr. Sánchez.

9. In the passive voice construction to introduce the agent of the verb

Los frijoles fueron calentados por el vendedor.
The beans were heated by the vendor.

10. To express the idea of something yet to be furnished or accomplished

Me quedan tres páginas por leer.   La casa está por terminar.
I have three pages left to read.   *The house is yet to be built.*

11. To translate the phrases *in the morning (in the afternoon,* etc.*)* when no specific time is given

Siempre doy un paseo por la tarde.
I always take a walk in the afternoon.

12. In cases of mistaken identity

Me tomó por su primo.
He mistook me for his cousin.

Note: The prepositions **por** and **para** are not interchangeable, although both are often translated as *for* in English. Each has its own specific uses in Spanish.

B. Uses of *para*

1. To indicate a purpose or goal *(in order to, to, to be)*

Es necesario estudiar para aprender.
It is necessary to study (in order) to learn.

Paco debe salir temprano para llegar a tiempo.
Paco should leave early in order to arrive on time.

Trabajará como mecánico para ganar más dinero.
He will work as a mechanic in order to earn more money.

María estudia para médica.
María is studying to be a doctor.

2. To express destination (*for*)

Salen mañana para la capital.
They leave tomorrow for the capital.

El regalo es para mi novia.
The gift is for my fiancée.

3. To denote what something is used for or intended for (*for*)

Compré una taza para café.
I bought a cup for coffee (coffee cup).

Es un estante para libros.
It's a bookcase.

Ha de haber escuelas buenas para Panchito.
There must be good schools for Panchito.

4. To express *by* or *for* a certain time

Comprará unos vestidos para el verano.
She will buy some dresses for summer.

Esta lección es para mañana.
This lesson is for tomorrow.

Hará la tarea para el jueves.
She will do the homework by Thursday.

5. To indicate a comparison of inequality

Para una chica de seis años, toca bien el piano.
For a girl of six, she plays the piano well.

Note: This usage is not universal. In a number of Spanish-speaking countries you would say **está *por* empezar.**

6. With the verb **estar** to express something that is about to happen

La clase está para empezar.
The class is about to begin.

Práctica

7-17 Observaciones generales. Complete estas oraciones con **por** o **para.**

1. Ana estudia _____ ser maestra.
2. Hemos estado en este barrio _____ dos días.
3. _____ llegar al taller es necesario pasar _____ el parque.
4. La casa fue construida _____ su abuelo.
5. Hay que terminar la tarea _____ las nueve de la noche.
6. Ya es tarde y los obreros están _____ salir de la fábrica.
7. Fueron a la cantina _____ comer.
8. Tengo un cuaderno _____ mis apuntes.
9. _____ un chico que habla tanto, no dice mucho de importancia.
10. Nuestros amigos quieren ir al teatro. Nosotros estamos _____ ir también.
11. Estas uvas son _____ ti.
12. Se cayeron _____ no tener cuidado.
13. Debe dejar el coche en el garaje _____ una semana.
14. Recibí las noticias _____ telegrama.
15. No hay suficiente tiempo _____ terminar el trabajo.
16. Lo hice _____ el jefe porque él no podía venir.
17. La choza todavía está _____ construir.
18. No puedo encontrar nada _____ aquí.
19. Nos tomaron _____ españoles, pero somos de Italia.
20. Salieron de casa _____ la noche.

7-18 Un viaje a México. Complete la historia de Manuel, que está planeando mudarse a la Ciudad de México. Use **por** o **para** en las oraciones. Luego, compare sus respuestas con las de su compañero(a) de clase. Si no están de acuerdo tienen que justificar sus respuestas.

1. Manuel ha decidido salir _____ la capital _____ buscar empleo.
2. _____ una persona pobre sin trabajo, él es optimista.
3. Él está _____ salir porque tiene que estar allí _____ el sábado.
4. Él va a viajar _____ camión _____ la costa y _____ las montañas antes de llegar a la capital.
5. Ayer compró un billete del camión o autobús _____ 20 pesos.
6. Su esposa fue al mercado _____ comestibles _____ prepararle una comida especial antes de su salida.
7. Se quedará en la capital _____ dos meses.
8. Él está _____ trabajar en una tienda o en una fábrica, si hay un puesto _____ él.
9. Él cree que habrá más oportunidades _____ su familia en la ciudad.
10. Las páginas finales de este cuento de Manuel están _____ escribirse.

7-19 Una entrevista. Hágale preguntas a su compañero(a) de clase para saber la información indicada a continuación.

1. why he/she is at the university
2. what he/she is studying to be
3. how long he/she will have to study to finish his/her courses
4. whether he/she has to work in order to pay his/her bills
5. whether he/she works in the afternoon or evening

¿Cómo contestó Ud.? ¿Se parecen mucho sus respuestas a las de su compañero(a)? Explique.

Prepositional pronouns

A. Nonreflexive prepositional pronouns

1. The nonreflexive prepositional pronouns are used as objects of prepositions. They have the same forms as the subject pronouns with the exception of **mí, ti.**

mí	*me*	**nosotros(as)**	*us*
ti	*you*	**vosotros(as)**	*you*
Ud.	*you*	**Uds.**	*you*
él	*him, it*	**ellos**	*them*
ella	*her, it*	**ellas**	*them*

2. Some common prepositions followed by the prepositional pronouns:

a	*to*	**en**	*in, on*	**por**	*for, instead of*
ante	*in front of*	**hacia**	*toward*	**sin**	*without*
contra	*against*	**hasta**	*until*	**sobre**	*on, over*
de	*of, from*	**para**	*for*	**tras**	*behind, after*
desde	*since*				

A mí no me gusta mirar televisión.
I don't like to watch television.

No puede vivir sin ella.
He/She cannot live without her.

Habrá diversiones para ti.
There will be entertainment for you.

3. The third person singular and plural forms may refer to things as well as to people.

No puedo estudiar sin ellos. (libros)
I can't study without them.

4. When **mí** and **ti** follow the preposition **con,** they have the special forms **conmigo** and **contigo.**

¿Vas conmigo o con ellos?
Are you going with me or with them?

Quieren mudarse contigo a la ciudad.
They want to move with you to the city.

5. After the words **como, entre, excepto, incluso, menos, salvo,** and **según,** subject pronouns rather than prepositional pronouns are required in Spanish.

Hay mucho cariño entre tú y yo.
There is a great deal of affection between you and me.

Quiero hacerlo como tú.
I want to do it like you.

6. The neuter prepositional pronoun **ello** is used to refer to a previously mentioned idea or situation.

Estoy harto de ello.
I am fed up with it.

No veo nada malo en ello.
I don't see anything bad about it.

B. Reflexive prepositional pronouns

mí	(mismo[a])	nosotros(as)	(mismos[as])
ti	(mismo[a])	vosotros(as)	(mismos[as])
sí	(mismo[a])	sí	(mismos[as])

1. When the subject of the sentence and the prepositional pronoun refer to the same person, the reflexive forms are used. These forms are the same as the regular prepositional pronouns with the exception of **sí,** which is used for all third person forms (singular and plural). When used with **con** the reflexive prepositional pronoun **sí** becomes **consigo.**

El campesino nunca habló de ella.
The peasant never spoke of her.

El campesino nunca habló de sí (mismo).
The peasant never spoke of himself.

Ellas estaban contentas con él.
They were happy with him.

Ellas estaban contentas consigo (mismas).
They were happy with themselves.

2. The adjective **mismo** may be added after any of the reflexive prepositional pronouns in order to intensify a reflexive meaning. In these constructions **mismo** agrees in gender and number with the subject.

Ellas quieren hacerlo para sí mismas.
They want to do it for themselves.

Estamos descontentos con nosotros mismos.
We are unhappy with ourselves.

Práctica

7-20 Preguntas generales. Conteste estas preguntas, usando las formas no reflexivas de los pronombres preposicionales.

1. ¿Para quién(es) son los regalos? (*me / you [fam. sing.] / him / them / us / her / you [pl.]*)
2. ¿Con quién(es) han discutido el problema? (*you [fam. sing.] / me / her / them / you [pl.] / him*)
3. ¿Contra quién(es) están todos? (*them / you [fam. sing.] / me / you [pl.] / him / us / her*)

7-21 Más preguntas generales. Conteste estas preguntas usando las formas reflexivas de los pronombres preposicionales. Su compañero(a) de clase va a hacerle estas preguntas.

Modelo ¿Traen los refrescos para los invitados?
No, traemos los refrescos para nosotros mismos.

1. ¿Compras un coche nuevo para tu hermana?
2. ¿Hace tu amiga las actividades para el profesor?
3. ¿Está tu amigo descontento con su novia?
4. ¿Va tu primo a construir la casa para su familia?

7-22 Una entrevista. Hágale estas preguntas a su compañero(a) de clase.

1. ¿Quieres ir conmigo al cine esta noche?
2. ¿Quieres ir con nuestros amigos a un café después?
3. ¿Prefieres quedarte con nosotros esta noche en vez de volver a casa?
4. ¿Piensas que esas chicas quieren salir contigo y conmigo?
5. ¿Te gustaría desayunar con mi familia el domingo?
6. ¿Quieres jugar al golf conmigo?

For more practice of vocabulary and structures, go to the book companion website at **www.cengagebrain.com**

Antes de empezar la última parte de esta **unidad,** es importante repasar el vocabulario nuevo y la estructura y hacer las actividades que siguen.

Review the subjunctive after adjective clauses.

 7-23 Las preferencias personales. Con un(a) compañero(a) de clase, hablen de sus preferencias en la vida. Estén listos(as) para explicar por qué prefieren ciertas cosas. Sigan el modelo.

> **Modelo** comprar una casa (ser grande, ser pequeña, estar en la playa)
> —*Prefiero comprar una casa que sea grande. ¿Y tú?*
> —*Prefiero comprar una casa que esté en la playa.*

1. casarme con un hombre (una mujer) (ser inteligente / ganar mucho dinero / querer una familia grande / saber divertirse)
2. encontrar un trabajo (pagar bien / ser interesante / ofrecer la oportunidad de progresar / no ser difícil)
3. vivir en una ciudad (tener muchas diversiones / estar en un país extranjero / ofrecer muchas oportunidades)
4. comer en un restaurante (servir platos extranjeros / tener buenos vinos / costar poco)
5. conocer a una persona (saber bailar bien / a quien le gusta los deportes / querer asistir al teatro / ser divertida)

Si hay tiempo, su profesor(a) puede conducir una encuesta para saber cuáles de las respuestas son las más populares y cuáles son las menos populares.

Review subjunctive vs. indicative after indefinite expressions.

7-24 Opiniones personales. Exprese sus opiniones sobre las situaciones siguientes completando cada una de las oraciones de una manera lógica. Después, compare sus respuestas con las de un(a) compañero(a) de clase. ¿Tienen mucho en común?

1. Voy a graduarme de esta universidad por _____.
2. Encontraré un trabajo adondequiera que yo _____.
3. Más tarde iré con mi familia a Europa cuandoquiera que ellos _____.
4. Dondequiera que _____, siempre compro recuerdos (*souvenirs*) para mis amigos.
5. Al volver a casa les mostraré todas mis fotos a quienesquiera que _____.
6. Por más que _____, no encuentro el lugar ideal para vivir.
7. Cualquier problema que he tenido, siempre _____.

Review the uses of prepositions.

7-25 La economía. Complete las siguientes oraciones con las preposiciones correctas.

1. Respecto _____ la pobreza, ¿qué debería hacer el gobierno?
2. _____ los datos, la pobreza mundial aumenta.
3. El economista creó un modelo en base _____ la teoría del bienestar.
4. Me gustaría construir viviendas _____ Nicaragua.
5. Ellos realizan obras de caridad _____ mucho amor.
6. Además _____ bajar los intereses, el banco central invertirá en la energía alternativa.
7. El precio de la gasolina comenzó _____ subir nuevamente.
8. La empresa está _____ borde de la bancarrota (*bankrupty*).

Review the uses of **por** and **para.**

7-26 Los estudios en el extranjero. Ud. piensa pasar un año estudiando y viajando en España. Use **por** o **para** para completar la descripción de sus planes.

Ahora estoy listo(a) 1. _____ mudarme a España. Mañana 2. _____ la tarde salgo 3. _____ Madrid. Prefiero viajar 4. _____ barco, pero tengo que estar en la capital 5. _____ el jueves. 6. _____ eso es necesario ir 7. _____ avión. Voy a España 8. _____ estudiar español y literatura española. Voy a quedarme allí 9. _____ un año. En la universidad voy a estudiar 10. _____ maestro(a) de español. 11. _____ perfeccionar el español, pienso que es importante pasar tiempo en un país donde se habla este idioma.

Hay mucho que hacer antes de salir. Compré dos maletas 12. _____ la ropa, pero todavía están 13. _____ hacer. Mi madre me dijo que las haría 14. _____ mí, si yo no tuviera tiempo 15. _____ hacerlas.

16. _____ una persona que no ha viajado mucho, no tengo miedo. Espero que los españoles no me tomen 17. _____ turista. Quiero ser aceptado(a) 18. _____ la gente como estudiante, nada más.

Review prepositional pronouns.

7-27 La tecnología. Conteste las preguntas usando pronombres preposicionales. Después, compare sus respuestas con las de un(a) compañero(a) de clase.

1. ¿Puede vivir sin la tecnología?
2. ¿Pasa más de dos horas enfrente de la computadora?
3. ¿Le gusta estudiar con sus amigos?
4. ¿Prefiere cantar enfrente de sus parientes o para sí mismo(a)?
5. ¿Cuándo se siente molesto(a) consigo mismo(a)?

Learning to involve your partner in conversations is an important technique for keeping the conversation going. You can do this by utilizing expressions that ask for confirmation of preceding comments or that request an opinion or information.

How to involve others in conversations

Confirmation of preceding comments:

Viven en México, ¿no?	*They live in Mexico, right?*
No le (te) gusta bailar, ¿verdad?	*You don't like to dance, right?*

Requesting an opinion or information:

Y, ¿qué le (te) parece esta idea?	*And how does this idea seem to you?*
Y, ¿qué piensa Ud. (piensas)?	*And what do you think?*
¿Qué opina Ud. (opinas) de este problema?	*What is your opinion of this problem?*
¿Qué sabe Ud. (sabes) de eso?	*What do you know about that?*

Descripción y expansión

Hay ventajas y desventajas de vivir en la ciudad, así como en el campo. Esto depende de la personalidad del individuo y la clase de vida que él (ella) quiera tener. Estudie con cuidado los dos dibujos de esta página y la página siguiente. ¿Dónde prefiere vivir? Haga las actividades a continuación.

7-28 Descripción. Describa con detalles la escena de la ciudad y la escena del campo.

© Cengage Learning

© Cengage Learning

7-29 Opiniones. Conteste las siguientes preguntas.

    a. ¿Le gustaría vivir en la ciudad dibujada en la página 182? Explique.

    b. ¿Le gustaría vivir en la parte del campo dibujada en esta página? ¿Por qué?

    c. ¿En qué ciudades o regiones rurales ha vivido? Cuéntele a la clase algo sobre uno de estos lugares. ¿Fue una experiencia buena o mala? ¿Por qué?

Ahora, su profesor(a) va a conducir una encuesta de la clase para saber cuántos estudiantes prefieren vivir en la ciudad y cuántos en el campo. Cada estudiante tiene que dar una razón para su preferencia. ¿Dónde prefiere vivir la mayoría de los estudiantes?

Determining the purpose of the conversation

The purpose is the reason the speakers are engaged in a conversation. It tells you what the speakers are trying to do. To determine the purpose, first figure out where the dialogue takes place and between whom. Pay careful attention to the first lines where the topic of conversation is usually revealed. Also listen for functional expressions. For example:

a. to explain: **por eso, es decir, por ejemplo**
b. to express an opinion: **creo que, me parece que**
c. to suggest: **¿qué te parece si...?, ¿por qué no...?**
d. to apologize: **lo siento mucho, perdón, disculpa**

Track 21 **Economía global**

Escuche la situación y complete las actividades.

José, un estudiante que se especializa en español, entrevista a su profesor de economía, que es uruguayo, con el fin de completar el trabajo que está haciendo para la clase que este curso tiene sobre la civilización hispánica contemporánea.

7-30 Información. Complete las siguientes oraciones con una de las opciones que se ofrecen.

1. Un estudiante entrevista al profesor...
   a. cerca de la civilización hispánica.
   b. español.
   c. haciendo un trabajo.

2. España invierte...
   a. solo en América Latina.
   b. en los Estados Unidos.
   c. en las Américas.

3. El profesor habla...
   a. en la lengua de Cervantes.
   b. en inglés.
   c. de la expansión económica.

4. La gente de Washington viajará...
   a. en compañías españolas.
   b. en trenes españoles.
   c. en los Estados Unidos.

5. El chico que entrevista es estudiante de...
   a. profesor.
   b. español.
   c. expansión económica.

7-31 Conversación/Debate. Dos grupos de estudiantes debaten el pro y la contra de la inversión extranjera en la economía global. Uno defiende la posición de un país poco desarrollado, cuyos recursos naturales van desapareciendo y cuya industria no se desarrolla, aunque la población sigue aumentando. Otro representa un país del hemisferio norte, cuya expansión económica depende de los países subdesarrollados.

7-32 Situaciones. Con un(a) compañero(a) de clase, prepare algunos diálogos que correspondan a las siguientes situaciones. Estén listos para presentarlos enfrente de la clase.

Buscando empleo. Ud. tiene una entrevista con el (la) director(a) de personal de una compañía. Ud. le dice a él (a ella) la clase de trabajo que Ud. quiere. El (La) director(a) le describe a Ud. los trabajos que están disponibles en la compañía. Luego le pide a Ud. que complete un formulario y que lo deje con el (la) secretario(a). Le informa que él (ella) lo (la) llamará a Ud. el viernes.

Unas elecciones políticas. Un(a) candidato(a) conservador(a) y un(a) liberal debaten sobre lo que su partido político puede hacer para ayudar a los pobres.

Buscando un nuevo apartamento. Ud. acaba de mudarse a una ciudad cerca de las montañas y está buscando un apartamento. Ud. llama a un(a) corredor(a) de bienes raíces (realtor). El (La) corredor(a) de bienes raíces le hace una serie de preguntas para saber la clase de apartamento que le gustaría a Ud.

El (La) corredor(a) debe pedir información sobre las cosas siguientes:

a. número de cuartos que quiere que incluya: las habitaciones, baños, etcétera
b. la ubicación del apartamento: ¿En qué parte de la ciudad? ¿En qué piso?, etcétera
c. la necesidad de tener un garaje
d. el dinero que Ud. quiere pagar para alquilar un apartamento
e. otras cosas de importancia

Track 22 **7-33 Ejercicio de comprensión.** Ud. va a escuchar un comentario sobre la pobreza de los países hispanoamericanos. Después del comentario, va a escuchar varias oraciones. Indique si la oración es **verdadera (V)** o **falsa (F)**, trazando un círculo alrededor de la letra que corresponde a la respuesta correcta.

1. V   F
2. V   F
3. V   F
4. V   F
5. V   F

Además del tema general de este comentario que es «la pobreza», escriba dos o tres cosas más que ha aprendido al escucharlo.

7-34 Discusión: Los problemas contemporáneos. Hay tres pasos en esta actividad. **Primer paso:** En grupos de tres personas, contesten las siguientes preguntas y expliquen sus respuestas. **Segundo paso:** Los miembros de cada grupo tienen que preparar una explicación para sus respuestas. **Tercer paso:** Los grupos tienen que participar en una encuesta conducida por el (la) profesor(a).

1. ¿Cuál de los siguientes es el problema más grave con que vamos a enfrentarnos en el futuro?
   a. el exceso de población
   b. la contaminación del agua y del aire
   c. la pobreza

2. Si Ud. fuera presidente, ¿a cuál de los siguientes problemas le daría prioridad?
   a. a la defensa del país
   b. a los programas contra la pobreza
   c. a la ayuda económica para las ciudades

3. ¿En cuál de los siguientes programas debe gastar más dinero el gobierno?
   a. en la cura contra el cáncer
   b. en la eliminación de los barrios pobres
   c. en empleos para los desocupados

4. ¿Quién es más responsable por el bienestar económico?
   a. el gobierno   b. la industria   c. el individuo

5. Si fuera necesario que el gobierno federal gastara menos, ¿qué gastos podría eliminar?
   a. el apoyo económico para los países extranjeros
   b. los fondos para la educación
   c. los gastos para la defensa nacional

6. ¿Cuál es la causa principal del crimen?
   a. la falta de oportunidades económicas
   b. la disolución de la familia
   c. los prejuicios raciales

7-35 Temas de conversación o de composición

Trabajando en grupos de cuatro personas de la clase, preparen un diálogo sobre el tema del crimen y de la violencia. Uno de Uds. es candidato(a) a la presidencia; los otros dos son periodistas que van a hacerle preguntas sobre los siguientes temas.

1. el papel de la pobreza como causa del crimen y de la violencia
2. otros factores que pueden conducir al crimen y a la violencia
3. lo que puede hacer el gobierno para reducir el número de crímenes
4. lo que deben hacer la industria y el individuo para reducir el número de crímenes

Prepárense para hacer o presentar este diálogo enfrente de la clase.

Panamá es la economía que crece más rápido en la región; sin embargo, las poblaciones indígenas continúan siendo muy pobres. Por eso en los últimos años algunas comunidades desarrollan el etnoturismo con la esperanza de salir de la pobreza. ¿Qué imagen tiene Ud. de los indígenas de Panamá? ¿Qué cree Ud. que es el etnoturismo? ¿Podrá ayudar a las comunidades indígenas?

Lectura

El etnoturismo en Panamá

¿Le gusta viajar para conocer otras culturas? ¿Le gustaría hospedarse en una aldea indígena? ¿aprender sobre tradiciones ancestrales? ¿comprar artesanía directamente del artesano? ¡Lo invitamos a hacer etnoturismo en Panamá!

Panamá cuenta con siete etnias indígenas: Kunas, Emberá Wounaan, Bokotá, Teribe, Bri Bri y Ngöbe Buglé. Estos pueblos indígenas representan el 10% de la población nacional. Muchos viven en comarcas —territorios autónomos donde mantienen su propia forma de autogobierno— y se dedican a la pesca, la caza[1] o la agricultura.

Mujer kuna confecciona[6] una colorida mola.

Kuna Yala

La comarca de Kuna Yala, en el archipiélago de San Blas, es la pionera del etnoturismo. Desde hace décadas recibe a miles de turistas, generando de esta actividad unos 80 mil dólares al año. Según el reglamento[2] de la comarca, cada visitante debe pagar dos dólares al desembarcar y también debe comportarse[3] según el reglamento: no puede andar en traje de baño por las áreas habitadas y no puede sacar fotos sin el permiso de los habitantes.

Las mujeres emberás continúan la tradición de pintarse el cuerpo.

Emberá-Wounaan

Cerca de la frontera con Colombia está la comarca de Emberá-Wounaan. Los visitantes llegan a esta área remota en piragua[4] e inmediatamente los reciben con música y danza tradicionales. Después de un refrescante baño en un río, degustan de un almuerzo típico: plátano y tilapia envueltos[5] en hojas de banano. Después de interactuar con los indígenas, el visitante aprecia su lucha

---

[1] hunting; [2] rules; [3] behave; [4] canoe; [5] wrapped; [6] makes

por conservar la cultura, el bosque y el mar.

La isla San Cristóbal forma parte de la comarca Ngöbe Buglé, la más grande de Panamá.

San Cristóbal

En la isla de San Cristóbal, al norte del país cerca de Costa Rica, un grupo de mujeres ngöbes también desarrollan el etnoturismo. Aquí, los visitantes ven cómo se trabaja la hoja de una planta llamada pita para obtener fibra. Luego observan cómo se confeccionan chácaras, bolsas tejidas de pita. Esta artesanía forma parte del ritual de la primera menstruación, en la cual la niña se retira a un lugar lejos del pueblo y confecciona la chácara.

7-36 Preguntas. Conteste las siguientes preguntas.

1. ¿Qué es el etnoturismo?
2. ¿Por qué algunas comarcas de Panamá están desarrollando este tipo de turismo?
3. ¿Qué comarca fue la primera área indígena en desarrollarse turísticamente? ¿Qué artesanía vende? ¿Cómo protege su modo de vivir ante los turistas?
4. ¿Dónde está Emberá-Wounaan? ¿Cuáles son algunas de sus tradiciones?
5. ¿Cuál es la atracción etnoturística de la isla San Cristóbal? ¿Qué etnia habita la isla?

 7-37 Discusión. Responda a las preguntas, trabajando con dos o tres compañeros.

1. ¿Le gustaría a Ud. hacer etnoturismo? ¿Por qué sí o por qué no?
2. ¿Es posible hacer etnoturismo en los Estados Unidos? (¿Dónde?)
3. En su opinión, ¿es el etnoturismo una solución al problema de la pobreza? Explique.

7-38 Proyecto. Una de las actividades económicas de Panamá es el turismo, del cual hay muchos tipos distintos. Por ejemplo:

(1) el ecoturismo
(2) el turismo científico
(3) el turismo médico
(4) el turismo de compras
(5) el turismo de aventura
(6) el turismo de negocios

Con un(a) compañero(a) de clase, escojan uno de los turismos de la lista e investiguen sobre él en Internet, en la biblioteca o en una agencia de viajes. Usen la información para escribir un folleto turístico. Si es posible, incluyan fotos y mapas.

Los movimientos revolucionarios del siglo xx

UNIDAD 8

© Ian Wood / Alamy

Estas personas del Perú hacen una manifestación. ¿Quiénes participan? ¿Hay manifestaciones como esta en tu estado?

En contexto
En la mansión de los Hernández Arias

Estructura
- The subjunctive in adverbial clauses (1)
- Demonstrative adjectives and pronouns
- The reciprocal construction
- The reflexive for unplanned occurrences

Repaso
🌐 www.cengagebrain.com

A conversar
Interrupting a conversation

A escuchar
Active listening

Intercambios
El control de la natalidad

Investigación y presentación
Las arpilleras de Chile

189

Vocabulario activo

Verbos

exigir *to demand*
juntarse a *to join*
rodear *to surround*
secuestrar *to kidnap*
suprimir *to suppress*
vencer *to win*

Sustantivos

el alivio *relief*
el amanecer *dawn*
la amenaza *threat*
el apoyo *support*
el casimir *cashmere*
el colmo *limit*
la culpa *guilt, blame*
el (la) espía *spy*
la fábrica *factory*

el (la) guerrillero(a) *guerrilla fighter*
el (la) holgazán(ana) *loafer, idler*
la ola *wave*
la pesadilla *nightmare*
la primaria *elementary school*
el rescate *ransom*
el secuestro *kidnapping*
el sudor *sweat*

Adjetivos

avergonzado(a) *ashamed*
décimo(a) *tenth*
poderoso(a) *powerful*

Otras expresiones

en cuanto *as soon as*
hacer daño *to harm, to hurt*

8-1 Para practicar. Complete el párrafo siguiente con palabras escogidas de la sección **Vocabulario activo**. No es necesario usar todas las palabras.

Anoche tuve una **1.** _____ en un sueño que un grupo de **2.** _____ me
3. _____. Los guerrilleros **4.** _____ un **5.** _____ de un millón de dólares.
Ellos dijeron que si no recibían el dinero pronto ellos me **6.** _____. Al
7. _____, me desperté cubierto de **8.** _____. ¡Qué **9.** _____! La
10. _____ fue nada más que un sueño. Era tarde. **11.** _____ desayuné, salí
para la **12.** _____ donde estaba trabajando. Todo el día traté de **13.** _____ la
memoria de lo que pasó anoche.

Track 23 🔊 **8-2 En la mansión de los Hernández Arias.** Antes de leer el diálogo, escúchelo con el libro cerrado. ¿Cuánto comprendió?

(Gonzalo, el padre, ve entrar a su hijo Emilio.)

GONZALO   Hola, hijo. ¿Viste el periódico? Secuestraron al Sr. González[1] y exigen un rescate de dos millones de pesos por su vida.

EMILIO   ¡Uy! ¿Quién pagaría eso? El viejo no vale ni la décima parte.

GONZALO   ¡Emilio! No bromees[1] —esto de los secuestros es muy serio. Mañana voy a contratar[2] un pistolero[3] para que me proteja.

EMILIO   ¿Y cómo vas a asegurarte[4] de que no sea espía? Mientras estén por todas partes esos guerrilleros…

GONZALO   ¡Esto es el colmo![5] La policía tiene que hacer algo antes de que caiga el gobierno. Estas amenazas al orden legal[2] tienen que ser suprimidas. Mañana en cuanto llegue a la oficina hablaré con el presidente.

EMILIO	Cálmate, viejo, cálmate. No hay nada que puedas hacer. El orden legal solo le sirve a los poderosos.
GONZALO	Pero… ¿y yo? Comencé así, sin nada. Lo que tengo lo gané por mi propio sudor.
EMILIO	Y el sudor de los obreros de tus fábricas. Además, tenías una ventaja grande: una falta de escrúpulos que te permitía sobrevivir.
GONZALO	No permito que me hables así. ¡Es una falta de respeto que no aguanto! Y tú, veo que no desprecias[6] los automóviles de último modelo, aquellas vacaciones en Europa el año pasado, los trajes de casimir. Cuando yo me muera, lo tendrás todo.
EMILIO	Sí, tienes razón, papá, pero todo aquello ya pasó. Así me enseñaste, no conocía otra vida. En cuanto me di cuenta, me sentí terriblemente avergonzado.
GONZALO	¡Pero qué ideas! ¡Yo no te enseñé a ser holgazán! Bueno, ya que te has arrepentido[7], debes aprender algo que te sirva en el futuro.
EMILIO	Ya lo he hecho, papá. Voy a buscar una vida que me dé alguna esperanza. En cuanto me despida de ti me voy a juntar a las fuerzas de liberación[3] en las montañas.
GONZALO	¿Cómo? Pero, ¿es posible? ¿Dejas todo esto para vivir con ese grupo de bandidos? ¿Estás loco? ¿Quieres matar a tu mamá?
EMILIO	Bandidos, no, papá. ¡La ola del futuro! Estamos en el amanecer de un nuevo orden. Después que venzamos, habrá justicia, igualdad, solidaridad humana. No habrá resistencia que valga para impedir este movimiento. ¡Venceremos!
GONZALO	Pero, hijo. ¿Cómo te atreves? ¡Es una locura! Te arrepentirás.
EMILIO	Me voy, papá, me están esperando con el viejo González. Adiós.
GONZALO	¿González? ¡Por Dios! ¡No puede ser! Espera, Emilio. No te vayas. ¡Emilio! ¡No le hagan daño a González! ¡Emilio!
EMPLEADO	Señor, ¡despiértese, despiértese! Habrá sido una pesadilla. ¿Qué pasó? Llamaba a Emilio. Él no ha llegado todavía de la primaria; el chófer fue a recogerlo.
GONZALO	¡Puf! ¡Qué alivio! Soñaba que habían secuestrado al Sr. González.
EMPLEADO	Pero, señor, aquello pasó anoche. Hoy lo encontraron muerto, el pobre.
EMILIO	¡Hola, papá! ¿Oíste lo del Sr. González?

---

[1] No bromees *don't joke*   [2] a contratar *to hire*   [3] un pistolero *gunman*   [4] asegurarte *to assure yourself*
[5] ¡Esto es el colmo! *This is the limit!*   [6] que no desprecias *you do not scorn*   [7] ya que te has arrepentido *you have repented*

Notas culturales

[1] **Secuestraron al Sr. González:** *El secuestro político es uno de los métodos que usan los guerrilleros hoy día. Por lo general la víctima es alguien de suficiente importancia para que el secuestro cause gran escándalo. El rescate muchas veces consiste en dinero, comida o facilidades médicas para los pobres. Así los guerrilleros ganan cierto apoyo popular. Debido a esta amenaza, muchas personas importantes emplean guardias personales.*

[2] **Estas amenazas al orden legal:** *Muchas veces la falta de orden civil causada por los guerrilleros provoca la caída de los gobiernos débiles o inestables.*

[3] **me voy a juntar a las fuerzas de liberación:** *A veces los hijos de las familias más ricas son los más rebeldes. Es posible que resulte de un sentimiento de enajenación* (alienation) *producido por su vida, o de un sentimiento de culpa por lo que tienen, frente a la gran pobreza que los rodea.*

8-3 Actividad cultural. Hoy día parece que haya guerras y revoluciones en varias partes del mundo. Conteste estas preguntas.

1. ¿Cuáles son las diferencias y cuáles son las semejanzas entre los guerrilleros, los terroristas y los insurgentes?
2. ¿Es difícil o fácil luchar contra esos tres grupos de rebeldes?
3. ¿Cuáles son algunas de las cosas horribles que esos grupos hacen para atraer la atención de la gente y los políticos?
4. ¿Tienen mucho o poco éxito usando estas estrategias?
5. ¿Cómo se puede combatir las actividades de esos tres grupos?

8-4 Comprensión. Conteste las siguientes preguntas.

1. ¿Qué le ha pasado al Sr. González?
2. ¿Qué rescate exigen?
3. ¿Para qué quiere un pistolero el Sr. Hernández?
4. ¿Con quién va a hablar mañana?
5. Según Emilio, ¿a quién le sirve el orden legal?
6. ¿Cómo consiguió el Sr. Hernández su dinero?
7. ¿Qué tipo de vida ha llevado Emilio?
8. ¿Por qué se siente avergonzado Emilio?
9. ¿Qué va a hacer ahora?
10. ¿Quién despierta al Sr. Hernández?
11. ¿Era cierto lo que había soñado él, acerca de Emilio?
12. ¿Es Emilio joven o viejo?
13. ¿Cuál fue el resultado verdadero del secuestro?

8-5 Opiniones. Conteste las siguientes preguntas.

1. ¿Cree que los secuestros ayudan o hacen daño a la causa de los rebeldes? Explique.
2. En su opinión, ¿cuáles son las injusticias sociales que existen y que provocan revoluciones?
3. ¿Cree que es posible resolver los problemas políticos y sociales sin revoluciones violentas? Explique.
4. Según Ud., ¿cómo se pueden resolver los problemas mundiales?
5. ¿Tiene una actitud optimista o pesimista en cuanto al futuro del mundo? ¿Por qué?

The subjunctive in adverbial clauses (1)

A. Adverbial clauses

An adverbial clause is a dependent clause that modifies the verb of the main clause, and, as an adverb, expresses time, manner, place, purpose, or concession. An adverbial clause is introduced by an adverb, a preposition, or a conjunction.

Adverbial clause denoting time:

El padre hablará con su hijo tan pronto como llegue de la primaria.
The father will speak with his son as soon as he arrives from school.

Adverbial clause denoting manner:

Salió sin que nosotros lo viéramos.
He left without our seeing him.

Adverbial clause denoting place:

Nos encontraremos donde quieras.
We will meet wherever you wish.

Adverbial clause denoting purpose:

Fueron a la oficina para que ella pudiera hablar con el jefe.
They went to the office so that she could speak with the boss.

Adverbial clause denoting concession:

Debes ir a la clínica aunque no quieras.
You should go to the clinic even though you don't want to.

In this unit, only adverbial clauses introduced by adverbs of time will be discussed.

B. Subjunctive and indicative in adverbial time clauses

Heinle Grammar Tutorial:
The subjunctive in adverbial clauses

Antes (de) que is always followed by the subjunctive because its meaning *(before)* assures that the action in the adverbial clause is in the future.

1. The subjunctive is used in adverbial time clauses when the time referred to in the main clause is future or when there is uncertainty or doubt. The following adverbs usually introduce such adverbial clauses:

antes (de) que *before*	hasta que *until*
cuando *when*	mientras (que) *while*
después (de) que *after*	para cuando *by the time*
en cuanto *as soon as*	tan pronto como *as soon as*

Examples:

Van a discutirlo antes de que él salga.
They are going to discuss it before he leaves.

Cuando me muera, lo tendrás todo.
When I die you will have everything.

Después que venzamos, habrá justicia.
After we win there will be justice.

Lo haremos en cuanto llegue ella.
We'll do it as soon as she arrives.

Los secuestros van a continuar hasta que la policía haga algo.
The kidnappings are going to continue until the police do something.

Hablaré con los periodistas mientras estén en la oficina.
I will speak with the journalists while they are in the office.

Ya habrá regresado para cuando su hija se despierte.
He will have already returned by the time his daughter wakes up.

Dijo que me llamaría cuando él llegara.
He said he would call me when he arrived.

Me avisó que lo haría en cuanto pudiera.
He advised me that he'd do it as soon as he could.

2. If the adverbial time clause refers to a fact, a definite event, or to something that has already occurred, is presently occurring, or usually occurs, then the indicative is used. The present indicative or one of the past indicative tenses usually appears in the main clause.

Llegaron después que la policía rodeó la casa.
They arrived after the police surrounded the house.

Lee una revista mientras se desayuna.
He/She is reading a magazine while he/she eats breakfast.

Siempre compraba un periódico cuando pasaba por el quiosco.
He/She always used to buy a newspaper when he/she passed by the newsstand.

Práctica

 8-6 Un repaso del diálogo. Repase varias partes del diálogo de esta unidad, y complete estas oraciones con la forma correcta de las palabras entre paréntesis. Luego, compare sus respuestas con las de un(a) compañero(a) de clase.

1. Emilio ya estará en casa cuando su papá (despertarse) _____.
2. Emilio ya estaba en casa cuando su papá (despertarse) _____.
3. Van a leer el artículo después (de) que (comprar) _____ el periódico.
4. Leyeron el artículo después (de) que (comprar) _____ el periódico.
5. Él mencionará el secuestro mientras (hablar) _____ con su tío.
6. Él mencionó el secuestro mientras (hablar) _____ con su tío.
7. Su papá dormirá hasta que el empleado (entrar) _____ a la sala.
8. Su papá durmió hasta que el empleado (entrar) _____ a la sala.
9. Ellos hablarán con el jefe tan pronto como él (llegar) _____ a la oficina.
10. Ellos hablaron con el jefe tan pronto como él (llegar) _____ a la oficina.
11. Los obreros van a formar un comité en cuanto ellos (encontrar) _____ un líder.
12. Los obreros formaron un comité en cuanto ellos (encontrar) _____ un líder.

8-7 Cierto o incierto. Cambie las palabras escritas en letra cursiva por las palabras entre paréntesis. Luego, escriba las oraciones otra vez, haciendo los cambios necesarios. Después compárelas con las de un(a) compañero(a) de clase y justifique los cambios.

1. Emilio no *dice* nada cuando su padre entra. (dirá)
2. En cuanto habla su padre, él no *escucha* más. (escuchará)
3. El empleado *se queda* en el cuarto hasta que él se duerme. (se quedará)

4. Ellos *hablan* con su profesor después de que entra a la clase. (hablarán)
5. Ella *trabaja* en la fábrica mientras sus hijos están en la escuela. (trabajará)
6. El periodista *buscó* a los guerrilleros hasta que los encontró. (buscará)
7. Tan pronto como llegó su hijo, *discutieron* los secuestros. (discutirán)
8. Ella *había salido* cuando nosotras llegamos. (habrá salido)

8-8 Una carta de México. Carmen y Ramón acaban de llegar de Oaxaca a la Ciudad de México. Escriba en español esta carta escrita por Carmen a su amiga Rosa. Luego, compare su carta con la de un(a) compañero(a) de clase. ¿Están de acuerdo?

Dear Rosa,

We will stay in Mexico City until the revolution has ended in Chiapas. I will tell you about the threats we received before we left Oaxaca. Ramón plans to write an article about our experiences as soon as there is time. We will send you a copy after he has written it.

Yesterday the government representatives said that they were going to discuss the problem as soon as we arrived at the embassy (embajada). *I don't know why, but they always become angry when we discuss politics with them. We believe that they want to suppress the information about the political conditions in Latin America before a newspaper can publish it.*

I will call you as soon as we have talked with the embassy officials.
With a hug,

Carmen

8-9 Opiniones personales. Con un(a) compañero(a) de clase, expresen sus opiniones acerca de los temas siguientes. Luego, compare sus opiniones con las de un(a) compañero(a) de clase para ver las semejanzas y diferencias entre sus opiniones.

1. No voy a unirme (*join*) a un partido político hasta que _____.
2. Votaré por el presidente cuando _____.
3. Tendremos paz en el mundo tan pronto como _____.
4. Nuestro gobierno apoyará los movimientos revolucionarios cuando _____.
5. La democracia sobrevivirá después de que _____.
6. Habrá pobreza en el mundo hasta que _____.
7. Habrá menos revoluciones cuando _____.
8. Los cambios políticos continuarán hasta que _____.

8-10 Las elecciones nacionales. Es la temporada de las elecciones nacionales. Exprese sus opiniones sobre estas elecciones, usando las expresiones siguientes. ¿Quiénes van a ganar, los republicanos o los demócratas? Su compañero(a) de clase puede hacer el papel de representante de un partido político y Ud. puede hacer el papel de representante del otro.

Modelo hasta que
Los republicanos no van a ganar las elecciones hasta que ellos bajen los impuestos.

cuando
después de que
antes de que
tan pronto como

Ahora, compartan sus ideas con la clase.

Demonstrative adjectives and pronouns

Heinle Grammar Tutorial:
Demonstrative adjectives
and pronouns

A. Demonstrative adjectives

1. The demonstrative adjectives in Spanish are **este** *(this)*, **ese** *(that)*, and **aquel** *(that)*. **Este** refers to something near the speaker; **ese** refers to something near the person being addressed; and **aquel** refers to something that is distant or remote from both the speaker and the person addressed.

   Voy a comprar este traje de casimir.
   I am going to buy this cashmere suit.

   Tomemos ese taxi.
   Let's take that taxi.

   Prefiero aquel hotel.
   I prefer that hotel over there.

2. Demonstrative adjectives agree in gender and number with the nouns they modify. These are the forms:

este	**esta**	*this*	**estos**	**estas**	*these*
ese	**esa**	*that (nearby)*	**esos**	**esas**	*those (nearby)*
aquel	**aquella**	*that (over there)*	**aquellos**	**aquellas**	*those (over there)*

3. Although demonstrative adjectives usually precede the noun, they may also follow, in which case a definite article precedes the noun.

   El chico este es muy travieso.
   This boy is very mischievous.

B. Demonstrative pronouns

1. The demonstrative pronouns are identical in form to the demonstrative adjectives. They used to have a written accent —**éste** (**-a, -os, -as**); **ése** (**-a, -os, -as**); **aquél** (**-lla, -llos, -llas**)— but in modern publications are no longer written with one. They agree in gender and number with the noun they replace.

   Este periódico es mejor que ese.
   This newspaper is better than that one (near you).

   Estos hombres son más simpáticos que aquellos.
   These men are nicer than those (over there).

   Note that demonstrative adjectives and pronouns are frequently used in the same sentence, and that the singular forms of the pronouns usually mean *this one* or *that one*.

2. The **este** and **aquel** forms are also used to express *the latter* (**este**) and *the former* (**aquel**).

   Raúl y Tomás son ciudadanos de México; este es de Guadalajara y aquel es de Puebla.
   Raúl and Tomás are citizens of Mexico; the latter is from Guadalajara and the former is from Puebla.

   Miguel y Carmen son mis mejores amigos; esta es de Buenos Aires y aquel es de La Paz.
   Miguel and Carmen are my best friends; the latter is from Buenos Aires and the former is from La Paz.

C. Neuter demonstratives

The neuter demonstrative pronouns **esto, eso,** and **aquello** are used to refer to abstract ideas, situations, or unidentified objects.

No creo eso.
I don't believe that (what you just said).

¿Oíste aquello? ¿Qué será?
Did you hear that? I wonder what it is.

¿Qué es esto?
What is this?

Práctica

 8-11 Observaciones. Complete esta serie de observaciones con un pronombre o adjetivo demostrativo. Luego, compare sus observaciones con las de un(a) compañero(a) de clase para ver las semejanzas y/o diferencias.

1. *(These)* _____ amenazas tienen que ser suprimidas.
2. *(This)* _____ hombre es más holgazán que *(that one)* _____.
3. *(These)* _____ fábricas son más grandes que *(those over there)* _____.
4. En *(those)* _____ tiempos los obreros no vivían de *(this)* _____ manera.
5. No queremos ver *(this)* _____ película, sino *(that one)* _____.
6. Me gusta *(this)* _____ vida más que la vida de la ciudad.
7. A mí no me gustan *(these)* _____ vestidos; prefiero *(those over there)* _____.
8. ¿Qué es *(that)* _____ que tienes en la mano?

8-12 El secuestro. Con un(a) compañero(a) de clase, escriban este diálogo en español. Después, preséntenlo enfrente de la clase.

VICENTE   They kidnapped don Gonzalo near that factory last night.

TOMÁS   This is a photo of the guerrilla fighters who are asking for a ransom.

VICENTE   These two men, Roberto and Juan García, are brothers; the latter is a lawyer, the former is a teacher.

TOMÁS   That man next to the car is don Gonzalo's son.

RAMÓN   Which man, this one or the one (over there) on the other side of the car?

VICENTE   That one. Can you believe this?

RAMÓN   This is ridiculous. That man can't be his son. Emilio doesn't live in this city now.

TOMÁS   You're right. I hope this nightmare ends soon.

8-13 En la librería. Ud. y un(a) amigo(a) están en una librería buscando libros para un amigo que va a tener su cumpleaños el domingo. Uds. están indicando los libros que en su opinión son sus predilectos. Escojan por lo menos seis clases de libros.

Modelo   Ud.: *Yo creo que a él le gustaría ese libro de cuentos cortos.*
Su amigo: *No, yo creo que él preferiría este libro escrito por Hemingway,*
o aquel escrito por Faulkner.

The reciprocal construction

1. The reflexive pronouns **nos** and **se** are used to express a reciprocal or mutual action. When used in this manner, they convey the meaning of *each other* or *one another*.

   Nos escribimos todos los días.
   We write one another every day.

   No se entienden.
   They do not understand each other.

2. Occasionally it is necessary to clarify that this construction has a reciprocal rather than a reflexive meaning. This is done by using an appropriate form of **uno... otro (uno a otro, la una a la otra, los unos a los otros,** etc.).

   Nosotros nos engañamos.
   We deceived ourselves.

   Nosotros nos engañamos el uno al otro.
   We deceived each other.

   Ellos se mataron.
   They killed themselves.

   Ellos se mataron los unos a los otros.
   They killed one another.

3. When *each other* (or *one another*) is the object of a preposition, the reflexive pronoun is not used unless the verb is reflexive to begin with. Instead, the **uno... otro** formula is used with the appropriate preposition.

   Suelen hablar bien el uno del otro.
   They generally speak well of each other.

   Los vi pelear los unos contra los otros.
   I saw them fighting (against) each other.

   BUT

   Se quejaron los unos de los otros.
   They complained about each other.

Práctica

8-14 Buenos amigos. Ud. tiene unos amigos muy buenos. Describa su relación, siguiendo el modelo.

Modelo ayudar / con nuestros estudios
Nos ayudamos con nuestros estudios.

1. ver / después de clase todos los días
2. encontrar / todas las tardes en la cafetería para tomar refrescos
3. prestar / dinero
4. escribir / durante el verano
5. hablar por teléfono / con frecuencia
6. dar / regalos

8-15 Pidiendo información. Hágale estas preguntas a un(a) compañero(a) de clase. Él (Ella) va a contestar con una oración completa.

1. ¿Se ayudan siempre sus amigos?
2. ¿Se conocieron Uds. hace mucho tiempo?
3. ¿Se escriben Uds. con frecuencia?
4. ¿Nos encontraremos en el café esta tarde?
5. ¿Nos vemos el sábado en el centro?

8-16 Una reunión política. Ud. ha asistido a una reunión política en el Zócalo en la Ciudad de México con un amigo(a) mexicano(a), quien es político(a). Ud. está explicándole lo que pasó durante la reunión a otro(a) amigo(a) que no pudo asistir. Su amigo(a) de México no está de acuerdo con su narración de lo que pasó. Actúe (*Act out*) esta situación con un(a) compañero(a) de clase que va a hacer el papel de su amigo(a) mexicano(a). Use las palabras de la lista en su conversación.

Modelo gritar
Ud.: *Tom, los políticos se gritaron todo el tiempo.*
Su amigo(a) mexicano(a): *¡Mentira! Nosotros no nos gritamos.*

mirar con desdén   insultar
tirar piedras   pegar
pelear

8-17 Relaciones personales. Usando pronombres recíprocos describa su relación con las personas indicadas. Su compañero(a) de clase va a hacer la misma cosa.

Modelo las primas de mi familia
Las primas de mi familia se admiran.

sus padres   su novio o novia y tú
sus amigos   otros parientes
sus hermanos o hermanas

The reflexive for unplanned occurrences

An additional use of the pronoun **se** is to relate an accidental or unplanned occurrence. In these reflexive constructions an indirect object pronoun is added to refer to the person involved in the occurrence, and the verb agrees in number with the noun that follows it. This construction also removes the element of blame from the person performing the action. Verbs that are frequently used in this construction are **perder, romper, olvidar, acabar, quedar, caer, ocurrir.**

Se me olvidó el dinero.
I forgot the money. (The money got forgotten by me.)

Se nos perdieron los periódicos.
We lost the newspapers. (The newspapers got lost on us.)

A Pedro se le rompió el machete.
Pedro broke the machete. (The machete got broken on Pedro.)

Al chofer se le perdieron las llaves.
The driver lost the keys. (The keys got lost on the driver.)

Práctica

8-18 Ellos no tienen la culpa. Cambie las oraciones para indicar sucesos no planeados. Siga el modelo.

> **Modelo** Alicia olvidó los libros.
> *A Alicia se le olvidaron los libros.*

1. Los chicos rompieron los platos.
2. Perdimos el dinero.
3. Olvidaste el periódico.
4. Tengo una idea. *(Use **ocurrir** in the answer.)*
5. El chico rompió el celular.
6. Olvidamos los boletos.

8-19 Sucesos inesperados. Relátele a un(a) compañero(a) de clase algunas de las cosas inesperadas que les han pasado a Ud. y a los miembros de su familia. Su compañero(a) de clase va a hacer la misma cosa.

> **Modelo** yo / perder
> *A mí se me perdió el dinero.*

1. mi padre / olvidar
2. yo / quebrar
3. mi hermanita / perder
4. mi hermano / caer
5. mi madre / romper
6. mi abuelo / ocurrir

Ahora, relate algunas cosas inesperadas que le pasaron, o invente cosas que no le pasaron a Ud. hoy.

8-20 Para pedir información. Con un(a) compañero(a) de clase, háganse estas preguntas.

> **Modelo** ¿Se te perdió la tarea antes de llegar a clase hoy?
> *Sí, se me perdió la tarea en el autobús.*

1. ¿Se te paró el coche antes de llegar a la universidad?
2. ¿Se te olvidaron los libros hoy?
3. ¿Se te perdió la tarea para hoy?
4. ¿Se te olvidó el mapa para tu presentación?
5. ¿Se te olvidaron los apuntes que te presté?
6. ¿Se te olvidaron nuestras composiciones?

Repaso

For more practice of vocabulary and structures, go to the book companion website at **www.cengagebrain.com**

Antes de empezar la última parte de esta **unidad,** es importante repasar el vocabulario nuevo y la estructura y hacer las actividades que siguen.

Review the subjunctive in adverbial clauses (1).

8-21 Para pedir información. Con un(a) compañero(a) de clase, hagan y contesten estas preguntas.

1. ¿Me comprarás una taza de café cuando tengas tiempo?
2. ¿Me ayudarás hasta que yo comprenda la lección?
3. ¿Me darás todo tu dinero tan pronto como llegues a clase mañana?
4. ¿Contestarás todas las preguntas antes de que salgas hoy?
5. ¿Me escribirás una carta cuando estés de vacaciones?
6. ¿Siempre me hablarás en español dondequiera que tú me veas?

Ahora, hágale a su compañero(a) de clase dos de sus propias preguntas.

Review the demonstrative adjectives and pronouns.

8-22 ¿Cuál de estas cosas le gusta más? Complete las oraciones con pronombres o adjetivos demostrativos. Luego, compare sus respuestas con las de un compañero(a) de clase. ¿Están de acuerdo?

1. *(This)* _____ clase es más interesante que *(that one)* _____ .
2. *(These)* _____ estudiantes estudian más que *(those)* _____ .
3. No puede creer *(that)* _____ .
4. ¿Qué es *(this)* _____ ?
5. *(These)* _____ ruinas son magníficas. *(Those)* _____ son menos impresionantes.
6. *(That)* _____ profesor siempre hace *(these)* _____ mismas preguntas.

Review the subjunctive in adverbial clauses (1) and the reciprocal construction.

8-23 ¿Cuándo tiene que hacer estas cosas? Diga cuándo es necesario hacer las siguientes cosas con sus amigos o parientes. Su compañero(a) va a compartir sus ideas con respecto a estas cosas también.

Modelo ayudar
Será necesario que nos ayudemos cuando tengamos un problema.

1. hablar o textear
2. ver
3. pelear
4. abrazar
5. despedir
6. reunir

Review the reflexive for unplanned occurrences.

8-24 La niñez. Hágale las siguientes preguntas a un(a) compañero(a) de clase sobre su niñez *(childhood).*

1. ¿Tenías mascotas de niño(a)? ¿Alguna vez se te escapó o se te murió?
2. ¿Qué juguete se te perdió? ¿Dónde estabas?
3. ¿Se te olvidaba hacer las tareas o no?
4. ¿Alguna vez se te rompió algo de valor? ¿Qué cosa?
5. ¿Eras paciente o se te acaba la paciencia fácilmente?
6. ¿Cuál fue la cosa más estúpida que se te ocurrió hacer?

A conversar

At times it may be necessary to interrupt a conversation if the other person refuses to stop talking. Expressions that can be used to interrupt a conversation are listed here.

Interrupting a conversation

Bueno, pero opino que…	*OK, but it's my opinion that . . .*
Sí, pero creo que…	*Yes, but I believe that . . .*
Sí, pero un momento…	*Yes, but just one moment . . .*
¿Me permite(s) decir algo?	*May I say something?*
Pero, déjeme (déjame) decir…	*But, allow me to say . . .*
Mire(a), yo digo que…	*Look, I say that . . .*
Quisiera decir algo ahora.	*I would like to say something now.*

Descripción y expansión

Este dibujo representa un barrio pobre que se puede encontrar en varias partes de Hispanoamérica. Mírelo con cuidado y después haga las actividades que siguen.

© Cengage Learning

8-25 ¿Qué hay en la escena? Cada estudiante tiene que describir un detalle de lo que se ve en la escena. Luego, cada estudiante va a indicar una condición que ve en el dibujo que puede causar revoluciones.

8-26 Comparaciones.
Comparen las condiciones de esta escena con las condiciones que existen en su ciudad.

 8-27 Opiniones. Con un(a) compañero(a) de clase, hagan las siguientes actividades.

a. En su opinión, ¿qué deben o pueden hacer los Estados Unidos para eliminar la pobreza y la injusticia social en el mundo?

b. ¿Cree que las revoluciones que han ocurrido en varios países hispanoamericanos realmente hayan mejorado la situación del pueblo? ¿Por qué sí o por qué no?

c. ¿Puede salir un país del subdesarrollo (*underdevelopment*)? Explique.

d. Muchos hispanoamericanos consideran que los Estados Unidos son al menos en parte responsable de los problemas de sus países. Comente.

Después de hablar sobre estos asuntos, cada pareja tiene que presentarle oralmente sus ideas u opiniones a la clase. ¿Cuántas ideas son iguales? ¿Cuáles son?

Active listening

Active listening means paying attention, thinking about the message, and recalling details. To achieve this, clear your mind of distractions and focus.

Track 24 ◀)) **De vacaciones**

Escuche la siguiente situación y complete las actividades.

Pepe y su hermano Pablo, cubanos exiliados en Miami, y un matrimonio chileno, María y Fernando, se conocen mientras están de viaje en el Perú. De vuelta a Cuzco, después de haber visitado Machu Picchu, toman un café juntos.

8-28 Información. Complete las siguientes oraciones basándose en el diálogo que acaba de escuchar.

1. María y Fernando son (nuevos amigos / un matrimonio chileno).
2. Pablo y Pepe son cubanos de (Miami / Nueva York).
3. Los amigos han visitado (Machu Picchu / a Fidel).

8-29 Entrevista. Un(a) estudiante entrevista a otro(a) sobre lo que sabe de la Cuba de Fidel Castro. Luego, le da a la clase la información que ha recibido. Otro tema posible de la entrevista podría ser unas vacaciones en un lugar de interés. También debe darle a la clase la información recibida.

8-30 Situaciones. Con un(a) compañero(a) de clase, preparen algunos diálogos que correspondan a las siguientes situaciones. Estén listos para presentarlos enfrente de la clase.

Un secuestro. Ud. ha leído un artículo en un diario de México sobre el secuestro de un hombre de negocios de los Estados Unidos. Los terroristas piden un rescate de tres millones de dólares. Con un(a) amigo(a) discutan si los secuestros y otros actos de terrorismo pueden resolver los problemas políticos y sociales del mundo, o si hacen que la situación llegue a ser peor.

Un congreso (convention) internacional. Uds. participan en un congreso internacional de estudiantes universitarios. Ud. es pesimista en cuanto a la posibilidad de tener paz mundial, y explica por qué. Su compañero(a), que es optimista, dice que el mundo va a vivir en paz, y ofrece sus razones para creer eso.

Track 25 ◀)) **8-31 Ejercicio de comprensión.** Ud. va a escuchar un comentario sobre la política de Hispanoamérica en el siglo xx. Después del comentario, va a escuchar varias oraciones. Indique si la oración es **verdadera (V)** o **falsa (F)**, trazando un círculo alrededor de la letra que corresponde a la respuesta correcta.

1. V F   3. V F
2. V F   4. V F

Ahora, escriba dos cosas que aprendió al escuchar este comentario. Comparte sus ideas con las de la clase. ¿Cuáles son las ideas predominantes?

8-32 Discusión: El control de la natalidad. Hay tres pasos en esta actividad.

Primer paso: Lea el comentario que sigue y el ejemplo. Al comentar un problema, cedemos a veces a la tentación de expresarnos en términos absolutos (blanco y negro) en vez de reconocer todas las posiciones posibles frente al problema. Sin embargo, sabemos que es posible tomar una posición conservadora, moderada, liberal, radical o revolucionaria ante muchos problemas. Veamos un ejemplo:

Problema: el control de la natalidad (*birth control*)

Posición conservadora: El gobierno no debe hacer nada para controlar el número de nacimientos; es una cuestión individual.

Posición moderada: El gobierno puede educar a los ciudadanos, pero no debe tratar de establecer leyes para controlar la natalidad.

Posición liberal: El gobierno debe promulgar ciertas leyes que fomenten el uso de los métodos artificiales para controlar la natalidad.

Posición radical: El gobierno tiene el derecho de esterilizar a toda pareja que tenga más de dos hijos.

Posición revolucionaria: Primero es necesario cambiar completamente el sistema de gobierno; después los nuevos gobernantes podrán establecer leyes sobre el asunto como mejor les parezca.

Segundo paso: En grupos de cinco, identifiquen una posición conservadora, moderada, liberal, radical o revolucionaria ante los siguientes problemas:

1. la distribución de la riqueza en los Estados Unidos
2. el uso de las drogas ilegales
3. el control de las grandes industrias multinacionales
4. la libertad de prensa

Tercer paso: Después, presenten oralmente o en forma escrita las posiciones. Comparen sus opiniones con las de los otros grupos.

8-33 Temas de conversacion o de composición

1. Identifique su posición personal en cuanto a una posición conservadora, moderada, liberal, radical o revolucionaria. ¿Con cuál de estas posiciones políticas se identifica más? Explique.
2. En su opinión, ¿cree que es posible resolver los problemas sociales y políticos del mundo sin conflictos? Explique.

En 1973, en Chile, hubo un golpe de estado *(coup d'état)* violento. El presidente socialista Salvador Allende murió y el dictador Pinochet tomó control hasta 1990. Durante los años siguientes, un gran número de personas desaparecieron y el número de pobres creció. Si usted viviera en una dictadura militar, ¿qué haría para expresar su angustia? ¿Cómo protestaría sin ser detenido(a) *(arrested)* por las autoridades?

Lectura

Las arpilleras de Chile

Después del golpe de estado[1] de 1973, muchos esposos, padres e hijos fueron detenidos y luego desaparecieron[2]. Otros hombres perdieron su trabajo por estar afiliados al partido izquierdista[3]. Como consecuencia, muchas mujeres se vieron responsables del bienestar[4] de la familia. Una manera con que generaron un poco de dinero para la familia, fue trabajar en los talleres de arpilleras. El primer taller de arpilleras se formó en 1974 con el apoyo de la Vicaría de la Solidaridad, una organización católica. Consistía en su inicio[5] de catorce mujeres quienes confeccionaban tapices[6] tridimensionales con retazos de tela[7].

Mientras las mujeres cosían[8] para alimentar a la familia, hablaban sobre sus experiencias de represión, terror, impotencia y angustia. Pronto, las arpilleras se convirtieron en un medio de denuncia y protesta. Las arpilleristas bordaban[9] escenas de sus parientes perdidos, de familias con hambre, de la tortura, de las huelgas, del deseo de paz y felicidad. Las telas rectangulares eran como páginas de un libro de historia y los hilos eran gritos[10].

El movimiento arpillero creció. En un país silenciado por la censura y la brutalidad, las arpilleristas crearon una cultura de resistencia. Al principio el gobierno no les dio importancia ya que las escenas coloridas decepcionaban y aparentaban[11] simplemente como arte folklórico, «cosa de mujeres».

John and Lisa Merrill/Corbis

La arpillera es un texil rectangular. La primera tela que se usa es gruesa[12], muchas veces de arpillera[13]. Por lo general, el fondo[14] es una escena de las montañas andinas. Las personas que pueblan las escenas están tejidas por separado. A veces las arpilleristas usaban su propio cabello o pedazos de su ropa para confeccionar[15] las figuras. Antes de la dictadura, esta forma de arte ya existía en Isla Negra, en la costa de Chile. La famosa cantante Violeta Parra también bordaba arpilleras que representaban imágenes típicas, como las de la cueca, el baile tradicional.

[1] military coup; [2] disappeared, went missing; [3] left-wing; [4] well-being; [5] beginning; [6] tapestries; [7] fabric scraps; [8] sewed; [9] embroidered; [10] screams; [11] looked; [12] thick; [13] burlap; [14] background; [15] make

Las arpilleras se vendieron en el exterior y a través de ellas, el mundo pudo ver otra versión de la historia oficial. Luego, el gobierno consideró las arpilleras anti-chilenas y su exportación fue ilegal. Sin embargo, miles de arpilleras salieron de Chile por contrabando[16], continuando la resistencia política.

Desde 1990 Chile tiene un gobierno democrático y los talleres de arpilleras se han cerrado. No obstante[17], la labor de las arpilleristas continúa mostrándose en museos. Este arte popular es un pedazo de la historia de Chile y testimonio de un grupo de mujeres desafiantes.

[16] smuggling; [17] Nevertheless

8-34 Preguntas. Conteste las siguientes preguntas.

1. ¿Qué pasó en Chile en 1973?
2. ¿Por qué empezaron algunas mujeres de Chile a crear arpilleras?
3. ¿Qué son las arpilleras? ¿De qué están hechas?
4. ¿Qué dos elementos de la naturaleza tienen la mayoría de las arpilleras de fondo (*background*)?
5. ¿Cómo denunciaban las arpilleras la dictadura de Pinochet?

 8-35 Discusión. Comente estas preguntas con dos o tres compañeros.

1. ¿A qué arte folklórico de los Estados Unidos se parecen las arpilleras?
2. ¿Cree Ud. que las arpilleras fueron una manera efectiva de resistencia política? Explique.
3. Piense en un movimiento político o social en los Estados Unidos. ¿Qué escena representaría este grupo en una arpillera?

8-36 Proyecto. Con un(a) compañero(a) de clase, escojan uno de los temas siguientes para investigar y hacer una presentación en PowerPoint™:

1. la dictadura de Pinochet
2. el Movimiento de Izquierda Revolucionaria
3. el movimiento de la Nueva Canción Chilena
4. el movimiento mapuche
5. la protesta estudiantil en Chile

Investiguen sobre su tema en Internet o en la biblioteca. También busquen imágenes relacionadas con su tema. Al crear su presentación PowerPoint, incluyan 10 diapositivas o *slides*. Limiten sus ideas a una idea central por *slide*.

La educación en el mundo hispánico

Esta clase tiene lugar en una universidad de Argentina. ¿Qué cree que hace el profesor?

LatinStock Collection / Alamy

En contexto
Esperando al profesor de historia

Estructura
- The subjunctive in adverbial clauses (2)
- Adverbs
- Comparison of adjectives and adverbs
- Irregular comparatives and superlatives
- The absolute superlative
- Exclamations

Repaso
🌐 www.cengagebrain.com

A conversar
Keeping control of a conversation

A escuchar
Tolerating ambiguity

Intercambios
Un manifiesto

Investigación y presentación
La educación en Costa Rica

Vocabulario activo

Verbos
aprobar (ue) *to pass (exams)*
graduarse *to graduate*

Sustantivos
el bachillerato *course of study leading to a secondary school degree*
el colegio *secondary school*
el comercio *business*
el esquema *outline*
la facultad *college, school of a university*
la materia *academic subject*
el navío *ship*

el nivel *level*
el número *issue, copy, number*
el portero *doorman*
la prisa *haste, hurry*
el resumen *summary*
la tormenta *storm, upheaval*

Otras expresiones
a menos que *unless*
con tal que *provided that*
morirse por *to be dying to*
Primera Guerra Mundial *World War I*
¿Vale? *O.K.?*

9-1 Para practicar. Complete el párrafo siguiente con palabras escogidas de la sección **Vocabulario activo**. No es necesario usar todas las palabras.

Voy a **1.** _____ en la primavera **2.** _____ yo **3.** _____ todos los exámenes. Quiero terminar el **4.** _____ en el **5.** _____ lo más pronto posible porque quiero entrar a la **6.** _____ de negocios en el otoño para estudiar **7.** _____. Se dice que las **8.** _____ son muy difíciles, pero no me importa porque yo **9.** _____ por ser un hombre de negocios con mi propia compañía.

Track 26 **9-2 Esperando al profesor de historia.** Antes de leer el diálogo, escúchelo con el libro cerrado. ¿Cuánto comprendió?

(Los alumnos del Colegio San Martín[1] esperan la llegada del profesor de historia.)

PACO   Oye, Beto, ¿has preparado la lección para hoy?

BETO   Muy poco. Iba a estudiar, pero llegaron unos amigos, y nos fuimos para «La Gitana» para hojear[1] el nuevo número de «Superhombre».

PACO   ¿Y tú, Manolo?

MANOLO Sí, leí el capítulo dos veces e hice un esquema de las fechas.

PACO   Pues, mi padre me mandó a la tienda por tabaco, y me quedé ahí a charlar con Tonia para ver si quería ir al cine el domingo. Al volver no tuve tiempo de estudiar. ¿Me puedes hacer un resumen del capítulo para poder responder si el maestro me hace una pregunta?

MANOLO Cuando te haga una pregunta, te paso la respuesta. ¿Vale?

PACO   Ah, este Manolo, siempre lo sabe todo. ¿Por qué estudias tanto?

---

[1] para hojear *to leaf through (book)*

MANOLO	Lo hago para poder entrar en la Facultad de Medicina[2]. Papá se muere por verme médico. Si no salgo bien en los exámenes este año, temo que me eche de casa. ¿No piensas entrar a una universidad?
PACO	Sí, pero en Comercio, para poder trabajar con el viejo en su fábrica. Pero, ¿para qué tanta prisa? Si no apruebas este año[3], aprobarás el otro. Aquí uno se divierte más; allá en la «uni» la cosa se pone seria.
BETO	Es lo que digo yo. Ya llevo siete años aquí. Hasta el portero sabe mi nombre.
PROFESOR	*(Entrando)* Buenos días, jóvenes. El tema de esta semana es la Primera Guerra Mundial.
PACO	Pssst, Manolo, ¿ganamos esa guerra?
MANOLO	Cállate, idiota, fue una guerra europea.
PROFESOR	Primero vamos a hablar de las causas inmediatas de aquella gran tormenta que sacudió[2] el mundo.
PACO	Beto, mira a Nacho: ya se durmió.
PROFESOR	En 1914 la guerra fue declarada por Alemania…
PACO	¿Para qué quiero yo saber estas cosas? Superhombre es más interesante.
MANOLO	No seas bruto[3]. No te gradúas sin que lo sepas, a menos que te hagan preguntas sobre Superhombre en los exámenes.
PROFESOR	Cuando en 1915 fue atacado el navío Lusitania…
PACO	Oye, Beto, ¿quieres ver este número? Superhombre se encuentra en una batalla en Verdún. No sé dónde queda eso pero…
PROFESOR	Si no dejas de cuchichear[4], Paco, te van a expulsar[5] de la clase. ¿Entiendes?
PACO	Ah, sí, perdone, Beto y yo estábamos comentando un libro que leí recientemente sobre ese mismo asunto de la guerra. Se lo recomendaba a Beto.
PROFESOR	Bueno, después de que terminemos aquí, te quiero ver en mi oficina. Con tal que me des un informe completo sobre ese libro, te perdono.
PACO	Pero Profesor, tengo solo unos quince minutos antes de la próxima clase. Manolo, ¿qué hago ahora? ¡Sí que estoy perdido!

Notas culturales

[1] **Colegio San Martín:** *El colegio más o menos equivale a la escuela secundaria en los Estados Unidos. El alumno termina el «bachillerato» cuando tiene unos dieciséis o diecisiete años. En algunos países, es necesario seguir un curso preparatorio antes de entrar a la universidad.*

[2] **Facultad de Medicina:** *En el sistema hispánico, que tiene por modelo el europeo, uno entra directamente a la escuela profesional (por ejemplo, a la de Medicina), donde se recibe*

[2] sacudió *shook*   [3] bruto *idiot*   [4] cuchichear *to whisper*   [5] te van a expulsar *you will be expelled*

toda la instrucción a nivel universitario. La Facultad de Filosofía y Letras, que equivale más o menos a Liberal Arts, se dedica a las humanidades y a preparar maestros. «Facultad» significa lo mismo que college o school en las universidades norteamericanas.

[3] **Si no apruebas este año:** *El sistema hispánico requiere que el alumno apruebe varias materias (requisitos) por medio de los exámenes finales, por lo general, exámenes orales y escritos. El alumno repite las materias hasta aprobarlas.*

9-3 Actividad cultural. Según las notas culturales, hay unas diferencias y semejanzas entre las escuelas y universidades del mundo hispánico. En grupos de tres personas, hagan una lista de estas diferencias y semejanzas entre los colegios y las escuelas secundarias; por ejemplo: Una escuela secundaria en España se llama «colegio».

1. ¿Qué tienen que terminar los estudiantes antes de graduarse del colegio? Por lo general, ¿cuántos años tiene un estudiante en el mundo hispánico cuando se gradúa del colegio?
2. ¿Los estudiantes pueden entrar en la universidad al graduarse? ¿Qué tiene que hacer a veces?
3. ¿Una facultad en una universidad de España equivale más o menos a cuáles divisiones en las universidades de los Estados Unidos?
4. Otra tradición es que los estudiantes tienen que aprobar varias materias. Si el estudiante no puede aprobarlas, ¿qué le pasa?
5. ¿Cuáles de las diferencias en las escuelas del mundo hispánico le gustan, o no le gustan? ¿Por qué?

9-4 Comprensión. Conteste las siguientes preguntas.

1. ¿Por qué no ha estudiado Beto la lección?
2. ¿Quién ha estudiado más?
3. ¿Para qué quiere Paco un resumen del capítulo?
4. ¿Por qué estudia tanto Manolo?
5. ¿A qué facultad va a entrar Paco?
6. ¿Cuánto tiempo lleva Beto en el colegio?
7. ¿Por qué se enoja el profesor?
8. ¿Sobre qué hablaban Paco y Beto?
9. ¿Para qué tiene Paco que ir a la oficina del profesor?
10. ¿Qué le dice Paco al profesor para no tener que ir a su oficina?

9-5 Opiniones. Conteste las siguientes preguntas.

1. ¿A Ud. le gusta estudiar historia europea? ¿Por qué?
2. ¿Para qué estudia?
3. ¿Cuál es su materia favorita?
4. ¿Piensa que las escuelas secundarias preparan bien a los jóvenes para sus estudios en la universidad? Explique.
5. ¿Qué clases de la universidad requieren que apruebe muchos exámenes?
6. ¿En qué facultad de la universidad está Ud.?
7. ¿Cuándo va a graduarse?
8. ¿Qué va a hacer después de graduarse?

Robert Fried / Alamy

Estos estudiantes de la Universidad Pontífica charlan entre clases. ¿En dónde le gusta a Ud. charlar con sus amigos en el campus?

Heinle Grammar Tutorial:
The subjunctive in adverbial
clauses

The subjunctive in adverbial clauses (2)

A. The subjunctive after certain adverbial phrases

The subjunctive is always used in adverbial clauses introduced by the following phrases denoting purpose, provision, supposition, exception, or negative result.

a fin (de) que	*so that, in order that*	en caso (de) que	*in case*
a menos que	*unless*	para que	*so that, in order that*
a no ser que	*unless*	siempre que	*provided that*
con tal (de) que	*provided that*	sin que	*without*

Examples:

Te perdono **con tal de que** me des un informe sobre ese libro. ¿Vale?
I'll excuse you provided you give me a report on that book. O.K.?

En caso de que el maestro te haga una pregunta, te paso la respuesta.
In case the teacher asks you a question, I'll pass you the answer.

Paco no puede salir bien en el examen **a menos que** sus amigos lo ayuden.
Paco cannot do well on the exam unless his friends help him.

Entramos **sin que** ellos nos vieran.
We entered without their seeing us.

Lo hago **para que** él pueda entrar a la universidad.
I'm doing it so that he can enter the university.

B. Subjunctive versus indicative

1. The phrases **de manera que** and **de modo que** *(so that, in order that)* may express either result or purpose. When they introduce a clause expressing purpose, the subjunctive follows. When they introduce a clause expressing result, the indicative follows.

   Lo pongo aquí **de modo que** nadie lo encuentre.
   I'm putting it here so that no one will find it. (purpose)

   Escribe **de manera que** nadie lo pueda leer.
   He/She writes so that no one can read it. (purpose)
   BUT
   Escribió con cuidado **de manera que** todos lo podían leer.
   He/She wrote carefully so that everybody was able to read it. (result)

2. The subjunctive is used in an adverbial clause introduced by **aunque** *(although, even though, even if)* if the clause refers to an indefinite action or to uncertain information. If the clause reports a definite action or an established fact, then the indicative is used.

   No lo terminaré hoy **aunque** trabaje toda la noche.
   I won't finish it today even if I work all night.

   Lo compraremos **aunque** él no quiera pagarlo.
   We will buy it even though he may not want to pay for it.
   BUT
   No lo terminé, **aunque** trabajé toda la noche.
   I didn't finish it even though I worked all night.

   Lo compramos **aunque** él no quería pagarlo.
   We bought it even though he didn't want to pay for it.

Práctica

9-6 Observaciones variadas. Complete estas oraciones con la forma apropiada del verbo entre paréntesis.

1. Quiere comprarlo con tal de que no (costar) _____ mucho.
2. No podremos invitarlos a menos que tú (traer) _____ bastante comida para todos.
3. Ellas no pueden salir sin que nosotros las (ver) _____.
4. No puedo contestar a menos que ellos me (ayudar) _____ con esta lección.
5. En caso de que a él no le (gustar) _____, tendremos que devolverlo.
6. Ellos no iban a menos que nosotros los (acompañar) _____.
7. Los chicos se hablaban sin que él lo (saber) _____.
8. Yo traje el dinero en caso de que Uds. lo (necesitar) _____.
9. Querían acompañarnos con tal que nosotros (volver) _____ temprano.
10. Él no quiere ir a menos que la tienda (estar) _____ cerca.
11. Ella habló despacio para que ellos la (entender) _____.
12. Les preguntaremos a ellos a fin de que nosotros (saber) _____ las respuestas.
13. Vamos a salir esta noche aunque (llover) _____.
14. Aunque él no (haber) _____ estudiado, va a asistir a la clase.
15. Salí rápidamente, de modo que se me (olvidar) _____ el libro.
16. Hablaré despacio de manera que todos me (entender) _____.

9-7 Las vacaciones. Ud. y unas personas a quienes conoce piensan hacer ciertas cosas durante las vacaciones, a menos que algo las interrumpa. Diga lo que cada una de estas personas va a hacer. Siga el modelo.

Modelo mis padres irán a la Argentina / recibir el pasaporte
Mis padres irán a la Argentina a menos que no reciban el pasaporte.

1. yo iré a México / tener dinero
2. los estudiantes irán a la playa / hacer buen tiempo
3. Gloria irá al teatro / poder comprar las entradas
4. tú irás de compras / estar en el centro
5. nosotros iremos al estadio / haber un partido de fútbol

9-8 Planes para el futuro. Describa algunas de las cosas que Ud. y sus amigos piensan hacer, con tal que existan ciertas condiciones.

Modelo yo estudiaré mucho / la biblioteca estar abierta
Yo estudiaré mucho con tal que la biblioteca esté abierta.

1. tú aprenderás mucho / el profesor enseñar bien
2. Teresa hablará español / alguien poder entenderla
3. Ramón y yo bailaremos / la orquesta tocar un tango
4. mis amigos estudiarán en España / la universidad les dar crédito
5. yo no asistiré a esta universidad / ofrecerme una beca

9-9 Conclusiones lógicas. Trabajando en parejas, escriban conclusiones lógicas para estas oraciones. Al terminar, comparen sus ideas con las de los otros estudiantes.

1. El profesor lo repite a fin de que nosotros _____.
2. Él les hace un esquema del capítulo para que los estudiantes _____.
3. No puedo prestar atención en clase a menos que _____.
4. Los estudiantes se hablan en clase sin que _____.
5. Quiero estudiar en España con tal que _____.
6. Voy a graduarme siempre que _____.
7. Mis padres siempre me prestan dinero a menos que _____.
8. Tengo que encontrar un buen trabajo a fin de que _____.

9-10 Planes personales. Trabajando en parejas, hagan una lista de cuatro cosas que quieren hacer con tal que ciertas condiciones existan. Al terminar, comparen su lista con las de sus compañeros de clase.

Heinle Grammar Tutorial:
Adverbs

Adverbs

A. Formation

1. Most adverbs of manner in Spanish are formed by adding **-mente** to the feminine singular form of an adjective. If an adjective has no feminine form, **-mente** is added to the common form.

rápido(a)	**rápidamente**	elegante	**elegantemente**
cariñoso(a)	**cariñosamente**	feliz	**felizmente**
perfecto(a)	**perfectamente**	fácil	**fácilmente**

Note that if the adjective contains a written accent, the adverb retains it.

2. In spoken language, adjectives are frequently used as adverbs.

   a. If the only function of such an adjective is to modify the verb in the sentence, the masculine singular form of the adjective is used.

   Ellos hablaron rápido.
   They spoke rapidly.

   No saben jugar limpio.
   They don't know how to play fair(ly).

   b. Sometimes, however, such an adjective modifies both the verb and the subject of a sentence to some extent. In this case the adjective agrees in gender and number with the subject.

   Los jóvenes vivían felices.
   The young people lived happily.

   Ellas se acercan contentas.
   They are approaching contentedly.

   c. Adverbs are also formed by using **con** plus a noun.

claramente	**con claridad**
fácilmente	**con facilidad**
rápidamente	**con rapidez**

B. Usage

1. An adverb that modifies a verb usually follows the verb or is placed as close as possible to it.

   Paco estudió rápidamente la lección.
   Paco studied the lesson rapidly.

2. An adverb that modifies an adjective usually precedes the adjective.

   Esta lección es perfectamente clara.
   This lesson is perfectly clear.

3. When two or more adverbs modifying the same word occur in a series, only the last adverb has the **-mente** ending.

   Habló clara, rápida y enfáticamente.
   He spoke clearly, rapidly, and emphatically.

4. When more than one word in a sentence is modified by an adverb, the last adverb may be replaced by **con** plus a noun for variety.

   Estudia francés diligentemente y lo habla **con** claridad.
   She studies French diligently and speaks it clearly.

Práctica

9-11 Distintas personalidades. Describa las cosas que estas personas hacen a causa de ciertas características personales.

   Modelo   Elena es seria.   *Estudia seriamente.*

1. Carlos es inteligente. Habla _____.
2. Iturbide es profesional. Toca el piano _____.
3. Alfonso y Carlos son diligentes. Trabajan _____.
4. Tú eres lógico(a). Contestas mis preguntas _____.
5. Nosotros somos tranquilos. Comemos _____.

9-12 Para pedir información. Trabajando en parejas, hágale a su compañero(a) de clase las preguntas siguientes. Él (Ella) tiene que contestar, usando un adverbio que termine en **-mente**.

   Modelo   ¿Comes con rapidez?   *No, no como rápidamente.*

1. ¿Escribes las composiciones con claridad?
2. ¿Tu familia te llama con frecuencia?
3. ¿Tu cantante (*singer*) favorito canta con tristeza?
4. ¿Lees el periódico con rapidez todos los días?
5. ¿Haces la tarea con facilidad?

9-13 El (La) profesor(a) de esta clase. Trabajando en parejas, hagan una descripción del (de la) profesor(a) de esta clase.

Modelo El (La) profesor(a) entra _lentamente_ a clase todos los días.

1. El (La) profesor(a) habla _____.
2. Él (Ella) ayuda a los estudiantes _____.
3. Él (Ella) escribe _____ en la pizarra.
4. Los estudiantes participan _____ en su clase.
5. Él (Ella) mira _____ a sus estudiantes.

Ahora, comparen sus descripciones con las de los otros estudiantes.

9-14 Las acciones de otras personas. Trabajando en parejas, describan cómo las personas siguientes hacen varias cosas. Incluyan un adverbio en su descripción.

Modelo mi padre
Mi padre habla suavemente.

1. mi madre
2. mi hermano
3. mi hermana
4. mi novio(a)
5. el (la) pianista
6. el (la) trabajador(a)
7. el (la) estudiante
8. el (la) presidente(a)
9. el (la) chófer

Heinle Grammar Tutorial:
Comparisons of equality and inequality

Comparison of adjectives and adverbs

A. Comparisons of equality

The following forms are used in comparisons of equality:

tan + adjective or adverb + **como** _as . . . as_
tanto(a, os, as) + noun + **como** _as much (many) . . . as_
tanto como _as much as_

Examples:

1. with adjectives and adverbs

   Paco es **tan** divertido **como** Beto.
   Paco is as funny as Beto.

   El chico corre **tan** rápidamente **como** su hermano.
   The boy runs as rapidly as his brother.

2. with nouns

   Hay **tantas** preguntas en este examen **como** en el anterior.
   There are as many questions on this exam as on the one before.

   María tiene **tanto** dinero **como** su hermano.
   María has as much money as her brother.

3. with verbs

   Estudió **tanto como** de costumbre.
   He studied as much as usual.

   Las niñas comen **tanto como** nosotros.
   The girls eat as much as we do.

B. Comparisons of inequality

The following forms are used in comparisons of inequality:

más + adjective, noun, or adverb + **que** *more . . . than*, suffix *-er*
menos + adjective, noun, or adverb + **que** *less . . . than*, suffix *-er*
más que *more than*
menos que *less than*

Examples:

1. with adjectives

   Esta tormenta fue **más** fuerte **que** la anterior.
   This storm was stronger than the last one.

   Este capítulo es **menos** largo **que** ese.
   This chapter is shorter (less long) than that one.

2. with nouns

   Él tiene **más** inteligencia **que** yo.
   He has more intelligence than I.

   Ellos tienen **menos** tiempo **que** sus amigos.
   They have less time than their friends.

3. with adverbs

   Ellos cuchichean **más** rápidamente **que** nosotros.
   They whisper more rapidly than we do.

   Él lo hacía **menos** frecuentemente **que** su hermano.
   He used to do it less frequently than his brother.

4. with verbs

   Él lee **más que** Carlos.
   He reads more than Carlos.

   Viajo **menos que** mis tíos.
   I travel less than my aunt and uncle.

   Before a number, **de** is used instead of **que**.

   Tengo **menos de** cinco pesos.
   I have less than five pesos.

> Note: In negative sentences **que** may be used before numerals with the meaning of **only: No necesito más que cuatro dólares.**
> *(I need only four dollars.)*

C. The superlative

1. Spanish forms the superlative of adjectives (*most, least,* suffix *-est*) with the definite article plus **más** or **menos**. **De** is used after a superlative as the equivalent of the English *in* or *of.* Occasionally a possessive adjective replaces the definite article.

   Ese es el hombre **más** rico **del** país.
   That is the richest man in the country.

   Esta novela es la **menos** interesante **de** todas.
   This novel is the least interesting (one) of all.

   Es mi vestido **más** elegante.
   It's my most elegant dress.

2. The definite article is not used with the superlative of adverbs.

Ese chico escribe **más** claramente cuando no está nervioso.
That boy writes most clearly when he isn't nervous.

Ese era el libro que ella **menos** esperaba encontrar.
That was the book she least expected to find.

3. To express the superlative of adverbs more emphatically, the following construction may be used.

$$\text{lo} + \begin{Bmatrix} \textbf{más} \\ \textbf{menos} \end{Bmatrix} + adverb + \begin{Bmatrix} \textbf{que} + \textbf{poder} \\ \textbf{posible} \end{Bmatrix}$$

Volví **lo más** pronto **posible.**
I returned as soon as possible.

Lo puse **lo más** alto **que** pudo.
He put it as high as he could.

Práctica

9-15 Dos clases. Con un(a) compañero(a) de clase, usando **tan... como** o **tanto... como** comparen esta clase con otra clase que Uds. tienen.

> **Modelo** *Esta clase es tan interesante como mi clase de historia.*
> *Esta clase tiene tantos estudiantes como mi clase de inglés.*

9-16 Su familia y Ud. Con un(a) compañero(a) de clase, usando **más... que** y **menos... que** compárense con otros miembros de su familia.

> **Modelo** *Yo soy más inteligente que mi hermana.*
> *Yo soy menos listo que mi hermano.*

9-17 Lo mejor de todo. Con un(a) compañero(a) de clase, usando la forma superlativa describan las cosas siguientes.

> **Modelo** *La película Syriana fue la película más interesante de aquel año.*
> *Esta novela mexicana es la más larga de todas.*

un actor	un político	una ciudad
una actriz	un(a) amigo(a)	un país

9-18 Opiniones personales. Expresen sus opiniones sobre las cosas siguientes, usando una forma comparativa.

> **Modelo** una novela / una telenovela (interesante)
> *Una novela es más interesante que una telenovela.*
> -o-
> *Una novela es menos interesante que una telenovela.*

1. los profesores / mis padres (inteligentes)
2. nuestra casa / la Casa Blanca (grande)
3. nuestra universidad / Harvard (famoso)
4. una película surrealista / una película realista (interesante)

9-19 La sociedad. ¿Ha mejorado la sociedad durante los últimos años? Expresen sus opiniones sobre los tópicos siguientes.

Modelo los profesores / ¿inteligentes?
Los profesores son más inteligentes que antes.
–o–
Los profesores son menos inteligentes que antes.

1. los crímenes / ¿violentos?
2. las mujeres / ¿femeninas?
3. los estudiantes / ¿diligentes?
4. los políticos / ¿honrados?
5. los viejos / ¿felices?
6. las ciudades / ¿atractivas?
7. la vida / ¿agradable?
8. la economía / ¿estable?

9-20 Un sondeo. En su opinión, ¿cuál de las siguientes cosas es más popular en este país hoy en día? Comparen sus ideas con las de los otros miembros de la clase, escribiendo sus respuestas en la pizarra debajo de las varias categorías indicadas.

Modelo la revista
La revista más popular actualmente es Time (People, Newsweek).

1. la película
2. el programa de televisión
3. la novela
4. el actor
5. el político
6. la canción
7. el conjunto musical
8. el coche

Heinle Grammar Tutorial:
Superlatives and irregular comparative and superlative forms

Irregular comparatives and superlatives

1. The following adjectives have irregular comparatives and superlatives:

bueno	*good*	(el) **mejor**	*better, (the) best*
malo	*bad*	(el) **peor**	*worse, (the) worst*
grande	*large, great*	(el) **mayor**	*older, (the) oldest; (larger, largest; great, greatest)*
pequeño	*small*	(el) **menor**	*younger, (the) youngest; (smaller, smallest)*

The plural is formed by adding **-es.**

Tu hijo es buen alumno, pero el mío es mejor.
Your son is a good student, but mine is better.

Son los mejores alumnos de la clase.
They are the best students in the class.

2. **Grande** and **pequeño** also have regular comparatives (**más grande** and **más pequeño**). These are the preferred forms when referring to physical size.

Alicia es la más pequeña de la familia.
Alicia is the smallest in the family.
BUT
Alicia es menor que su hermana.
Alicia is younger than her sister.

3. The following adverbs have irregular comparatives and superlatives:

bien	*well*	**mejor**	*better, best*
mal	*badly*	**peor**	*worse, worst*
mucho	*much*	**más**	*more, most*
poco	*little*	**menos**	*less, least*

Tú tocas bien el piano, pero yo lo toco mejor.
You play the piano well, but I play better.

Felipe baila mal el tango, pero Pedro lo baila peor.
Felipe dances the tango badly, but Pedro dances it worse.

Práctica

9-21 Haciendo comparaciones. Hágale estas preguntas a un(a) compañero(a) de clase. Él (Ella) debe usar una forma comparativa del adjetivo o del adverbio en las respuestas.

Modelo ¿Trabajas mucho?
Sí, trabajo mucho, pero mi amigo(a) trabaja más.

1. ¿Cantas bien?
2. ¿Hablas poco?
3. ¿Eres pequeño(a)?
4. ¿Comes mucho?
5. ¿Eres malo(a)?
6. ¿Eres grande?
7. ¿Eres bueno(a)?
8. ¿Juegas mal (al tenis)?

9-22 A comparar. Usando formas comparativas y superlativas, compare a las personas y las cosas siguientes. Hay varias posibilidades. Compare sus comparaciones con las de otro(a) estudiante de la clase.

Modelo Mi novia... *Mi novia es menor que yo.*
Mi novia es más inteligente que Ud.
Mi novia es la menos gorda de todos.

1. Mi familia...
2. Esta universidad...
3. Mi clase de español...
4. Mis profesores...
5. Mis notas...
6. Mis planes para el futuro...

The absolute superlative

1. The absolute superlative expresses a high degree of an adjective or adverb by simply using **muy** with the adjective or adverb.

   Aquel navío es muy grande.
   That ship is very large.

   Ella canta muy bien.
   She sings very well.

2. To express an even higher or more emphatic degree of an adjective or adverb, the absolute superlative is formed by dropping the final vowel of an adjective or adverb and adding the suffix **-ísimo(a, os, as)**.

Note: *Very much* is always expressed by **muchísimo**.

   Ana es hermos**ísima**.
   Ana is extremely beautiful.

   Esos chicos son rar**ísimos**.
   Those boys are really strange.

   Me gustó much**ísimo**.
   I liked it very much.

   El ejercicio es dificil**ísimo**.
   The exercise is terribly difficult.

3. Words ending in **-co** or **-go** drop the **o** and change **c** to **qu** or **g** to **gu** before **-ísimo**.

   rico → riqu**ísimo**   largo → largu**ísimo**

4. Words ending in **z** change **z** to **c** before **-ísimo**.

   feliz → felic**ísimo**

5. The same effect may be achieved by using adverbs and adverbial phrases such as **sumamente** (*extremely*), **terriblemente** (*terribly*), **notablemente** (*remarkably*), **en extremo** (*in the extreme*), and **en alto grado** (*to a high degree*).

   Están sumamente preocupados.
   They are extremely worried.

   Es notablemente fácil.
   It's remarkably easy.

Práctica

9-23 La universidad. Describa la universidad, cambiando estas oraciones a la forma **-ísimo(a, os, as)**.

   Modelo   La universidad es muy buena.
                La universidad es buenísima.

1. El nivel de las clases era muy bajo.
2. Aquellas muchachas son muy inteligentes.
3. El viaje al colegio me parecía muy largo.
4. Los libros son muy baratos.
5. Los maestros son muy astutos.
6. Su esquema era muy malo.
7. La comida en la cafetería estuvo sumamente sabrosa.
8. Estas lecciones son muy fáciles.
9. La facultad es extraordinariamente pequeña.
10. Los estudiantes son muy ricos.

9-24 Para pedir información. Trabajando en parejas, hágale estas preguntas a un(a) compañero(a) de clase. Él (Ella) debe contestar cada una de las preguntas usando una forma superlativa absoluta en sus respuestas.

Modelo ¿Es el bachillerato sumamente fácil?
Sí, es facilísimo.

1. ¿Es la materia muy interesante?
2. ¿Son los profesores extremadamente inteligentes?
3. ¿Son los libros terriblemente caros?
4. ¿Es el resumen del cuento muy largo?
5. ¿Son las clases muy difíciles?

9-25 Las cosas buenísimas. Trabajando en parejas, hagan una lista de sus cosas favoritas. Luego, compare su lista con la de su compañero(a) de clase. Incluya cinco cosas en su lista.

Heinle Grammar Tutorial:
Exclamations

Note: Vaya un (una) is also used to mean *What ...!, What a ...!*: **¡Vaya un hombre!** *(What a man!)*

Exclamations

1. In Spanish, exclamations are most frequently formed with **¡qué!** **¡Qué!** is the equivalent to *What a ...!* or *What ...!* before nouns and to *How ...!* before adjectives and adverbs.

¡Qué lástima!
What a pity!

¡Qué prisa tienen!
What a hurry they're in!

¡Qué bien habla!
How well he speaks!

¡Qué guapa es!
How attractive she is!

2. If the noun in the exclamation is followed by an adjective, **tan** or **más** precedes the adjective. (This tends to make the exclamation more emphatic.) **Tan** or **más** is omitted when an adjective precedes the noun.

¡Qué hombre tan (más) fuerte!
What a strong man!

¡Qué bebida tan (más) sabrosa!
What a delicious drink!
BUT
¡Qué buena persona!
What a good person!

3. **¡Cuánto!** *(how, how much, how many)* is also commonly used in exclamations.

¡Cuánto dinero tiene!
How much money he has!

¡Cuánto quería viajar con ellos!
How I wanted to travel with them!

¡Cuántos admiradores tienes!
How many admirers you have!

4. Other interrogative words may also be used in exclamations.

¡Quién haría tal cosa!
Who would do such a thing!

5. When a noun clause follows an exclamation, its verb may be in either the indicative or the subjunctive.

¡Qué lástima que no (ganó) ganara!
What a pity he didn't win!

Práctica

9-26 Momentos emocionantes. Trabajando en parejas, usen exclamaciones como una reacción a las situaciones siguientes.

Modelo   Ud.: *Es un día bonito.*
Su compañero(a) de clase: *¡Qué día tan bonito!*

1. Tú tienes mucho dinero.
2. Ella vive muy lejos.
3. Mi amigo lo sabe todo.
4. Hay más de mil estudiantes aquí.
5. Este libro es muy interesante.
6. El profesor es excelente.
7. Esta universidad es grande.
8. La Facultad de Medicina es buena.

9-27 Exclamaciones. Trabajando en parejas, den una exclamación apropiada para cada una de las situaciones siguientes.

Modelo   al ver a una mujer muy alta
¡Qué alta es! ¡Qué mujer tan alta!

1. al probar una sopa
2. al ver a un hombre que acaba de ganarse un millón de dólares
3. al ver un accidente
4. al conocer a una persona que habla español bien
5. al entrar a un palacio
6. al tomar una limonada
7. al visitar Nueva York
8. al aprobar un examen

9-28 Reacciones personales. Trabajando en parejas, explique algo emocionante que le pasó. Su compañero(a) de clase debe reaccionar con una exclamación apropiada.

Modelo   Ud.: *Recibí una A en la última prueba.*
Su compañero(a) de clase: *¡Qué inteligente eres!*
–o–
¡Qué bueno!

Antes de empezar la última parte de esta **unidad,** es importante repasar el vocabulario nuevo y la estructura y hacer las actividades que siguen.

Review the subjunctive in adverbial clauses (2).

9-29 Respuestas lógicas. Hágale estas preguntas a un(a) compañero(a) de clase. Su compañero(a) de clase tiene que contestar las preguntas de una manera lógica.

1. ¿Vas conmigo a la librería?
   No, no voy a menos que _____.
2. ¿Tomaremos algo en la cafetería después?
   Sí, tomaremos algo con tal que _____.
3. ¿Saliste rápido de tu última clase hoy?
   Sí, salí sin que _____.
4. ¿Vas a estudiar conmigo en la biblioteca esta noche?
   Sí, voy a estudiar contigo para que _____.
5. ¿Asistirás a la conferencia de español?
   Sí, voy a asistir en caso de que _____.

Review the subjunctive in adverbial clauses (2).

9-30 Opiniones personales. Trabajando en parejas, completen estas oraciones de una manera lógica. Comparen sus ideas con las de otros estudiantes de la clase.

1. Mañana estudiaré en la biblioteca con tal que _____.
2. No volveré a hablarle a mi novio(a) a menos que _____.
3. Yo salí de la clase sin que _____.
4. Iré al cine con mis amigos para que _____.
5. Me quedaré en casa mañana en caso de que _____.
6. Traje mis libros a clase a fin de que _____.
7. Venderé mi coche en caso de que _____.
8. Estudiaré español e historia europea para que _____.
9. Le escribí una carta a mi familia de modo que _____.
10. Haré un viaje a Chile aunque _____.

Review the adverbs.

9-31 Para pedir información. Trabajando en parejas, hágale estas preguntas a un(a) compañero(a) de clase. Él (Ella) debe contestarle usando una forma adverbial que termine con **-mente.**

Modelo   ¿Contestas las preguntas de una manera lógica?
             Sí, las contesto lógicamente.
             -o-
             No, no las contesto lógicamente.

1. ¿Escribes de manera clara?
2. ¿Trabajas de manera diligente?
3. ¿Hablas de manera seria?
4. ¿Vas a clase con regularidad?
5. ¿Lees con frecuencia?
6. ¿Estudias con rapidez?

Review the comparison
of adjectives and adverbs,
irregular comparatives
and superlatives, and the
absolute superlative.

9-32 Comparaciones. Trabajando en parejas, describan las cosas en la siguiente lista, usando una forma comparativa o superlativa.

1. mi profesor(a) de español / los maestros de la escuela secundaria
2. mi hermano(a) / yo
3. el cine / la televisión
4. esta universidad / las otras universidades del estado
5. los Estados Unidos / los países hispánicos

Review the comparison
of adjectives and adverbs,
irregular comparatives
and superlatives, and the
absolute superlative.

9-33 Las bibliotecas. Con un(a) compañero(a) de clase, observen bien la foto de la Biblioteca Central de la UNAM, en México. ¿Cómo se compara con la biblioteca central de su universidad? Hagan cinco descripciones, usando formas comparativas y superlativas.

Estudiantes de la UNAM estudian en la Biblioteca Central.

Review exclamations.

9-34 Exclamaciones. Trabajando en parejas, reaccionen a las siguientes situaciones con una exclamación apropiada.

1. Su equipo de baloncesto acaba de perder.
2. Se enteran que su amiga Alicia tiene cien pares de zapatos.
3. Los invitaron a una fiesta pero no pueden asistir.
4. Tienen que leer 60 páginas para mañana.
5. Ven un video de un gato tocando el piano.

La educación en el mundo hispánico ▧ 225

Once you have started to express your ideas, you will want to keep control of the conversation until you have completed your thoughts. Some expressions that can be used to prevent your partner from interrupting and to buy time while you are thinking of what you want to say next are given here.

Keeping control of a conversation

Hesitation fillers:

A ver.	*Let's see.*
Y, bien...	*And, well,...*
Un momento...	*One moment...*
Espere (Espera)...	*Wait...*
Déjeme (Déjame) pensar...	*Let me think...*
Es decir...	*That is to say...*

Expansion and clarification of a point:

Y también...	*And also...*
Y además...	*And besides...*
Debo añadir que...	*I should add that...*
Lo que quiero decir es que...	*What I mean to say is that...*

Descripción y expansión

En las escuelas y universidades hay centros estudiantiles donde los estudiantes pueden reunirse para divertirse. Mire con cuidado el dibujo de la página 227 y después haga las actividades correspondientes con los otros estudiantes de la clase.

9-35 Describan detalladamente lo que se ve en la escena de una fiesta estudiantil en la proxima página.

a. ¿Qué clase de refrescos se venden? ¿Qué bebida cuesta menos? De las tres bebidas que se venden, ¿cuál es la más costosa?

b. ¿Cuántas personas hay en la banda? ¿Hay más de diez hombres? ¿Es el hombre que toca la trompeta más alto que el que toca el violón *(bass viola)*? ¿Es el guitarrista menos o más gordo que el hombre que toca los tambores *(drums)*? ¿Cuál es el instrumento más grande de la banda? ¿Quién toca el instrumento más pequeño?

c. ¿Cuál de las dos mesas tiene más estudiantes, la de la izquierda o la de la derecha? La mesa a la izquierda, ¿tiene más de 15 estudiantes? ¿En qué mesa se han consumido más bebidas? (Cuente las botellas.)

9-36 Fiestas. Haga una comparación entre esta fiesta y una fiesta típica de su universidad. Comparta esta comparación con la clase.

© Cengage Learning

9-37 Opiniones. Con un(a) compañero(a) de clase, conteste estas preguntas.

   a. ¿Son importantes las fiestas? ¿Por qué?
   b. ¿Qué clase de fiestas le gusta más? Explique.

Ahora, compartan sus opiniones con la clase. ¿Cuántas personas piensan que las fiestas son importantes? ¿Cuántas personas no están de acuerdo? ¿Cuál es la fiesta que a los otros estudiantes les gusta más? ¿Por qué?

Tolerating ambiguity

Remember that there will always be words unclear or unknown. Don't get distracted by them. If you focus too much on a single word or phrase, you won't hear the rest of the narration.

Track 27 🔊 **Carreras**

Escuche la siguiente situación y complete las actividades.

Conversación entre Javier, pintor de gran éxito, amigo de la familia, y Marina, estudiante, unos días antes del examen de selectividad que da ingreso a la universidad en España. Los dos, que están esperando la llegada de los padres de Marina, se han encontrado en la cafetería del Museo Reina Sofía, donde ha tenido lugar la inauguración de una muestra de la pintura de Javier.

9-38 Información. Conteste las siguientes preguntas.

1. ¿Quiénes mantienen la conversación?
2. ¿De qué tema charlan en el diálogo?
3. ¿Qué profesión tiene Javier?
4. ¿Qué examen va a tener Marina?
5. ¿Con qué carreras cree Marina que va a ganar mucho dinero?

9-39 Conversación. Con un(a) compañero(a), entablen un diálogo sobre sus estudios y sus esperanzas para el futuro.

9-40 Situaciones. Con un(a) compañero(a) de clase, preparen algunos diálogos que correspondan a las siguientes situaciones.

Una charla entre dos estudiantes de español. Dos estudiantes están en la cafetería discutiendo las ventajas y desventajas de estudiar en el extranjero.

Una carrera de medicina. Sus padres quieren que Ud. sea médico(a). Ud. no quiere estudiar medicina. Ellos le explican por qué creen que es una buena profesión para Ud., y Ud. les da las razones por las que prefiere estudiar para maestro(a).

Track 28 🔊 **9-41 Ejercicio de comprensión.** Ud. va a escuchar un comentario sobre la educación en el mundo hispánico. Después del comentario, va a escuchar tres oraciones. Indique si la oración es **verdadera (V)** o **falsa (F)** trazando un círculo alrededor de la letra que corresponde a la respuesta correcta.

1. V F
2. V F
3. V F

Ahora, escriba dos cosas que haya aprendido al escuchar este comentario. Comparta lo que ha aprendido con la clase.

9-42 Discusión: Un manifiesto. Los estudiantes de la Universidad de Córdoba, Argentina, empezaron la Reforma Universitaria al publicar en 1918 su «Manifiesto de la juventud argentina de Córdoba a los hombres libres de Sudamérica». El manifiesto insistía en la participación de los estudiantes en el gobierno de la universidad, defendía la libertad de enseñanza y asistencia y mantenía que la instrucción debería ser gratuita. Con unos compañeros de clase, preparen un manifiesto, en el que indique cómo debería ser la universidad ideal. Ahora, comparen su manifiesto con los de los otros grupos. ¿Cuáles son las características semejantes y las diferentes para tener una universidad ideal, según la opinión de su grupo y la de los otros?

9-43 Temas de conversación o de composición

En grupos de tres personas, hablen de sus experiencias en su escuela y la universidad. Cada grupo tiene que contestar y hablar de una de las preguntas abajo. Ningún grupo debe hablar sobre el mismo tópico. Todos pasamos muchos años en la escuela, y muchos también continúan su educación en la universidad. Ya que Ud. está participando en este proceso, tendrá algunas ideas sobre la educación que ha recibido y las instituciones de enseñanza a las que ha asistido. Indique sus ideas, contestando las siguientes preguntas oralmente o en forma escrita. Comparta sus opiniones con la clase.

1. ¿Le parece que la escuela secundaria lo/la ha preparado a Ud. de un modo adecuado para la universidad?
2. ¿Cree que la educación debe tener un fin práctico? ¿Debe limitarse a la preparación del alumno para un oficio?
3. ¿Quiénes deben establecer el plan de estudios de la universidad? ¿los profesores? ¿los estudiantes? ¿el rector y los decanos?
4. ¿Debe haber materias obligatorias (requisitos) en la universidad?
5. ¿Le parece que el sistema actual de evaluación del estudiante es un poco anticuado? ¿Hay otro sistema mejor?
6. ¿Deben participar los estudiantes en la administración de la universidad? ¿en la selección de los profesores?
7. ¿Debe ser gratuita la instrucción en las universidades públicas?
8. ¿Cuáles son los problemas principales con que se enfrenta la universidad hoy día?

La educación ha sido el orgullo *(pride)* del pueblo costarricense. A muchos «ticos» (personas de Costa Ricas) les gusta jactarse *(boast)* de que hay más maestros que policías. ¿Por qué cree usted que Costa Rica le da importancia a la educación? ¿Cuáles son algunas diferencias que habrá entre el sistema educativo de Costa Rica y el de los Estados Unidos?

Lectura

La educación en Costa Rica

«Mi tierra es tierra de maestros. Por eso es tierra de paz». Eso es lo que dijo el presidente de Costa Rica Óscar Arias Sánchez en su discurso[1] de aceptación del Premio Nobel de la Paz en 1987. Alude al hecho que desde 1948 Costa Rica no tiene ejército[2]; en lugar de invertir[3] en armas, invierte en maestros.

Desde el comienzo de su historia, los gobernantes de Costa Rica le han dado mucha importancia a la educación. Muchos de ellos fueron maestros también, entre ellos, José María Castro Madriz, primer presidente electo quien impulsó la educación de la mujer. Veinte años después, en 1869, Costa Rica se convirtió en el primer país latinoamericano en declarar la enseñanza primaria gratuita[4] y obligatoria. La universalización de la educación primaria fue un medio importante para solidificar la identidad nacional y consolidar las relaciones entre clases sociales. También mejoró el nivel de alfabetismo[5] en forma dramática: en 1880 solamente el 10% de adultos podía leer; en 1900 el 40% y en 1950 el 80%. Hoy en día, el nivel de alfabetismo es 95%, el más alto de Centroamérica. Muchos creen que este nivel alto ayudó al desarrollo económico del país y al estándar de vida satisfactorio de los ciudadanos.

JEFFREY ARGUEDAS/epa/Corbis

Para celebrar el Día de Independencia y otros actos cívicos, «ejércitos» de estudiantes de todas las edades desfilan por las calles.

[1] speech; [2] army; [3] invest; [4] free; [5] literacy

El sistema de educación está divido en tres secciones: la educación primaria (de 1° a 6° grado), la educación secundaria (de 7° a 11° grado) y la educación universitaria (que dura entre 4 y 7 años). Las tres secciones están reguladas por el Ministerio de Educación Pública. Una de las reglas del Ministerio, con el fin de disminuir las diferencias socioeconómicas entre los estudiantes, es que todos los estudiantes de primaria y secundaria deben llevar uniforme escolar. El uniforme de las escuelas secundarias públicas, por ejemplo, consta de pantalones o falda de color azul oscuro y camisa de color azul claro.

El año escolar comienza en febrero y termina en diciembre con un descanso de dos o tres semanas entre semestres. Todo estudiante —de las escuelas públicas y las privadas— tiene que tomar las pruebas[6] nacionales de rendimiento[7] en el 6° y el 9° grados para poder avanzar al siguiente año escolar y en el 11° para obtener el título de Bachiller.

Mientras que las escuelas privadas en el nivel secundario son muy populares y numerosas, en el nivel superior las universidades públicas tienen mayor prestigio. La Universidad de Costa Rica (UCR) tiene la mejor reputación. También es la más antigua y la más grande de Costa Rica; cuenta con 35 000 estudiantes. Para ingresar, el candidato tiene que tomar la Prueba de Aptitud Académica (parecida al SAT) y presentar dos opciones de carrera. Luego, de acuerdo con la nota y el número de vacantes en la carrera elegida, el estudiante es admitido o «gana un espacio». Es un proceso competitivo: generalmente hay más de 18 000 candidatos para 8 000 cupos[8]. Quienes no logran entrar generalmente buscan una universidad privada o un empleo.

[6] tests; [7] performance; [8] available slots

9-44 Preguntas. Conteste las siguientes preguntas.

1. ¿Qué le permite al gobierno de Costa Rica invertir dinero en la educación pública?
2. ¿Cómo ayudó la educación obligatoria y gratuita al desarrollo del país?
3. ¿Cuáles son algunas razones por las cuales los costarricenses se sienten orgullosos *(proud)* de su sistema educativo?
4. ¿Qué papel hace el Ministerio de Educación Pública?
5. Si Ud. estudiara en Costa Rica, ¿en qué mes comenzaría el año escolar? ¿Qué tendría que hacer para ingresar a la UCR?

9-45 Discusión. Comente estas preguntas trabajando con dos o tres compañeros.

1. ¿Cree que fue importante que los primeros gobernantes de Costa Rica fueran maestros? Explique.
2. ¿Cuáles son algunas diferencias entre el sistema educativo de Costa Rica y el de los Estados Unidos? ¿Cómo son parecidos?
3. ¿Por qué tendrán las universidades públicas de Costa Rica mayor prestigio que las universidades privadas?

9-46 Proyecto. ¿Le gustaría estudiar en la Universidad de Costa Rica o en una universidad de España o Hispanoamérica? Muchas universidades alrededor del mundo ofrecen programas para estudiantes internacionales. Investigue por Internet sobre algún programa de estudio en el extranjero *(study abroad program)* en una universidad hispanoamericana. Simplemente ingrese las palabras de búsqueda «universidades de (país)».

Prepare una presentación oral para la clase que incluya la siguiente información:

- En qué país le gustaría estudiar y por qué
- El nombre de la universidad sobre la que investigó y algunos datos interesantes
- Los requisitos *(requirements)* para estudiar en esa universidad
- El costo de estudiar allí durante un semestre
- El tipo de alojamiento *(lodging)* que escogería

La ciudad en el mundo hispánico

Jeremy Woodhouse/Photodisc/Getty Images

En esta foto vemos una vista de Quito, Ecuador. ¿Cómo es esta ciudad? Compare Quito con una ciudad grande de los Estados Unidos. ¿Se parecen mucho o son muy distintas?

En contexto
En el Café Alfredo

Estructura
- **If** clauses
- Verbs followed by a preposition
- Diminutives and augmentatives

Repaso
🌐 www.cengagebrain.com

A conversar
Expressions that ensure continuous interaction

A escuchar
Inferring social relationships

Intercambios
La vida urbana y la vida rural

Investigación y presentación
El transporte en Buenos Aires

Vocabulario activo

Verbos
averiguar *to find out*
enamorarse (de) *to fall in love (with)*
merecer *to deserve*
prestar *to lend*
reunirse *to meet, gather*

Sustantivos
el bocadito *snack*
el bolsillo *pocket*
el caballero *gentleman*
el conjunto *musical group*
los entremeses *hors d'oeuvres*
el letrero *sign*
el metro *subway*
la morenita *pretty brunette*
el (la) novio(a) *boyfriend, girlfriend,*
    fiancé, fiancée

el (la) pelirrojo(a) *redhead*
el tipo *guy*

Adjetivos
formidable *great, wonderful*
grandote(ta) *very large*
guapetón(ona) *really cute*
guapito(a) *very cute*
poquito(a) *a little bit*
resuelto(a) *resolved*
subterráneo(a) *underground*

Otras expresiones
al aire libre *in the open air, outside*
café al aire libre *sidewalk café*
¿de acuerdo? *agreed? all right?*

10-1 Para practicar. Complete el párrafo siguiente con palabras escogidas de la sección **Vocabulario activo.** No es necesario usar todas las palabras.

Anoche fui a ver a mi **1.** _____ Alicia. Ella vive en un barrio que está lejos de mi casa. Por eso tomé el **2.** _____ a su casa. Alicia es alta, delgada y **3.** _____ con cabello oscuro y bellísimo. Opino que ella es la **4.** _____ más bonita del mundo. Yo me **5.** _____ de ella la primera vez que la vi. Nosotros nos **6.** _____ todas las noches para hablar o para asistir a un concierto o ir al cine. Anoche había un **7.** _____ que daba un concierto en el Teatro Colón. Mi hermano me **8.** _____ dinero para comprar las entradas. Era un concierto **9.** _____. Después decidimos comer un **10.** _____ en un **11.** _____ que estaba cerca del teatro.

Track 29 🔊 **10-2 En el Café Alfredo.** Antes de leer el diálogo escúchelo con el libro cerrado ¿Cuánto comprendió?

(En la Ciudad de México, Tomás y Carlos se reúnen casi todos los días en el Café Alfredo, un restaurante al aire libre[1].)

TOMÁS   Hola, Carlos. ¿No vino Dieguito?

CARLOS   No. Tuvo que visitar a un amigo que está en el hospital.

TOMÁS   ¡Hombre! Mira a esas dos muchachas. Qué guapitas las dos ¿eh?

CARLOS   Guapetonas. A la morenita la vi pasar antes sola. Oye, ¿qué vamos a hacer esta noche?

TOMÁS   No sé. ¿Qué quieres hacer tú? Con tal que no cueste nada, porque mis bolsillos están que chillan del hambrote que traen[1].

[1] que chillan del hambrote que traen *are growling with hunger (very empty)*

CARLOS	A ver si Isabel y Sonia quieren salir a pasear. Te puedo prestar un poquito para que vayamos al cine. O podríamos ir al museo: no cuesta nada.
TOMÁS	¡Uf! Pero es media hora en camión[2]. Luego tendríamos que esperar hasta que se vistieran y luego otra media hora de vuelta. Ni que fueran[2] Julia Roberts y Keira Knightley.
CARLOS	En el metro llegaríamos en quince minutos.
TOMÁS	Si tuviéramos un coche solo nos tomaría diez minutos. Voy a buscarme una novia que viva en el centro. ¡Mira! Esas dos acaban de sentarse allí. Si esa pelirroja fuera mi novia, iría al fin del mundo en camión.
CARLOS	Tal vez esté resuelta la cuestión del programa para esta noche. Ve a hablarles. Ya me enamoré.
TOMÁS	Bueno, pero ¿qué les digo?
CARLOS	Invítalas a ir a bailar con nosotros.
TOMÁS	Pero, si aceptan… a menos que traigas dinero para los dos…
CARLOS	Sí, sí, yo te presto. Vamos al «Jacaranda». Tienen un conjunto formidable. Pero date prisa, antes de que se nos vayan.
TOMÁS	Bueno, bueno, ya voy. (Se acerca a la mesa de Tere y Lola.) Perdonen, señoritas, ¿saben Uds. dónde queda «El Jacaranda»?
TERE	Sí, allí en la esquina. ¿No ve el letrero ahí, el de las letras grandotas?
TOMÁS	Ah, ¿cómo no lo había notado? ¿Sabe si es un buen lugar para bailar?
TERE	Pues, así dicen. Yo nunca estuve adentro.
TOMÁS	Entonces, permítanme invitarlas. Si nos acompañaran a mi amigo y a mí, podríamos averiguar si merece la fama que tiene. ¿De acuerdo?
LOLA	Solo si les pide permiso a nuestros novios, que se acercan ahí detrás de Ud.
TOMÁS	¿Cómo? ¿Novios? Ah… este… Gracias por la información. Buenas noches, caballeros. Pedía un poquitín[3] de información. Si hubiera sabido, no habría molestado. Bueno, con su permiso… (Vuelve a su mesa.) Oye, Carlos, viéndolas de cerca no son tan bonitas.
CARLOS	Sí, veo que las acompañan unos tipos. Bueno, ¿qué quieres hacer esta noche?
TOMÁS	Pues, vamos en el metro a casa de Isabel y Sonia, ¿quieres? Pensándolo bien, no está tan lejos.
CARLOS	Bueno, vámonos.

Notas culturales

[1] **un restaurante al aire libre:** *La vida social en muchas ciudades hispánicas se concentra en los cafés —frecuentemente al aire libre— donde se reúne la gente por la tarde, después del trabajo, para conversar, beber y comer entremeses u otros bocaditos. Es una costumbre indispensable para mucha gente.*

[2] **media hora en camión:** *Se usa mucho el transporte público en las ciudades hispánicas. El medio más popular es el camión (la palabra para* bus *en México; en otros países, «el camión» quiere decir* truck*). Los taxis abundan* (abound) *también. En las capitales hay trenes subterráneos (llamados «metros») que suelen ser* (are usually, generally) *más rápidos y, a veces, más cómodos que los «camiones».*

[2] Ni que fueran *Not even if they were*   [3] un poquitín *a tiny bit*

10-3 Actividad cultural. En grupos de tres personas, hablen de estos temas.

1. ¿Qué papel hacen los cafés en las ciudades hispánicas? ¿Qué cosas se sirven en los cafés? ¿Son populares los cafés al aire libre en España? ¿en los Estados Unidos? ¿Prefiere Ud. comer y beber en un café o en un restaurante? Explique por qué.

2. ¿Cuáles son los medios de transporte más populares en las grandes ciudades del mundo hispánico? ¿Qué medio de transporte le gusta más a Ud.? ¿Por qué?

10-4 Comprensión. Conteste las siguientes preguntas.

1. ¿Qué tipo de restaurante es el Café Alfredo?
2. ¿Por qué no vino Dieguito?
3. ¿Qué piensa Tomás de las muchachas?
4. ¿Qué es lo que sugiere Carlos?
5. ¿Cómo pueden llegar a casa de Isabel y Sonia?
6. ¿Qué les pregunta Tomás a las dos muchachas?
7. ¿Qué quiere hacer en realidad?
8. ¿Por qué no se interesan las muchachas?
9. ¿Qué deciden hacer Tomás y Carlos?

10-5 Opiniones. Conteste las siguientes preguntas.

1. ¿En qué ciudad grande de los Estados Unidos o de México ha estado Ud.?
2. ¿Le gustan las ciudades grandes? ¿Por qué?
3. ¿Le gustan los restaurantes al aire libre? ¿Por qué?
4. ¿Dónde y cuándo ha estado Ud. en un restaurante al aire libre?
5. ¿Por qué no hay muchos restaurantes al aire libre en los Estados Unidos?
6. ¿Prefiere ir a un museo o al cine? ¿Por qué?
7. ¿Cómo se llama su conjunto musical favorito?

John W Banagan/Stone/Getty Images

El Museo Guggenheim Bilbao, en el norte de España, es una estructura singular. Describa el edificio. ¿Se parece a alguno de los edificios en la ciudad donde vive?

Heinle Grammar Tutorial:
If clauses (hypothetical situations)

If clauses

A. Subjunctive and indicative in *if* clauses

In Spanish as in English, **si** or *if* clauses may express conditions that are factual or conditions that are contrary to fact. The verb tense used in a Spanish **si** clause depends on the factual or nonfactual nature of the condition.

1. When a **si** clause expresses a simple condition or a situation that implies the truth or an assumption, the indicative mood is used in both the **si** clause and the result clause of the sentence.

   Si tengo bastante dinero, iré contigo. ¿De acuerdo?
   If I have enough money, I will go with you. Agreed?

   Si continúas hablando, vas a perder el avión.
   If you continue talking, you are going to miss the plane.

   Si ellos tenían tiempo, hacían la tarea.
   If they had time, they did the assignment.

2. When a **si** clause states a hypothetical situation or something that is contrary to fact (not true now nor in the past) or unlikely to happen, the imperfect or past perfect subjunctive is used. The result clause is usually in the conditional or the conditional perfect.

   Si pudiera, iría en metro.
   If I could, I would go by subway.

   Si hubiera sabido, no las habría molestado.
   If I had known, I would not have bothered them.

   Si él fuera a México, vería las ruinas aztecas.
   If he should (were to) go to Mexico, he would see the Aztec ruins.

   ¿Qué harías si tuvieras un millón de dólares?
   What would you do if you had a million dollars?

   Si él lo pusiera en el bolsillo, no lo perdería.
   If he put it in his pocket, he would not lose it.

3. When **si** means *if* in the sense of *whether,* it is always followed by the indicative.

   No sé si lo haré o no.
   I don't know if (whether) I'll do it or not.

B. Clauses with *como si*

Como si *(as if)* implies an untrue or hypothetical situation. It always requires the imperfect or the past perfect subjunctive.

Pinta como **si** fuera Picasso.
He paints as if he were Picasso.

Hablaban como **si** no hubieran oído las noticias.
They were talking as if they hadn't heard the news.

¡Como **si** nosotros tuviéramos la culpa!
As if we were to blame!

Práctica

10-6 Varios pensamientos.
Complete estos pensamientos de un(a) estudiante con la forma correcta de los verbos entre paréntesis.

1. Si yo (tener) _____ más tiempo, estudiaría con ellos.
2. Se él (haber) _____ estudiado sus apuntes, habría salido bien en el examen.
3. Si ellos (ganar) _____ bastante dinero, comprarán los libros.
4. La profesora me habló como si (ser) _____ mi madre.
5. Si nosotros (tomar) _____ el metro, llegaríamos a la universidad en diez minutos.
6. Si el profesor (hablar) _____ más despacio, los alumnos lo entenderían mejor.
7. Si los estudiantes (haber) _____ comido un bocadito antes de salir, no habrían tenido hambre durante el examen.
8. Si yo (poder) _____ encontrar una pluma, escribiré los apuntes en mi cuaderno.
9. Él estudió como si le (gustar) _____ el curso.
10. Si ellos (viajar) _____ por metro, gastarían menos.

10-7 Un(a) millonario(a).
Trabajando en parejas, hablen de las cosas que harían si fueran millonarios. Incluyan las ideas de la lista y otras originales.

Si yo fuera millonario(a)...

1. comprar una casa grande
2. viajar a todas partes del mundo
3. ayudar a los pobres
4. comer en los restaurantes más elegantes del mundo
5. vivir en un lugar exótico
6. ¿...?
7. ¿...?
8. ¿...?

10-8 ¿Qué pueden hacer esta noche?
Trabajando en parejas, hablen de las cosas que harían esta noche si tuvieran la oportunidad. Siguiendo el modelo, hagan una lista de estas actividades. Compare su lista con la de su compañero(a) de clase.

Modelo   *Yo iría al centro si tuviera dinero.*

10-9 Reacciones.
Reaccione a las situaciones siguientes completando cada una de las oraciones de una manera lógica. Luego compare sus reacciones con las de otro(a) compañero(a) de clase. ¿Tienen muchas reacciones en común?

Modelo   *Si no tengo dinero, buscaré trabajo.*

1. Si yo no estudio, _____.
2. Si yo fumara, _____.
3. Si yo ganara mucho dinero, _____.
4. Si yo recibo un cheque de mil dólares, _____.
5. Si yo voy a México, _____.

10-10 Impresiones. Complete estas oraciones de una manera lógica y original. Luego compare sus impresiones con las de otro(a) compañero(a) de clase. ¿Tienen muchas impresiones en común?

1. Mi profesor habla como si _____.
2. El hombre anda como si _____.
3. Mi madre escribe como si _____.
4. Los estudiantes estudian como si _____.
5. Mi novio(a) gasta dinero como si _____.

10-11 Una visita a Madrid. Trabajando en grupos, hablen de lo que harían si fueran a Madrid, la capital de España. Luego, compartan su lista con las de los otros grupos. ¿Cuáles son las diferencias y las semejanzas?

Verbs followed by a preposition

Certain verbs require a preposition when followed by an infinitive or an object noun or pronoun. In the lists below, note the following:

A few verbs are regularly used with either of two prepositions.

entrar **en**   *or* entrar **a** *to enter (into)*
preocuparse **con**   *or* preocuparse **de** *to be concerned with, to worry about*

Many verbs may take more than one preposition, their meaning varying according to which preposition is used.

acabar **con** *to put an end to*
acabar **de** *to have just*

dar **a** *to face*
dar **con** *to come upon, meet*

pensar **de** *to think of (have an opinion of)*
pensar **en** *to think of (have on one's mind)*

> **Pensar** may also be followed directly by an infinitive, in which case it means *to intend to*.

A. Verbs that take the preposition *a*

1. Verbs taking **a** before an infinitive

acostumbrarse a *to get used to*	invitar a *to invite to*
aprender a *to learn to*	ir a *to be going to*
ayudar a *to help to*	negarse a *to refuse to*
comenzar a *to begin to*	ponerse a *to begin to*
empezar a *to begin to*	prepararse a *to prepare to*
enseñar a *to teach to*	volver a *to . . . again*

2. Verbs taking **a** before an object

acercarse a *to approach*	ir a *to go to*
asistir a *to attend*	llegar a *to arrive at (in)*
dar a *to face*	oler a *to smell of*
dirigirse a *to go toward; to address oneself to*	responder a *to answer*
entrar a *to enter*	saber a *to taste of*

B. Verbs that take the preposition *con*

1. Verbs taking **con** before an infinitive

contar con *to count on*
preocuparse con *to be concerned with*
soñar con *to dream of*

2. Verbs taking **con** before an object

casarse con *to marry*
contar con *to count on*
cumplir con *to fulfill one's obligation toward; to keep*
dar con *to meet, to come upon*

encontrarse con *to meet*
quedarse con *to keep*
soñar con *to dream of*
tropezar con *to run across, to come upon*

C. Verbs that take the preposition *de*

1. Verbs taking **de** before an infinitive

acabar de *to have just*
acordarse de *to remember to*
alegrarse de *to be happy to*
dejar de *to stop*
encargarse de *to take charge of*
haber de *to have to*

olvidarse de *to forget to*
preocuparse de *to be concerned about*
quejarse de *to complain of*
terminar de *to finish*
tratar de *to try to*

2. Verbs taking **de** before an object

acordarse de *to remember*
aprovecharse de *to take advantage of*
burlarse de *to make fun of*
depender de *to depend on*
despedirse de *to say good-bye to*
disculparse de *to apologize for*
disfrutar de *to enjoy*
dudar de *to doubt*

enamorarse de *to fall in love with*
gozar de *to enjoy*
mudar(se) de *to move*
olvidarse de *to forget*
pensar de *to think of, to have an opinion about*
reírse de *to laugh at*
servir de *to serve as*

D. Verbs that take the preposition *en*

1. Verbs taking **en** before an infinitive

confiar en *to trust to*
consentir en *to consent to*
consistir en *to consist of*

insistir en *to insist on*
pensar en *to think of, about*
tardar en *to delay in, to take long to*

2. Verbs taking **en** before an object

confiar en *to trust*
convertirse en *to turn into*
entrar en *to enter (into)*

fijarse en *to notice*
pensar en *to think of, to have in mind*

Práctica

10-12 Preposiciones. Complete estas oraciones con una preposición si es necesario.

1. Las mujeres se acercaron _____ la puerta sin leer el letrero.
2. La lección consiste _____ leer el cuento.
3. Nosotros queremos _____ ir al partido de fútbol.
4. Mi primo se enamoró _____ una pelirroja.
5. Se alegran _____ recibir una carta de su abuela.
6. La doctora espera _____ llegar temprano a la universidad.
7. Los estudiantes se ponen _____ estudiar a las diez.
8. El abogado siempre ha cumplido _____ su palabra.
9. Al entrar _____ su casa me olvidé _____ todo.
10. Es necesario acordarse _____ esta fecha.
11. Mis compañeros siempre insisten _____ beber vino.
12. Mis padres compraron una casa que da _____ la plaza.
13. No podemos _____ salir sin ellos.
14. Rumbo a la estación, Juan tropezó _____ su novia.
15. Me olvidé _____ ponerlo en mi cuarto antes de salir.

10-13 Imagínese. Complete estas oraciones de una manera lógica. Luego compare sus respuestas con las de otro(a) compañero(a) de clase. ¿Tienen algo en común?

1. En esta clase nosotros (aprender a) _____.
2. Todas las semanas yo (asistir a) _____.
3. Después de graduarme, quiero (casarse con) _____.
4. Este verano mi familia y yo (disfrutar de) _____.
5. Antes de dormirme, yo (pensar en) _____.

10-14 Información personal. Escriba cinco oraciones que describan cosas que Ud. hace. Luego, escriba cinco preguntas y hágaselas a un(a) compañero(a) de clase. Use palabras de la lista para hacer sus oraciones y sus preguntas.

Modelo   *Me encuentro con mis amigos después de la clase.*
¿Con quién te encuentras tú?

1. acostumbrarse a
2. dirigirse a
3. contar con
4. casarse con
5. quejarse de
6. burlarse de
7. despedirse de
8. consistir en
9. insistir en
10. fijarse en

Diminutives and augmentatives

Spanish has a number of diminutive and augmentative suffixes that are added to nouns, adjectives, and adverbs in order to indicate a degree of size or age. These suffixes may also express affection or contempt. Often these endings eliminate the need for adjectives.

A. Formation

1. Augmentative and diminutive endings are added to the full form of words ending in a consonant or stressed vowel.

mamá	mamacita	(*mama, mommy*)
animal	animalucho	(*ugly animal*)

2. Words ending in the final unstressed vowels **o** or **a** drop the vowel before the ending is added.

libro	librito	(*little book*)
casa	casucha	(*shack, shanty*)

3. When suffixes beginning in **e** or **i** are attached to a word stem ending in **c, g,** or **z**, these change to **qu, gu,** and **c**, respectively, in order to preserve the sound of the consonant.

chico	chiquito	(*little boy*)
amigo	amiguito	(*pal, buddy*)
pedazo	pedacito	(*small piece, bit*)

4. Diminutive and augmentative endings vary in gender and number.

pobres	pobrecillos	(*poor little things*)
abuela	abuelita	(*grandma*)

B. Diminutive endings

The most common diminutive endings are **-ito, -illo, -cito, -cillo, -ecito,** and **-ecillo.** In addition to small size, diminutive endings frequently express affection, humor, pity, irony, and the like.

1. The endings **-ecito(a)** and **-ecillo(a)** are added to words of one syllable ending in a consonant and words of more than one syllable ending in **e** (without dropping the **e**).

flor	flor**ecita**	(*little flower, posy*)
pan	pan**ecillo**	(*roll*)
pobre	pobr**ecillo**	(*poor thing*)
madre	madr**ecita**	(*mommy*)

2. The endings **-cito(a)** and **-cillo(a)** are added to most words of more than one syllable ending in **n** or **r.**

joven	joven**cita**	(*young lady*)
autor	autor**cillo**	(*would-be author*)

3. The endings **-ito(a)** and **-illo(a)** are added to most other words.

ahora	ahor**ita**	*(right now)*
casa	cas**ita**	*(little house)*
Pepe	Pep**ito**	*(Joey)*
Juana	Juan**ita**	*(Jeanie)*
campana	campan**illa**	*(hand bell)*

C. Augmentative endings

The most common augmentative endings are **-ón(-ona), -azo, -ote(-ota), -acho(a),** and **-ucho(a).** Augmentative endings express large sizes and also contempt, disdain, grotesqueness, and so on.

hombre	hombr**ón**	*(big, husky man)*
éxito	exit**azo**	*(huge success)*
libro	libr**ote**	*(large, heavy book)*
rico	ric**acho**	*(very rich)*

Práctica

10-15 Derivaciones. Traduzca cada una de las palabras de la siguiente lista. Diga si la palabra es diminutiva o aumentativa. Luego, dé la palabra original de cada palabra de la lista.

1. sillón	**11.** pollito
2. caballito	**12.** hermanito
3. perrazo	**13.** hombrecito
4. poquito	**14.** cucharón
5. mujerona	**15.** zapatillos
6. jovencito	**16.** cafecito
7. guapetona	**17.** grandote
8. platillo	**18.** morenita
9. panecillo	**19.** librote
10. ratoncito	**20.** boquita

Ahora, escriba un párrafo para describir una persona, una cosa o un animal, usando algunas de las palabras de la lista anterior. Prepárese para compartir su descripción con la clase.

10-16 Una plaza del pueblo. Imagínese que está mirando una foto de una plaza de un pueblo de México. Describa lo que ve, usando formas diminutivas o aumentativas en vez de las frases en cursiva. Luego compare su descripción con la de otro(a) compañero(a) de clase. ¿Están de acuerdo?

Hay una *mujer grande* **1.** _____ que está hablando con una *chica pequeña* **2.** _____. Un *hombre pequeño* **3.** _____ está caminando con su *perro grande* **4.** _____. Un *chico pequeño* **5.** _____ está sentado en un *banco pequeño* **6.** _____. Hay *pájaros pequeños* **7.** _____ encima de una *estatua grande* **8.** _____. Otro *hombre grande* **9.** _____ está leyendo un *libro pequeño* **10.** _____. A mi *hijo pequeño* **11.** _____ le gustaría jugar en esta *plaza pequeña* **12.** _____.

🌐 For more practice
of vocabulary and
structures, go to the book
companion website at
www.cengagebrain.com

Antes de empezar la última parte de esta **unidad,** es importante
repasar el vocabulario nuevo y la estructura y hacer las actividades
que siguen.

Review *if* clauses.

10-17 Observaciones. Complete estas oraciones con la forma correcta de los
verbos entre paréntesis.

1. Irían a la playa si (tener) _____ tiempo.
2. Si yo (saber) _____ la verdad, se la diría.
3. Si José (estudiar) _____, aprenderá mucho.
4. Si ellos me (haber) _____ prestado el dinero, habría ido.
5. Si (haber) _____ bastante tiempo, vamos a ver las ruinas indígenas.
6. Ese hombre habla como si (ser) _____ muy inteligente.
7. Su novio baila como si (estar) _____ borracho.
8. Mi abuelo escribe como si no (poder) _____ ver bien.
9. Ella gasta dinero como si (tener) _____ mucho.
10. Me mudaría a la ciudad si (poder) _____ encontrar un trabajo.
11. Habrían visitado la aldea si (haber) _____ tenido más tiempo.
12. Si nosotros (salir) _____ a las seis, llegaremos a las diez.

Review verbs followed by a
preposition.

10-18 Una excursión. Complete estas oraciones con las preposiciones
adecuadas.

1. Los turistas llegaron ____ la estación de tren al mediodía.
2. Disfrutaron ____ impresionantes vistas panorámicas.
3. El señor Cho no pudo tomar fotos porque se olvidó ____ traer su cámara.
4. En la plaza, nos encontramos ____ un grupo de músicos.
5. Siempre soñé ____ ver las obras arquitectónicas de Gaudí.
6. El guía se encargó ____ conseguir las entradas.
7. Un señor se acercó ____ los turistas y les quiso vender una estatua.
8. El grupo acababa ____ recorrer el centro histórico cuando era hora de regresar
   a la estación de tren.

Review diminutives and
augmentatives.

10-19 Descripciones. Complete estas oraciones de una manera lógica, usando
formas diminutivas o aumentativas. Luego compare sus descripciones con las de
otro(a) compañero(a) de clase. ¿Están de acuerdo?

1. Un animal que no es bonito es un _____.
2. Una casa que es muy pequeña y humilde es una _____.
3. Lo opuesto de un librote es un _____.
4. Una flor que es muy pequeña es una _____.
5. Tomás es más que un amigo; es un _____.
6. Hay una campana en la torre, pero la que ella tiene en la mano es una
   _____.
7. El profesor no quiere que lo hagamos más tarde; él quiere que lo hagamos
   ahora mismo o _____.
8. El drama es más que un éxito; es un _____.

A conversar

Expressions that ensure continuous interaction

To keep a conversation moving and to ensure continued interaction with your partner, you may ask for help if you forget a word or the details of a situation. Some useful expressions are the following:

¿Cómo se dice... ?	*How do you say . . .*
¿Cómo se llama la persona que nos trae cartas?	*What do you call the person who brings us letters?*
Se me olvidó. ¿Recuerda Ud. (Recuerdas) lo que pasó?	*I forgot. Do you remember what happened?*
Ayúdeme (Ayúdame) a explicarlo.	*Help me explain it.*

Descripción y expansión

La ciudad ofrece muchas ventajas, pero a la vez tiene varias desventajas. Mire con cuidado el dibujo de esta ciudad hispánica, y después haga las siguientes actividades.

10-20 La ciudad. Describa detalladamente la escena en la página 246. Diga lo que hace cada persona en la escena. Use la imaginación.

a. ¿Qué hacen los niños enfrente del cine?
b. ¿Qué hace el hombre que está sentado en la parada del autobús?
c. ¿Qué hacen las dos parejas *(couples)*?
d. ¿Cómo se llama el almacén? ¿Qué se puede comprar en esa tienda?
e. ¿Cómo se llama la pastelería? ¿Qué se vende en esa tienda?
f. ¿Cómo se llama la película que dan en el cine? ¿Es una película extranjera para los mexicanos? ¿De qué país es?

 10-21 Opiniones y observaciones. Conteste las siguientes preguntas.

1. ¿Cuáles son algunas de las semejanzas entre esta ciudad, la ciudad de Nueva York y la suya? ¿Algunas de las diferencias?
2. ¿Dónde preferiría vivir, en esta ciudad o en la suya? ¿Por qué?
3. ¿Le parece a Ud. que la vida diaria de esta ciudad es más tranquila que la de su ciudad? Explique. Comparta sus ideas con las de los otros estudiantes.

LA GUERRA DE
LAS GALAXIAS
Almacén
Capitol
PASTELERÍA
GÓMEZ
PARADA
del
autobús

© Cengage Learning

Inferring social relationships

Pay attention to word usage and verb forms to infer the social relationship between speakers. For example, if they use diminutives (**guapita**) o colloquial expressions (**tipo**), you can infer that they have an informal, close relationship.

Track 30 ◀))) **¿Al rancho?**

Escuche la situación siguiente y complete las actividades.

María Luisa, ecuatoriana del primer curso de universidad, charla por teléfono con su novio Darío sobre la amiga que tiene en Texas. María Luisa y Amy se escriben desde que estaban en el segundo curso de secundaria, y se visitaron en una ocasión durante el verano.

10-22 Información. Decida si son **verdaderas** o **falsas** las siguientes oraciones.

1. Darío tiene una amiga en Texas.   V   F
2. Amy quiere estudiar periodismo.   V   F
3. El rancho está muy lejos de las ciudades.   V   F
4. Amy cuenta en la carta lo que es una hermandad.   V   F
5. A la estudiante ecuatoriana le gusta vivir en el campo.   V   F

10-23 Conversación. Pregúntele a un(a) compañero(a) de clase lo que haría si tuviera en su casa un amigo de otro país durante las vacaciones. Cuando termine cuéntele a él/ella lo que Ud. haría de modo diferente.

10-24 Situaciones. Con un(a) compañero(a) de clase, prepare algunos diálogos que correspondan a las siguientes situaciones. Estén listos para presentarlos enfrente de la clase.

Una nueva casa. Los Rodríguez acaban de mudarse a otra ciudad y buscan una casa. Hablan con un(a) agente de bienes raíces (realtor) y le describen detalladamente la clase de casa que ellos quieren comprar.

Las elecciones municipales. Un(a) candidato(a) para alcalde camina por la ciudad visitando las casas de los votantes. Un hombre le pregunta lo que va a hacer para mejorar la ciudad. El (La) candidato(a) le explica lo que quiere hacer.

Track 31 ◀))) **10-25 Ejercicio de comprensión.** Ud. va a escuchar un comentario sobre la importancia de la ciudad en el mundo hispánico. Después del comentario, va a escuchar varias oraciones. Indique si la oración es **verdadera (V)** o **falsa (F)**, trazando un círculo alrededor de la letra que corresponde a la respuesta correcta.

1. V   F   3. V   F
2. V   F   4. V   F

Ahora, escriba dos cosas que ha aprendido al escuchar este comentario. Comparta sus ideas con la clase.

Hay tres pasos en la actividad que sigue. **Primer paso:** Se divide la clase en grupos de dos personas. Lean la introducción a la discusión. **Segundo paso:** Cada persona tiene que explicar sus respuestas. **Tercer paso:** Varias parejas comparan respuestas.

 10-26 Discusión: La vida urbana y la vida rural. Todos tenemos alguna idea de cómo preferiríamos vivir si pudiéramos escoger libremente. A algunas personas les gusta más la vida urbana; otras prefieren vivir en el campo. Con un(a) compañero(a) de clase, indiquen Uds. sus preferencias, contestando las siguientes preguntas. Escriban sus respuestas.

1. ¿Dónde se siente más cómodo(a), en la metrópoli o en el campo? ¿Por qué?
2. ¿Cuáles son algunas de las ventajas de la vida rural?
3. ¿Qué nos ofrece la metrópoli?
4. ¿Qué cualidades asocia con las personas que viven en las grandes ciudades? ¿Y con las que viven en el campo?
5. ¿Prefiere caminar por el campo o por las calles de una ciudad? Explique.
6. ¿Qué preparación necesita uno para ganarse la vida en la ciudad? ¿En el campo?
7. ¿Dónde hay mejores diversiones, en la ciudad o en el campo? Descríbalas.
8. ¿Dónde es mejor la calidad de la vida? ¿Por qué?

Ahora, comparen Uds. sus respuestas con las de los otros estudiantes de clase. ¿Cuáles son las diferencias? ¿las semejanzas? ¿Cuántos estudiantes prefieren vivir en la ciudad? ¿en el campo?

10-27 Temas de conversación o de composición

En grupos de tres personas, hablen de los temas siguientes. Después, todas las personas tienen que escribir un resumen de lo que contesta cada miembro de su grupo. Para terminar, Uds. tienen que dar sus opiniones con respecto al papel del gobierno en la resolución de estos problemas. Si Ud. dice que el gobierno debe ayudar a las ciudades y a los agricultores o no debe ayudarlos, esté preparado(a) para explicar por qué.

1. ¿Cuáles son los problemas más graves con los que se enfrentan los habitantes de las grandes ciudades?
2. ¿Cuáles son los problemas de las personas que viven en el campo?
3. ¿Cree Ud. que el gobierno nacional debe ayudar a las ciudades que tienen problemas económicos? ¿Debe ayudar a los agricultores con sus problemas?

Buenos Aires, Argentina, es la segunda ciudad más grande de Sudamérica. La zona metropolitana tiene más de 13 millones de habitantes, y la ciudad cuenta con 48 barrios. ¿Cómo cree Ud. que la gente se desplaza (*get around*) por la ciudad? ¿Qué tipo de transporte público tendrá Buenos Aires? ¿Cuál será el más eficiente?

Lectura

El transporte en Buenos Aires

Como toda ciudad grande y cosmopolita, la capital de Argentina tiene una red de transporte que incluye autobuses, taxis y líneas subterráneas[1]. También empieza a ofrecer transporte público sostenible[2].

Subte: El sistema de metro de Buenos Aires, llamado **subte**, es el medio de transporte más rápido y eficiente. Hay seis líneas que cubren la mayor parte de la ciudad. El subte funciona todos los días de 6:00 a 23:00 hrs. También es bastante barato; cada boleto cuesta $1,10 pesos argentinos, o 26 centavos de dólar.

Colectivos: El autobús se llama **colectivo** en Argentina, y en Buenos Aires hay más de 140 líneas que pasan por todos los barrios. Es una forma barata de viajar pero entre semana, en el centro de la ciudad, es común quedarse atrapado[3] en los embotellamientos[4].

Metrobús: Para reducir el número de colectivos y por lo tanto el tráfico, el gobierno creó el Metrobús, un sistema de autobús de tránsito rápido. Consiste en usar carriles[5] exclusivos para autobuses, los cuales viajan en línea recta[6] sin tener que acelerar ni frenar[7] constantemente. Y entre más autobuses híbridos haya, menos será la contaminación ambiental.

Jose Manuel Revuelta Luna / Alamy

Taxis: Los taxis, de color negro y amarillo, tienen una presencia fuerte en las zonas turísticas. Es una forma de viajar cómoda pero también más costosa. La tarifa, la cual es regulada por el Estado, depende de los kilómetros recorridos. El taxímetro muestra la tarifa, entonces no es necesario negociar el precio antes de subirse, como en otras ciudades latinoamericanas.

Bicis: Buenos Aires tiene un sistema de transporte público de bicicletas. Para utilizar este sistema, el viajero debe registrarse; luego, con el número de PIN,

[1] subway lines; [2] sustainable; [3] stuck; [4] traffic jams; [5] lanes; [6] straight; [7] brake

puede sacar una bicicleta de una estación, usarla por hasta una hora y luego devolverla a cualquier otra estación. Es un servicio gratuito[8] y funciona entre semana, de las 8:00 a las 20:00 hrs.

Buquebús: Buquebús es una empresa privada que ofrece ferrys rápidos entre Buenos Aires y Colonia y también Montevideo, Uruguay. Sale de Puerto Madero y en tres horas cruza el Río de la Plata para llegar a la otra capital rioplatense[9], Montevideo.

Hay aproximadamente 40 000 taxis en Buenos Aires.

[8]free; [9]of River Plate

10-28 Preguntas. Conteste las siguientes preguntas.

1. ¿Cómo se llama el metro en Buenos Aires? ¿Cómo se llaman los autobuses?
2. ¿Cómo se reconocen los taxis? ¿Cuál es la ventaja y la desventaja de los taxis?
3. ¿Cuál es el transporte más eficiente de Buenos Aires? ¿Por qué es eficiente?
4. ¿Qué medios de transporte sostenible ofrece Buenos Aires?
5. ¿Cuál es el medio de transporte más barato de Buenos Aires? ¿Y el más caro?

10-29 Discusión. Comente estas preguntas con dos o tres compañeros.

1. ¿Qué ciudad de los Estados Unidos conoce Ud.? ¿Qué tipo de transporte público tiene esa ciudad? ¿Cómo se compara con el transporte público de Buenos Aires?
2. Si fuera turista en Buenos Aires, ¿qué medio de transporte usaría para llegar al hotel? ¿visitar Montevideo? ¿pasear por una hora en uno de los barrios?

10-30 Proyecto. ¿Qué medio de transporte que tiene Buenos Aires le gustaría introducir en la ciudad más cerca (*close*) adonde Ud. vive? ¿Cómo convencería al gobierno local para adoptarlo? Trabaje con un(a) compañero(a) de clase para investigar más a fondo sobre uno de los medios de transporte mencionados en la lectura. Luego preparen una propuesta para adoptar ese medio de transporte. Para escribir una propuesta sigan estos pasos:

1. Definan el problema de transporte en su ciudad.
2. Propongan un nuevo medio de transporte y digan cómo este resolvería el problema.
3. Incluyan información y datos sobre el medio de transporte que proponen.
4. Expliquen por qué la ciudad debe implementarlo.
5. Resuman los puntos más importantes.

Los Estados Unidos y lo hispánico

San Augustín (o St. Augustine), en la Florida, es la ciudad más antigua de los Estados Unidos. Fue fundada en 1565 por el español Pedro Menéndez. ¿Conoce Ud. otras ciudades estadounidenses fundadas por españoles?

En contexto
Después de los exámenes finales

Estructura
- The passive voice
- Substitutes for the passive
- Uses of the infinitive
- Nominalization
- The conjunctions **pero, sino,** and **sino que**
- The alternative conjunctions **e** and **u**

Repaso
🌐 www.cengagebrain.com

A conversar
Idioms

A escuchar
Making inferences

Intercambios
Situaciones

Investigación y presentación
Los Estados Unidos y la República Dominicana, unidos por el béisbol

Vocabulario activo

Verbos
charlar *to chat, converse*
señalar *to point out, indicate*

Sustantivos
el lío *problem, hassle*
el (la) profe *professor (slang)*
la raíz *root, origin*

Adjetivos
desagradable *unpleasant*

Otras expresiones
a propósito *by the way*
puesto que *since, inasmuch as*

11-1 Para practicar. Complete el párrafo siguiente con palabras escogidas de la sección **Vocabulario activo**.

Tengo un **1.** _____ muy **2.** _____ con mi compañero de cuarto en la residencia estudiantil. No sé exactamente la **3.** _____ del problema.
4. _____ el **5.** _____ de mi clase de español conoce a mi compañero también, decidí **6.** _____ con él para ver si él podría **7.** _____ un remedio para resolver este problema. **8.** _____, mi compañero es mi hermano.

Track 32 🔊 **11-2 Después de los exámenes finales.** Antes de leer el diálogo, escúchelo con el libro cerrado. ¿Cuánto comprendió?

(Carlos, un estudiante mexicano, se reúne con Bob y Rudi, dos estudiantes chicanos[1], en la cafetería. Charlan de un viaje que Bobi y Rudi piensan hacer a México después de los exámenes finales.)

BOB   ¿Cómo estuvo el examen?

CARLOS   ¡Uf! Difícil, amigo. Solo con suerte me aprobaron.

RUDI   Pero tú siempre sales bien en química. ¿Qué pasó?

CARLOS   Pues, el profe nos hizo una mala jugada[1]. Preguntó mucho sobre las primeras lecciones. Se me había olvidado todo eso. Pero, no hablemos de cosas desagradables. Vamos a hablar del viaje. Van primero a la capital, ¿verdad?

BOB   Sí. Pensamos pasar unas dos semanas en la capital y luego ir en autobús hasta Yucatán. Terminamos en Cancún para descansar en la playa.

CARLOS   Buen programa. ¿Dónde van a alojarse[2] en México? ¿Han escogido un hotel?

RUDI   Todavía no. ¿Nos puedes recomendar uno que no sea muy caro, eh? No estamos en plan de[3] turistas ricos. Queremos viajar mucho con poco dinero.

[1] jugada *trick*   [2] alojarse *to lodge, stay*   [3] en plan de *in the situation of*

CARLOS	Claro. Después les doy una lista. Hay varios hoteles cómodos de precios muy moderados. ¿Quieren estar en el centro?
BOB	Creo que sí. A propósito, ¿es difícil andar por la ciudad? No tendremos coche.
CARLOS	Al contrario. Hay toda clase de transporte público. Tener coche es un lío en la ciudad. Puesto que Uds. hablan español, pueden pedir información en cualquier parte.
RUDI	¿Y qué ciudades del interior nos recomiendas?
CARLOS	Pues, hay varias interesantes entre la capital y Yucatán. Oaxaca, por ejemplo, es muy bella y las ruinas de Monte Albán están muy cerca.
RUDI	Benito Juárez nació en Oaxaca, ¿verdad?
CARLOS	Sí. Y si quieres ver otras ruinas, puedes ir a Palenque. Y luego a Villahermosa, Mérida, Uxmal y Chichén Itzá.
BOB	Pero, hombre, espérate. ¿Cómo vamos a recordar todo eso?
CARLOS	Miren, les voy a traer un libro de guía. Señalaré las ciudades más importantes e interesantes. ¿Por qué no van a Guatemala[2] y a los otros países centroamericanos?
BOB	No hay suficiente tiempo. Pensamos ir a Centroamérica el verano que viene. Queremos ver todos los países de habla española.
RUDI	También queremos ir a Brasil, donde hablan portugués, y a Haití, donde hablan francés. Además, hay islas como Trinidad y Tobago, donde el idioma oficial es el inglés.
BOB	Antes yo no sabía que había tanta variedad lingüística en Latinoamérica.
CARLOS	Existe mucha variedad cultural también, aun entre los países de habla española. Hay que darse cuenta de la diferencia entre un país como Guatemala y otro como Argentina.
BOB	Pero todos los países hispanos tienen las mismas raíces culturales. Hablan la misma lengua, tienen la misma religión…
CARLOS	Pero han tenido una historia diferente[3] y probablemente tendrán un destino propio. Verán, ¡incluso hay diferencias dentro de México, entre la capital y Yucatán!

Notas culturales

[1] *In some areas of the United States,* **mexicoamericano** *is now the preferred term.*

[2] **¿Por qué no van a Guatemala?:** *Desde la frontera de México hasta Panamá hay unas 1 200 millas que abarcan* (include) *siete países distintos: Guatemala, Honduras, El Salvador, Nicaragua, Costa Rica, Belice y Panamá. El más pequeño, El Salvador, tiene la misma área que el estado de New Hampshire; el más grande, Nicaragua, es del tamaño de Alabama.*

[3] **Pero han tenido una historia diferente:** *Uno de los errores más comunes de los norteamericanos es el olvidarse de las grandes diferencias que existen entre una y otra nación en la región llamada «Latinoamérica».*

11-3 Actividad cultural. En grupos de tres personas, miren los mapas de los países que forman América Central. Luego, contesten estas preguntas.

1. ¿Cuál es el país más grande de América Central?
2. ¿Cuál es el país más pequeño?
3. ¿Cuáles países tienen costa en el mar Caribe? ¿en el océano Pacífico?
4. ¿Qué les parecen estos países?
5. ¿Hay más semejanzas entre estos países que diferencias o hay más diferencias que semejanzas?
6. ¿Quieren vivir en esa parte de este hemisferio? Expliquen.

11-4 Comprensión. Conteste las siguientes preguntas.

1. ¿Dónde se reúnen los tres estudiantes?
2. ¿Cómo salió Carlos en el examen de química?
3. ¿Por qué fue tan difícil el examen?
4. ¿Adónde quieren ir primero Bob y Rudi?
5. ¿Cómo van a viajar a Yucatán?
6. ¿Van a andar por la capital en coche? Explique.
7. ¿Dónde está Monte Albán?
8. ¿Por qué no van a visitar Centroamérica?
9. ¿Qué idiomas hablan en el Brasil y en Haití?
10. ¿Dónde hablan inglés?

11-5 Opiniones. Conteste las siguientes preguntas.

1. ¿Ha viajado por Hispanoamérica? ¿Por dónde?
2. ¿Qué país de Hispanoamérica le gustaría visitar? ¿Por qué?
3. ¿Cómo preferiría viajar por Hispanoamérica? ¿En coche? ¿en tren? ¿en autobús? ¿en avión? ¿Por qué?
4. ¿Qué querría ver en cada país?
5. ¿Querría estudiar en un país hispanoamericano? Explique.
6. ¿Preferiría vivir con una familia hispanoamericana o en un hotel? ¿Por qué?
7. ¿Cree que es necesario saber hablar idiomas extranjeros si uno quiere viajar por el mundo? Explique.
8. En su opinión, ¿por qué es importante que una persona viaje a varios lugares del mundo?

Heinle Grammar Tutorial:
The passive voice

The passive voice

Both English and Spanish have an active and a passive voice. In the active voice, the subject performs the action of the verb; in the passive voice, the subject receives the action. Compare the following examples.

Active voice:

Los mayas construyeron las pirámides de Uxmal y Chichén Itzá.
The Mayans constructed the pyramids of Uxmal and Chichén Itzá.

Passive voice:

Las pirámides de Uxmal y Chichén Itzá fueron construidas por los mayas.
The pyramids of Uxmal and Chichén Itzá were constructed by the Mayans.

A. Formation of the passive voice

The passive voice is formed with the verb **ser** plus a *past participle*. **Ser** may be conjugated in any tense and the past participle must agree in gender and number with the subject. The agent (doer) of the action is usually introduced by **por.**

Ese pueblo fue fundado **por** los españoles.
That town was founded by the Spaniards.

Los tíos de Rudi van a ser ayudados **por** Bob y Carlos.
Rudi's aunt and uncle will be helped by Bob and Carlos.

B. Use of the passive voice

1. The passive voice with **ser** is used when the agent carrying out the action of the verb is expressed or implied.

   Los apuntes **fueron** repasados por Carlos.
   The notes were reviewed by Carlos.

   El boleto **fue** comprado por Rudi.
   The ticket was bought by Rudi.

   La casa **fue** destruida por el viento.
   The house was destroyed by the wind.

2. If the action of the sentence is mental or emotional, **de** is used instead of **por** with the agent.

   El profesor es respetado (admirado, etcétera) **de** todos.
   The professor is respected (admired, etc.) by everyone.

Práctica

11-6 ¿Quién hizo eso? Cambie los verbos a la voz pasiva, usando el pretérito de **ser.**

1. Las bebidas (servir) _____ por la empleada.
2. El libro de historia (leer) _____ por Juan.
3. Los manuscritos (escribir) _____ por un monje.
4. La información (mandar) _____ por mi amigo.
5. Los indígenas (respetar) _____ por los turistas.

11-7 Un viaje a México. Bob y Rudi van a México. Relate sus planes, cambiando las oraciones de la voz activa a la voz pasiva.

1. Los alumnos estudiaron la historia de Hispanoamérica.
2. Carlos describe la influencia española en México.
3. Bob y Rudi explorarán las ruinas indígenas.
4. Van a visitar las misiones que estableció la Iglesia católica.
5. Carlos señaló otros lugares en la guía que los chicos deben ver.
6. Carlos compró los boletos para el viaje.
7. Bob escribirá el itinerario.
8. Ellos explorarán todas las regiones de México.

11-8 Listo para viajar. Ud. está listo(a) para hacer un viaje a México. Describa lo que cada una de las personas siguientes hizo para ayudar con las preparaciones, usando el pretérito de la voz pasiva con **ser**.

Modelo reservas / arreglar / el agente de viajes
Las reservas fueron arregladas por el agente de viajes.

1. mi cámara nueva / comprar / mi tío
2. las maletas / hacer / una compañía argentina
3. el boleto de ida y vuelta / conseguir / mi padre
4. mi pasaporte / expedir *(to issue)* / el gobierno
5. mis dólares / convertir a pesos / el banco

11-9 Personas, lugares y sucesos. Usando la voz pasiva, dé información sobre las personas, los lugares y los sucesos siguientes. Luego compare sus oraciones con las de un(a) compañero(a) de clase. ¿Están de acuerdo?

Modelo México / conquistar
México fue conquistado por los españoles.

1. la Declaración de Independencia de los Estados Unidos / escribir
2. América / descubrir
3. el teléfono / inventar
4. el presidente / elegir
5. la Primera Guerra Mundial / ganar

> The passive **se** construction is more common and is preferred over the true passive.

Substitutes for the passive

A. The passive *se*

When the speaker wishes to focus on the recipient or subject of the action and the agent of the action is not directly expressed, the passive **se** construction is used. The passive **se** construction always has these three parts:

se + third person verb + recipient or subject of the action

Note that if the recipient or subject of the action is an object rather than a person, the verb in the passive **se** construction agrees with it.

En aquella librería **se** venden libros de historia.
History books are sold in that bookstore.

Muchas páginas **se** han escrito sobre la conquista.
Many pages have been written about the conquest.

Allí **se** encuentra la población de origen colonial.
The population of colonial origin is found there.

B. Impersonal *they*

The third person plural may also be used as a substitute for the passive when the agent is not expressed.

Dicen que es muy inteligente.
They say (It is said) that he/she is very intelligent.

Hablan español en Argentina.
They speak Spanish (Spanish is spoken) in Argentina.

Práctica

11-10 Información sobre México. Carlos está diciéndole a Rudi algunas de las cosas que ellos deben saber sobre México. Cambie estas oraciones a la forma singular.

Modelo   Se oyen lenguas indígenas allá.
Se oye una lengua indígena allá.

1. Se encuentran misiones coloniales allí.
2. Se ven las pirámides al norte de la capital.
3. Se abrían las puertas del Museo de Antropología a las diez.
4. Se venden las guías turísticas en cualquier tienda.
5. Se cerraban tarde las tiendas en la Zona Rosa.

11-11 Más información. Carlos sigue dándole información a Rudi. Cambie las oraciones a la forma impersonal con el sentido de *they.*

Modelo   Se hacen joyas de plata en Taxco.
Hacen joyas de plata en Taxco.

1. Se habla náhuatl en algunas aldeas de México.
2. Se venden flores de papel en los mercados.
3. Se dice que México es una tierra de contrastes.
4. Se comen tacos en México.
5. Se baila el jarabe tapatío en México.

11-12 La llegada. Bob y Rudi han llegado a México. Con un(a) compañero(a) relaten lo que dice su guía, cambiando sus comentarios de la voz activa a la voz pasiva con **se.**

Modelo   Cambian dinero en el banco.
Se cambia dinero en el banco.

1. Preparan platos típicos en los restaurantes cerca del Zócalo.
2. Venden libros antiguos en varias tiendas en la Zona Rosa.
3. Arreglan los planes del viaje en esa agencia.
4. Verán la catedral durante una visita a la plaza.
5. Tocan música folklórica en aquella cantina.

11-13 Al hotel. Con un(a) compañero(a) de clase, digan lo que hicieron estas personas cuando Rudi y Bob llegaron al hotel.

Modelo   abrir la puerta / el botones
La puerta fue abierta por el botones.

1. traer las maletas al cuarto / Roberto
2. deshacer las maletas / los muchachos
3. arreglar un viaje a las pirámides / el agente de viajes
4. limpiar el cuarto / la criada
5. escribir unas tarjetas / Rudi

11-14 Un viaje personal. Usando la voz pasiva, relátele a su compañero(a) brevemente algunas experiencias que ha tenido viajando.

Uses of the infinitive

1. As an object of a preposition (where English uses the *-ing* form).

   Después de repasar sus apuntes, él fue a clase.
   After reviewing his notes, he went to class.

   Antes de hablar, es bueno pensar.
   Before speaking, it is good to think.

2. As a noun functioning as the subject or object of a verb. It may be used with or without the definite article **el**.

   (El) Ver esa región es indispensable.
   Seeing that region is indispensable.

   ¿Qué prefieres, nadar o esquiar?
   What do you prefer, swimming or skiing?

3. As a verb complement, in place of a noun clause when there is no change of subject.

   Quiero salir mañana.
   I want to leave tomorrow.

   Esperan llegar el martes.
   They hope to arrive on Tuesday.

4. In place of a noun clause after certain impersonal expressions (used with an indirect object pronoun).

   Le es necesario comprarlo.
   It is necessary for him/her to buy it.

   Nos es imposible viajar en tren.
   It is impossible for us to travel by train.

5. After verbs of perception such as **oír, escuchar, ver, mirar,** and **sentir.** (Note the position of the noun object in the last example.)

Los oí llorar.
I heard them crying.

Vieron escapar al ladrón.
They saw the thief escape.

6. Instead of a noun clause after verbs of preventing, ordering, or permitting **(prohibir, mandar, hacer, dejar,** and **permitir).** An object pronoun is usually a part of this construction.

Me prohibió salir.
He/She prohibited me from leaving.

Nos impidieron entrar.
They stopped us from entering.

No lo dejaron hablar.
They didn't allow him to speak.

Le hizo escribirla.
He/She made him/her write it.

7. In certain impersonal commands (usually on signs).

No fumar.
No smoking.

No escupir en la calle.
No spitting in the street.

No pisar el césped.
Don't step on the grass.

Práctica

11-15 Las experiencias de Bob y Rudi en México. Exprese algunas de las cosas que Bob y Rudi hicieron durante su primer día en México, traduciendo las palabras entre paréntesis. Luego compare sus oraciones con las de un(a) compañero(a) de clase. ¿Están de acuerdo?

1. *(After arriving)* _____ a México, fuimos al museo.
2. Rudi compró unos recuerdos *(in spite of having)* _____ poco dinero.
3. *(After eating)* _____, nos pusimos a charlar con unos mexicanos.
4. *(Instead of going to bed)* _____, miramos la televisión.
5. Siempre nos divertimos *(upon visiting)* _____ un país nuevo.

11-16 Una carta a un(a) amigo(a). Ud. está escribiéndole a un(a) amigo(a) después de llegar a la Ciudad de México. Cuéntele unas de sus experiencias personales. Luego lea su carta a un(a) compañero(a) de clase. ¿Han tenido experiencias similares?

El Palacio de Bellas Artes, en el centro histórico de la Ciudad de México, es un importante centro cultural.

Nominalization

A word or phrase that modifies a noun (a simple adjective, a **de** phrase, or an adjective clause) may function as a noun when used with the definite article. The process of omitting the noun and using the article + modifier is called *nominalization.*

Noun(s) stated:

Hay dos chicas allí. La chica morena es mi prima y la chica rubia es mi hermana.
There are two girls over there. The brunette girl is my cousin and the blond girl is my sister.

Noun(s) omitted:

Hay dos chicas allí. La morena es mi prima y la rubia es mi hermana.
There are two girls over there. The brunette is my cousin and the blonde is my sister.

More examples:

La raqueta de Paco es roja. La de Roberto es azul.
Paco's racket is red. Roberto's is blue.

El chico que habla es Carlos. El que escribe es Juan.
The boy who is talking is Carlos. The one who is writing is Juan.

The contractions **al** and **del** often occur in nominalized sentences.

Quiero conocer al hombre rico.
Quiero conocer **al** rico.

Práctica

11-17 Opiniones personales. Cambie estas oraciones según el modelo.

Modelo   Pienso que los exámenes orales son más difíciles que los exámenes escritos.
Pienso que los orales son más difíciles que los escritos.

1. Estas son las fotos de Trinidad y aquellas son las fotos de Tobago.
2. La chica que está cerca de la ventana es más bonita que la chica que está sentada.
3. Te prestaré el vestido amarillo, si me prestas el vestido rojo.
4. Puedo leer las palabras que están en este letrero, pero no puedo leer las palabras que están en aquel letrero.
5. A propósito, la chica pelirroja quiere salir con Carlos, y la chica morena no quiere.
6. Los chicos de aquí no saben bailar, pero los chicos de allá sí saben.
7. El restaurante que está en esa esquina está cerrado; el restaurante que está en el centro está abierto.
8. Las bebidas que tomé costaron poco; las bebidas que tomaste costaron mucho.
9. La casa de Isabel queda lejos de aquí; la casa de Sonia queda cerca.
10. Se acerca a la mesa de Tere; se aleja de la mesa de Lola.

11-18 Sus preferencias. Trabajando en parejas, expresen sus preferencias en cuanto a las cosas siguientes.

Modelo   ¿Un vuelo? Nos gusta *el que sale a las ocho.*

1. ¿Un restaurante? Me gusta _____.
2. ¿Novelas? Nos gustan _____.
3. ¿Una canción? Quiero escuchar _____.
4. ¿Bailes? Nos gustan _____.
5. ¿Películas? Prefiero _____.

11-19 Su viaje a México. Trabajando en parejas, háganse estas preguntas para saber lo que prefieren ver.

Modelo   ¿Qué prefieres ver el museo de antropología o el museo de arte moderno?
Prefiero ver el de antropología.

¿Qué prefieres ver...

1. la catedral de Guadalajara o la catedral de México?
2. la costa del Pacífico o la costa del Atlántico?
3. los barrios pobres o los barrios ricos?
4. los mercados indígenas o los mercados modernos?
5. los edificios de arquitectura colonial o los edificios de arquitectura moderna?

Ahora, siguiendo el modelo anterior hagan Uds. dos o tres preguntas originales.

The conjunctions *pero, sino,* and *sino que*

Pero, sino, and **sino que** all mean *but.* They all join two elements of a sentence, but each has specific guidelines governing its usage.

1. **Pero** joins two elements when the preceding clause is affirmative. It introduces information that expands a previously mentioned idea.

   Quiero ir, **pero** no iré.
   I want to go, but I won't.

   Prefiero mirar la televisión, **pero** tengo que estudiar.
   I prefer to watch television, but I have to study.

   Pero may be used after a negative element. In this case, *but* is equivalent to *nevertheless* or *however.*

   Raúl no es muy alto, **pero** juega bien al tenis.
   Raúl isn't very tall, but he plays tennis well.

   No me gusta hablar de cosas desagradables, **pero** a veces hay que hacerlo.
   I don't like to talk of unpleasant things, but sometimes it must be done.

2. **Sino** is only used after a negative element in order to express a contrast or contradiction to the first element. (**Sino** connects only a word or phrase to a sentence, but never a clause.)

   No es fácil **sino** difícil.
   It isn't easy, but difficult.

   No quiere beber **sino** comer.
   He/She doesn't want to drink, but rather to eat.

   Ellos no son peruanos **sino** chilenos.
   They are not Peruvians, but Chileans.

3. **Sino que** is only used after a negative element to connect a clause to the sentence. Like **sino,** it introduces information that contrasts or contradicts the concept expressed in a preceding negative element.

   No es necesario que lo estudie **sino que** lo lea.
   It isn't necessary that he/she study it, but that he/she read it.

   No dijo que vendría **sino que** se quedaría en casa.
   He/She didn't say that he/she would come, but that he/she would stay at home.

Práctica

11-20 A aclarar. Para aclarar las situaciones siguientes, complete cada oración con **pero, sino** o **sino que**.

1. Rudi no va con Carlos _____ con Bob.
2. Quiere ser ingeniero _____ no es fácil.
3. No iré al concierto _____ lo escucharé por radio.
4. No es azul _____ verde.
5. No quiero hablar _____ callarme.
6. No quiere que hablemos _____ nos callemos.
7. No dijeron que lo comprarían _____ lo venderían.
8. No van a tomar el autobús _____ el metro.
9. No va al cine _____ se queda en casa.
10. Mi amigo no es español _____ mexicano.
11. Él va a estudiar, _____ ellos prefieren ir al cine.
12. No piensan ir a Bolivia _____ a Guatemala.
13. No hay desierto _____ montañas.
14. No queremos quedarnos aquí _____ nos quedaremos.
15. Me gustaría charlar más, _____ tengo que terminar la tarea.

11-21 A escoger. Complete cada oración con sus propias ideas. Luego compare sus respuestas con las de un(a) compañero(a) de clase. ¿Tienen mucho en común?

Modelo No quiero visitar la misión sino *la catedral.*
No quiero visitar la misión sino que *me la describan.*

1. No quiero hacer un viaje a Tucson, pero _____.
   No quiero hacer un viaje a Tucson sino (que) _____.

2. Guadalajara no está cerca, pero _____.
   Guadalajara no está cerca sino (que) _____.

3. Mi amigo cree que yo sé mucho de México, pero _____.
   Mi profesor no cree que yo sepa mucho de México sino (que) _____.

4. En México un pasaporte es importante, pero _____.
   En España un pasaporte no solo es importante sino (que) .

The alternative conjunctions *e* and *u*

1. The conjunction **y** changes to **e** before words beginning with **i** or **hi**.

   Queremos ver lugares pintorescos **e** interesantes.
   We want to see picturesque and interesting places.

   Se necesitan tela **e** hilo para hacer un vestido.
   Fabric and thread are needed to make a dress.

   However, **y** does not change before nouns beginning with **hie** or with **y**.

   petróleo **y** hierro   él **y** yo
   oil and iron   *he and I*

2. The conjunction **o** changes to **u** before words beginning with **o** or **ho**.

   Tomás **u** Olivia pueden hacerlo.
   Tomás or Olivia can do it.

   No importa si es mujer **u** hombre.
   It doesn't matter if it's a woman or a man.

Práctica

11-22 De vuelta a casa. Bob y Rudi han vuelto de México y están compartiendo la información que ellos han obtenido. Relate lo que ellos dijeron, completando estas oraciones con **y** o **e.**

1. En México comimos naranjas _____ higos.
2. Se sirve gaseosa con limón _____ hielo en casi todos los cafés.
3. Rudi hablaba español _____ inglés todo el tiempo porque muchos de los mexicanos son bilingües.
4. Las personas a quienes conocimos nos contaron muchos cuentos divertidos _____ increíbles.

11-23 La conversación con Bob y Rudi continúa. Complete estas oraciones con **o** o **u.**

1. No sabíamos si necesitábamos más dinero _____ otra cosa para comprar joyas de plata.
2. Traté de visitar el Castillo de Chapultepec siete _____ ocho veces sin tener éxito.
3. Prefiero leer novelas _____ cuentos escritos por mexicanos para entender mejor su historia.
4. No sabíamos si las entradas costaban setenta _____ ochenta pesos para entrar en el Palacio de Bellas Artes.

11-24 En un restaurante. Ud. está en un restaurante en Costa Rica; su compañero(a) de clase es el (la) mesero(a). Lea el menú y pídale recomendaciones al mesero (o a la mesera). Luego ordene su comida, bebida y postre. Use las conjunciones apropiadas.

Restaurante El Cocodrilo

ENTRADAS

Ceviche de corvina	2800 ¢
Empanadas de queso	1600 ¢
Tamal de arroz	1800 ¢
Ostras clásicas	3200 ¢

PLATOS PRINCIPALES

Olla de carne	3000 ¢
Iguana en pinol	3500 ¢
Hígado en salsa de cebolla	4250 ¢
Pescado en salsa de maracuyá	5950 ¢
Pollo en salsa piri-piri	4900 ¢
Casado vegetariano	3200 ¢

POSTRES

Higos en almíbar	2400 ¢
Yogur con frutas	2000 ¢
Hojaldres de piña	2500 ¢
Flan de coco	2400 ¢

BEBIDAS

Batido de fruta	1200 ¢
Horchata	1000 ¢
Hierbabuena	800 ¢
Infusión de tila	850 ¢
Café	900 ¢

For more practice of vocabulary and structures, go to the book companion website at **www.cengagebrain.com**

Antes de empezar la última parte de esta **unidad,** es importante repasar el vocabulario nuevo y la estructura y hacer las actividades que siguen.

Review the passive voice.

11-25 Para pedir información. Trabajando en parejas, hagan y contesten estas preguntas.

Modelo ¿Los apuntes están escritos?
Sí, fueron escritos por el estudiante.

1. ¿Las lecciones están terminadas?
2. ¿La composición está corregida?
3. ¿Los viajes están arreglados?
4. ¿La puerta está cerrada?
5. ¿El resumen está preparado?

Review the passive voice.

11-26 ¿Quién hace estas cosas en su familia? Trabajando en parejas, háganse y contesten estas preguntas, usando la forma de la voz pasiva con **ser.**

Modelo preparar / comida
¿Quién prepara la comida?
La comida es preparada por mi padre.

1. pagar / cuentas
2. escribir / cartas
3. leer / libros
4. cantar / canciones
5. limpiar / casa
6. manejar / coche

Ahora, pregúntele a un(a) compañero(a) de clase si hay otras cosas que otros miembros de su familia hacen en casa.

Review substitutes for the passive.

 11-27 Para hacer anuncios. Se usa con frecuencia el **se** impersonal en los anuncios. Con un(a) compañero(a) escriban unos anuncios, usando las siguientes palabras.

Modelo casas / vender
Se venden casas aquí.

1. viajes a Puebla / arreglar
2. comida francesa / servir
3. inglés / hablar
4. novelas mexicanas / vender
5. coches / alquilar

11-28 Más anuncios. En los anuncios también se usan infinitivos, como por ejemplo, «No fumar». Con su compañero(a) de clase, escriban cinco anuncios para la residencia estudiantil latina.

Modelo   *No traer mascotas de ninguna especie.*
Mostrar respeto a todos los residentes.

11-29 Evitando la repetición. Cambie estas oraciones según el modelo.

Modelo   El boleto de Rudi y el boleto de Bob están en la maleta.
El boleto de Rudi y el de Bob están en la maleta.

1. La casa de Juan y la casa de Pablo están muy lejos de aquí.
2. El libro que está en la mesa y el libro que está en la silla son de Elena.
3. Los mapas de México y los mapas de Costa Rica están en mi cuarto.
4. El coche azul y el coche rojo son nuevos.
5. Los muchachos españoles y los muchachos argentinos están aquí de visita.

11-30 Conjunciones. Complete estas oraciones con las conjunciones más adecuadas: **pero, sino, sino que, y, e, o o u.**

1. No queremos ir a Cancún _____ queremos ir a Cozumel.
2. El hotel no está en la playa _____ en una colina.
3. Conocimos a dos mexicanos muy simpáticos: Carlos _____ Isabel.
4. No solo nadamos en el mar _____ también buceamos.
5. Estoy en la habitación número siete _____ ocho, no me acuerdo.
6. No tenía hambre _____ sed.
7. Pedí un té frío con mucho limón _____ hielo.
8. Me gustó mucho el viaje: fue una experiencia increíble _____ inolvidable.

11-31 Para planear un viaje a Latinoamérica. Ud. y un(a) amigo(a) están planeando un viaje a Latinoamérica. Trabajando en parejas, hagan un itinerario para su viaje, incluyendo los lugares que quieren visitar y una lista de cosas que piensan que son necesarias tener en el viaje. Hay solamente una restricción. Ud. puede llevar solamente cinco cosas incluyendo la maleta. Estén preparados para compartir su itinerario y su lista con los estudiantes de la clase. Ellos van a decirles si ellos piensan que Uds. han incluido todas las cosas esenciales para el viaje.

Idioms

Learning idioms and useful expressions will help you understand a native speaker more easily. Knowing idioms and expressions will also enable you to develop a more sophisticated level of speaking. An idiom is a word or expression that cannot be analyzed word for word nor does it have a direct English equivalent. Some of the more frequently used idioms you have studied are the following:

claro	*of course*	valer la pena	*to be worthwhile*
con permiso	*excuse me (when leaving the table or a room)*	tomar una copa	*to have a drink*
		hacer daño	*to harm, hurt*
de todos modos	*anyway*	darse cuenta de	*to realize*

Descripción y expansión

En el mundo hispánico se puede encontrar una gran variedad de restaurantes y cafés; unos son muy elegantes, algunos están al aire libre, algunos son cafeterías más o menos informales. Mire con cuidado la foto de un restaurante, y haga las actividades que siguen.

Puerto Ingel, México

11-32 El Restaurante. ¿Cómo es el restaurante de la foto: grande, pequeño, elegante, regular? Describa el restaurante de la foto. Luego describa la clase de restaurante que Ud. prefiere. ¿Por qué prefiere ese tipo de restaurante?

11-33 Opiniones. Conteste las siguientes preguntas.

a. ¿Qué opina de la comida extranjera? Explique.
b. ¿Qué comida extranjera es su favorita? ¿Por qué?
c. ¿Cuál prefiere, la comida americana o la comida mexicana? ¿Por qué? Ahora, comparta sus ideas con la clase.

Making inferences

Making inferences is to go beyond what is said, to "listen between the lines." You can do this by asking yourself why something happens, why it is important, how one event influences another, and why the speakers say what they say. While you listen, combine details from the dialogue or narrative with what you know about the world to draw logical conclusions.

Track 33 **Política**

Escuche la situación siguiente y complete las actividades.

Dos empresarios del sector de la industria turística de Veracruz, México, durante su estancia en Houston, se encuentran viendo un partido de baloncesto. En el descanso charlan de diversos temas, entre ellos de política y de las próximas elecciones en los Estados Unidos.

11-34 Información. Complete las siguientes oraciones, basándose en el diálogo que acaba de escuchar.

1. Manolo y Pancho están viendo…
2. La sección de deportes no contaba…
3. Los dos señores mexicanos son…
4. Para los estados del Sur el ser conservador es…
5. Un segmento de la opinión pública está…
6. Podemos inferir que los señores apoyan…

Track 34 **11-35 Ejercicio de comprensión.** Ud. va a escuchar un comentario sobre las relaciones entre los Estados Unidos e Hispanoamérica durante el siglo xx. Después del comentario, va a escuchar varias oraciones. Indique si la oración es **verdadera (V)** o **falsa (F)**, trazando un círculo alrededor de la letra que corresponde a la respuesta correcta.

1. V F
2. V F
3. V F
4. V F
5. V F
6. V F

Ahora, escriba dos cosas que ha aprendido al escuchar este comentario. Comparta esta información con la clase. ¿Cuántos estudiantes escribieron las mismas cosas?

11-36 Situaciones. Hay tres pasos en la actividad que sigue. **Primer paso:** Se divide la clase en grupos de tres personas. Lean la introducción a cada situación. **Segundo paso:** Cada grupo tiene que escoger una situación. **Tercer paso:** Después actúen la situación frente a la clase entera.

1. **Para tomar un taxi:** Ud. ha llegado a una ciudad hispánica y tiene que tomar un taxi al centro. Pregúntele al chófer si conoce un hotel no muy caro y una agencia donde pueda alquilar un coche.

    autopista *highway;* calle *(f) street;* cobrar por *to charge for;* coche de alquiler *rental car;* precio fijo (por persona) *fixed price (per person);* recomendar *to recommend;* ruta *route;* taxímetro *taxi meter*

2. **Hay que ir al correo y al banco:** Después de escribir unas cartas y unas tarjetas postales, Ud. tiene que ir al correo. Pregúntele al conserje dónde está. Después, Ud. pasa por el banco para cobrar unos cheques de viajero. Tiene que identificarse y averiguar la tarifa *(rate)* de cambio.

    correo aéreo *air mail;* dirección *address;* estampilla (sello, timbre) *stamp;* franqueo *postage;* remitente *(m or f) sender, return address;* cajero *cashier;* cheque de caja *(m) cashier's check;* cheque de viajero *traveler's check;* cobrar un cheque *to cash a check;* cuenta *account;* firmar (o endosar) *to sign, to endorse;* tasa (o tarifa) de cambio *exchange rate;* ventanilla *(cashier's) window*

3. **Una enfermedad:** Un día Ud. se siente mal. Llame a la recepción y pida que le llamen a un médico. Después, llame al médico y explique lo que le pasa.

    alergia *allergy;* antiácido *antacid;* aspirina *aspirin;* cápsula *capsule;* clínica *clinic, hospital;* consultorio *doctor's office;* dolor de estómago (cabeza) *stomach (head) ache;* enfermedad *illness;* estar resfriado(a) *to have a cold;* farmacéutico(a) *pharmacist;* indigestión *indigestion;* inyección *injection, shot;* pastilla *tablet;* píldora *pill;* receta *prescription*

11-37 Temas de conversación o de composición

1. Escriba una composición o hable de un viaje que ha hecho. Describa los lugares que visitó y la gente a quien conoció.
2. Escriba una composición o hable de un viaje que querría hacer por el mundo hispánico.

Ahora, cada estudiante tiene que compartir esta información, presentándola oralmente a la clase.

La República Dominicana es el país que exporta más beisbolistas a los Estados Unidos. ¿Qué sabe Ud. acerca de la República Dominicana? ¿Sabe por qué hay tantos beisbolistas dominicanos en las Grandes Ligas?

Lectura

Los Estados Unidos y la República Dominicana, unidos por el béisbol

El deporte nacional de la República Dominicana es el béisbol, o «pelota» como acostumbran llamarlo los dominicanos. La televisión transmite partidos de béisbol todos los días y el café matutino[1] se acompaña con una discusión apasionada acerca de los equipos que acabaron de jugar. En las calles y en los parques, los niños dominicanos juegan al béisbol, soñando con llegar a las Grandes Ligas[2]. No es un sueño desatinado[3]: 10% de los jugadores del MLB son de la República Dominicana. Más del 25% de los jugadores de las ligas menores de los Estados Unidos también provienen de este pequeño país caribeño. De hecho[4], la República Dominicana es el mayor exportador de beisbolistas a los Estados Unidos.

Un poco de historia

Aunque el origen exacto del béisbol se desconoce[5], se sabe que el juego moderno se desarrolló en los Estados Unidos. Se introdujo a Cuba en los años 1860 y más tarde, los inmigrantes cubanos difundieron[6] el deporte en la República Dominicana. La popularidad del juego se extendió rápidamente. En 1911 se realizaron los primeros campeonatos nacionales, y en 1913 se publicó *La Pelota*, una revista dedicada exclusivamente al béisbol. La ocupación militar de los Estados Unidos entre 1916 y 1924 impulsó aún más el béisbol. Miles de aficionados vitoreaban los equipos dominicanos que jugaban contra los marinos americanos. En 1925 Baldomero Ureña se convirtió en el primer dominicano en jugar para un equipo de los Estados Unidos: el Allentown, un equipo de las ligas menores. La República Dominicana también contrató a jugadores estadounidenses, en particular de la Liga Negra, para complementar el talento local. En el campeonato de 1937, jugaron juntos beisbolistas blancos y negros, los cuales estaban separados en ese entonces en los Estados Unidos.

San Pedro de Macorís

San Pedro de Macorís está ubicado[7] en el sureste de la República Dominicana. De esta ciudad azucarera[8] han salido grandes beisbolistas, entre ellos Sammy Sosa, Alfonso Soriano y Robinson Canó. Curiosamente, San Pedro de Macorís —una ciudad de 214.000 habitantes— ha producido más jugadores para las Grandes Ligas per cápita que ningún otro lugar del mundo. El béisbol es allí una pasión y también es el pasaporte para salir de la pobreza.

[1] morning; [2] Major Leagues; [3] far-fetched; [4] In fact; [5] is unknown; [6] disseminated; [7] is located; [8] sugar-producing

Academias de béisbol

Con tanto talento dominicano, es fácil entender que todos los 30 equipos de las Grandes Ligas han invertido en academias de béisbol en la República Dominicana. El objetivo de las academias es producir grandes beisbolistas y más recientemente, educarlos también. Las academias tienen que ofrecer cursos de inglés, cursos acerca de la cultura estadounidense, ofrecer el diploma de bachillerato y educar a los jóvenes sobre el peligro de usar sustancias ilegales.

EDUARDO MUÑOZ/Corbis

Dicen que en la República Dominicana ¡se respira béisbol!

11-38 Preguntas. Conteste las siguientes preguntas.

1. ¿Cómo y cuándo se introdujo el béisbol a la República Dominicana?
2. ¿Durante qué años jugaron equipos dominicanos contra equipos de militares estadounidenses?
3. ¿Qué ciudad dominicana exporta más beisbolistas a las Grandes Ligas?
4. ¿Por qué tienen los equipos del MLB academias de béisbol en la República Dominicana?

11-39 Discusión. Responda a las preguntas con dos o tres compañeros.

1. ¿Dónde cree que el béisbol es más popular, en los Estados Unidos o en la República Dominicana? Justifique su opinión.
2. ¿A qué beisbolistas dominicanos conoce Ud.? ¿En qué equipos juegan?
3. ¿Por qué cree que San Pedro de Macorís produce tantos beisbolistas profesionales?
4. ¿Cree que el béisbol beneficia económicamente a ambos países? Explique.

 11-40 Proyecto. Trabaje con un(a) compañero(a) de clase para investigar y hacer una presentación oral sobre un aspecto de las relaciones entre los Estados Unidos y la República Dominicana. Pueden escoger uno de los siguientes temas o usar uno propio.

1. el turismo
2. la intervención militar
3. CAFTA
4. la industria azucarera
5. Satchel Paige
6. los inmigrantes dominicanos en el Noreste

Hagan su investigación en Internet o en la biblioteca. Usen la información para hacer una presentación oral de dos a tres minutos enfrente de la clase.

La presencia hispánica en los Estados Unidos

Esta tienda mexicana está en Carrboro, Carolina del Norte. ¿Cuántas tiendas mexicanas hay en su comunidad?

En contexto
Los viajes de verano

Estructura
- Review of uses of the definite article
- Review of uses of the indefinite article
- Expressions with **tener, haber,** and **deber**
- Miscellaneous verbs

Repaso
 www.cengagebrain.com

A conversar
Sayings and proverbs

A escuchar
Understanding regional variations

Intercambios
Las situaciones inesperadas

Investigación y presentación
Los estereotipos de los latinos en la pantalla

273

Vocabulario activo

Verbos
guiar *to guide*
repasar *to review*

Sustantivos
el antepasado *ancestor*
la charla *chat*
el consejo *advice*
la escala *stopover*
la gira *tour*
el pasaje *passage, ticket*
la patria *country*
la procedencia *origin*
el rasgo *trace*
el suroeste *southwest*

Adjetivos
aislado(a) *isolated*
marcado(a) *clear, marked*
pintoresco(a) *picturesque*

Otras expresiones
de ida *one-way (ticket)*
de ida y vuelta *round-trip (ticket)*
en cuanto a *regarding, as far as . . .
  is concerned*
pasado mañana *the day after
  tomorrow*
por lo menos *at least*

12-1 Para practicar. Complete el párrafo siguiente con palabras escogidas de la sección **Vocabulario activo.** No es necesario usar todas las palabras.

1. _____ vamos a salir para 2. _____. Compré dos 3. _____ de 4. _____. Queremos visitar la tierra de nuestros 5. _____. Antes de salir, 6. _____ la historia de aquella región. Supimos que ellos vivieron en una aldea 7. _____ en las montañas 8. _____ al norte de Santa Fe. Al llegar a Taos, conocimos a un hombre que era nativo de la región. Durante nuestra 9. _____ con él, nos dijo que a él le gusta 10. _____ a los forasteros *(strangers)* a varios lugares de interés cerca de Chimayo. Fuimos con él. Fue una 11. _____ muy interesante.

Track 35 🔊 **12-2 Los viajes de verano.** Antes de leer el diálogo, escúchelo con el libro cerrado. ¿Cuánto comprendió?

(Carlos, Bob y Rudi vuelven a encontrarse en la cafetería de la universidad para seguir su charla sobre los viajes de verano. Esta vez hablan del viaje que Carlos piensa hacer al suroeste de los Estados Unidos.)

CARLOS   Bueno, esta tarde tengo el último examen y mañana voy a hacer turismo. ¿Y Uds.? ¿Cuándo salen?

BOB   No salimos hasta el lunes. ¿Adónde vas primero?

CARLOS   Esperaba que Uds. me aconsejaran. Quiero ver lugares que demuestren la influencia mexicana. ¿Sería mejor ir a Phoenix, Tucson u otra ciudad?

RUDI   Pues, en cuanto a la influencia mexicana, hay relativamente poca en Phoenix, pero mucha en Tucson. Aquella fue establecida mucho más tarde. La misión de San Xavier del Bac, cerca de Tucson, fue construida en 1700.

BOB   En realidad, casi toda la influencia hispánica en Arizona es reciente, pero en el norte de Nuevo México y en el sur de Colorado hay pueblos que se fundaron en los tiempos coloniales. Ver esa región es indispensable.

RUDI	Si tienes mucho tiempo, te puedo recomendar algunos sitios magníficos en las montañas de Nuevo México. Pero por lo menos te daré la dirección de mis tíos en Santa Fe; ellos te pueden guiar por la ciudad.
CARLOS	Y la gente de Texas, ¿no es de procedencia mexicana también?
BOB	Bueno, Texas es más semejante a California: una mezcla de gente mexicana cuyos antepasados, o llegaron en el siglo XVIII, o inmigraron recientemente. El aspecto colonial se limita a varias misiones aisladas.
CARLOS	¿No son los estados de más concentración hispánica?
RUDI	Sí, es cierto, pero en Texas y en California ha habido más contacto con la cultura anglosajona que en otras partes, como en Nuevo México. ¿Cómo viajas? ¿En avión?
CARLOS	Sí, porque en autobús llevaría demasiado tiempo, ya que la distancia es enorme. Si pudiera, iría en tren, pero es difícil.
BOB	No solo difícil, sino imposible.
CARLOS	Tengo pasaje de Los Ángeles a San Antonio[1], y puedo hacer escala en cualquier ciudad de en medio[1]. Pensaba que podía tomar el autobús para visitar los pueblos pequeños.
RUDI	¿Compraste boleto de ida y vuelta?
CARLOS	No. Es un boleto de ida porque voy a viajar de San Antonio a México para pasar unos días con mis padres antes de volver a la universidad.
BOB	Hablando de México, ¿cuándo vas a orientarnos un poco más? Partimos el lunes para la capital.
CARLOS	Lo haré con mucho gusto. Si fuera posible, los acompañaría en una gira por mi patria. Pero creo que les puedo dar algunos consejos sobre los lugares más pintorescos e interesantes.
BOB	¿Por ejemplo?
CARLOS	Miren, tengo otro examen en diez minutos. Quisiera repasar mis apuntes una vez más antes de entrar. ¿Qué tal si nos reunimos aquí a las seis?
RUDI	Perfecto. Que salgas bien en el examen.
BOB	Sí, buena suerte.
CARLOS	Gracias. La voy a necesitar. Hasta luego. Nos vemos a las seis.

Nota cultural

[1] *Las misiones son una parte importante de la influencia hispana en los Estados Unidos. En el sur del país encontramos claros ejemplos del legado español en la estructura colonial de estas misiones, que albergaban a muchísimas personas dedicadas a la enseñanza de la religión católica. La ciudad de San Antonio, Texas, es famosa por sus cinco misiones ubicadas a lo largo del río San Antonio. En el siglo XVIII fue la mayor concentración de misiones católicas en Norteamérica. La más visitada es El Álamo; sin embargo la misión de San José fue muy importante. En ella vivieron unos 300 misioneros. Las otras misiones son San Juan, Concepción y Espada. Estas misiones, excepto El Álamo, se fundaron originalmente en el este de Texas, pero debido a épocas de sequía, malaria y la invasión francesa, se reubicaron en San Antonio. El siglo XVIII fue el apogeo de las misiones, pero más tarde perdieron importancia, debido a las enfermedades, falta de apoyo militar y ataques de los indígenas.*

[1] en medio *in between*

12-3 Actividad cultural. En parejas, contesten las siguientes preguntas.

1. ¿Qué función tienen las misiones?
2. ¿En qué zona de los Estados Unidos se establecieron las misiones?
3. ¿En qué estado hay cinco misiones importantes, una de ellas muy famosa?
4. ¿En qué estados se observa una mayor influencia mexicana?
5. ¿Qué causó la desaparición de las misiones?

12-4 Comprensión. Conteste las siguientes preguntas.

1. ¿Dónde se reúnen Carlos, Bob y Rudi para seguir su charla?
2. ¿Qué país van a visitar Bob y Rudi?
3. ¿Cuándo van a salir?
4. ¿Qué lugares quiere ver Carlos?
5. ¿Qué estados muestran rasgos de la cultura española colonial?
6. ¿Cómo pueden ayudarle los tíos de Rudi a Carlos?
7. ¿De qué elementos se compone la cultura hispánica de Texas?
8. ¿Dónde se encuentra la mayor concentración hispánica del suroeste?
9. ¿Cómo va a viajar Carlos?
10. ¿Por qué llevaría demasiado tiempo en autobús?
11. ¿Compró Carlos boleto de ida y vuelta? ¿Por qué no?
12. ¿De qué van a hablar cuando se reúnan a las seis?

12-5 Opiniones. Conteste las siguientes preguntas.

1. ¿Ha visitado el suroeste de los Estados Unidos? ¿Qué partes?
2. Si tuviera la oportunidad de visitar estados con influencia hispánica, ¿qué estados preferiría visitar? ¿Por qué?
3. Antes de estudiar español, ¿sabía algo de la influencia hispánica en los Estados Unidos? Explique.
4. ¿Cree que la influencia hispánica ha cambiado la cultura estadounidense actual? ¿Qué proyecta para los próximos cincuenta años?

La misión de San Xavier del Bac. ¿Dónde está situada? Describa la misión en detalle. ¿Qué le parece?

Estructura

Heinle Grammar Tutorial: Definite and indefinite articles

Review of uses of the definite article

Some special uses of the definite article in Spanish are as follows:

1. With nouns in a series, it is generally repeated before each noun.

   El lápiz, el libro y la foto son de Margarita.
   The pencil, the book, and the photo belong to Margarita.

2. With all titles except **don (doña)** and **San, Santo (Santa)** when talking about a person.

   La Sra. García está en Texas.
   Mrs. García is in Texas.

   Don José le reza a Santo Tomás.
   Don José prays to St. Thomas.

   Note that the article is omitted when speaking directly to a person.

   Sr. García, ¿dónde está el comedor?
   Mr. García, where is the dining room?

3. With nouns used in a general or abstract sense.

   Los días son largos.
   Days are long.

   La paciencia es más importante que la sabiduría.
   Patience is more important than wisdom.

4. With infinitives used as nouns.

   El tocar música es genial.
   Playing music is great.

   El leer es más agradable que el mirar la televisión.
   Reading is more pleasant than watching television.

5. With days of the week, seasons of the year, the time of day, and dates.

   Estudio español los lunes.
   I study Spanish on Mondays.

   La primavera es la estación más bonita del año.
   Spring is the prettiest season of the year.

   Son las siete.
   It's seven o'clock.

   Pasado mañana es el seis de enero.
   The day after tomorrow is January 6.

   However, the article is omitted with days of the week in expressions such as **Hoy es…, Ayer fue…,** etc.; it is also omitted after **ser** with seasons. After the preposition **en**, the use of the article with seasons is optional.

   Hoy es martes.
   Today is Tuesday.

   Es invierno en la Argentina.
   It's winter in Argentina.

   En (el) otoño las hojas se caen de los árboles.
   In autumn the leaves fall from the trees.

Note that the definite article is used to express *on* with days of the week. **Voy a clase el lunes.** *I go to class on Monday.* Also the article is omitted with days of the week and with seasons after the verb **ser.**

6. With names of languages, except after the preposition **en** or when the language immediately follows the verb **hablar.**

Hablan muy bien el italiano.
They speak Italian very well.

El español es muy fácil.
Spanish is very easy.

BUT

En español hay muchas palabras de origen árabe.
In Spanish there are many words of Arabic origin.

Hablan italiano.
They speak Italian.

After the preposition **de,** the article is often omitted with languages; this is always the case with a **de** phrase that modifies a noun.

Es profesora de alemán.
She's a German teacher (a teacher of German).

7. With parts of the body, articles of clothing, and personal effects, in place of the possessive adjective (see **Unidad 4**).

Me lavo las manos.
I wash my hands.

Marta se pone los guantes.
Marta puts on her gloves.

8. With the names of certain countries, cities, and states.

la Argentina	la Gran Bretaña
el Brasil	la Florida
el Canadá	el Japón
el Ecuador	el Perú
los Estados Unidos	el Uruguay
El Salvador	

Nowadays, the article is often omitted with these countries in newspapers, radio broadcasts, and colloquial speech. But it is always retained with **El Salvador, La Habana,** and **El Cairo.**

9. With names of all countries when modified by adjectives or phrases.

el México azteca
Aztec Mexico

la Inglaterra de nuestros antepasados
the England of our ancestors

la España del Cid
the Spain of the Cid

10. With the names of games and sports.

Paco juega muy bien a las damas.
Paco plays checkers very well.

Me gusta mucho el tenis.
I like tennis a lot.

11. With the names of meals.

Los niños se acuestan después de la cena.
The children go to bed after supper.

12. With the nouns **escuela, iglesia, ciudad,** and **cárcel** when they are preceded by a preposition.

Para algunos chicos asistir a la escuela es como estar en la cárcel.
For some children going to school is like being in jail.

Note that feminine nouns beginning with stressed **a** or **ha** use **el** instead of **la** in the singular.

El agua está fría.
The water is cold.

El hambre es un problema mundial.
Hunger is a world problem.

But when these nouns are in the plural, they use the feminine article **las.**

Las aguas de esos ríos están muy sucias.
The waters of those rivers are very dirty.

Práctica

12-6 Una serie de ideas. Complete estas oraciones con la forma apropiada del artículo definido solamente cuando sea necesario.

1. _____ misión de San José es muy bella.
2. ¿Cómo está Ud., _____ Sra. García?
3. Mis amigos hablan _____ italiano.
4. _____ españoles llegaron a América en 1492.
5. Se preocupa de _____ vida y de _____ muerte.
6. Vamos a misa _____ domingo.
7. _____ viernes voy al supermercado.
8. _____ agua está helada.
9. _____ otoño es bonito en las montañas.
10. Son _____ cuatro.

12-7 Carlos hace un viaje a Nuevo México. Carlos va a hacer un viaje a Nuevo México. Para describir su viaje, complete esta narrativa breve con la forma correcta del artículo definido o con una contracción cuando sea necesario. Luego compare su descripción con la de un(a) compañero(a) de clase. ¿Están de acuerdo en cuanto al uso del artículo definido?

Carlos se pone 1. _____ ropa y hace 2. _____ maletas. Está listo para salir para 3. _____ Nuevo México. Él ha estudiado mucho sobre 4. _____ América colonial. Quiere visitar 5. _____ Santa Fe primero, porque es 6. _____ ciudad más hispánica 7. _____ suroeste. En Santa Fe va a llamar a 8. _____ Sr. García que es 9. _____ primo de su madre. Él es profesor de 10. _____ inglés en 11. _____ Universidad de Nuevo México. Él no va a 12. _____ oficina 13. _____ martes. Por eso Carlos puede visitarlo en 14. _____ casa. A Carlos le gustan mucho 15. _____ tenis y 16. _____ natación. Espera participar en estos deportes durante 17. _____ vacaciones. Hoy es 18. _____ diez de abril y Carlos quiere estar en Santa Fe para 19. _____ quince de abril.

12-8 Los valores especiales. Algunas personas les ponen valores especiales a ciertas cosas. Con un(a) compañero(a) de clase, indiquen Uds. lo que piensan que serían los valores más importantes de cada uno de los individuos siguientes.

Modelo un cantante
En mi opinión lo más importante para un cantante es la música.

1. un estudiante
2. una mujer
3. un periodista hispano
4. un turista
5. un misionero
6. una anciana
7. un atleta
8. una chica
9. un político
10. una pianista

Review of uses of the indefinite article

A. Omission of the article

The indefinite article is generally used in Spanish as it is in English. However, in Spanish the indefinite article is omitted in the following instances:

1. Before unmodified predicate nouns indicating profession, nationality, religion, political affiliation, and the like.

Soy músico.
I am a musician.

Felipe es chicano (mexicanoamericano).
Felipe is a Mexican-American.

Alicia es doctora.
Alicia is a doctor.

¿Eres demócrata?
Are you a Democrat?

However, the article is used when the noun is emphatic (stresses something important about the person) or when it is modified.

¿Quién es ella? Es una maestra.
Who is she? She's a teacher.

Es un dentista excelente.
He's an excellent dentist.

Note that the indefinite article is omitted when the noun and the modifier form a single, commonplace phrase and the modifier precedes the noun: **Es buena persona (gente).**

2. In negative sentences, after certain verbs such as **tener** and **buscar,** and with personal effects, when the numerical concept of **un(o), una** is not important.

¿Tienes coche?
Do you have a car?

Busco solución a mi problema.
I'm looking for a solution to my problem.

Siempre lleva sombrero.
He/She always wears a hat.

BUT

No tiene ni un pariente que le ayude.
He/She doesn't have one (a single) relative to help him/her.

3. After **sin** and **con.**

Nunca sale sin sombrero.
He/She never goes out without a hat.

Quiero un pasaje con escala en Tucson.
I want a ticket with a stopover in Tucson.

4. With **otro, cierto, mil, cien(to),** and **tal** *(such a).*

¿Tienes otro?
Do you have another?

Cierto hombre me lo dijo.
A certain man told it to me.

Lo hemos repasado mil veces.
We have reviewed it a thousand times.

Nunca he visto tal cosa.
I've never seen such a thing.

But note that the indefinite article is used with **millón.**

un millón de habitantes
a million inhabitants

5. Before nouns in many adverbial phrases.

Luchó como león.
He fought like a lion.

María escribe con pluma.
María is writing with a pen.

6. With nouns in apposition when the category rather than the identity of the person is stressed.

José Feliciano, célebre cantante puertorriqueño, cantó el himno nacional.
José Feliciano, a famous Puerto Rican singer, sang the national anthem.

B. Other notes on usage

1. The indefinite article is generally repeated before each noun in a series.

   Voy a comprar un reloj y un collar.
   I'm going to buy a watch and a necklace.

2. Feminine nouns beginning with stressed **a** or **ha** take **un** in the singular instead of **una** when the article immediately precedes.

   un hacha   un aula
   an axe   *a classroom*

Note that **algunos** *must* be used instead of **unos** before **de** phrases: **Algunos de mis amigos vinieron a la fiesta.**

3. The plural indefinite articles **unos** and **unas** translate as *some, a few,* and *about.* **Unos** is less specific than **algunos.**

   Vimos unos partidos muy buenos.
   We saw some very good games.

   Tiene unos veinte años.
   He/She is about twenty years old.

Práctica

12-9 Una variedad de ideas. Complete estas oraciones con un artículo indefinido cuando sea necesario. Luego compare sus respuestas con las de un(a) compañero(a) de clase. ¿Están de acuerdo en cuanto al uso del artículo indefinido?

1. Siempre escribe con _____ marcador.
2. Es _____ médico muy célebre.
3. No quiere _____ casa sin aire acondicionado.
4. Busco _____ médico en esta ciudad.
5. De vez en cuando vendo _____ libro.
6. Elena está más bonita sin _____ anteojos.
7. Es _____ estudiante ecuatoriano.
8. Mi hermano es _____ buen comerciante.
9. Gana _____ mil dólares semanales.
10. Se portó como _____ hombre.

12-10 Vamos a California. Ud. y un(a) amigo(a) quieren hacer un viaje a California. Relaten sus planes, completando esta narrativa breve con la forma correcta del artículo indefinido cuando sea necesario.

Queremos hacer **1.** _____ *viaje a California. No podemos comprar* **2.** _____ *coche nuevo para el viaje, y por eso vamos a tomar el tren. Vamos a comprar* **3.** _____ *pasaje con* **4.** _____ *escala en Tucson. Vamos a visitar a nuestra tía. Ella es* **5.** _____ *maestra y enseña en* **6.** _____ *aula de* **7.** _____ *escuela primaria. Hay* **8.** _____ *otro chico que quiere acompañarnos. Voy a comprar* **9.** _____ *zapatos,* **10.** _____ *chaqueta y* **11.** _____ *sombrero para el viaje. No puedo viajar sin* **12.** _____ *sombrero. Hemos hecho este viaje* **13.** _____ *mil veces, pero cada vez visitamos* **14.** _____ *lugares nuevos.*

Expressions with *tener, haber,* and *deber*

A. Idiomatic expressions with *tener*

1. Many idiomatic expressions are formed with the verb **tener.** Common ones include the following:

tener hambre *to be hungry*	tener fiebre *to have a fever*
tener sed *to be thirsty*	tener miedo *to be afraid*
tener sueño *to be sleepy*	tener cuidado *to be careful*
tener frío *to be cold*	tener ganas de *to feel like*
tener calor *to be hot*	tener prisa *to be in a hurry*
tener razón *to be right*	tener... años *to be . . . years old*
tener suerte *to be lucky*	tener dolor de cabeza *to have a headache*
tener vergüenza *to be ashamed*	tener dolor de estómago *to have a stomachache*

Examples:

Tengo ganas de ir al cine.
I feel like going to the movies.

Siempre tienen mucha sed.
They are always very thirsty.

Since **hambre, sueño, sed,** etc., are nouns, they must be modified by the adjective **mucho (-a, -os, -as)** rather than by **muy.**

2. **Tener que** plus an infinitive *(to have to)* expresses an obligation that one *must* carry out.

Tuve que llevar el coche al taller.
I had to take my car to the repair shop.

Tiene que llenar una solicitud.
He has to (must) fill out an application.

3. **Tener** plus a variable past participle stresses a present state that is the result of a past action.

Ella tiene preparada la comida.
She has the meal prepared.

B. Uses of *haber*

1. **Hay que** plus an infinitive means *one has to, one must,* or *it is necessary.*

Hay que estudiar para aprender.
It is necessary to study in order to learn.

Hay que conservar energía.
One must (one has to) conserve energy.

2. **Haber de** plus an infinitive is used to express futurity with a slight degree of obligation. Less emphatic than **tener que,** it is translated *to be to* or *to be supposed to.*

Han de estudiar ahora.
They are to study now.

He de corregir los exámenes.
I'm supposed to correct the exams.

C. Uses of *deber*

1. The verb **deber** plus an infinitive translates as *ought to*, *should*, or *must*. It expresses moral obligation rather than compulsion or need.

   Debemos escuchar sus consejos.
   We ought to listen to his advice.

   Él debe comprar los boletos.
   He should buy the tickets.

   Debo ir a clase ahora.
   I must go to class now.

2. To soften the expression of obligation or to express advice about present or future conduct, the conditional or the imperfect subjunctive of **deber** is used.

   Deberíamos escuchar sus consejos.
   We (really) ought to listen to his advice.

   Ud. debiera comprar los boletos.
   You (really) should buy the tickets.

3. The imperfect of **deber** + **haber** + a past participle translates as *should have* + past participle.

   Por lo menos, debías haberle escrito.
   At least you should have written to him.

4. Either **deber** or **deber de** may also express probability or likelihood.

   Deben (de) estar en la biblioteca.
   They are probably in the library.

   Debían (de) haber salido.
   They must have left.

Práctica

 12-11 ¿Cómo reacciona en estas situaciones? Complete estas oraciones, usando una expresión con **tener**. Luego compare sus reacciones con las de un(a) compañero(a) de clase. ¿Tienen mucho en común?

1. Cuando no como, _____.
2. Cuando leo demasiado, _____.
3. Cuando hace mucho calor, yo _____.
4. Cuando no duermo, _____.
5. En el invierno yo _____.
6. En el verano yo _____.
7. Cuando me gano la lotería es porque _____.
8. Cuando estoy solo(a) en una calle oscura, _____.
9. Cuando hago algo malo o estúpido, _____.
10. Cuando estoy en lugares peligrosos, _____.

12-12 ¿Qué debe o tiene que hacer? Trabajando en parejas, hagan una lista de cinco cosas que deben hacer y cinco cosas que tienen que hacer todos los días. Comparen su lista para ver las semejanzas y las diferencias.

Modelo *Debo acostarme más temprano todas las noches.*
Tengo que estudiar para esta clase todos los días.

Ahora, hagan una lista de cinco cosas que son necesarias que todo el mundo haga, usando la expresión **hay que**.

Modelo *Hay que trabajar para ganar dinero.*
Hay que practicar para ser buen pianista.

Miscellaneous verbs

A. *Saber* and *conocer*

1. The verb **saber** means to know *(a fact)*, to have information or knowledge about something or someone. When followed by an infinitive it means *to know how* to do something.

Yo sé la lección.
I know the lesson.

Sabemos que él es de origen mexicano.
We know that he is of Mexican origin.

Sabe tocar la trompeta.
He/She knows how to play the trumpet.

In the preterite, **saber** means *to find out* or *to learn.*

Supimos que ya habían regresado a su patria.
We found out (learned) that they had already returned to their country.

2. The verb **conocer** means *to know a person, place, or thing* in the sense of "to be acquainted with," or "to be familiar with."

Conocen varios sitios pintorescos.
They know (are familiar with) several picturesque places.

Conozco a su prima.
I know (I am acquainted with) his/her cousin.

In the preterite, **conocer** means *to meet, to be introduced to.*

Los conocimos anoche.
We met them last night.

B. *Preguntar* and *pedir*

1. The verb **preguntar** means *to ask (to question).*

Le preguntó a Rudi dónde estaba Tucson.
He/She asked Rudi where Tucson was.

Siempre me preguntaba la misma cosa en cuanto a mis clases.
He/She always used to ask me the same thing regarding my classes.

Le voy a preguntar cuánto cuestan los mapas.
I'm going to ask him/her how much the maps cost.

2. The verb **pedir** means *to ask for, to ask (a favor), to request.*

Carlos le pidió permiso a su padre para usar el coche.
Carlos asked his father for permission to use the car.

Me pidieron un lápiz.
They asked me for a pencil.

Nos piden que vayamos a verlos.
They are asking us to go to see them.

C. *Tomar* and *llevar*

1. Tomar means *to take (in one's hand), to take (transportation),* or *to eat* or *to drink.*

Paco tomó los libros y salió para la escuela.
Paco took his books and left for school.

Tomaron el tren para la capital.
They took the train to the capital.

Siempre tomo café por la mañana.
I always drink coffee in the morning.

2. Llevar means *to take along* or *to carry (to some place).*

Llevó a su hermana a la fiesta.
He/She took his/her sister to the party.

Hay que llevar pasaporte para entrar a un país extranjero.
One must carry a passport in order to enter a foreign country.

D. *Quitar* and *quitarse*

1. Quitar means *to remove from, to take away (off).*

La criada quitó los platos de la mesa.
The maid took (removed) the plates from the table.

Quitaron las maletas del autobús.
They took the suitcases off the bus.

2. Quitarse means *to take off (oneself).*

Se quitó el sombrero antes de entrar a la sala.
He/She took off his hat before entering the living room.

Práctica

12-13 Sentidos parecidos, usos diferentes. Complete estas oraciones con la forma correcta de **saber** o **conocer**.

1. ¿ _____ Ud. cómo salió el partido de fútbol?
2. David y yo _____ que ellos llegan hoy.
3. Yo _____ bien este lugar.
4. Raúl _____ todas las obras de Cervantes.
5. Lisa _____ la canción de memoria.

12-14 ¿Cuál de las palabras es correcta? Complete estas oraciones con una forma correcta de **preguntar** o **pedir**.

1. Leo le _____ dos días más de plazo.
2. Óscar y Luis nos _____ si queremos palomitas.
3. Sus amigos me _____ la fecha.
4. Yo _____ una taza de té con leche.
5. Carlos le _____ cómo se llamaba el señor alto.

12-15 Buscando un buen restaurante. Trabajando en parejas, hagan el papel de Tomás y de Raúl, para buscar un buen restaurante. Completen el diálogo con las formas correctas de **saber, conocer, pedir, preguntar, llevar, tomar, quitar** y **quitarse**, según el sentido de la conversación.

TOMÁS   Hola, Raúl, ¿**1.** _____ el nombre de un buen restaurante de este barrio?

RAÚL   Lo siento, pero no **2.** _____ bien este barrio. Debemos **3.** _____ le a ese hombre si él **4.** _____ dónde hay un restaurante típico español.

TOMÁS   Yo siempre **5.** _____ mi guía turística conmigo, pero no dice nada sobre esta parte de la ciudad.

RAÚL   Mira, allí hay una señora. Debemos **6.** _____ le la dirección de un buen lugar para comer.

TOMÁS   Perdón, señora, ¿**7.** _____ un buen restaurante por acá?

LA SEÑORA   Sí, señor, pero será necesario **8.** _____ un taxi porque está muy lejos. Está...

(un poco después)

TOMÁS   Gracias, señora. Rául, si no te importa prefiero **9.** _____ un autobús porque cuesta menos.

RAÚL   Pues vamos. Tengo tanta hambre que cuando lleguemos voy a **10.** _____ el sombrero y la chaqueta, **11.** _____ varios platos típicos y comer como un loco.

12-16 La rutina diaria. Trabajando en parejas, hágale estas preguntas a su compañero(a) de clase. Él (Ella) tiene que contestar sus preguntas en español.

Pregúntele a su compañero(a)...

1. What do you eat for breakfast before leaving for class?
2. What do you normally wear to class?
3. How do you get to class? Do you take a bus?
4. Do you know the names of all your classmates?
5. Are you well acquainted with your professors?
6. Do you have to ask the professor for more explanations before you can understand the material?
7. Do you ask your classmates a lot of questions about the lessons?
8. If you wear a hat to class, do you take it off when you enter the classroom?

For more practice of vocabulary and structures, go to the book companion website at **www.cengagebrain.com**

Review the uses of the definite and the indefinite articles.

Antes de empezar la última parte de esta **unidad,** es importante repasar el vocabulario nuevo y la estructura y hacer las actividades que siguen.

12-17 Arreglando un viaje. Complete el párrafo siguiente con un artículo definido o indefinido cuando sea necesario.

Hoy es martes. Tengo que ir a **1.** _____ *oficina de turismo para hablar con* **2.** _____ *Sr. Gómez. Es agente de viajes pero no les ayuda mucho a* **3.** _____ *clientes. Por ejemplo, yo quiero hacer* **4.** _____ *viaje a* **5.** _____ *América Latina en* **6.** _____ *otoño, pero él cree que yo debo ir en* **7.** _____ *primavera. Prefiero ir a* **8.** _____ *Argentina, pero él cree que debo ir a* **9.** _____ *Chile. Para ahorrar* **10.** _____ *dinero, es mejor salir* **11.** _____ *martes y volver* **12.** _____ *lunes. Pero él quiere que yo salga* **13.** _____ *domingo y vuelva* **14.** _____ *sábado.* **15.** _____ *Sr. Gómez le importa más* **16.** _____ *dinero que* **17.** _____ *bienestar de* **18.** _____ *clientes. Para mí,* **19.** _____ *viajar es mi pasatiempo favorito, pero tengo que encontrar otra persona que sea* **20.** _____ *buen agente de viajes, si quiero tener* **21.** _____ *itinerario bien arreglado.*

Review expressions with **tener, haber,** and **deber.**

12-18 ¿Tener, haber o deber? Complete cada oración con la forma correcta de las palabras entre paréntesis.

1. Mi amigo y yo (*have to leave*) _____ para España mañana.
2. Nosotros (*ought to arrive*) _____ a Madrid a las nueve de la mañana.
3. (*It is necessary*) _____ leer el itinerario con mucho cuidado.
4. Mi familia (*had to stay*) _____ en casa porque mi madre estaba enferma.
5. Cuando lleguemos a Madrid (*we have to go*) _____ directamente al hotel.
6. Nuestros amigos (*ought to be*) _____ allí para saludarnos.
7. Yo (*have to call*) _____ a mis padres para decirles que todo está bien.
8. Nosotros (*ought to go to bed*) _____ temprano, porque hay mucho que hacer el lunes.
9. (*It is necessary*) _____ descansar antes de salir para el museo del Prado.
10. Es una lástima, pero nuestros amigos (*have to work*) _____ mañana y por eso no pueden pasar el día con nosotros.

Review all grammar points addressed in the **Estructura** section.

 12-19 ¿Le gusta viajar a su compañero(a) de clase? Hágale estas preguntas a un(a) compañero(a) de clase.

1. ¿Te gusta viajar? ¿Qué países conoces?
2. ¿Te gusta viajar solo(a) o con alguien? ¿Por qué?
3. ¿Prefieres viajar por los Estados Unidos o por un país extranjero? ¿Por qué?
4. ¿Prefieres viajar con un grupo de turistas o solo(a)? ¿Por qué?
5. Si tuvieras la oportunidad, ¿preferirías visitar España o Latinoamérica? ¿Por qué?

In order for your speech to sound more authentic, you should learn several appropriate sayings *(dichos)* and/or proverbs *(refranes)*. They are commonly used by native speakers to express a certain attitude or opinion about an everyday happening. Here are some examples:

Sayings and proverbs

En boca cerrada no entran moscas.	*Be quiet.*
Es mejor ser cabeza de ratón que cola de león.	*It's better to be a leader than a follower. It's better to have a little power than none at all.*
Quien no se aventura nunca alcanza la mar.	*Nothing ventured, nothing gained.*

Descripción y expansión

La influencia hispana en los Estados Unidos se observa claramente en el mundo del espectáculo. En la actualidad, artistas hispanos son reconocidos por los anglosajones sin importar su origen. Observe las fotos para ver si reconoce a los siguientes artistas. Luego haga las actividades.

12-20 Artistas célebres. Conteste las siguientes preguntas.

1. Identifique el origen de cada artista e indique un ejemplo de su popularidad en la cultura estadounidense.
2. En la época de las misiones, los hispanos introdujeron su religión, lenguaje y costumbres. ¿Qué aportes cree que hacen los artistas de las fotos a la cultura estadounidense?
3. Investigue qué tan importante es el uso que estos artistas hacen del inglés en su vida profesional. ¿Ocurre lo mismo con los cuatro artistas? ¿Cree usted que es necesario? Explique.

12-21 Opiniones y observaciones. Observe las caras de estos artistas. Piense en el país de origen de cada uno y en la imagen que tienen los estadounidenses de los hispanos. ¿Cree que es válido hablar de los estereotipos físicos de los hispanos? Explique.

Understanding regional variations

Since Spanish is spoken by over 400 million people in four continents, there are many regional variations in accent and vocabulary. Knowing some of these variations will help you understand speakers from various corners of the Spanish-speaking world.

1. Recognize various pronunciations.

   a. Most Spanish speakers pronounce **z, ce, ci, s** with a /s/ sound. In Castilian Spanish, however, **z, ce, ci** are pronounced /th/. And in Andalusian Spanish, sometimes the **s** is pronounced /th/.

   b. In Caribbean Spanish, the letter **s** is aspirated (sounding like an /h/) or dropped at the end of syllables and words.

   c. In Rioplatense Spanish, the **y** and **ll** are pronounced with a strong /sh/. In other Latin American Spanish dialects, **y** and **ll** are pronounced like the English *y*.

2. Recognize the variations in second-person pronouns.

   a. In most of Spain, the plural of **tú** is **vosotros** whereas in Latin American Spanish it is **ustedes.**

   b. In Rioplatense and Central American Spanish, the pronoun **vos** is used instead of **tú.** Verbs conjugated in **vos** generally end in a stressed vowel with a final *s*: **querés, sentís.**

   c. Be aware of vocabulary variations. For example, **guagua** refers to a bus in Caribbean Spanish but refers to a baby in Andean Spanish.

Track 36 ◀)) **Lo colonial**

Escuche la situación siguiente y complete las actividades.

Un grupo de estudiantes hispánicos graduados tiene una tertulia, reunidos en el apartamento de dos de ellos. Intercambian impresiones sobre las recientes vacaciones de primavera de las que acaban de volver. Unos se fueron de viaje y otros se quedaron a estudiar.

12-22 Información. Conteste las siguientes preguntas, basándose en el diálogo que acaba de escuchar.

1. ¿Qué le pasó a Jaime cuando esquiaba?
2. ¿Qué le recuerda a Isabel la plaza central de Santa Fe?
3. ¿Adónde fueron Álvaro y Pilar?
4. ¿Por quién fue fundada la ciudad de San Antonio?
5. ¿Puedes deducir de dónde es Élida?

 12-23 Conversación. Mantenga una conversación con otro(a) estudiante, suponiendo que Ud. es de un país tropical, nunca ha visto la nieve y ha venido recientemente a los Estados Unidos. ¿Querría ir a esquiar? ¿Qué ciudades y paisajes desearía ver?

12-24 Situaciones. Con un(a) compañero(a) de clase, prepare algunos diálogos que correspondan a las siguientes situaciones. Estén listos para presentárselos a la clase.

Un viaje en avión: *Ud. está hablándole a un(a) amigo(a) sobre un viaje que Ud. hizo en avión a Buenos Aires. Describa lo que Ud. hizo en la agencia de viajes para planear el viaje. Su amigo(a) quiere que Ud. describa el vuelo y lo que le pasó después de llegar a la capital de la Argentina.*

aerolínea *airline;* aeropuerto *airport;* avión *(m) airplane;* boleto de ida *one-way ticket;* boleto de ida y vuelta *roundtrip ticket;* directo *direct;* enlace *(m) connection;* hacer escala *to make a stopover;* pagar al contado *to pay cash;* visa *visa (entry permit);* abordar *to board;* abrocharse el cinturón *to fasten your seat belt;* azafata o aeromoza *flight attendant;* aterrizar *to land;* despegar *to take off;* facturar (el equipaje) *to check (baggage);* puerta *gate*

Un viaje en tren: *Ud. acaba de volver de un viaje en tren a varias partes de Europa. Descríbale su viaje a un(a) amigo(a) desde el momento cuando Ud. llegó a la estación de ferrocarril hasta su vuelta a casa.*

andén *(m) platform;* boleto de primera (segunda) clase *first (second) class ticket;* coche cama *(m) sleeping car;* coche comedor *(m) dining car;* contraseña (o el talón) de equipaje *baggage check (ticket);* despacho de equipajes *luggage office;* minutos de retraso *minutes late;* quiosco *newsstand;* sala de espera *waiting room;* tren expreso *express train;* ventanilla *(train) window*

Track 37 **12-25 Ejercicio de comprensión.** Ud. va a escuchar un comentario sobre la influencia hispánica en los Estados Unidos. Después del comentario, va a escuchar varias oraciones. Indique si la oración es **verdadera (V) o falsa (F)**, trazando un círculo alrededor de la letra que corresponde a la respuesta correcta.

1. V   F
2. V   F
3. V   F
4. V   F
5. V   F

Escriba dos cosas que ha aprendido al escuchar este comentario. Comparta sus ideas con la clase. ¿Cuántos estudiantes escribieron la misma cosa?

Hay tres pasos en esta actividad: **Primer paso:** Se divide la clase en grupos de tres personas. Lean con cuidado para ver las diferencias entre nuestra cultura y la de Sudamérica. **Segundo paso:** Cada miembro del grupo tiene que asumir un papel para representar la escena. **Tercer paso:** Después actúen la situación frente a la clase entera.

12-26 Discusión: Las situaciones inesperadas. Con frecuencia el (la) viajero(a) se enfrenta con situaciones inesperadas, o con costumbres que varían de las de su propio país. Supongamos que un estudiante sudamericano lo (la) está visitando a Ud. Es la primera vez que él ha viajado a los Estados Unidos. Durante una charla le menciona las diferencias culturales que ha notado. ¿Tienen los otros estudiantes las mismas opiniones?

1. —En mi país es costumbre echarle un piropo a una chica atractiva al encontrarla en la calle. Con esto, uno atrae su atención. Normalmente, la chica no le hace caso a uno y finge no haberlo escuchado.
2. —Cuando salgo con mi novia, siempre nos acompaña un miembro de su familia.
3. —Con frecuencia las chicas viven en casa de sus padres hasta casarse; pocas abandonan el hogar para buscarse apartamento.
4. —Al viajar dentro de mi país, es necesario llevar la tarjeta de identidad para conseguir alojamiento en un hotel. Cada ciudadano tiene su «cédula de ciudadanía», la cual es indispensable para ciertos negocios.
5. —La mayoría de la gente viaja dentro del país en tren o en autobús.
6. —De noche, mucha gente sale a pasear por las calles principales de la ciudad. A algunas personas les gusta mirar las vitrinas; otras se divierten mirando a la gente.

12-27 Temas de conversación o de composición. Dé su opinión sobre los siguientes temas:

1. Escriba una composición o hable de la influencia hispánica en los Estados Unidos.
2. Escriba una composición o hable de la importancia del estudio del español en los Estados Unidos.

Piense en la última vez que vio una película de cine o un programa de televisión. ¿Había actores latinos? ¿Cómo eran los personajes que representaban? ¿Qué tipo de personajes latinos le gustaría ver representados en la pantalla?

Lectura

Los estereotipos de los latinos en la pantalla

Por supuesto[1] no todos los mexicanos tienen bigote[2], toman tequila y andan gritando «ay ay ay». Pero esta era la imagen que aparecía en muchas de las primeras películas de Hollywood y que lamentablemente, muchos anglosajones creen que es real. Las representaciones estereotipadas que difunden[3] los medios de comunicación son las que informan al público y perpetúan las ideas distorsionadas[4] y muy simplificadas.

Para empezar, no todos los latinos tienen pelo oscuro y ojos negros. Cameron Díaz, que es mitad cubana y ha dicho «mis raíces latinas son muy fuertes», es rubia de ojos azules. Por esa misma razón nunca ha hecho el papel de hispana. Según la actriz colombiana Sofía Vergara, rubia de nacimiento[5], ella no conseguía papeles en Los Ángeles porque tenía un fuerte acento pero no se veía lo suficientemente latina. Entonces se tiñió[6] el pelo oscuro y ahora encaja[7] en el molde de «mamá latina caliente», como lo hace en el programa de televisión *Modern Family*.

Durante décadas, los papeles más comunes para los latinos habían sido de criminales, sirvientes o amantes[8] sensuales. Eran por lo general perezosos, no muy inteligentes y agresivos. La puertorriqueña Rita Moreno —la primera y única actriz latina en ganar un Emmy, un Óscar, un Tony y un Grammy— recuerda que había muy pocos roles para latinos. Ella tuvo que hacer el papel de indígena y prostituta muchas veces. Aún en el papel de Anita en *West Side Story*, con el cual ganó el Óscar en 1962, tuvo que aguantar[9] muchos prejucios, como por ejemplo, cantar «Puerto Rico… isla de enfermedades tropicales», maquillarse con un tono más oscuro y hablar con marcado acento puertorriqueño.

Rita Moreno rompió las barreras raciales. Ahora hace el papel de una madre judía en la serie *Happily Divorced*.

Steve Granitz / Getty Images

[1] Of course; [2] mustache; [3] disseminate; [4] distorted; [5] birth; [6] dyed; [7] fits; [8] lovers; [9] endure

Felizmente, los tiempos han cambiado y hoy en día, hay más latinos en la pantalla[10] que van más allá de los estereotipos. América Ferrera en *Ugly Betty*, por ejemplo, representa a una mujer educada y trabajadora. En *Grey's Anatomy*, Sara Ramírez hace el papel de Callie Torres, una doctora latina bisexual. En la película *El Gato con Botas*, los héroes (interpretados por Antonio Banderas y Salma Hayek) hablan con acento español y los villanos hablan perfecto inglés.

Todos los actores latinos esperan que algún día, la pantalla refleje la diversidad cultural de nuestra sociedad y que lo más importante sea ser buen actor.

[10] screen

12-28 Preguntas. Conteste las siguientes preguntas.

1. En las primeras películas de Hollywood, ¿cuál era el estereotipo de los mexicanos?
2. ¿Qué papeles perpetúan la imagen negativa del latino?
3. Según Sofía Vergara, ¿por qué no podía conseguir papeles cuando empezó a actuar en Los Ángeles?
4. ¿Quién es Rita Moreno? ¿Qué prejuicios contra los puertorriqueños experimentó en *West Side Story*?
5. ¿Cuál es un ejemplo de un personaje latino en la pantalla que rompe los estereotipos?

12-29 Discusión. Responda a las preguntas, trabajando con dos o tres compañeros.

1. ¿Cuál es su actor o actriz latino(a) preferido(a)? ¿Qué papeles ha hecho? ¿Por qué le gusta este(a) actor (actriz)?
2. ¿Qué visión distorsionada tenía Ud. de los latinos en general o de un grupo hispanohablante en particular antes de estudiar español? ¿De dónde sacó esa idea?
3. ¿Qué estereotipos existen sobre su etnicidad, sexo, fraternidad, etcétera? ¿Cómo cree que se pueda romperlos?

12-30 Proyecto. Vea un programa de televisión, anuncio comercial o película de Hollywood en el que aparezcan latinos. Mientras lo vea, haga una lista de los estereotipos presentes. Comparta su lista con el resto de la clase. ¿Cuáles son los estereotipos más comunes?

Appendix

Cardinal numbers

1	uno	30	treinta
2	dos	31	treinta y uno
3	tres	40	cuarenta
4	cuatro	50	cincuenta
5	cinco	60	sesenta
6	seis	70	setenta
7	siete	80	ochenta
8	ocho	90	noventa
9	nueve	100	cien
10	diez	101	ciento uno
11	once	200	doscientos(as)
12	doce	300	trescientos(as)
13	trece	400	cuatrocientos(as)
14	catorce	500	quinientos(as)
15	quince	600	seiscientos(as)
16	dieciséis (diez y seis)	700	setecientos(as)
17	diecisiete (diez y siete)	800	ochocientos(as)
18	dieciocho (diez y ocho)	900	novecientos(as)
19	diecinueve (diez y nueve)	1.000	mil
20	veinte	1.100	mil cien
21	veintiuno (veinte y uno)	2.000	dos mil
22	veintidós (veinte y dos)	1.000.000	un millón (de)
	etc.	2.000.000	dos millones (de)

Metric units of measurement

1 centímetro	=	.3937 of an inch (less than half an inch)
1 metro	=	39.37 inches (about 1 yard and 3 inches)
1 kilómetro (1.000 metros)	=	.6213 of a mile (about 5/8 of a mile)
1 gramo	=	3.527 ounces (slightly less than 1/4 of a pound)
100 gramos	=	.03527 of an ounce
1.000 gramos (1 kilo)	=	32.27 ounces (about 2.2 pounds)
1 litro	=	1.0567 quarts (slightly over a quart, liquid)
1 hectárea	=	2.471 acres

Conversion formulas

From Fahrenheit (°F) to Celsius (or Centrigrade °C): °C = 5/9 (°F – 32)

From Celsius to Fahrenheit: °F = 9/5 °C + 32

0°C	=	32°F (freezing point of water)
37°C	=	98.6°F (normal body temperature)
100°C	=	212°F (boiling point of water)

Regular verbs

Indicative mood

	First conjugation	Second conjugation	Third conjugation
Infinitive	*to speak* hablar	*to learn* aprender	*to live* vivir
Present Participle	*speaking* hablando	*learning* aprendiendo	*living* viviendo
Past Participle	*spoken* hablado	*learned* aprendido	*lived* vivido
Present Indicative	*I speak,* *am speaking,* *do speak* hablo hablas habla hablamos habláis hablan	*I learn,* *am learning,* *do learn* aprendo aprendes aprende aprendemos aprendéis aprenden	*I live,* *am living,* *do live* vivo vives vive vivimos vivís viven
Imperfect Indicative	*I was speaking,* *used to speak,* *spoke* hablaba hablabas hablaba hablábamos hablabais hablaban	*I was learning,* *used to learn,* *learned* aprendía aprendías aprendía aprendíamos aprendíais aprendían	*I was living,* *used to live,* *lived* vivía vivías vivía vivíamos vivíais vivían
Preterite Indicative	*I spoke,* *did speak* hablé hablaste habló hablamos hablasteis hablaron	*I learned,* *did learn* aprendí aprendiste aprendió aprendimos aprendisteis aprendieron	*I lived,* *did live* viví viviste vivió vivimos vivisteis vivieron
Future Indicative	*I shall speak,* *will speak* hablaré hablarás hablará hablaremos hablaréis hablarán	*I shall learn,* *will learn* aprenderé aprenderás aprenderá aprenderemos aprenderéis aprenderán	*I shall live,* *will live* viviré vivirás vivirá viviremos viviréis vivirán

Conditional Indicative	I would speak, should speak	I would learn, should learn	I would live, should live
	hablaría	aprendería	viviría
	hablarías	aprenderías	vivirías
	hablaría	aprendería	viviría
	hablaríamos	aprenderíamos	viviríamos
	hablarías	aprenderíais	viviríais
	hablarían	aprenderían	vivirían
Present Perfect Indicative	I have spoken	I have learned	I have lived
	he hablado	he aprendido	he vivido
	has hablado	has aprendido	has vivido
	ha hablado	ha aprendido	ha vivido
	hemos hablado	hemos aprendido	hemos vivido
	habéis hablado	habéis aprendido	habéis vivido
	han hablado	han aprendido	han vivido
Past Perfect Indicative	I had spoken	I had learned	I had lived
	había hablado	había aprendido	había vivido
	habías hablado	habías aprendido	habías vivido
	había hablado	había aprendido	había vivido
	habíamos hablado	habíamos aprendido	habíamos vivido
	habíais hablado	habíais aprendido	habíais vivido
	habían hablado	habían aprendido	habían vivido
Future Perfect Indicative	I shall have spoken	I shall have learned	I shall have lived
	habré hablado	habré aprendido	habré vivido
	habrás hablado	habrás aprendido	habrás vivido
	habrá hablado	habrá aprendido	habrá vivido
	habremos hablado	habremos aprendido	habremos vivido
	habréis hablado	habréis aprendido	habréis vivido
	habrán hablado	habrán aprendido	habrán vivido
Conditional Perfect Indicative	I would (should) have spoken	I would (should) have learned	I would (should) have lived
	habría hablado	habría aprendido	habría vivido
	habrías hablado	habrías aprendido	habrías vivido
	habría hablado	habría aprendido	habría vivido
	habríamos hablado	habríamos aprendido	habríamos vivido
	habríais hablado	habríais aprendido	habríais vivido
	habrían hablado	habrían aprendido	habrían vivido

Subjunctive mood

Present Subjunctive	(that) I (may) speak	(that) I (may) learn	(that) I (may) live
	(que) hable	(que) aprenda	(que) viva
	hables	aprendas	vivas
	hable	aprenda	viva
	hablemos	aprendamos	vivamos
	habléis	aprendáis	viváis
	hablen	aprendan	vivan

Past Subjunctive (-ra form)	*(that) I (might) speak*	*(that) I (might) learn*	*(that) I (might) live*
	(que) hablara	(que) aprendiera	(que) viviera
	hablaras	aprendieras	vivieras
	hablara	aprendiera	viviera
	habláramos	aprendiéramos	viviéramos
	hablarais	aprendierais	vivierais
	hablaran	aprendieran	vivieran
Past Subjunctive (-se form)	*(that) I (might) speak*	*(that) I (might) learn*	*(that) I (might) live*
	(que) hablase	(que) aprendiese	(que) viviese
	hablases	aprendieses	vivieses
	hablase	aprendiese	viviese
	hablásemos	aprendiésemos	viviésemos
	hablaseis	aprendieseis	vivieseis
	hablasen	aprendiesen	viviesen
Present Perfect Subjunctive	*(that) I (may) have spoken*	*(that) I (may) have learned*	*(that) I (may) have lived*
	haya hablado	haya aprendido	haya vivido
	hayas hablado	hayas aprendido	hayas vivido
	haya hablado	haya aprendido	haya vivido
	hayamos hablado	hayamos aprendido	hayamos vivido
	hayáis hablado	hayáis aprendido	hayáis vivido
	hayan hablado	hayan aprendido	hayan vivido
Past Perfect Subjunctive	*(that) I (might) have spoken*	*(that) I (might) have learned*	*(that) I (might) have lived*
	hubiera(se) hablado	hubiera(se) aprendido	hubiera(se) vivido
	hubieras hablado	hubieras aprendido	hubieras vivido
	hubiera hablado	hubiera aprendido	hubiera vivido
	hubiéramos hablado	hubiéramos aprendido	hubiéramos vivido
	hubierais hablado	hubierais aprendido	hubierais vivido
	hubieran hablado	hubieran aprendido	hubieran vivido

Imperative mood (Commands)

Familiar Commands, Affirmative	*Speak.*	*Learn.*	*Live.*
	Habla tú.	Aprende tú.	Vive tú.
	Hablad vosotros.	Aprended vosotros.	Vivid vosotros.
Familiar Commands, Negative	*Don't speak.*	*Don't learn.*	*Don't live.*
	No hables.	No aprendas.	No vivas.
	No habléis.	No aprendáis.	No viváis.
Formal Commands	*Speak.*	*Learn.*	*Live.*
	Hable usted.	Aprenda usted.	Viva usted.
	Hablen ustedes.	Aprendan ustedes.	Vivan ustedes.

Irregular verbs

andar *to walk*

Preterite: anduve, anduviste, anduvo; anduvimos, anduvisteis, anduvieron
Past Subjunctive: anduviera(se), anduvieras, anduviera; anduviéramos, anduvierais, anduvieran

caer *to fall*

Present Participle: cayendo
Past Participle: caído
Present: caigo, caes, cae; caemos, caéis, caen
Preterite: caí, caíste, cayó; caímos, caísteis, cayeron
Present Subjunctive: caiga, caigas, caiga; caigamos, caigáis, caigan
Past Subjunctive: cayera(se), cayeras, cayera; cayéramos, cayerais, cayeran
Formal Commands: caiga usted, caigan ustedes

dar *to give*

Present: doy, das, da; damos, dáis, dan
Preterite: di, diste, dio; dimos, disteis, dieron
Present Subjunctive: dé, des, dé; demos, deis, den
Past Subjunctive: diera(se), dieras, diera; diéramos, dierais, dieran
Formal Commands: dé usted, den ustedes

decir (i) *to tell, say*

Present Participle: diciendo
Past Participle: dicho
Present: digo, dices, dice; decimos, decís, dicen
Preterite: dije, dijiste, dijo; dijimos, dijisteis, dijeron
Future: diré, dirás, dirá; diremos, diréis, dirán
Conditional: diría, dirías, diría; diríamos, diríais, dirían
Present Subjunctive: diga, digas, diga; digamos, digáis, digan
Past Subjunctive: dijera(se), dijeras, dijera; dijéramos, dijerais, dijeran
Familiar Singular Command: di tú
Formal Commands: diga usted, digan ustedes

estar *to be*

Present: estoy, estás, está; estamos, estáis, están
Preterite: estuve, estuviste, estuvo; estuvimos, estuvisteis, estuvieron
Present Subjunctive: esté, estés, esté; estemos, estéis, estén
Past Subjunctive: estuviera(se), estuvieras, estuviera; estuviéramos, estuvierais, estuvieran
Formal Commands: esté usted, estén ustedes

haber *to have (auxiliary verb)*

Present: he, has, ha; hemos, habéis, han
Preterite: hube, hubiste, hubo; hubimos, hubisteis, hubieron
Future: habré, habrás, habrá; habremos, habréis, habrán
Conditional: habría, habrías, habría; habríamos, habríais, habrían
Present Subjunctive: haya, hayas, haya; hayamos, hayáis, hayan
Past Subjunctive: hubiera(se), hubieras, hubiera; hubiéramos, hubierais, hubieran

hacer *to do, make*

Past Participle: hecho
Present: hago, haces, hace; hacemos, hacéis, hacen
Preterite: hice, hiciste, hizo; hicimos, hicisteis, hicieron
Future: haré, harás, hará; haremos, haréis, harán
Conditional: haría, harías, haría; haríamos, haríais, harían
Present Subjunctive: haga, hagas, haga; hagamos, hagáis, hagan
Past Subjunctive: hiciera(se), hicieras, hiciera; hiciéramos, hicierais, hicieran
Familiar Singular Command: haz tú
Formal Commands: haga usted, hagan ustedes

ir *to go*

Present Participle: yendo
Present: voy, vas, va; vamos, vais, van
Imperfect: iba, ibas, iba; íbamos, ibais, iban
Preterite: fui, fuiste, fue; fuimos, fuisteis, fueron
Present Subjunctive: vaya, vayas, vaya; vayamos, vayáis, vayan
Past Subjunctive: fuera(se) fueras, fuera; fuéramos, fuerais, fueran
Familiar Singular Command: ve tú
Formal Commands: vaya usted, vayan ustedes

oír *to hear*

Present Participle: oyendo
Past Participle: oído
Present: oigo, oyes, oye; oímos, oís, oyen
Preterite: oí, oíste, oyó; oímos, oísteis, oyeron
Present Subjunctive: oiga, oigas, oiga; oigamos, oigáis, oigan
Past Subjunctive: oyera(se), oyeras, oyera; oyéramos, oyerais, oyeran
Formal Commands: oiga usted, oigan ustedes

poder (ue) *to be able, can*

Present Participle: pudiendo
Present: puedo, puedes, puede; podemos, podéis, pueden
Preterite: pude, pudiste, pudo; pudimos, pudisteis, pudieron
Future: podré, podrás, podrá; podremos, podréis, podrán
Conditional: podría, podrías, podría; podríamos, podríais, podrían
Present Subjunctive: pueda, puedas, pueda; podamos, podáis, puedan
Past Subjunctive: pudiera(se), pudieras, pudiera; pudiéramos, pudierais, pudieran

poner *to put, place*

Past Participle: puesto
Present: pongo, pones, pone; ponemos, ponéis, ponen
Preterite: puse, pusiste, puso; pusimos, pusisteis, pusieron
Future: pondré, pondrás, pondrá; pondremos, pondréis, pondrán
Conditional: pondría, pondrías, pondría; pondríamos, pondríais, pondrían
Present Subjunctive: ponga, pongas, ponga; pongamos, pongáis, pongan
Past Subjunctive: pusiera(se), pusieras, pusiera; pusiéramos, pusierais, pusieran
Familiar Singular Command: pon tú
Formal Commands: ponga usted, pongan ustedes
Another verb conjugated like **poner** is **proponer.**

querer (ie) *to wish, want; (with **a**) to love*

Present: quiero, quieres, quiere; queremos, queréis, quieren
Preterite: quise, quisiste, quiso; quisimos, quisisteis, quisieron
Future: querré, querrás, querrá; querremos, querréis, querrán
Conditional: querría, querrías, querría; querríamos, querríais, querrían
Present Subjunctive: quiera, quieras, quiera; queramos, queráis, quieran
Past Subjunctive: quisiera(se), quisieras, quisiera; quisiéramos, quisierais, quisieran
Formal Commands: quiera usted, quieran ustedes

reír (i) *to laugh*

Present Participle: riendo
Past Participle: reído
Present: río, ríes, ríe; reímos, reís, ríen
Preterite: reí, reíste, rió; reímos, reísteis, rieron
Present Subjunctive: ría, rías, ría; riamos, riáis, rían
Past Subjunctive: riera(se), rieras, riera; riéramos, rierais, rieran
Formal Commands: ría usted, rían ustedes
Another verb conjugated like **reír** is **sonreír.**

saber *to know, know how to*

Present: sé, sabes, sabe; sabemos, sabéis, saben
Preterite: supe, supiste, supo; supimos, supisteis, supieron
Future: sabré, sabrás, sabrá; sabremos, sabréis, sabrán
Conditional: sabría, sabrías, sabría; sabríamos, sabríais, sabrían
Present Subjunctive: sepa, sepas, sepa; sepamos, sepáis, sepan
Past Subjunctive: supiera(se), supieras, supiera; supiéramos, supierais, supieran
Formal Commands: sepa usted, sepan ustedes

salir *to leave, go out*

Present: salgo, sales, sale; salimos, salís, salen
Future: saldré, saldrás, saldrá; saldremos, saldréis, saldrán
Conditional: saldría, saldrías, saldría; saldríamos, saldríais, saldrían
Present Subjunctive: salga, salgas, salga; salgamos, salgáis, salgan
Familiar Singular Command: sal tú
Formal Commands: salga usted, salgan ustedes

seguir (i) *to follow, continue*

Present Participle: siguiendo
Present: sigo, sigues, sigue; seguimos, seguís, siguen
Preterite: seguí, seguiste, siguió; seguimos, seguisteis, siguieron
Present Subjunctive: siga, sigas, siga; sigamos, sigáis, sigan
Past Subjunctive: siguiera(se), siguieras, siguiera; siguiéramos, siguierais, siguieran
Formal Commands: siga usted, sigan ustedes
Another verb conjugated like **seguir** is **conseguir.**

ser *to be*

Present: soy, eres, es; somos, sois, son
Imperfect: era, eras, era; éramos, erais, eran
Preterite: fui, fuiste, fue; fuimos, fuisteis, fueron
Present Subjunctive: sea, seas, sea; seamos, seáis, sean
Past Subjunctive: fuera(se), fueras, fuera; fuéramos, fuerais, fueran
Familiar Singular Command: sé tú
Formal Commands: sea usted, sean ustedes

tener (ie) *to have*

Present: tengo, tienes, tiene; tenemos, tenéis, tienen
Preterite: tuve, tuviste, tuvo; tuvimos, tuvisteis, tuvieron
Future: tendré, tendrás, tendrá; tendremos, tendréis, tendrán
Conditional: tendría, tendrías, tendría; tendríamos, tendríais, tendrían
Present Subjunctive: tenga, tengas, tenga; tengamos, tengáis, tengan
Past Subjunctive: tuviera(se), tuvieras, tuviera, tuviéramos, tuvierais, tuvieran
Familiar Singular Command: ten tú
Formal Commands: tenga usted, tengan ustedes
Other verbs conjugated like tener are **contener, detener,** and **obtener.**

traducir *to translate*

Present: traduzco, traduces, traduce; traducimos, traducís, traducen
Preterite: traduje, tradujiste, tradujo; tradujimos, tradujisteis, tradujeron
Present Subjunctive: traduzca, traduzcas, traduzca; traduzcamos, traduzcáis, traduzcan
Past Subjunctive: tradujera(se), tradujeras, tradujera; tradujéramos, tradujerais, tradujeran
Formal Commands: traduzca usted, traduzcan ustedes

traer *to bring*

Present Participle: trayendo
Past Participle: traído
Present: traigo, traes, trae; traemos, traéis, traen
Preterite: traje, trajiste, trajo; trajimos, trajisteis, trajeron
Present Subjunctive: traiga, traigas, traiga; traigamos, traigáis, traigan
Past Subjunctive: trajera(se), trajeras, trajera; trajéramos, trajerais, trajeran
Formal Commands: traiga usted, traigan ustedes

valer *to be worth*

Present: valgo, vales, vale; valemos, valéis, valen
Future: valdré, valdrás, valdrá; valdremos, valdréis, valdrán
Conditional: valdría, valdrías, valdría; valdríamos, valdríais, valdrían
Present Subjunctive: valga, valgas, valga; valgamos, valgáis, valgan
Formal Commands: valga usted, valgan ustedes

venir (ie) *to come*

Present Participle: viniendo
Present: vengo, vienes, viene; venimos, venís, vienen
Preterite: vine, viniste, vino; vinimos, vinisteis, vinieron
Future: vendré, vendrás, vendrá; vendremos, vendréis, vendrán
Conditional: vendría, vendrías, vendría; vendríamos, vendríais, vendrían
Present Subjunctive: venga, vengas, venga; vengamos, vengáis, vengan
Past Subjunctive: viniera(se), vinieras, viniera; viniéramos, vinierais, vinieran
Familiar Singular Command: ven tú
Formal Commands: venga usted, vengan ustedes
Another verb conjugated like **venir** is **convenir.**

ver *to see*

Past Participle: visto
Present: veo, ves, ve; vemos, veis, ven
Imperfect: veía, veías, veía; veíamos, veíais, veían
Present Subjunctive: vea, veas, vea; veamos, veáis, vean
Formal Commands: vea usted, vean ustedes

Stem-changing verbs

1st or 2nd conjugation, *o → ue*

contar (ue) *to count*

Present: cuento, cuentas, cuenta; contamos, contáis, cuentan
Present Subjunctive: cuente, cuentes, cuente; contemos, contéis, cuenten
Formal Commands: cuente usted, cuenten ustedes

1st or 2nd conjungation, *e → ie*

perder (ie) *to lose*

Present: pierdo, pierdes, pierde; perdemos, perdéis, pierden
Present Subjunctive: pierda, pierdas, pierda; perdamos, perdáis, pierdan
Formal Commands: pierda usted, pierdan ustedes

3rd conjugation, e → i

pedir (i, i) *to ask for*

Present Participle: pidiendo
Present: pido, pides, pide; pedimos, pedís, piden
Preterite: pedí, pediste, pidió; pedimos, pedisteis, pidieron
Present Subjunctive: pida, pidas, pida; pidamos, pidáis, pidan
Past Subjunctive: pidiera(se), pidieras, pidiera; pidiéramos, pidierais, pidieran
Formal Commands: pida usted, pidan ustedes

3rd conjugation, o → ue, o → u

dormir (ue, u) *to sleep*

Present Participle: durmiendo
Present: duermo, duermes, duerme; dormimos, dormís, duermen
Preterite: dormí, dormiste, durmió; dormimos, dormisteis, durmieron
Present Subjunctive: duerma, duermas, duerma; durmamos, durmáis, duerman
Past Subjunctive: durmiera(se), durmieras, durmiera; durmiéramos, durmierais, durmieran
Formal Commands: duerma usted, duerman ustedes

3rd conjugation, e → ie, e → i

sentir (ie, i) *to feel sorry; to regret; to feel*

Present Participle: sintiendo
Present: siento, sientes, siente; sentimos, sentís, sienten
Preterite: sentí, sentiste, sintió; sentimos, sentisteis, sintieron
Present Subjunctive: sienta, sientas, sienta; sintamos, sintáis, sientan
Past Subjunctive: sintiera(se), sintieras, sintiera; sintiéramos, sintierais, sintieran
Formal Commands: sienta usted, sientan ustedes

Spelling-change verbs

Verbs ending in *-gar*

pagar *to pay (for)*

Preterite: pagué, pagaste, pagó; pagamos, pagasteis, pagaron
Present Subjunctive: pague, pagues, pague; paguemos, paguéis, paguen
Formal Commands: pague usted, paguen ustedes
Other verbs conjugated like **pagar** are **apagar, castigar, colgar, entregar, llegar,** and **rogar.**

Verbs ending in -*car*

tocar *to play*

Preterite: toqué, tocaste, tocó; tocamos, tocasteis, tocaron
Present Subjunctive: toque, toques, toque; toquemos, toquéis, toquen
Formal Commands: toque usted, toquen ustedes
Other verbs conjugated like **tocar** are **acercarse, equivocarse, explicar, indicar, platicar, sacar,** and **sacrificar.**

Verbs ending in -*ger* or -*gir*

coger *to take hold of (things)*; **dirigir** *to direct, to address*

Present: cojo, coges, coge; cogemos, cogéis, cogen
dirijo, diriges, dirige; dirigimos, dirigís, dirigen
Present Subjunctive: coja, cojas, coja; cojamos, cojáis, cojan
dirija, dirijas, dirija; dirijamos, dirijáis, dirijan
Formal Commands: coja usted, cojan ustedes
dirija usted, dirijan ustedes
Other verbs conjugated like **coger** and **dirigir** are **elegir, escoger, fingir, proteger,** and **recoger.**

Verbs ending in -*zar*

cruzar *to cross*

Preterite: crucé, cruzaste, cruzó; cruzamos, cruzasteis, cruzaron
Present Subjunctive: cruce, cruces, cruce; crucemos, crucéis, crucen
Formal Commands: cruce usted, crucen ustedes
Other verbs conjugated like **cruzar** are **aterrizar, comenzar, empezar, gozar,** and **rezar.**

2nd and 3rd conjugation verbs with stem ending in *a, e, o*

leer *to read*

Present Participle: leyendo
Past Participle: leído
Preterite: leí, leíste, leyó; leímos, leísteis, leyeron
Past Subjunctive: leyera(se), leyeras, leyera; leyéramos, leyerais, leyeran
Other verbs conjugated in part like **leer** are **caer, creer,** and **oír.**

Verbs ending in -*uir* (except -*guir* and -*quir*)

huir *to flee*

Present Participle: huyendo
Present: huyo, huyes, huye; huimos, huís, huyen
Preterite: huí, huiste, huyó; huimos, huisteis, huyeron
Present Subjunctive: huya, huyas, huya; huyamos, huyáis, huyan
Past Subjunctive: huyera(se), huyeras, huyera; huyéramos, huyerais, huyeran
Formal Commands: huya usted, huyan ustedes
Other verbs conjugated like **huir** are **construir, contribuir,** and **destruir.**

Verbs ending in -*cer* or -*cir* preceded by a vowel (inceptive)

conocer *to know*

Present: conozco, conoces, conoce; conocemos, conocéis, conocen
Present Subjunctive: conozca, conozcas, conozca; conozcamos, conozcáis, conozcan
Formal Commands: conozca usted, conozcan ustedes
Other verbs conjugated like **conocer** are **aparecer, conducir, desaparecer, nacer, ofrecer, parecer, reconocer,** and **traducir.**

Verbs ending in -*cer* preceded by a consonant

vencer *to conquer*

Present: venzo, vences, vence; vencemos, vencéis, vencen
Present Subjunctive: venza, venzas, venza; venzamos, venzáis, venzan
Formal Commands: venza usted, venzan ustedes

Vocabulario

The gender of nouns is listed except for masculine nouns ending in **-o** and feminine nouns ending in **-a**, **-dad**, **-tad**, **-tud**, or **ión**. Adverbs ending in **-mente** are not listed if the adjective from which they are derived is included.

Abbreviations

adj adjective
adv adverb
f feminine
m masculine
Mex Mexico
n noun

part participle
pl plural
prep preposition
pret preterite
pron pronoun
s singular

A

a to, at
abandonar to abandon; **abandonarse** to let oneself go, give in to
abarcar to include, take in
abierto(a) open, opened
abogado(a) attorney, advocate
abordar to board (plane, train, etc.)
abrazar to embrace
abril *m* April
abrir to open
abstinencia abstinence
abuelo grandfather; **los abuelos** grandparents
aburrido(a) bored, boring
acabar to finish; **acabar de** to have just
acaso perhaps, maybe
acción action, act
aceptación acceptance
aceptar to accept
acerca (de) about, concerning
acercar(se) to bring near; *refl* to approach
acompañar to accompany
aconsejar to advise
acontecimiento event, happening
acordar(se) (ue) to agree to; *refl* to remember
acostar(se) (ue) to put to bed; *refl* to go to bed
acostumbrarse to get used to
actitud attitude
activo(a) active
actor *m* actor; **actriz** *f* actress

actual current, present, contemporary
actuar to act, act as
acuadalado(a) affluent
acuerdo agreement; **estar de acuerdo** to agree
adelante ahead
además de besides, in addition
adonde *adv* where, to where; **¿adónde?** to where?; **adondequiera** (to) wherever
aduana customs, customs house
adulto(a) *n* and *adj* adult
aeropuerto airport
afectar to affect
aflicción grief
agosto August
agotado(a) exhausted
agradable agreeable, pleasant
agradecer to be thankful for; to thank for
agricultur(a) agricultural, farming (*before n*)
agua water
aguantar to put up with
ah ah; **ah, sí** oh, yes
ahijado(a) godchild
ahora now
ahorrar to save (*as in money*)
ajeno(a) belonging to another
alcanzar to reach, achieve, gain, catch up with
alegar to claim
alegrarse to be happy, glad; **alegrarse de** to be glad that
alegre happy, glad
alegría joy

alejarse to leave, move away

alemán(-ana) German

alfabetismo literacy

algo something, anything; *adv* somewhat

alguien *m* someone, somebody, anyone, anybody

algún, alguno(a) some(one), any; *pl* some; **algún día** someday; **alguna vez** sometime, ever

alivio relief; **¡Qué alivio!** What a relief!

alma soul, spirit

almacén *m* warehouse, (grocery) store

almorzar (ue) to eat lunch, brunch

alrededor (de) around

altar *m* altar

alto(a) high, tall

amanecer *n m* dawn

amante *m* or *f* lover

amargura bitterness

ambicioso(a) ambitious

amenaza threat

amenazar to threaten, menace

América America

americano(a) of the Americas; (sometimes used improperly to refer to the United States as opposed to Spanish America)

amigo(a) friend

analizar to analyze

anciano(a) elderly

andar to go, walk, move

anglosajón(-ona) Anglo-Saxon (used frequently to refer to all inhabitants of the United States who are not of Latin descent)

angustia anguish, sorrow

animado(a) animated (as cartoons)

anoche last night

ante in front of, before; with respect to

antepasado(a) ancestor, predecessor

antes (de) before (*time, place*); **antes (de) que** before

antiguo(a) old, ancient; **mi antiguo coche** my previous car

antipático(a) disagreeable, unpleasant

año year; **Año Nuevo** New Year

apagar to put out

aparecer to appear

aparencia appearance

aparentar to look, feign

aparición appearance

apartamento apartment

apenas barely

apodo nickname

aportar to bring into, contribute

apoyo support

aprender to learn

apunte *m* note

apurarse to hurry up, make haste

Aquario Aquarius

aquel, aquella that; **aquello** *pron* that; **aquellos(as)** those

aquí here

árbol *m* tree

argumento plot, storyline (of a novel, play, etc.)

arquitectura architecture

arpillera burlap

arreglar to arrange; to repair

arrepentirse (ie) to repent

artes the arts

artículo article

artista *m* or *f* artist

arzobispo archbishop

asado(a) roasted, baked

ascender (ie) to rise

asegurarse to make sure

asentar (ie) to settle

así so, thus, in this manner, that way

asistir (a) to attend

astro heavenly body

astrología astrology

astronauta *m* or *f* astronaut

asumir to take on

asunto matter

asustar to frighten

atenuar to soften

atraer to attract

atrapado(a) trapped, stuck

atrás in back

atrasado(a) backward, behind

atreverse (a) to dare

aula classroom

automóvil *m* automobile

avanzado(a) advanced

avergonzado(a) ashamed

averiguar to find out, research

avión *m* airplane

ayer yesterday

ayuda help, assistance, aid

ayudante *m* or *f* assistant, aide, helper

ayudar to help, assist

ayuno fast; **hacer ayuno** to fast

ayuntamiento city *or* town council

azteca *m* or *f*, *n* and *adj* Aztec

azucarero(a) sugar-producing

B

bailar to dance

baile *m* dance

bajo(a) short

bajo *adv* under

banco bank

bandera flag

bañar(se) to bathe (*someone*); *refl* to bathe, take a bath

baño bathroom; **traje de baño** *m* bathing suit

barba beard

barrio neighborhood, district

basarse to base oneself on; to be based on

base *f* basis

bastante *adj* enough, sufficient; *adv* quite, rather

batata sweet potato

bautizar to baptize

bautizo to baptism

beatificación beatification

bebe *m* or *f* baby

beber to drink

Belén Bethlehem

bello(a) beautiful

biblioteca library

bicicleta bicycle

bien well

bienestar *m* well-being, welfare

bigote *m* mustache

billete *m* ticket

blanco(a) white

blasfemias blasphemy

bocado bite, taste

boda wedding

boleto ticket

bolígrafo ballpoint pen

bolsa stock exchange, stockmarket

bolsillo pocket

bondadoso(a) kind, good, good-natured

bonito(a) pretty

bordar to embroider

bordo: a bordo on board

borracho(a) *adj* drunk; *n* drunkard

borrasca depression, area of low pressure

borrón inkblot, smudge

bosque *m* forest

bote *m* small boat, canoe

brazo arm

bribón(ona) rascal

brindis toast (*e.g., to the newlyweds*)

bromear to joke

bronce *m* bronze

buen, bueno(a) good; *adv* well

buque *m* boat

burlar to trick, deceive; **burlarse (de)** to make fun of

bus *m* bus

buscar to look for, seek

búsqueda search

butaca theater seat

C

caber to fit

cacao chocolate

cacto cactus

cada each

cadáver *m* corpse, dead body

caer to fall; *past part* **caído**

café *m* coffee; café

cafetería restaurant, café

caimán *m* alligator

calavera skull

calendario calendar

calentar (ie) to heat

caliente hot

callarse (cállate) to be quiet

calle *f* street

calor: hacer calor to be hot

cámara camera
cambiar to change
cambio change; **a cambio** in exchange
caminar to walk
camión *m* bus *(slang)*
campesino(a) peasant
campo country
canal *m* channel
canción song
candidato(a) candidate
canonización canonization
cansado(a) tired
cantar to sing
cantina bar
caña sugar cane; pole, cane
capacidad capacity, skill, ability
capaz capable, able
capilla chapel
capital *f* capital city; *m* money
capítulo chapter
Capricornio Capricorn
cara face; **cara a cara** face to face
caricatura cartoon
cariño affection
carnaval *m* carnival
carrera career
carril *m* lane
carta letter
cartera wallet
casa house; **en casa** at home
casarse to get married; **casarse con** to marry
casi almost
casimir *m* cashmere
castellano Spanish (language)
casualidad chance; **por casualidad** by chance
catedral *f* cathedral
católico(a) Catholic
causa cause; **a causa de** because of
causar to cause
caza hunting
cementerio cemetery
cena supper
cenar to dine, have dinner or supper
centro center, downtown
cerca close; **cerca de** near, close to

cerebral cerebral, pertaining to the brain
cerrado(a) closed
cerrar (ie) to close
cerro hill
cerveza beer
chaqueta jacket
charlar to chat, talk
cheque *m* check
chico(a) small; *n* little boy, little girl
chileno(a) Chilean
chiste *m* joke
chofer *m* driver, chauffeur
chocolate *m* chocolate
choza hut, shack
chubasco(s) squall, sudden rainstorm; **chubasco de nieve** snowstorm
ciego(a) blind
cien(to) one hundred
ciencia science
científico(a) scientific
cierto(a) certain; **es cierto** it's true
cinco five
cine *m* movies, movie theater
cita appointment, date
ciudad city
ciudadano(a) citizen
civilización civilization
claridad clarity, light; clearness
claro(a) clear; **claro (que)** of course
clase *f* class, type
clave *f* key
clero clergy
cliente *m* or *f* client, customer
clima *m* climate
clínica clinic
club nocturno nightclub
cobrar to cash (a check)
coche *m* automobile; coach
cocina kitchen
cocinero(a) cook
coger to catch, pick
colegio secondary school, high school
colgar (ue) to hang
colmo limit; **¡Esto es el colmo!** This is the limit!
comentar to discuss

comenzar (ie) to begin, start

comedor *m* dining-room

comer to eat

comestible *m* food, foodstuff

comida meal, food

como as, like, how, about; ¿cómo? how?, what?

cómodo(a) comfortable

comoquiera however

compañero(a) companion, mate

compañía company

comparar to compare

compás *m* compass

completar to complete, fill out

completo(a) complete, full

complicado(a) complicated

comportarse to behave

composición composition

comprar to buy, purchase

comprender to understand

computadora computer

común common; común y corriente common and ordinary

con with; notwithstanding

concebir to conceive, imagine

concierto concert

conducir to conduct, lead; to drive

conejo rabbit

confeccionar to make

conferencia lecture, conference

confrontar to confront, face

congreso convention

conmigo with me

conocer to know; to meet; to become acquainted

conquistar to conquer

conseguir (i) to achieve, get; to manage to

conservador(a) conservative

consigo with him/herself

consistir (en) to consist of

construir (y) to construct, build

consuelo consolation

consul *m* or *f* consul

consumidor *m* or *f* consumer

contaminación contamination, pollution

contar (ue) to count, tell

contemporáneo(a) contemporary

contento(a) happy

contigo with you

contra against

contrabando smuggling

contrario(a) contrary, opposing; al contrario on the contrary

contratrar to hire

control *m* control

controlar to control, dominate

convencer to convince

convener to be convenient; convenido(a) agreed upon

convento convent

conversación *f* conversation

convertir (ie) to turn something into something, convert

copa cup, glass; tomar una copa to have a drink

corbata necktie

cordillera mountain range

correcaminos *m sing* roadrunner; El Correcaminos y el Coyote Roadrunner

corredor(a) de buenas raíces realtor

corregir (i) to correct

correr to run

cortar to cut

corte *m* cut; corte *f* court

cortés courteous

corto(a) short (in length); lo corto(a) how short

cosa thing; ¡Qué cosa! The idea!

cosecha crop

coser to sew; pueda coser ajeno to take in sewing

costar (ue) to cost

costumbre *f* custom

crear to create

creencia belief

creer to believe, think

criado(a) servant

crimen *m* crime

crisis *f* crisis

cruzar to cross

cuaderno notebook

cuadra block

cual which; ¿cuál? ¿cuáles? what, which, which one(s)?; el (la) cual who, the one who

cualquier(a) *pron* whatever, whichever

cuando when; **¿cuándo?** when?; **cuando se estira la pata** when you die; **para cuando** by the time

cuandoquiera whenever

¿cuánto(s)? how much?; *pl* how many?

cuaresma Lent

cuarto *m* room

cuarenta forty

cuatro four

cubano(a) Cuban

cubrir to cover; *past part* **cubierto**

cuenta bill, tab

cuento story

cuerpo body

cuidar to care for, take care of

culpa guilt, blame

culto(a) cultured, refined

cultura culture

cumbre *f* summit

cumpleaños *m* birthday

cumplir con to fulfill one's obligation to

cupo available slot

cura *m* priest; *f* cure

cuyo(a) whose

D

damas chinas Chinese checkers

daño harm, damage; **hacer daño** to harm, hurt

dar to give; **dar un paseo** to take a walk, stroll around; **darse cuenta (de)** to realize; **darse prisa** to hurry up

de of, from; **de repente** suddenly

debajo (de) under

decider to decide; **decidirse (a)** to make up one's mind

décimo(a) tenth

decir (i) to say, speak; **no me diga(s)** you don't say

decisión decision

dedicar(se) to dedicate (one's self)

defensa defense

dejar to let, allow; to leave (something behind); **dejar de** to stop

delante de in front of, before

delicado delicate

deleitarse con to enjoy

delgado(a) thin

demás rest (of the)

demasiado(a) *adj* too much; **demasiado** *adv* too; too much

demonio demon; **¿Qué demonios pasa?** What the devil is going on?

demostrar (ue) to show

dentro (de) inside (of); **dentro de poco** in a little while

deportes *m pl* sports

derecho *m* right (as legal right); **a la derecha** to the right

derramar to spill

derrotar to defeat

desagradable disagreeable, unpleasant

desaparecer to disappear

desarrollar to develop

desatinado(a) far-fetched

desayunar(se) to have breakfast

descansar to rest

descaro audacity, nerve

desconocer: se desconoce it is unknown

desconocido(a) unknown

describir to describe

descubrir to discover; *past part* **descubierto**

desde from, since; **desde hace dos años** for two years

desear to desire, want

desempleo unemployment

desencuentro misunderstanding

deseo desire, wish

desesperado(a) desperate

desfile *m* parade

desgraciadamente unfortunately

desilusionado disillusioned

desilusionar to disappoint, disillusion

desocupado(a) unoccupied, vacant, empty; unemployed

despedir (i) to discharge, fire; **despedirse (de)** to say good-bye

despejado(a) clear (*weather*)

despertar(se) (ie) to awaken (*someone*); *refl* to wake up

despotricar to rant and rave

despreciar to scorn

después (de) after (*time, order*), afterwards

destacado(a) outstanding

destructivo(a) destructive

desventaja disadvantage

detrás (de) behind, in back of

devolver (ue) to return (something)

día *m* day; **buenos días** good morning; **día de San Valentín** Valentine's Day; **día de Independencia** Independence Day; **hoy día** nowadays; **los días de obligación** holy day of obligation

diablo devil; **¿Qué diablos?** What the hell?

diario daily

dibujo drawing, sketch; **dibujo animado** cartoon

dicho(a) said; *n m* saying

diciembre *m* December

diecisiete seventeen

diez ten

diferencia difference; **a diferencia de** unlike

difícil difficult; unlikely

difundir to disseminate

difunto(a) deceased person; **día de los difuntos** day of the dead

dilema *m* dilemma

diminutivo(a) diminutive

dinero money

dios(sa) god, goddess; **Dios** *m* God

dirección direction; address

dirigir to direct

disciplina discipline

disco record (phonograph)

discriminación discrimination

disculpa excuse

discurso speech

discutir to discuss

disfrutar to enjoy one's self

distinguir to distinguish, differentiate

distinto(a) (*description*) different

distorsionado(a) distorted

distraer to distract

diversión diversion, entertainment

divertido(a) funny, entertaining

divertir(se) (ie) to entertain; *refl* to have a good time

dividir to divide

doce twelve

dominar to dominate, rule

domingo Sunday

donde where; **¿dónde?** where?; **¿De dónde es?** Where is (*someone*) from?; **dondequiera** anywhere; **donde sea** wherever

dormir(se) (ue) to sleep; *refl* to fall asleep

dos two; **dos a dos** two to two

drama *m* drama

droga drug (especially as in drug addict)

dudar to doubt

dudoso(a) doubtful

dueño(a) owner

durante during

durar to last

E

e and (*before words beginning with i or hi*)

echar to throw; **echar de menos** to miss; **echarse una siestecita** to take a little nap

economía economy

edad age

educación education

ejemplo example

ejercicio exercise

ejército army

elección election

elegante elegant

eliminación elimination

eliminar to eliminate

embarazada pregnant

embotellamiento traffic jam

emitir to cast (vote)

empezar (ie) to begin

empleado(a) employee, clerk

empleo employment, job

en in, on, upon; **en casa** at home; **en cuanto** as for, concerning; as soon as; **en seguida** at once; **en serio** seriously

enajenación alienation

enamorado(a) in love; **estar enamorado(a) de** to be in love with

encabecer to head

encajar to fit

encantar to delight, enchant; **le encanta** he/she loves (*something*)

encender to light

encima de on, on top

encrucijada crossroads

encontrar (ue) to find; **encontrarse (ue)** to meet, by chance/run into

encuesta survey

energía energy

enero January

enfermarse to get sick

enfermo(a) ill, sick, sickly

enfrente de in front of

engañar(se) to deceive (one's self)

enlazar to connect, interweave

enojado(a) angry

enojar(se) to anger (*someone*); *refl* to become angry

enorme enormous

enseñanza teaching

enseñar to teach

entender (ie) to understand

entero(a) whole, entire

enterrado(a) buried

entierro burial

entonces then

entrada admission

entrar to enter, come in

entre between, among

enviar to send

envolver (ue) to wrap; *past part* **envuelto**

epitafio epitaph

época era; **en aquella época** at that time; **hubo una época** there was a time

erudito(a) erudite, learned

escalera ladder

escasez scarcity, shortage

esclavitud slavery

esclavo(a) slave

escoger to choose

escolástico(a) scholastic

esconder to hide

Escorpión *m* Scorpio

escribir to write

escrito(a) written

escrúpulo scruple

escuchar to listen (to)

escuela school

ese, esa that; **eso** *pron* that; **esos, esas;** those; **eso de** the matter of; **por eso** therefore, for that reason

España Spain

español Spanish (language)

español(a) *n* Spaniard

especial special

especie *f* species

espejo mirror

esperar to hope, expect; to wait (for); **es de esparar** it is to be hoped, expected

espía *m* or *f* spy

espiritú *m* spirit

espiritual spiritual

esposa wife

esposo husband, spouse

esquela notice

esqueleto skeleton

esquiar to ski

estabilidad stability

establecer to establish

estación station

estacionamiento parking

estacionar to park (a car)

estadía stay

estado state

estar to be; **estar de acuerdo** to agree; **estar de vacaciones** to be on vacation; **estar en casa** to be at home; **estar para** to be about to

este east **este, esta** this; **esto** *pron* this; **estos, estas** these

esterilizar to sterilize

estirar: **cuando se estira la pata** when you die

estructura structure

estudiante *m* or *f* student

estudiar to study

estudio study

estudioso(a) *n* scholar

eternidad eternity

eterno(a) eternal

etiqueta label

Europa Europe

evidente evident

evitar to avoid

evolución evolution

evolucionar to evolve

examen *m* exam

excelencia excellence

excepto except

exceso excess

exequias *f pl* funeral rites

exigente demanding

exigir to demand

existir to exist

éxito success; **tener éxito** to be successful

explicación explanation

explicar to explain

explorar to explore

expresión expression

extenso(a) extended

extranjero(a) foreign; **en el extranjero** abroad

extraño(a) strange

F

fábrica factory

fabricar to make, fabricate

fácil easy; likely

fallecer to die

falso(a) false

falta lack; **hacer falta** to be necessary; to miss

faltar to be lacking; **Eso te faltaba.** That's all you needed; **hacer falta** to be necessary

familia family

familiar *adj* family; *n m* member of the family

famoso(a) famous

fantasma *adj* bogus

favor *m* favor; **por favor** please

favorecer to favor

favorito(a) favorite

fe *f* faith

febrero February

fecha date

felicidad happiness

feliz happy

feminismo feminism

feminista feminist

fenomenal phenomenal

fenómeno phenomenon

fiel(es) the faithful, the devout

fiesta party, celebration

fijar to fix, fasten; **fijarse (en)** to notice

fijo(a) fixed

fila row

filosofía philosophy

final *adj* final; *n* end

finca farm

firmar to sign

físico(a) physical

flaco(a) thin, skinny

flor *f* flower; **flor de Pascua** poinsettia

fomentar to encourage

fondo background

foto *f* photo

fraile *m* friar, monk

francés(esa) French

fraude *m* fraud

frecuencia frequency; **con frecuencia** frequently, often

frenar to brake

frente concerning; **en frente de** in front of; **frente a** opposite; **frente** *n* front

fresco(a) cool; **hacer fresco** to be cool

frijol *m* bean

frío(a) cold; **hace frío** it's cold

fuego fire; **fuego artificial** firework

fuera (de) outside (of)

fuerte strong

fuerza strength; force

fumar to smoke

función show

funcionar to function, work

funcionario(a) civil servant, official

futuro future

G

gaita bagpipe

gaitero(a) bagpiper

gana desire

ganar to earn; to win; **ganarse el pan** to earn one's living

gaseosa soda

gastar to spend

gasto expense

gato cat

Géminis *m* Gemini

generación generation

generoso(a) generous

gente *f* people

gira trip

gobernar (ie) to govern

gobierno government

golpe de estado *m* military coup

golpear to hit, beat

gordo(a) fat

gozar to enjoy

grabar to engrave

gracias *f pl* thanks

grado degree

graduarse to graduate

gramática grammar

gran, grande great, big; **Grandes Ligas** Major
 Leagues

gratificación gratification

gratuito(a) free

gritar to shout

grito shout, scream

grueso(a) thick

grupo group

guardia guard

guerra war

guerrillero(a) guerrilla fighter

guía *m* guide (male); *f* guide (female), guidebook

guiar to guide, drive

guitarrista *m* or *f* guitar player

gusano worm

gustar to be pleasing, like; **gustarle a uno** to like

gusto taste, pleasure; **a gusto** at ease

H

haber to have (as auxiliary verb); **haber de** to be supposed to; **hay** there is, there are; **hay polvo (nubes,
 niebla)** it is dusty (cloudy, foggy); **hay sol (luna)**
 the sun (moon) is shining; **hay que** one must

habitación room

habitante *m* or *f* inhabitant

hablar to speak

hacer to do, make; **hace buen (mal) tiempo** the
 weather is good (bad); **hacer calor** to be hot; **hacer
 compras** to go shopping; **hacer daño** to harm,
 hurt; **hace dos semanas** it has been two weeks
 since; **hace más de dos mil años** more than two
 thousand years ago; **¿Cuánto tiempo hace que …?**
 How long has (have) …?; **hacer falta** to need,
 be lacking; **hacer fresco** to be cool; **hacer sol** to
 be sunny; **hacer una pregunta** to ask a question;
 hacer viento to be windy

hacerse to become

hacia toward

hamaca hammock

hambre *f* hunger; **muerto de hambre** dying of
 hunger; **tener hambre** to be hungry

haragán(-ana) lazy, good-for-nothing

hasta (que) until; **hasta luego** see you later; **hasta
 mañana** see you tomorrow

hecho *past part* done, made; *n* fact; **de hecho** in fact

hermana sister

hermano brother; *pl* brothers, brothers and sisters

herradura horseshoe

hija daughter

hijo son; *pl* children, sons and daughters

hispánico(a) Hispanic

Hispanoamérica Spanish America

historia history, story

histórico(a) historic, historical

hoja leaf

holgazán(-ana) *adj* idle, lazy; *n m* or *f* loafer, idler

hombre *m* man

hombro shoulder

hora hour; time; **¿Qué hora es?** What time is it?

horóscopo horoscope

hotel *m* hotel

hoy today; **hoy día** nowadays

huella trace

hule *m* rubber

humanidad(es) humanity(ies)

humano(a) human

huracán *m* hurricane

I

Ibérico(a) Iberian

ideal *adj & n m* ideal

idioma *m* language

iglesia church

ignorancia ignorance

igual equal; **igual que** the same as, just like

igualdad equality

ilustre illustrious

imagen *f* image

impedir (i) to prevent, hinder, block

imperfecto(a) imperfect

importancia importance

importante important

importar to be important, matter

imposible impossible

inca *m* Inca

incaico(a) *adj* Inca

inclinar to tilt

incluir (y) to include

inclusive even

incluso including

indicar to indicate

indígena indigenous, Indian

indio(a) Indian

individuo(a) individual

industria industry

inesperado(a) unexpected

inestable unstable

inflación inflation

influencia influence

influir (en) to influence

información information

informar to inform

informe *m* report

ingeniero(a) engineer

inicio beginning

inmediato(a) immediate

insistir (en) to insist (on)

instalación facility

inteligencia intelligence

inteligente intelligent

intercambiar exchange

interesante interesting

internacional international

interrumpir to interrupt

íntimo(a) intimate

intrigante *m* or *f* intriguer

invadir to invade

invertir to invest

investigación research

invierno winter

invitación invitation

invitado(a) guest

invitar to invite

ir to go; **irse** to go away; **ir a +** *inf* to be going to

ira anger

irregular irregular

isla island

italiano(a) Italian

izquierdista *m* or *f* leftist

izquierdo(a) left

J

jactarse (de) to boast

jai alai jai alai

jamás never, not ever; **¿jamás?** ever?

jardín *m* garden

jefe *m* chief, boss

joven *adj* young; *n m* young man or *f* young woman

juez *m* or *f* judge

jugador(a) player

jugar (ue) to play

julio July

junio June

juntar to gather, unite; *refl* to join

junto(a) together; next to

justicia justice

justo(a) just (right)

juventud youth

juzgar to judge

L

laboralmente in the workplace

lado side; **al lado de** beside, alongside of

ladrillo brick

lamentable lamentable

lamentar to regret

lámpara lamp

lápida tombstone

lápiz *m* pencil

largo(a) long

lástima pity; **¡que lástima!** What a shame!

latino(a) *adj* Latin

latinoamericano(a) Latin American

lavar to wash

leal loyal

lección lesson

lectura reading

leer to read

lejos far, far away; **lejos de** far from

lengua language

lenguaje *m* language

lento(a) slow

levantar to raise, lift; **levantar(se)** to get up

ley *f* law

liberación liberation

libertad liberty

Libra Libra

librería bookstore

libro *m* book

licenciado(a) lawyer

líder *m* leader

limitar to limit

limosna alms

limpio(a) clean

línea: línea subterránea subway line

lista list

listo(a) clever; ready

llamar to call; **llamarse** to be called, to be named

llano *adj* flat; *n* plain

llegada arrival

llegar to arrive

llenar to fill

lleno(a) full

llevar take (transport); to wear; **llevarse bien** to get along well with

llorar to cry

llover (ue) to rain

lo que what

lotería lottery

lucha fight, struggle

luchar to struggle, fight

luego then

lugar *m* place

lujoso(a) luxurious

luna moon; **luna de miel** honeymoon

lunes *m* Monday

luz *f* light

M

madera wood

madre *f* mother

madrileño(a) *adj* of or from Madrid

maestro(a) master; teacher

magia magic

magnífico(a) magnificent

maíz *m* corn

mal *adj* and *adv* bad, badly, sick; **salir mal** to fail

maleta suitcase

malo(a) bad; ill

mandar to send; order, give orders

mandón(dona) bossy

mano *f* hand; **a mano** by hand; **mano a mano** hand to hand; **mano de obra** workforce

mansión mansion

mantener (ie) to maintain

mañana morning; *adv* tomorrow

mapa *m* map

máquina machine

maquinaria machinery

maravilloso(a) marvelous, wonderful

marejada heavy sea, swell

marido husband

marisco seafood

martes *m* Tuesday

mártir *m* or *f* martyr

marzo March

más more, most; **más tarde** later; **más vale** it is better; **¿qué más?** what else?

matrimonio marriage

matutino(a) *adj* morning

maya *m* or *f* Maya, Mayan

mayo May

mayor greater

mayoría majority

mecánico(a) *n m* mechanic

medio(a) half; somewhat; **a las siete y media** at seven-thirty

medianoche *f* midnight

mediante by means of

medicina medicine

médico(a) *n m* or *f* doctor

medio(a) half, average; **por medio de** by means of

medir (i) to measure

meditación meditation

mejor better, best

mejoramiento improvement

memoria memory

memorizar to memorize

menos minus, less, least; **echar de menos** to miss; **eran las nueve menos cinco;** it was five minutes until nine

mentir (ie) to lie

mentira *n* lie

menudo: a menudo often

mesa table

meta aim, goal

meterse en to get involved with, poke one's nose into

metro subway

mexicano(a) Mexican

mezquita mosque

miedo fear; **tener miedo** to be afraid

mientras (que) while

mil *m* thousand

milagro miracle

milagroso(a) miraculous

millón(millones) *m* million

mina mine

minuto minute

mío my, mine

mirar to look, look at

misa mass

miseria poverty; **barrio de miseria** slum

misión mission

mismo(a) same; **lo mismo que** the same as; **el cura mismo** the priest himself; **sí mismo** oneself

mito myth

modelo model

moderación moderation

moderno(a) modern

modo way; **de modo que** so that; **de todos modos** anyway, at any rate

molestar to bother

momento moment

monja nun

montaña mountain

monte *m* mountain

moral moral

moreno(a) dark, dark-skinned

morir(se) (ue) to die

moro(a) Moor

mostrar (ue) to show

motivo motive

moto *f* motorcycle

moverse (ue) to move

móvil mobile

movimiento movement

muchacha girl

muchacho boy; *pl* boys and girls, boys

muchedumbre *f* crowd

mucho(a) much, a lot of, a lot

mudanza move

mudar(se) to move (house)

muerte *f* death; **la muerte a nadie perdona** popular Spanish sayng

muerto(a) dead; **Día de los Muertos** day of the dead

mujer *f* woman

mundial world, worldwide

mundo world

muñeca doll

muñeco de nieve snowman

músculo muscle

música music

muy very

N

nacer to be born

nacimiento birth

nada nothing, not anything; *adv* not at all

nadar to swim

nadie no one, nobody, anyone

narrador(a) narrator

natalidad births; **control de natalidad** birth control

natural natural

Navidad Christmas

necesario(a) necessary

necesidad necessity

necesitar to need; **¡bien que lo(la) necesito!** I really need it!

negación negation

negar (ie) to deny; **negarse (a)** to refuse

negativo(a) negative

negocio business; **viaje de negocios** business trip

negro(a) black

nervioso(a) nervous

ni … ni neither . . . nor

nieta granddaughter

nieto grandson; grandchild

nieve *f* snow

ninguno(a) no, no one, none, not any (anyone)

niñez *f* childhood

niño(a) child

nivel *f* level, state

noche *f* night

nochebuena Christmas Eve

Nochevieja New Year's Eve

nombre *m* name

norte *m* north

norteamericano(a) North American

nota grade

noticia news

novela novel

noviembre *m* November

novio(a) boyfriend, girlfriend, suitor; fiancé, fiancée

nuclear nuclear

nuestro(a) our, ours

nueve nine

nuevo(a) new; **¿Qué hay de nuevo?** What's new? (What's going on?)

número number

nunca never, not ever

O

o … o either . . . or

oaxaqueño Oaxacan

obedecer to obey

obispo bishop

obituario obituary

obligación obligation, duty; **los días de obligación** holy days of obligation

obligar a to oblige to

obra work, labor

obrero(a) worker

obstáculo obstacle, barrier

obstante: no obstante nevertheless

ocasión occasion

octavo(a) *adj* eighth

octubre *m* October

ocupar to occupy, hold

ocurrir to occur, happen; **se me ocurre** it occurs to me

ochenta eighty

ocho eight

oeste west

oficial official

oficina office

ofrecer to offer

oír to hear

ojalá I hope that

ojo eye

ola wave

oler (huele) to smell

olvidarse (de) to forget

omitir to omit, overlook

once eleven

onda wave

operar to operate (on)

opinar to think

opinión opinion

oportunidad opportunity

oprimido(a) oppressed

optimista *m* or *f* optimist; *adj* optimistic

oralmente orally

orden *f* or *m* order

ordenar to order

organismo organization

orgulloso(a) proud

origen *m* origin, source

originar to start

oriundo(a) native

oro gold

ortografía spelling

oscuro(a) dark

otorgar to grant

otro(a) another, other

P

padre *m* father, priest; *pl* parents

padrinos godparents

pagar to pay

pagaré promissory note

país *m* country

pájaro bird; **El Pájaro Loco** Woody Woodpecker

palabra word, term

pálido(a) pale

palomitas popcorn

pan *m* bread, loaf of bread

panadería bakery

pantalla movie *or* television screen

papa *f* potato; *m* pope

papá *m* father, dad

papel *m* paper; **hacer un papel** to play a role

para for, in order to; **para cuando** by the time

paraguas *m* umbrella

parar to stop, stay

parcela parcel, piece

parecer to seem, appear; **parecerse (a)** to resemble; **parecerle a uno** to think

pared *f* wall

pareja pair, couple

parentesco kinship

pariente relative

parque *m* park

parte *f* part, portion, place; **de parte de** in behalf of

partera midwife

participación participation

participar to participate

partida party, group

partido game; political party

partir to split, break; **partir de** starting from (*time expression*)

pasaporte *m* passport

pasado(a) past, last; **el año pasado** last year

pasar to pass, go, pass through, happen, spend (time); **pasarle a uno** to happen to someone

pasatiempo pastime

pastel *m* pastry, pie

pastelería cake shop

pastelero(a) pastry chef

pastor(a) minister

pata foot (of animal)

pato duck; **El Pato Donald** Donald Duck

patrón *adj* patron; *n* boss

pavo turkey

paz *f* peace; **que en paz descanse** (may he *or* she) rest in peace

pecado sin

pedir (i) to ask for

peinarse to comb one's hair

película movie, film

peligroso(a) dangerous

pelirrojo(a) redhaired, redheaded

pelo hair

pena pain; **valer la pena** to be worthwhile

península peninsula

pensamiento thought

pensar (ie) to think

pensativo(a) pensive, thoughtful

peor worse

pequeño(a) small

perder(se) (ie) to miss, lose; **perder el tiempo** to waste time

pérdida loss

perezoso(a) lazy

perfección perfection

periódico newspaper

permanentemente permanently

permiso permission, permit; **con permiso** excuse me

permitir to permit, allow

pero but

perro(a) dog

persona *f* person

personaje *m* personage, literary character

personalidad personality

perspectiva perspective

pesadilla nightmare

pésame *m* condolence

pesar: a pesar de in spite of

pesca fishing

pescador(a) fisherman, fisherwoman

pesimista *m* or *f*, *n* or *adj* pessimist, pessimistic

petroleo oil

pianista *m* or *f* pianist

pico peak

pie *m* foot; **a pie** on foot

piel *f* skin
pintar to paint
pionero(a) pioneer
pintoresco(a) picturesque
pintura painting
piragua canoe
pirámide *f* pyramid
pistolero gunman
pizarra chalkboard
placa plaque
placer *m* pleasure
plan *m* plan, scheme
planear to plan
planta plant
plato plate, dish
playa beach
plaza plaza, town square
pluma pen, feather
población population
pobre poor; *n* poor person
pobreza poverty
poco(a) little, scanty; *pl* a few, some; *n m* a little bit; *adv* a little, somewhat, slightly; **poco a poco** little by little
poder (ue) to be able, can; **no he podido estudiar** I have not been able to study
poderoso(a) powerful
podio podium
poema *m* poem
poeta *m or f* poet
policía *m* police officer (male), *f* police force, police officer (female)
político(a) political; *n f* politics; *n m* politician
pollo chicken
poner to put, place; **ponerse** to become; to put on (*clothing*); **ponerse a** to begin
poniente *adj* west
pontífice *m* pontiff
popular popular
por for; through; along; by; instead of; **por ejemplo** for example; **por eso** therefore, for that reason; **por favor** please; **por lo tanto** therefore; **¿por qué?** why?; **por supuesto** of course
posada inn; *pl* Mexican and Latin American celebration between December 16 and Christmas

posibilidad possibility
posible possible
pozo well, pool, pond
precio price
preciso(a) necessary
predilecto(a) favorite
preferible preferable
preferir (ie) to prefer
pregunta question
preguntar to ask
prejuicio prejudice
premiar to reward; **fue premiado** was awarded a prize
premio prize
prenda garment
prensa press, printing press
preocupar to preoccupy; **preocuparse** (de, por *or* con) to worry about
preparación preparation
preparar to prepare
presencia presence
presentar to present
preservar to preserve
presidente *m* president
préstamo loan
prestar to lend
presupuesto budget
primario(a) primary, elementary; **primaria** *n* elementary school
primavera spring (season)
primer, primero(a) first
primo(a) cousin
prisa haste; **darse prisa** to hurry
probable probable
probablemente probably
probar (ue) to try, taste; **probarse** to try on
problema *m* problem
proceso process
producir to produce
profesión profession
profesional professional
profesor(a) professor
profundo(a) deep, profound
programa *m* program
programador(a) *m or f* programmer

prohibir to prohibit

prometedor(a) promising

prometer to promise

promulgar to promulgate, proclaim

pronombre pronoun

pronóstico prediction

pronto soon, promptly

propio(a) one's own, characteristic

proponer to propose

proporcionar to provide

protagonista protagonist

proteger to protect

provenir (ie) to come from

próximo(a) next

prueba proof; test

psicólogo(a) psychologist

publicar to publish

público(a) public

pueblo small town, people, nation, citizenry

puerta door

pues then, since

puesto(a) put, placed; *n m* job, position; stall; **puesto que** since

Q

que that, which, who, whom; **el (la, los, las) que** the one(s) who; **lo que** what, that which; **que le vaya bien** may all go well with you; **¿qué?** what? **¿para qué?** why? for what purpose?; **¿por qué?** why? (for what reason); **¿qué tal?** how are you?

quedar(se) to stay; to remain; to be located; **quedarle a uno** to have left; **no les quedó otro remedio** they had no other remedy

quejarse (de) to complain

querer (ie) to want; **querer decir** to mean

queso cheese

quien who, whom, he who, those who, the ones who; **¿con quién? ¿con quiénes?** with whom? **¿de quién?** whose, of whom, about whom?; **¿quién?** who?

quienquiera whoever

química chemistry

quince fifteen

quisco newsstand

quitar(se) to take away, remove; *refl* to take off

quizás perhaps, maybe

R

raqueta racket

raro(a) odd

rasgo characteristic

rato time, while, little while

raza race

razgo characteristic, feature

razón *f* reason; **tener razón** to be right

reaccionar to react

realidad reality

realizar to fulfill, carry out

rebelde *m or f* rebel; *adj* rebellious

recibir to receive

reciente recent; **recien casados** newlyweds

reclamar to claim

recoger to pick up

reconocer to recognize

reconocimiento reconnaissance

recordar (ue) to remember, remind

recto(a) straight

red *f* net

reducir to reduce

reemplazar to replace

reflejar to reflect

reflexivo(a) reflexive

reforma reform

refrán *m* saying, proverb

refresco refreshment, cold drink

regalo gift

región region

reglamento rule

regresar to return

reír to laugh

relación relation, relationship

relativamente relatively

relativo(a) *adj* relative

religión religion

religioso(a) religious

reloj *m* watch, clock

remedio solution

rendimiento performance

renovar (ue) to renew, renovate
reñido(a) on bad terms
reparación repair
repasar to retrace, review
repaso review
repetir (i) to repeat, do again
representante *m* or *f* representative
requerir (ie) to require
rescate *m* ransom
resistir to resist
resolver (ue) to resolve, solve
respeto respect; **respeto a** with respect to
responder to respond, answer
responsabilidad responsibility
respuesta answer
restaurante *m* restaurant
resuelto *part* resolved, solved
resumen *m* summary
resumir to summarize, sum up
resurgir to reemerge
retazo remnant; **retazo de tela** fabric scrap
retirar(se) to retire, withdraw
reunión reunion
revisar to revise, review, check
revista magazine
revolución revolution
revolucionario(a) revolutionary
rey *m* king; **día de los Reyes Magos** Epiphany
rezar to pray
rico(a) rich; **riquísimo(a)** delicious
ridículo(a) ridiculous
rincón *m* corner (of a room)
río river
rioplatense *m* or *f* of River Plate
riqueza riches, richness
risa laugh, laughter
ritmo rhythm
robar to rob, steal
roble *m* oak
robo robbery
roca rock
rodear to surround
rogar (ue) to beg
rojo(a) red
romántico(a) romantic

romper to break; *past part* **roto**
ronco(a) hoarse
ropa clothing
rosa rose
ruinas ruins

S

sábado Saturday
saber to know, know how to; *pret* to find out
sabio(a) wise; *n* wise person
sabor *m* flavor
sabroso(a) tasty, delicious
sabrosísimo(a) really delicious
sacerdote *m* priest
sal *f* salt
sala living room, hall; **sala de conferencias** lecture hall
salir (de) to leave; **salir mal** to fail; **todo saldrá bien** everything will be all right
saltar to jump
salud *f* health
saludar to greet
sandalia sandal
san(to)(ta) saint; **día de San Valentín** Valentine's Day
sanatorio nursing home
seco(a) dry
secta sect
secuestrar to kidnap
secuestro kidnapping
seguida series, succession; **en seguida** at once, immediately
seguir (i) to follow, continue, keep on
según according to
segundo(a) second
seguro(a) sure, certain; **seguro de viaje** travel insurance
seis six
semana week
Semana Santa Holy Week
semejanza similarity
semestre *m* semester
sencillo(a) simple
sensual sensual

sentar (ie) to seat someone; *refl* to sit down; **sentado(a)** seated

sentimiento sentiment, feeling, sense

sentir(se) (ie) to feel; to be sorry

señal *f* sign

señor Mr., sir, gentleman

señora Mrs., madam, lady

señorita Miss, young lady

sentido sense

sepulcro tomb

septiembre *m* September

ser to be; to take place; *n m* being; **ser humano** human being

serie *f* series

serio(a) serious; **tomar en serio** to take seriously

servicio service

servir (i) to serve; **servir de** to serve as

sexo sex

sexton(a) sixth

sicólogo(a) psychologist

siempre always

siesta nap, midday rest

siete seven

siglo century

significado meaning

significar to mean

siguiente following, next

silla chair

simpático(a) congenial, likeable

sin without

sinagoga synagogue

sino but

sistema *m* system

sitio site, place

sobre on, over, about

sobremesa after-dinner

sobrevivir to survive

sobrina niece

sociedad society

sofisticado(a) sophisticated

sol *m* sun

solidaridad solidarity

solito(a) *dimin. of* solo(a); all alone

solo(a) alone, only; *adv* only

soltero(a) single, unmarried

sombra shadow

soñar (ue) (con) to dream (about); **que sueñes con los angelitos** sweet dreams

sopa soup

soplar to blow

sorprendente surprising

sorprender to surprise

sostenible sustainable

subdesarrollo underdevelopment

subir a to climb

subordinar to subordinate

sucio(a) dirty

Sudamérica South America

sudor *m* sweat

sueño dream

suerte *f* luck, fortune

sufrir to suffer, undergo

sugerir (ie) to suggest

suicidarse to commit suicide

sumar to add (up)

supermercado supermarket

supersticioso(a) superstitious

superstición superstition

superviva very lively

suprimir to suppress

sur *m* south

surrealista surrealistic

suspender to suspend

su/suyo his, her, your *(formal) possessive pronoun*

T

tacañería stinginess

tacaño(a) stingy

tal such, so, as; **tal vez** perhaps, maybe

taller *m* shop, workshop

también also

tampoco neither, not either

tan so, as

tanto(a) so much, as much; *pl* so many

tapiz tapestry

taquito snack

tarde *f* afternoon; *adv* late; **más tarde** later

tarea assignment, homework

tarjeta card

teatro theater

techo roof
técnico(a) technical
tecnológico(a) technological
telefonía telephone service
teléfono telephone; **por teléfono** on the telephone
telenovela television serial (soap opera)
televisión television
televisor *m* television set
tema *m* theme, subject
temer to fear, be afraid
templo temple
temporada season
temprano early
tender (ie) to tend to, have a tendency toward
tener (ie) to have, possess, hold; **tener frío (calor)** I am cold (hot); **tener que** to have to
teniente *m* lieutenant
tenis tennis
teñir (i) to dye
terminar to finish
terrateniente landholder
terremoto earthquake
territorio territory
terrorismo terrorism
tésis *f* thesis
testigo(a) witness
tiburón *m* shark
tiempo time; weather; (verb) tense; **a tiempo** on time, in time
tienda store
tierra earth, land
tilma blanket, cloak
tío uncle
típico(a) typical
titular heading
tocar to play (instrument)
todo(a) all, everything; *pl* everyone, all of; **de todos modos** anyway, at any rate; **todas las noches** every night
tomar to take
tormenta storm
torre *f* tower
trabajador(a) *adj* hard-working; *n* worker
trabajar to work
trabajo work

traducir to translate
traductor(a) translator
traer to bring
tragedia tragedy
traje *m* suit
tramitar to deal with
transitorio(a) transitory, temporary
transmitir to transmit, relay
transporte(s) *m* transport, transportation
tras after
trascendental transcendental, far-reaching
tratamiento treatment
tratar (de) to try
travieso(a) mischievous
trébol clover
trece thirteen
tremendo(a) tremendous, huge
tren *m* train
tres three
triste sad
triunfar to triumph, win
trompeta trumpet
turismo tourism
turista *m* or *f* tourist

U

ubicado(a) located
último(a) last, ultimate
un(o)(a) a, one
único(a) only
unido(a) united; **Estados Unidos** United States
unir(se) to unite
universidad university
universitario(a) of or relating to the university
urbano(a) urban, pertaining to cities
urgente urgent
usar to use
uso use; **hacer uso de** to make use of
útil useful
uva grape

V

vacaciones vacation; **estar de vacaciones** to be on vacation; **ir de vacaciones** to go on vacation
vacilar to hesitate

valer to be worth; **para lo que le ha valido** a lot of good it did him; **valer la pena** to be worthwhile

valiente valiant, brave

valor *m* value

vapor *m* steam

varios(as) various, several, some, a few; **libros varios** miscellaneous books

vecino(a) neighbor

vegetal *n m* or *adj* vegetable

veinte twenty

veintiuno(a) twenty-one

veintidós twenty-two

vela candle

velación, vigil, watch, wake

velar to hold a wake over

velorio wake

vencer to win

vendedor(a) vendor

vender to sell

venerar(se) to venerate, be venerated

venir (ie) to come

ventaja advantage

ventana window

ver to see

verano summer

veras: ¿De veras? Really?

verbal *adj* verb

verbo verb

verdad *adj* true; *n* truth; **de verdad** true, real

verdadero(a) true, real

verde green

vertiente slope

vestido dress

vestir(se) (i) to dress

vez *f* time; **a veces** at times; **de vez en cuando** from time to time; **en vez de** instead of; **repetidas veces** many times; **tal vez** perhaps, maybe; *pl* **veces** times

viajar to travel

viaje *m* trip; **agencia de viajes** travel agency

vida life; **en mi vida** (never) in my life

viejo(a) old; **mi viejo amigo** my old friend (of long standing); **Viejo Pascuero** Santa Claus (in Chile)

viento wind

viernes *m* Friday

villancico carol

vincular to bind, tie

vínculo tie

vino wine

violín *m* violin

virgen *f* virgin

visita: de visita for a visit

visitar to visit

visto(a) seen

viudo(a) widower, widow

vivienda housing

vivir to live

vocabulario vocabulary

voluntad *f* will

volver(se) (ue) to return; *refl* to turn around; *past part* **vuelto**

votar to vote

Y

ya already

yacimiento site (*e.g., of petroleum*)

Z

zapato shoe

zona zone

Grammatical Index

D

de: uses of, 171–172; verbs followed by, 240

deber, uses of, 284

definite article, 5; review of uses of, 277–279

demonstrative: adjectives, 196; neuter pronouns, 197; pronouns, 196

desde, uses of, 101

diminutives, 242–243; formation, 242

direct object pronouns: forms and usage, 42; position of, 42–43, 86; use together with indirect object pronoun, 66

double object pronouns, 66–67

E

e as substitute for **y,** 264

el cual, el que, 125

en: uses of, 172; verbs followed by, 240

estar: compared with **ser,** 72; substitutes for, 86; uses of, 70, 72

exclamations, 222–223

expressions with **tener, hacer,** etc. (*see* **tener, hacer,** etc.)

F

familiar affirmative commands, 120

familiar negative commands, 121

formal commands, 120

future: to express probability, 63; irregular verbs, 61; regular verbs, 60

future perfect, 91–92

G

gender of nouns, 5–6

gustar, 68; verbs like, 69

H

haber: conditional perfect formed with, 92; future perfect formed with, 91; past participle formed with, 88; pluperfect formed with, 90; present perfect formed with, 89; uses of, 283; weather expressions using, 100

hacer: with expressions of time, 101; **hace (hacía)** with weather expressions, 99

hay (había) with weather expressions, 100

I

idiomatic expressions with **tener, hacer,** etc. (*see* **tener, hacer,** etc.)

if clauses, 237

P

Q

verbs followed by preposition, 239–240
verbs of motion as **estar** substitutes, 86
verbs with special meanings in preterite, 41

W

weather expressions: with **hace (hacía)**, 99; with **hay (había)**, 100